b^{sr}

Von Auguste Comte, dem „Gründervater" der Soziologie, bis zu Frankreichs Soziologiestar Pierre Bourdieu stellen die „Klassiker der Soziologie" in zwei Bänden Leben, Werk und Wirkung der großen Soziologen dar. Ausgewiesene Sachkenner eröffnen mit diesen Portraits einen vorzüglichen Einblick in die Geschichte und die wichtigsten theoretischen Konzepte der Soziologie.

Dirk Kaesler lehrt als Professor für Allgemeine Soziologie in Marburg. Er hat zahlreiche Veröffentlichungen vorgelegt, darunter „Max Weber" (1995) und „Soziologie als Berufung" (1997).

Klassiker der Soziologie

Band I
Von Auguste Comte bis Norbert Elias

Herausgegeben von
Dirk Kaesler

Verlag C.H. Beck

1. Auflage. 1999
2., durchgesehene Auflage. 2000
3. Auflage. 2002

4. Auflage. 2003
Originalausgabe

© Verlag C.H. Beck oHG, München 2000
Gesamtherstellung: Druckerei C.H. Beck, Nördlingen
Umschlagabbildung: *v. l. n. r.* Auguste Comte, Max Weber, Norbert Elias
(alle Archiv für Kunst und Geschichte, Berlin)
Umschlagentwurf: Groothuis + Malsy, Bremen
Printed in Germany
ISBN 3 406 42088 5

www.beck.de

Inhalt

Vorwort

Zum zweiten Mal schicke ich ein Unternehmen auf den Weg, das sich der Auseinandersetzung mit den klassischen Beiträgen der Soziologie widmet.

In Abänderung jenes Konzepts, wie es für die beiden Bände *Klassiker des soziologischen Denkens* charakteristisch ist, die in den Jahren 1976/78 ebenfalls beim Verlag C.H. Beck herausgegeben wurden und die seit Jahren vergriffen sind, wird hier eine Fassung veröffentlicht, die sich in mancherlei Weise von der früheren unterscheidet. Bei der Auswahl der soziologischen Klassiker wird zum einen unverändert von jenen Kriterien ausgegangen, die zur Begründung der damaligen Auswahl geführt hatten. Dazu kommt ergänzend eine modifizierte Definition von soziologischen Klassikern, die derzeit als solche betrachtet werden können.

Insgesamt bleibt es bei der früheren Festlegung: „Kriterium für einen ‚Klassiker‘ des soziologischen Diskurses ist seine Relevanz für die (Weiter-)Entwicklung soziologischer Theorie und/oder für die (Wieder-)Entdeckung eines wichtigen Problembereichs und/oder die Entdeckung einer neuen Methode zu dessen Erforschung. Und diese Relevanz muß glaubhaft gemacht werden für die damalige, für die heutige und für die (vorstellbare) zukünftige wissenschaftliche Soziologie.“

Die Bitte an die Autoren der anschließenden Beiträge war es gewesen, im Stil einer „dichten Beschreibung“ (Clifford Geertz) in das jeweilige Leben und Werk des soziologischen Klassikers einzuführen, dessen zentrale Argumentationslinien, seine Intentionen und seine Wirkungsgeschichte transparent zu machen. Es sollte vor allem deutlich werden, welcher Entstehungskontext für das Gesamtwerk relevant war und für welchen Typus von Soziologie es repräsentativ wurde.

Die einzelnen Beiträge sollten einer generellen Hauptgliederung folgen:

– *Leben und zeitgenössischer sozialer und politischer Kontext*: Hier sollten biographische Mitteilungen über besondere und typische

Umstände im Zusammenhang mit der familialen und sozialen Herkunft des jeweiligen Klassikers hervorgehoben werden, die für das kontextuale Verständnis seines Werkes von Belang sind.

– *Werk und wissenschaftliche Rolle*: Bei der Darstellung der theoretischen Position des jeweiligen Klassikers interessierten auch Einflüsse von Vorläufern sowie Auseinandersetzungen mit zeitgenössischen Konkurrenten. Im Zusammenhang mit der wissenschaftlichen Rolle sollten die Positionierung im wissenschaftlichen Feld, die Zugehörigkeit zu einer bestimmten „Schule", die Rolle im nationalen und internationalen Wissenschaftsdiskurs wichtige Gesichtspunkte sein.

– *Wirkung auf zeitgenössisches soziologisches Denken und auf die gegenwärtige internationale Soziologie*: In allen Beiträgen sollte es darauf ankommen, das spezifisch Soziologische im Werk des jeweiligen Klassikers herauszuarbeiten. Ferner sollte explizit die Frage reflektiert werden, mit welcher Berechtigung das Prädikat „klassisch" im oben erläuterten Sinn dem jeweiligen Soziologen zukommt. Das gesamte Projekt sollte schließlich auch wie eine Geschichte des soziologischen Denkens gelesen werden können, d.h. es sollten Verbindungslinien in beiden Zeitrichtungen angezeigt werden, auch wenn es die Leserschaft selbst sein muß, die Querverbindungen herstellt. Gerade für eine Geschichte des soziologischen Denkens sollte eine mehr wissenschaftshistorische und wissenschaftssoziologische Reflexion über Kontextualität versus Originalität der ausgewählten Soziologen im Vordergrund stehen, woran sich die Frage nach deren aktueller Relevanz anschließen sollte.

An jeden Beitrag sollte sich ein betont kurzes *Literaturverzeichnis* anschließen, das dem gegenwärtigen Stand der Forschung entspricht, sich jedoch auf Hinweise zum weiteren Studium beschränkt. Die Gliederung des Literaturverzeichnisses sollte wie folgt vorgenommen werden:

1. Werkausgaben
2. Bibliographien
3. Biographien
4. Monographien

Die Einleitung gibt Auskunft über die Einbettung dieses Unternehmens in meine Einschätzung des Zustands der wissenschaftlichen Soziologie und ihrer Perspektiven für das 21. Jahrhundert.

Ein Vorwort dient auch dazu, sich bei jenen zu bedanken, die mitgeholfen haben: Gedankt sei Michael Kirschner für seine unersetzliche Hilfe bei der technischen Produktion des Manuskripts und gedankt sei denen, die mir durch ihre kritische Lektüre fremder und meiner eigenen Beiträge die Editionsarbeit zur echten intellektuellen Herausforderung werden ließen: allen voran Thomas Steiner für seine bewährte Hilfe, sowie Wiebke Ernst, Wiebke Pekrull, Dorothee Kaesler, Thomas Kempe, Michael Kirschner, Matthias König und Julia Kropf.

Marburg, im Oktober 1998   *Dirk Kaesler*

Dirk Kaesler

Was sind und zu welchem Ende studiert man die Klassiker der Soziologie?

Für Lew Coser, den väterlichen Freund, der mich auf dem zwanzigjährigen Weg von der Brasserie Lipp zum Great Pond in der Liebe für das Haus der Soziologie bestärkte.

1. Über das Haus der Soziologie

Mögen auch einige seiner geistigen Fundamente sehr viel früher gelegt worden sein, das Haus mit der Inschrift *Soziologie* wurde erstmals vor etwas mehr als hundert Jahren bezogen. Auguste Comte, sein erster Architekt, der auch den Hausnamen *sociologie* erdachte, wurde zwar noch 1798 geboren, seine grundlegenden Konstruktionsideen gewannen jedoch erst allmählich im Laufe des 19. Jahrhunderts die Gestalt sozialer Wirklichkeit. Das konzertierte, kultur- und periodenübergreifende wissenschaftliche *Projekt Soziologie*, von Gelehrten im Okzident des 19. Jahrhunderts begonnen, wurde ein Gebilde des 20. Jahrhunderts. Seine Schöpfer waren Europäer weißer Hautfarbe, aufgewachsen im judäo-christlich geprägten Abendland der frühen Moderne.

Am Ende des 20. Jahrhunderts verzeichnen wir eine Mehrzahl vorläufiger Bilanzen des Werdegangs und der bisherigen Erträge dieses Unternehmens. Auch die hier vorgelegte Sammlung dient diesem Versuch. Nicht der Rückblick ist Ziel dieser erneut unternommenen Klassikermusterung. Die Perspektive der zu erstellenden Bilanz ist entschieden nach vorne gerichtet.

Die internationale Soziologie tritt gegenwärtig in einer derartigen Spannbreite auf, daß es ständig aufs neue gilt, ihre Fragestellungen, Arbeitsfelder und Methodologien selbstkritisch zu verorten.

Formulierten schon die soziologischen Entwürfe des frühen 20. Jahrhunderts keine konsensfähige disziplinäre wissenschaftliche Identität, so wird das gegenwärtige Erscheinungsbild der internationalen Soziologie immer diffuser. Diese fehlende Einheit führt zunehmend dazu, daß sich Soziologen und Soziologinnen der verschiedenen Lager kaum noch über Erkenntnisfortschritte verständigen können, da ihnen eine gemeinsame Sprache zu fehlen scheint, – vielleicht sogar das gemeinsame Objekt. Noch unübersichtlicher wird die Situation, berücksichtigt man die vielfältigen Unter-, Neben- und Teilgebiete der Soziologie und die zahlreichen interdisziplinären Kontexte, in denen soziologisches Forschen heute geschieht.

Wer in letzter Zeit an Soziologietreffen teilnimmt und die Publikationen durchsieht, die dort verhandelt werden, erkennt, daß die wissenschaftlichen Spezialitäten nicht nur aus unterschiedlichen Richtungen auf sehr unterschiedliche Ausschnitte sozialer und historischer Wirklichkeit blicken, sondern daß es dafür immer weniger relevante gemeinsame Nenner gibt. Der soziologische Forscher, der mit Massendaten aus der Meinungsforschung arbeitet, und die Soziologin, die sich mit der Ideengeschichte unseres Faches aus soziologischer Perspektive befaßt, werden sich nur mit Mühe darüber verständigen können, ob und wie ihre Forschungen letztlich unter einem gemeinsamen disziplinären Dach zu beherbergen wären.

Um es auf einen (vermeintlich) einfachen Nenner zu bringen: In der wissenschaftlichen Soziologie fehlt die Verbindlichkeit eines *Kanons*.

2. Über einen Kanon für das Haus der Soziologie

Diskussionen darüber, ob es einen verbindlichen Kanon für das Fach gibt, bewegen nicht nur die wissenschaftliche Soziologie. Der Streit darüber, ob es so etwas wie eine verbindliche Liste von Autoren und Texten geben soll, über deren Kenntnis definiert werden kann, ob jemand zu einem Gebiet zugelassen wird oder nicht, ist so alt, wie die Versuche, einen solchen Kanon zu kodifizieren. Um den befürchteten Verlust der kulturellen Überlieferung aufzuhalten, werden von einigen obligatorische Lehrpläne und die Kanonisierung von Pflichtlektüre diskutiert. Traditionsignoranten und Traditionsfeinde malen das Gespenst eines exklusiven, bildungsbürgerlichen und repressiven Herrschaftsinstruments an die Schultafeln; einfallslose Traditionsbewahrer sehen in jeder Revision und Erweiterung petrifizierter Kodizes den angeblichen Untergang des kulturellen Erbes. Weniger noch als in anderen Geistes- und Kulturwissenschaften gab es in der Soziologie jemals eine sakrosankte Sammlung, die vergleichbar den Theologien aller Weltreligionen die maßgeblichen Texte für den Glauben definierte. Schon weil es an kanonisierenden Instanzen fehlt, die kanonische Schriften von Apokryphen unterscheiden könnten, lassen sich allenfalls für national verfaßte Soziologien relativ stabile Literaturlisten rekonstruieren.

Weiter unten wird auf jene Kriterien eingegangen, die für die hier vorgelegte Sammlung klassischer Beiträge der Soziologie ausschlaggebend sind. Dennoch sei mit Nachdruck schon hier betont, daß ich mir nicht die Lizenz zur Kanonisation soziologischer Klassiker anmaße. Ziel der hier präsentierten Auswahl ist ein viel bescheideneres. Die hier versammelten Autoren sollen vor allem dazu einladen, sich die klassischen Werke der Soziologie durch eigene Lektüre anzueignen. Das wissenschaftliche Lesen muß man lernen und selbst leisten, daran ändern auch die modernsten elektronischen Medien nichts. Aber weil die Zeit für diese Lesearbeit immer knapper zu werden scheint, muß die Auswahl immer kritischer getroffen werden. Allein die Frage, welche soziologischen Werke auch heute noch Maßstäbe für eigenes Denken und künftiges Arbeiten bereitstellen, ist maßgeblich. Zentrale Funktion soziologischer Klassiker ist es, Richtschnur und Richtlatte für den Weiterbau des gegenwärtigen und zukünftigen Hauses der Soziologie bereitzustellen.

Mit Blick auf diejenigen, die das intellektuelle Abenteuer der Soziologie erst kennenlernen, sei angemerkt, daß eine Klassikerauswahl wie die hier vorgelegte das Gegenteil von repressiver Exklusivität darstellt. Allein durch die disziplinäre Absprache darüber, was wichtig und gut ist, was man lesen, wovon man sprechen sollte, kann innerwissenschaftliche Öffentlichkeit hergestellt werden. Klassikersammlungen sind ein wirkungsvolles Instrument gegen die Etablierung von Geheimwissen, das aus Quellen schöpft, die anderen verborgen bleiben. Die Diskussion über einen Kanon soziologischer Autoren stellt innerwissenschaftliche Offenheit her, weil nur in ihr über permanent notwendige Revisionen, Erweiterungen und Streichungen verhandelt werden kann.

Auf diese Weise soll mit dieser Sammlung auch der nicht völlig abwegige Gedanke zum Thema gemacht werden, daß die Soziologie mit der Zeit ihre Identität als Disziplin verlieren und sich in der Mannigfaltigkeit ihrer „Ansätze" auflösen könnte. Die Diskussionen über die „Einheit der Soziologie", ob nun als vermeintliche, anzustrebende oder zu überwindende, werden immer erneut geführt werden müssen, gerade angesichts der schillernden Vielfalt der Disziplin und der feststellbaren Tendenz zur Verfestigung lokaler und nationaler Soziologie-Verständnisse.

Es sollte als selbstverständlich gelten, die Vielgestaltigkeit der Soziologie ohne Einschränkungen als positiv zu bewerten. Gerade aus wissenschaftssoziologischer Perspektive muß sie als Zeichen disziplinärer Lebendigkeit und Zukunftsfähigkeit gelesen werden. Analytisch muß jedoch diese als positiv zu beurteilende Vielfältigkeit des Disziplinverständnisses getrennt werden von dessen Gefährdung durch weitgehende Beliebigkeit.

Genau da können die Beiträge der soziologischen Klassiker von unverzichtbarer Bedeutung sein: Sie stellen „mustergültige", vorbildliche Schriften bereit, sie repräsentieren das kulturelle Gedächtnis des Faches und liefern zugleich in ihrer historischen Abfolge die Lebensgeschichte dieser Disziplin. Auch die Soziologie kann nicht ohne ihr Gedächtnis und ihre Geschichte fruchtbringend weiterleben. Nicht nur ihre gegenwärtigen Aktivitäten, sondern auch die Erinnerung an zurückliegende Etappen der Entwicklung sind es, die den Kern einer Identität prägen, auch die einer wissenschaftlichen Disziplin.

Die Suche nach dem gedanklichen Kern einer wissenschaftlichen Disziplin ist kein Spezifikum der Soziologie. Die Moderne des ausgehenden 20. Jahrhunderts läuft generell Gefahr, immer mehr eine Kunst der Erinnerung zu werden. Sie scheint sich ihrer Lebendigkeit zunehmend mehr durch die Vergegenwärtigung ihrer Ahnen und derer Taten zu vergegenwärtigen als durch ihre aktuellen Erfolge. Nicht nur die Künste, auch die Wissenschaften stehen in der Gefahr eines Lebens im Rückblick, des Wiederholens und des Gesundbetens, der Selbstbespiegelung, Selbststilisierung und Selbstbemitleidung. Dabei kann die Erinnerung auch zum Zwang werden, zum goldenen Käfig oder zum Betäubungsmittel, indem die einst ausgerufene permanente Revolution und Innovation wissenschaftlicher Erkenntnis deren vielbeschworene Freiheit erstarrt und erstickt. Die letzten Jahre des Jahrhunderts stehen in Gefahr, zu einer Ära der Beschwörungen und Bilanzen zu werden.

Dieser Gefahr möchte das hier vorgelegte Unternehmen entgehen. Es ist geleitet von der Überzeugung, daß Soziologie jene *Wissen-*

schaft ist, *die empirisch überprüfbare Aussagen über soziale Wirklichkeit und theoretische Erklärungen tatsächlicher gesellschaftlicher Verhältnisse miteinander verbindet.* An dieser Überzeugung orientiert, unternimmt die hier präsentierte Sammlung den Versuch, sich von einer allein antiquarischen Vergangenheitspflege energisch abzugrenzen durch eine nüchterne Bilanzierung aktueller Nützlichkeit klassischer Beiträge der Soziologie für die gegenwärtige und zukünftige soziologische Forschungsarbeit. Diese „Nützlichkeit" bezieht sich gleichermaßen auf den beschreibenden, verstehenden, erklärenden und prognostischen Wert soziologischer Begrifflichkeit, ihrer theoretischen Perspektiven und ihrer empirischen Funde.

Wenig vom eigenartigen Charakter der wissenschaftlichen Soziologie hat verstanden, wer sie als eine sich kumulativ entwickelnde Wissenschaft bestimmen möchte. Wer seine Kritik daran ausrichtet, daß die Soziologie von solcher Zielvorstellung abweicht, verkennt, daß diese nicht nur eine empirisch basierte Wissenschaft ist, sondern daß sie zugleich auf einem zeitgebundenen, ideologischen und metaphorischen Rahmenwerk aufsitzt. Daraus ergibt sich eine prinzipielle, nicht aufzuhebende Spannung zwischen den vielfältigen „Theorien" der Soziologie und der sogenannten „Praxis" ihrer Umgebung.

Auch darum kann es für die Soziologie keinen ewigen Kanon autoritativ anerkannter Schriften geben, analog zu unabänderlichen Listen der von einer Religionsgemeinschaft anerkannten Schriften, die durch kirchenrechtliche Bestimmungen und Institutionen lizensiert werden. Noch viel weniger kann es für die Soziologie ein kirchenamtliches Verzeichnis ihrer Heiligen geben. Die soziologischen Klassiker werden immer wieder von neuem bestimmt werden müssen, so lange es die Soziologie geben wird.

3. Über das Herdfeuer im Haus der Soziologie

Ursprünglich gebaut aus gedanklichen Bauteilen anderer Disziplinen, vor allem aus der Philosophie und den Staatswissenschaften, errichteten die ersten Architekten und Bewohner des Hauses der Soziologie aus Frankreich, den USA und Deutschland im späten 19. Jahrhundert ein anfänglich recht einfaches Haus. Während der vergangenen hundert Jahre wurde daraus ein verzweigter

Komplex zahlreicher Gebäude mit vielen Stockwerken und einer Unmenge von Räumen, in denen heute eine erhebliche Anzahl von Menschen aus allen Teilen dieser Welt lebt und arbeitet. Angelagert an jenen Gebäudekomplex, an dessen Eingängen (noch) die Schilder *Soziologie* hängen, gruppiert sich heute eine komplexe Nachbarschaft zahlreicher Nebengebäude, zu denen Verbindungswege und diverse unterirdische Tunnelgänge höchst unterschiedlicher Qualität führen.

Wenn ich dieses Bild hier benutze, dann möchte ich damit den Blick auf die Mitte des Haupthauses lenken. Dort stelle ich mir eine jener großen Küchen vor, wie man sie heute wirklich nur mehr in hundertjährigen Herrschaftshäusern findet. In solchen Küchen stehen riesige Herde, die mit Holz und ein wenig Kohle befeuert werden. Diese Herde sind das eigentliche Energiezentrum solcher Häuser und ihrer Bewohner. Auf ihnen wird das Essen gekocht, an ihnen wärmen sich die Bewohner, um sie versammeln sich die Menschen aus dem Haus mit ihren Besuchern, aus ihnen strömt die Energie in das weitläufige Labyrinth des ganzen Hauses und seiner Nebengebäude.

Diese Allegorie soll dazu dienen, meine Antwort auf die Bedeutung und die Funktion der Klassiker für die heutige und zukünftige Soziologie zu formulieren. Die Klassiker der Soziologie sollten nicht als Ölgemälde in der Ahnengalerie der langen Flure des Hauses der Soziologie hängen, zur dekorativen Beschwörung der geistigen Vorfahren. Ebensowenig sollten ihre Bücher auf den Regalen der von Glasscheiben geschützten Vitrinen der Hausbibliothek stehen. Die Werke der soziologischen Klassiker, oder genauer: deren immer wieder zu bearbeitende Konzepte, Begriffe, Hypothesen und Forschungsergebnisse sind dazu da, die Energie für das Herdfeuer der soziologischen Forschung in Gegenwart und Zukunft zu liefern. Sich um dieses Feuer zu kümmern, geschieht daher nicht um seiner selbst willen, sondern einzig wegen seiner unersetzbaren Bedeutung für die heutige und zukünftige Forschungsarbeit. Das physikalische Wunder dieses soziologischen Herdfeuers, das durch die Werke seiner Klassiker genährt wird, ist dabei, daß sich seine Energie im Laufe der Zeit nicht erschöpft, sondern ständig selbst reproduziert. Die soziologischen Klassiker liefern eine besondere Art kultureller Energie: sie brennen, ohne zu verbrennen. Sie stellen uns jene Werke bereit, die offenbar nie ihre Ruhe finden werden.

4. Über die Ordnung im Haus der Soziologie

Während der letzten Jahrzehnte wurde besonders in der Arena der 1949 gegründeten *International Sociological Association* leidenschaftlich diskutiert, ob es möglich, ja erlaubt sei, weiterhin ein universales Haus der Soziologie überhaupt zu denken. Das aktuelle Gegenargument ist, ob es nicht sehr viel adäquater und besser sei, allenfalls von einem Konglomerat soziologischer Häuser zu sprechen, in denen radikal unterschiedliche Diskursgemeinschaften wohnen.

Auf der einen Seite wird die Abwendung von allein partikularen Traditionen gefordert und dementsprechend die Unverzichtbarkeit universaler, kosmopolitischer Synthesen betont. Die andere Seite pocht auf Eigenwert und spezifische Leistungen divergenter Traditionen, deren Erträge durch die Dominanz westlicher, judäo-christlich geprägter, männlich definierter und beherrschter und aus der Gedankenwelt des 19. Jahrhunderts stammender Regelwerke zerstört würden.

Nur konsequent ist in dieser Argumentation der Gedanke, nicht allein bei der Forderung nach Respektierung unterschiedlicher *nationaler Traditionen* stehen zu bleiben. Sie führt gleichermaßen zur Forderung nach Bewahrung bzw. Schaffung *regionaler Traditionen*, die sich dann in Programmen zur Etablierung nordamerikanischer, südamerikanischer, nahöstlicher, fernöstlicher und unterschiedlicher europäischer Soziologieverständnisse niederschlägt. Oft werden solche Vorstellungen durch die Betonung unterschiedlicher *sprachlicher Traditionen* verstärkt, die sich um nationenübergreifende Zusammenschlüsse organisieren, wie etwa anglo-amerikanische, frankophone, spanische, aber auch deutsche Diskurszusammenhänge.

Seit Jahren lassen sich Tendenzen beobachten, die man als Versuche der (Wieder-)Hinwendung zum *Konzept indigener Soziologien* interpretieren muß. So wird es beispielsweise von einigen Protagonisten als sinnvoll angesehen, Sammelbände, Zeitschriften und Streitschriften einer *European Sociology* zu verbreiten, die sich vor allem von US-amerikanischen Prägungen der Soziologie emanzipieren will. Als ebenso nützlich erscheint es anderen, vergleichbare Projekte in den USA zu unternehmen, bei denen in spiegelbildlicher Manier das Bewußtsein einer *American Sociology* erzeugt werden soll, die sich von ihren europäischen Wurzeln befreit.

Ich selbst betrachte derartige Unternehmen als problematische Schritte des – möglicherweise endgültigen – Auszuges aus dem Haus einer universalen Soziologie, für dessen Verteidigung es für mich gute wissenschaftliche Gründe gibt. Selbstverständlich darf dieses Haus keine nach außen abgeschlossene Festung werden, sondern muß immer offen und gastfreundlich sein; aber es wird sich seines gedanklichen Kerns bewußt bleiben müssen, sonst verfällt es zur verlassenen Ruine.

In seinem „klassisch" zu nennenden Aufsatz über *The Normative Structure of Science* von 1942 hat Robert K. Merton, der schon deswegen in diese Sammlung soziologischer Klassiker gehört, vier *institutionelle Imperative* formuliert, die einen solchen gedanklichen Kern, und zugleich das „Ethos" der modernen Wissenschaftsauffassung für demokratische Gesellschaften, formulieren sollten. Da ich diese als konstitutive Grundlage einer praktikablen Hausordnung für die wissenschaftliche Soziologie betrachte, zu deren Verteidigung diese Klassiker-Sammlung ihren Beitrag leisten will, werden sie hier in Erinnerung gerufen.

Die Norm des *Universalismus* fordert, daß Aussagen nur dann als „wissenschaftlich" bezeichnet werden dürfen, wenn sie auf intersubjektiv nachvollziehbaren Beobachtungen beruhen und auf das als „bestätigt" definierte Wissen bezogen sind. Damit soll vor allem die Kontrolle wissenschaftlicher Aussagen durch ihre Überprüfbarkeit verankert werden. Dies geschieht auch dadurch, daß Wissenschaft nur als internationales Unternehmen möglich ist, daß die wissenschaftliche Karriere prinzipiell für jeden Menschen zugänglich sein muß, der sich dafür qualifiziert hat, und daß sich die einzelne Wissenschaftlerin und der einzelne Wissenschaftler in einer analytischen Distanz zur eigenen politischen, wirtschaftlichen, religiösen, ideologischen Positionierung halten muß, wenn die Aussagen als „wissenschaftlich" anerkannt werden sollen.

Die zweite Norm, die des *Kommunalismus*, fordert, daß Ergebnisse und Aussagen, wenn sie als „wissenschaftlich" bezeichnet werden sollen, Produkt und Eigentum der internationalen Wissenschaftsgemeinschaft sein müssen, von der Merton konsequenterweise als dem *Commonwealth of Science* spricht. Der einzelne Wissenschaftler wird durch die soziale Organisation und Durchsetzung dieser Norm keineswegs „enteignet", erst sie sichert ihm die für die weitere Arbeit notwendige und kompetente Kritik und Reaktion. Die Geheimhaltung von Wissen ist möglich und wird ständig praktiziert, aber, indem sie gegen die Norm des *Kommunalismus* verstößt, verbannt sie dieses Wissen aus dem Bereich der Wissenschaftlichkeit.

Die dritte Norm, die der *Desinteressiertheit*, fordert in ihrer reinsten Formulierung vom Wissenschaftler, daß er bei seiner wissenschaftlichen Forschung kein anderes Interesse verfolgen darf als die Suche nach Wahrheit.

Die vierte Norm, die des *Organisierten Skeptizismus*, stellt die soziologische Basis der Wissenschaft als eines arbeitsteiligen Unternehmens dar. Wissenschaft ist, von dieser Norm aus gesehen, arbeitsteilig organisierter, methodischer Skeptizismus, bei dem nur jene Beobachtungen und Theorien als „wissenschaftlich" anerkannt werden, die der freien und kompetenten Kritik zugänglich sind und dieser standgehalten haben.

Nach meiner Einschätzung haben diese vier Mertonschen Normen nichts von ihrer prinzipiell orientierenden Bedeutung verloren. Sie repräsentieren die soziologische Fassung des Wahrheitskriteriums, das als zentrale Grundidee einer universalen Hausordnung für die Soziologie gelten kann, soweit sie Wissenschaft sein und bleiben will. In der Konsequenz heißt das, daß die Bewohner dieses Hauses die primäre Verantwortung tragen, Wissenschaftler zu sein. Dieser Verantwortung werden sie nicht dadurch gerecht, daß sie über professionelle Qualifikationsnachweise oder professionelle Positionen verfügen, sondern dadurch, daß sie sich für ihre eigene wissenschaftliche Tätigkeit an diesen vier Normen wissenschaftlichen Handelns orientieren und darüber hinaus dazu beitragen, daß diese auch weiterhin als konstitutiv für die wissenschaftliche Gemeinschaft des soziologischen Hauses anerkannt bleiben.

Selbstverständlich muß sich verantwortliches wissenschaftliches Handeln an allen vier Normen gleichermaßen ausrichten. Dennoch meine ich, daß gerade der Mertonschen Norm der *Desinteressiertheit* gegenwärtig eine hervorgehobene und besonders komplizierte Bedeutung zukommt. In ihrer einfachsten Fassung bedeutet diese Norm die Kontrolle und Beschränkung der persönlichen und kommunalen Interessen, die sich auf Themenstellung und Ergebnisse wissenschaftlicher Forschung richten. In naiv puristischer Weise fordert diese Norm, daß sich der Wissenschaftler seiner Forschung allein deswegen zuwendet, weil er einen Beitrag zum Fortschritt der Wissenschaft erbringen will, d.h. bei der Suche nach Wahrheit einen Schritt weitergehen will. Damit wäre jeder Gedanke an eine eventuelle ökonomische, politische und militärische Verwendung der Forschungsergebnisse, aber auch schon jedes Streben nach persönlicher Reputation, d.h. die Hoffnung auf inner- und außerakademische Anerkennung, ein Verstoß gegen diese Prinzipien der Wissenschaftlichkeit.

Auf dem Hintergrund historischer Erfahrungen scheint mir die Forderung angemessen, daß die Mertonsche Norm der *Desinteressiertheit* durch die *Norm der Verantwortlichkeit* erweitert wird; und zwar gerade als *Kriterium der Wissenschaftlichkeit*, nicht als Forderung einer außerwissenschaftlichen Ethik oder Moral.

Konkret heißt das, daß in erster Hinsicht der einzelne Wissenschaftler, dessen wissenschaftliche Freiheit von staatlicher und ideologischer Bevormundung geschützt werden muß, seine Verantwortlichkeit für die Folgen seines Tuns als seine *wissenschaftliche Aufgabe* begreift und nicht auf den eventuellen Nutzanwender abzuschieben sucht. Diese Sorge um die Verantwortlichkeit für die Folgen seines eigenen Tuns kann dem wissenschaftlich tätigen Individuum nicht allein aufgebürdet werden. Gerade die Frage nach der Beherrschbarkeit – und nicht nur der Machbarkeit – wissenschaftlicher Erkenntnisprodukte scheint mir ein notwendiges – normatives und institutionelles – Desiderat der Wissenschaftsgemeinschaft zu sein.

Damit stoßen wir auf die unverzichtbare gesellschaftliche und internationale Verortung und Organisation der aufgestellten Forderungen nach der Verantwortung des Wissenschaftlers: Das wissenschaftlich tätige Individuum muß Schutz und Halt sowohl in seiner ihn unmittelbar umgebenden Wissenschaftsgemeinschaft finden können als auch in der *Internationale der Wissenschaft*, was in der Regel zuerst die internationale Gemeinschaft seiner eigenen Disziplin bedeutet. Aber auch diese Internationale der Wissenschaft muß ihrerseits durch Gesellschaft und Politik geschützt werden – nicht zuletzt vor den Erwartungen aus Gesellschaft und Politik selbst!

5. Über das „Reflexions-Dreieck" der Soziologie

Bereits bei der Einführung der Allegorie vom Haus der Soziologie war die Rede davon, daß die Soziologie nicht nur eine empirisch basierte Wissenschaft mit theoretischem Anspruch ist, sondern daß sie auf einem Fundament aus zeitbedingtem und ideologischem Mauerwerk sitzt, woraus sich eine prinzipielle Spannung zwischen soziologischen „Theorien" und gesellschaftlicher „Praxis" ergibt.

Die Verantwortung des Sozialwissenschaftlers, als konstitutiver Bestandteil der angeführten Grundsätze einer Hausordnung wissenschaftlicher Soziologie, besteht nach meiner Einschätzung – über die skizzierte, allgemeine Verantwortlichkeit des Wissenschaftlers hinaus – darin, dem besonderen Verhältnis von „Theorie" und „Praxis" in den Sozialwissenschaften Rechnung zu tragen. Mit dem folgenden Schema sei eine simple Skizze vorgestellt:

Das „Reflexions-Dreieck" der Soziologie

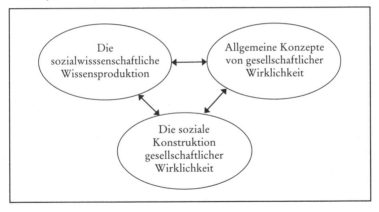

Im *Haus der Soziologie* produzieren dessen Bewohner das sozialwissenschaftliche Wissen, es ist zentrale Produktions- und Vertriebsstätte eben dieses Wissens, das permanent auf seine Brauchbarkeit überprüft wird. Damit ist gemeint das Korpus jenes begrifflichen, theoretischen und empirischen Wissens, das unser Fach im Laufe der letzten hundert Jahre erzeugt hat. Gerade die

Soziologie an den Universitäten hat dabei die hervorgehobene Aufgabe, als kritische Prüferin, Hüterin und Fackelträgerin eben dieses Schatzes soziologischen Wissens zu wirken. Sie dient nach meiner Auffassung in ganz besonderer Weise als Hüterin des Herdfeuers im Haus der Soziologie.

Davon getrennt, aber eng verbunden mit dem Haus soziologischer Wissensproduktion, ist jener Bereich, der mit *Allgemeine Konzepte von gesellschaftlicher Wirklichkeit* überschrieben sei. Abgekürzt meine ich damit alles, was die Menschen auf den Straßen um das Haus der Soziologie herum über „die Gesellschaft" denken, d.h. alle gängigen Vorstellungen von Menschen unter der Überschrift: In was für einer Gesellschaft leben wir? Wo steht unsere Gesellschaft heute im Vergleich zu früheren Zeiten? Wo steht unsere Gesellschaft im Vergleich zu anderen Gesellschaften um uns herum? Es gibt ein riesiges Konglomerat solcher Vorstellungen, Meinungen, Einschätzungen, Ideen, Konzepte und Begriffe über gesellschaftliche Wirklichkeit. Und dieses Sammelsurium ist analytisch zu trennen von der soziologischen Wissensproduktion. Die Menschen warten nicht auf die Soziologie, um darüber nachzudenken, was mit ihnen und ihren Gesellschaften los ist. Auch ohne wissenschaftliche Betreuung und Führung leben sie in ihren Gesellschaften, mit ihren Vorstellungen und Ideen über diese.

Und drittens gibt es jenen komplexen Zusammenhang, den wir *Gesellschaftliche Konstruktion von Wirklichkeit* nennen. Dahinter steckt die Idee, die heute zum klassischen Gemeingut soziologischen Wissens gehört, daß Menschen ihre gesellschaftliche Wirklichkeit nicht zuletzt mit Bezug auf ihre Vorstellungen davon selbst konstruieren. Wir wissen, daß es einen wirksamen Vermittlungszusammenhang gibt zwischen dem, was Menschen über Wirklichkeit denken, und dem, was sie tun. Unterschiedliche Ideen bewirken die Konstruktion unterschiedlicher sozialer Wirklichkeiten. Gemeint ist jenes Zusammenwirken der Bewohner des Hauses der Soziologie – die ja auch selbst gelegentlich auf die Straßen gehen – mit den Menschen auf den Straßen vor diesem Haus bei der gemeinsamen Schaffung gesellschaftlicher Wirklichkeit.

Ungeachtet der Tatsache, daß es immer ein großes Getümmel heftig miteinander konkurrierender Angebote auf dem Markt gesellschaftlicher Sinndeutungen gibt, interessiert uns hier naturgemäß die Rolle der Soziologie besonders. Die Soziologie kann nicht so tun, als ob sie in diesem Zusammenhang nicht an zentraler Stelle mitspielte, und weitgehend unschuldig an dem sei, was in der Gesellschaft über gesellschaftliche Wirklichkeit gedacht wird. Vieles von dem, was in der Soziologie gedacht und geschrieben wird – ebenso wie das, was nicht gedacht und nicht geschrieben wird – hat Auswirkungen auf konkrete gesellschaftliche Wirklichkeit. Gerade für diesen Zusammenhang der „doppelten Hermeneutik" (Anthony Giddens) kann durch die Auseinandersetzung mit den Klassikern der Soziologie erkannt werden, daß die wissenschaftliche Soziologie *auch* eminent zeitdiagnostische und zeitanalytische Aufgaben wahrgenommen hat und wahrnimmt.

Durch die Werke ihrer Klassiker kann man lernen, was gemeint ist, wenn ich betont von *wissenschaftlicher Soziologie* spreche: Damit sei jene Soziologie bezeichnet, die sich selbstbewußt darüber im Klaren ist, daß es nicht nur um die soziologische Beschreibung und Analyse von Wirklichkeit geht, daß die Soziologie nicht nur als *Wissenschaft von der Gesellschaft* zu verstehen ist, sondern daß es zugleich auch um die *wissenschaftliche Mitgestaltung von Gesellschaft durch die Soziologie* geht.

Diese letzte Position variiert erheblich von Nationalkultur zu Nationalkultur. Seit der Entstehung der Republik Frankreich haben Intellektuelle in der ehrwürdigen Sozialfigur des *mandarin*, dessen wissenschaftliche und moralische Autorität großes symbolisches Kapital bereitstellt, in der dortigen Gesellschaft und ihren Medien bis heute eine pointierte öffentliche Rolle inne, von der soziologisch qualifizierte Intellektuelle profitieren können. In den Vereinigten Staaten von Amerika sieht das seit deren Revolution, die ebenfalls von Intellektuellen getragen wurde, nicht unähnlich aus: Auch dort gibt es die anerkannte Figur des *public thinker*, der durchaus ein Soziologe sein kann. Beide Sozialfiguren, sowohl der französische wie der US-amerikanische öffentliche Intellektuelle, sind heute gleichermaßen bedroht vom *fast thinker* (Pierre Bourdieu), den insbesondere moderne Massenmedien mit ihrem selbstgeschaffenen Bedarf an schnellen Wahrheiten im Sekundentakt zu erzeugen scheinen.

In Deutschland, wo die Etikettierung als „Intellektueller" zum Schimpfwort werden konnte, wird eine Soziologie, die sich an den Vorbildern Frankreichs und der Vereinigten Staaten orientiert, immer noch schnell diffamiert als Journalismus, als literarisches

Feuilleton, als Sozialpolitik, auf jeden Fall als unwissenschaftlich. Die „anständige" Wissenschaft im deutschen Sinne steht unverändert in einer Tradition, die möglichst weit weg vom Zeitdiagnostischen ist. Wissenschaft, gerade wenn sie akademisch respektierlich sein will, beteiligt sich nicht am fragwürdigen Geschäft tagespolitisch und ideologisch eingefärbter Zeitdiagnose.

Auch hier kann die Auseinandersetzung mit soziologischen Klassikern, die aus unterschiedlichen nationalen Diskurszusammenhängen kommen, von großem Nutzen für eine zukunftsorientierte Revision solcher Positionen sein. Für das universale Haus der Soziologie kann allein das Programm einer *selbstreflexiven Soziologie* zukunftsweisend sein. Eine solche ist eine Soziologie, die sich des angedeuteten komplexen dialektischen Vermittlungszusammenhangs zwischen soziologischem Wissensbestand, den allgemeinen Ideen über gesellschaftliche Wirklichkeit und der gesellschaftlichen Konstruktion von Wirklichkeit bewußt ist.

Nach der wissenssoziologischen, selbstreflexiven Wende der Soziologie sollte unser Fach eigentlich nicht mehr anders denkbar sein als eine *kollektive Einrichtung zur wissenschaftlichen Selbstbeschreibung von Gesellschaften.*

Bei der Forderung nach einer permanenten und nie abschließbaren Überprüfung der „Relevanz" soziologischer Forschung und Lehre schließt sich selbstverständlich wiederum die Frage nach den inhaltlichen Kriterien für diese Relevanz an. Dabei kann es nicht darum gehen, einer distanzlosen Praxis das Wort zu reden, sondern darum, daß die Soziologie, will sie die ihr gestellten gesellschaftlichen und wissenschaftlichen Aufgaben verantwortungsvoll erfüllen, einen *Beitrag bei der Erzeugung, Bewahrung und Kontrolle dynamischer und geordneter Komplexität* zu erbringen hat. Diese geordnete Dynamik und der verarbeitbare Grad von Komplexität, muß dabei sowohl für die *handelnden Menschen* als auch für *soziale Systeme* gefordert werden.

6. Über das Verhältnis von Soziologie und Geschichtswissenschaft

Eine Sammlung der Klassiker der Soziologie muß als ein Unternehmen verstanden werden, das im Überschneidungsbereich von

Soziologie und Geschichtswissenschaft angesiedelt ist. Sieht man von den institutionalisierten Unterschieden zwischen beiden Disziplinen ab, so erweist sich, daß *Historisches Verstehen* für beide auf einer gemeinsamen Grundlage ruht: Das Interesse gilt der Vergangenheit als einer „Dienerin" für praktische Unternehmungen und Vorhaben in der Gegenwart. Die Vergangenheit soll mithelfen, soziale und individuelle Identität in der Gegenwart zu konstruieren.

Insbesondere Max Weber verdanken wir die Einsicht, daß den historischen Disziplinen eine „ewige Jugendlichkeit" beschieden ist, d. h. daß Geschichte immer auf der Grundlage des jeweils gegenwärtigen Bewußtseins umgeschrieben werden wird und muß. Die Erforschung der geschichtlichen Dimension gesellschaftlicher Wirklichkeit, die zur wichtigen Aufgabe aller Kultur- und Gesellschaftswissenschaften geworden ist, beschränkt sich nicht nur auf dieses stetige Umschreiben von Geschichte, sondern umfaßt ebenso ein ständiges und kritisches Überprüfen der methodologischen und theoretischen Grundlagen eben dieses Umschreibens. Der einfachste Grund, warum wir uns mit der Geschichte der Soziologie beschäftigen, liegt also darin, daß wir unsere Identität als Wissenschaftler und Wissenschaft nicht finden können, ohne den historischen *Grund* zu kennen, auf dem wir stehen: wir haben also ein eminent „praktisches" Interesse an der Geschichte unserer Disziplin. Gerade die besondere Komplexität des Objektbereichs der Soziologie und ihre dialektische Verflechtung mit der Konstruktion gesellschaftlicher und historischer Wirklichkeit läßt die Gefahr, in das Denken des *common sense* zu fallen, als besonders problematisch erscheinen, da es zur Begriffs- und damit Bewußtseinslosigkeit führen kann.

Jedes wissenschaftliche Denken und Arbeiten ähnelt dem Versuch, in einem Sumpf Halt zu finden, indem Pfähle und Bretter zur Plattform gemacht werden sollen (Karl R. Popper). Die Pfeiler für das Fundament des Hauses der Soziologie sind vergänglich und müssen unablässig ausgebessert und ersetzt werden. Eine Möglichkeit, solchen „Halt" zu finden, besteht darin, sich des historischen „Bodens", auf dem unsere Fragen, Begriffe und Kenntnisse entstanden sind, bewußt zu machen.

Dieser „Halt" erweist sich als ambivalent, als doppelgesichtig: Die Unfähigkeit vergessen zu können, kann auch zur Unfähigkeit führen, kreativ und innovativ auf neue Situationen und Probleme zu reagieren. Ebenso wie die Erinnerung sowohl konstitutiv als auch lähmend für neue Bewußtseinsinhalte werden kann, ist auch für eine Wissenschaft ihre Geschichte „Halt" im doppelten Sinn: als Möglichkeit des „Gehaltenseins" wie auch als „Festgehaltensein".

7. Über die Geschichte der Soziologie als Diskurs

Um die Rekonstruktion der historischen Entwicklung einer Disziplin leisten und dennoch die angedeuteten Schwierigkeiten meistern zu können, bietet sich das Konzept des *Diskurses* an. Was noch in der Einleitung zur früheren Fassung dieses Projekts unter Verweis auf Sheldon S. Wolin, Michel Foucault und Paul Ricoeur erläutert werden mußte, ist zwanzig Jahre später Gemeingut des (soziologischen) Denkens geworden. Der Diskurs-Gedanke kann mittlerweile als wissenschaftsstrategisches Prinzip einer soziologischen Geschichte der Ideen betrachtet werden. Sie will zeigen, wie Probleme, Begriffe und Themen aus dem Feld, in dem sie formuliert worden sind, zu allgemein gesellschaftlichen Diskursen übergehen können.

Es sind dabei nicht die „Ereignisse", die untersucht werden, sondern ihr sprachlicher Niederschlag, nicht die geschichtliche „Wahrheit", sondern der historische Diskurs, den die Menschheit mit sich selbst führt und der in den Bibliotheken und Archiven dokumentiert ist. Für die Darstellung der historischen Entwicklung einer Wissenschaft, eines bestimmten Diskurses also, stellt sich die Aufgabe, die diskursiven Praktiken freizulegen. Von diesem Konzept ausgehend, können wir Wissenschaft als einen Diskurs begreifen, der nicht nur die lebenden, sondern auch die toten Teilnehmer umgreift. Dementsprechend umfaßt die *scientific community* historische wie gegenwärtige Teilnehmer und richtet sich zugleich an zukünftige.

Von dieser Perspektive aus läßt sich die Geschichte der Soziologie als die Geschichte zweier miteinander verflochtener Diskurse interpretieren: einerseits eines *Diskurses über den Sinn gesellschaftlichen Lebens*, andererseits eines *Diskurses über die Möglichkeiten und Grenzen wissenschaftlicher Erkenntnis im Objektbereich der Sozialwissenschaften*. Diese beiden Diskurse, die prinzipiell nicht abschließbar sind, schlagen sich nieder in Dokumenten, den *Werken* ihrer Teilnehmer. Gerade für eine Geschichte der Soziologie ist es unverzichtbar, den immanent sozialen Charakter des Diskurses Wissenschaft aufzudecken. Bei einer soziologischen Geschichte der Soziologie kann auf eine Aufarbeitung des strukturellen Zusammenhanges von Ereignissen, Handlungen und Werken nicht verzichtet werden.

Die oben angesprochene, ambivalente und konsequenzenreiche Doppelbedeutung von „Halt" bei der Besinnung auf die eigene Wissenschaftsgeschichte eröffnet – nicht nur für die Soziologie – die Gefahr der Etablierung eines Totenhauses, eines Mausoleums. Der Gefahr der Konstruktion einer Geschichte toter Heroen kann einzig dadurch begegnet werden, daß man einen konkreten Bezug zu *heute* relevanten Problemstellungen, Theoriekonstruktionen und Methodologien herstellt. Auch schon deshalb kann es nicht darum gehen, einem historischen Vorläufer im wissenschaftlich-soziologischen Diskurs „gerecht" zu werden, ein ohnehin zum Scheitern verurteiltes Unterfangen. Die Geschichte unserer Wissenschaft als Diskurs thematisiert, wird von uns heute *gemacht* und dient zumeist der Legitimation unserer eigenen Arbeit: Sie ist somit „praktische" Geschichte. Die „Werke" der historischen Vorläufer definieren unsere Wissenschaftssituation ebenso mit, wie es unsere eigenen gegenwärtigen Arbeiten und Bemühungen tun.

Vom Diskurs-Gedanken ausgehend bietet sich die Sichtweise einer *Typengeschichte* an. In einer solchen kann es weder um eine Abfolge von „-ismen" gehen, noch um eine detaillierte Wiedergabe aller „einzigartigen" Ereignisse, d.h. einer Anhäufung von Biographien. Gerade wenn man Soziologiegeschichte als einen fortlaufenden Diskurs ansieht, wird es zentral wichtig sein, Autoren, Werke und Interpretationsgemeinschaften in einen komplexen Ursachen- und Wirkungszusammenhang zu stellen. Die Soziologie und ihre Entwicklung beziehen sich auf gesellschaftliche Situationen, ohne darauf reduziert werden zu können. Weil Soziologie die jeweilige gesellschaftliche Situation *mit*definiert, wird eine komplexe Sichtweise vonnöten sein. Dabei ist es von entscheidender Bedeutung, daß bestimmte Fragestellungen und Antworten der Soziologie nicht in ihrer Zeit „aufgehen", sondern über diese hinausweisen.

Das soziologische Werk eines Klassikers steht damit ebenfalls in einem doppelten Diskurs: jenem zwischen dem Autor und seiner Zeit und jenem zwischen dem Werk und dessen Interpretationen, die zudem verschiedenen Interpretationsgemeinschaften angehören. Ein Werk hat viele erklärungsrelevante Bezüge, und eine direkte Inbeziehungsetzung – im Sinne einer simplen „Abbildtheorie" – zwischen Werk und gesellschaftlicher Situation bedeutet eine unnötige Verkürzung dieser komplexen Zusammenhänge. Die polarisierenden Diskussionen darüber, ob ein Klassiker ausschließlich in seiner Zeit und seinen damaligen Diskursen zu verstehen sei, also jene Position, die man als *historicism* bezeichnet, und der Gegenposition eines *presentism*, demzufolge klassische Texte allein nach ihrem Wert für heutige Diskussionen brauchbar seien, erweisen sich als steril.

Es ist eben genau diese Doppelung des Diskurses, die das Potential der Klassiker für die Soziologie ausmacht, die sich im ständigen Rekurs auf eben ihre Klassiker weiterentwickelt, indem sie diese immer wieder aus neuen Perspektiven betrachtet und insofern permanent (wieder)entdeckt. Dabei geht es gerade nicht um Einzelergebnisse der Forschungen der soziologischen Klassiker, sondern darum, daß diese einen spezifischen Stil, eine eigene Perspektive der Wirklichkeitsbetrachtung entwickelt haben, immer in enger Verbindung mit der Bereitstellung ganz spezifischer Metaphern und Sprachspiele. Es ist dieser Fundus an Begrifflichkeit, der auch für die zukünftige soziologische Forschung von alternativlosem Nutzen ist.

8. Über die „Klassiker" der Soziologie

Für das Unternehmen einer Geschichte der Soziologie bieten sich zumindest vier verschiedene Strategien an, die jeweils zu unterschiedlichen „Geschichten" der Soziologie führen: eine Begriffsgeschichte, eine Problemgeschichte, eine Schulgeschichte, eine Klassikergeschichte.

Das Wort Klassiker, das im Deutschen erstmals im 18. Jahrhundert verwendet wurde und sich auf die antiken Schriftsteller und deren Werke bezog, wird auch heute üblicherweise benutzt zur Bezeichnung antiker Autoren und Künstler, antiker Sprachen und der ihnen zugeordneten Wissenschaften. Wir wollen es hier ganz unbefangen gebrauchen, um den Anspruch der *Vollendung eines Werks*, im Sinne von vorbildlich und mustergültig, zu markieren. Die kanonische Konnotation von „zeitlos" und unabänderbar kann gerade für ein soziologisches Projekt nicht gemeint sein. Im Gegenteil, eine Sammlung klassischer soziologischer Beiträge muß vom Bewußtsein ihrer *Zeitgebundenheit* und *Zeitbedingtheit* geprägt sein.

Dennoch wird alles, was *allein* zeitbedingt geblieben ist, keine Chance der Rubrizierung als „klassisch" haben. Nur wenn ein wissenschaftliches Werk seine Erscheinungsformen wandeln kann, es transformiert werden kann, wächst es ein Stück weiter, bleibt es lebendiger Bestandteil aktueller gesellschaftlicher Diskurse – vor allem dann, wenn es die Grenzen seines unmittelbaren Kontextes, also beispielsweise seines nationalen und historischen Entstehungszusammenhangs, durchbricht und Bestandteil einer globalen Interpretation wird.

Auch hier mag ein Gedanke des Wissenschaftssoziologen Merton von illustrativer Hilfe sein, wenn er von dem Phänomen *obliteration by incorporation* spricht. Damit meint er die wissenschaftshistorische Tatsache, daß bei der Erzeugung jenes (seltenen) wissenschaftlichen Wissens, durch das der ganze menschliche Wissensbestand erweitert oder verändert wird, oft die Quellen solcher Entdeckungen aus dem kollektiven Gedächtnis, selbst des Faches, aus dem es stammt, ausgelöscht werden. Die ultimative „Klassizität" hätten demnach jene Autoren erlangt, deren Erkenntnisse, Begriffe und Konzepte in den universalen Korpus des allgemeinen Wissens der Menschheit integriert wurden, ohne daß ihre Schöpfer mitassoziiert würden.

Bei der für dieses Projekt erneut getroffenen Entscheidung für eine „Klassikergeschichte" waren einerseits jene Gründe ausschlaggebend, die sich als Nachteile der genannten Alternativen zeigen lassen: Trotz des großen Verdienstes von *Begriffsgeschichten*, die die vielfältigen Konnotationen und Bedeutungsverschiebungen von Begriffen aufzeigen, stehen derartige Darstellungen in der Gefahr einer „Verselbständigung" dieser Begriffe. Ähnliches gilt auch für *Problemgeschichten*, in denen es bestimmte Fragen und Antworten sind, die ein von den konkreten historischen Entstehungs- und Wirkungszusammenhängen relativ abgelöstes Eigenleben zu führen beginnen. Bei einer gerade soziologisch ungleich wichtigeren Aufgabe einer *Geschichte der Schulen* ergeben sich nicht nur prinzipielle Probleme, etwa die Frage, wann es gerechtfertigt ist, überhaupt von „Schulen" in der Soziologie zu sprechen, sondern insbesondere auch große methodologische Schwierigkeiten: Eine präzise Darstellung der sozialen und institutionellen Interaktionen, etwa wer mit wem diskutiert hat, wer wessen Bücher in welcher Fassung wann gelesen hat, wer wessen „Lehrer", „Schüler" war etc., ist ein Forschungsvorhaben ungeahnten Ausmaßes, das bis heute nicht vorliegt.

So sind es einerseits Ausschlußkriterien, die für das vorliegende Projekt einer Klassikergeschichte bestimmend waren: Zwar soll von Begriffen, Problemen und „Schulen" die Rede sein und von deren historischen Entwicklungen, ohne jedoch eine Verselbständigung jeweils einer dieser Betrachtungsebenen in Kauf nehmen zu müssen. Andererseits sollte schon von der Konzeption her vermieden werden, in ein zu kurzschlüssiges abbildhaftes Verhältnis von Soziologiegeschichte und Sozialgeschichte zu verfallen.

Der entscheidende Vorteil einer *Klassikergeschichte* ist zweifellos der, daß sie eine werknahe Darstellungsweise eröffnet. Eine Klassikergeschichte zwingt zum Werk, zur Auseinandersetzung mit den überlieferten Texten der Klassiker. Nicht die „ewig-gültigen" Weisheiten und Lösungen sind gemeint, sondern Standards einer wissenschaftlichen Disziplin, die historisch entstanden sind und die nicht unterschritten werden sollten, zum eigenen heutigen Nutzen.

Gerade der Gedanke, daß es keine *geborenen* Klassiker, sondern nur *gemachte* geben kann, erinnert an die Tatsache, daß es nicht das Verdienst früherer, sondern das Bedürfnis heutiger Soziologen ist, welches die „Klassizität" eines historischen Vordenkers begründet. Mit diesem entscheidenden Kriterium verbinden sich in der Regel noch einige andere Kriterien, die traditionellerweise mit der Bestimmung „Klassiker" gemeint sind: die *Probe auf Zeit*, ein *gutes literarisches Niveau* sowie ein *besonderes Verhältnis zur Gesellschaft*. Gerade für einen „Klassiker" des soziologischen Denkens muß gelten, daß sein Werk in einem besonderen, *repräsentativen* und wirkungsvollen Verhältnis zu der Gesellschaft stehen muß, in der es und für die es geschrieben wurde. Wir wollen deshalb im Prinzip nur dann von einem Klassiker der Soziologie sprechen, wenn dessen Werk im Mittelpunkt der soziologischen Ideen und Vorstellungen einer Epoche, d.h. im Zentrum des soziologischen Diskurses, stand. Für das soziologische Denken nimmt die Kategorie der *Epoche* eine spezifische Bedeutung an, eher im Sinne von „Phase" oder *étape* (Raymond Aron), wobei „Repräsentativität" eingeschränkt für die Gesellschaft der wissenschaftlichen Soziologen, oft sogar nur für einzelne Gruppen von Soziologen, gelten kann.

Kriterium für einen „Klassiker" der Soziologie ist demnach seine Relevanz für die (Weiter-)Entwicklung *soziologischer Theorie* und/oder für die (Wieder-)Entdeckung eines wichtigen *Problembereichs* und/oder die Entdeckung einer neuen *Methode* zu dessen Erforschung. Und diese Relevanz muß glaubhaft gemacht werden für die damalige, für die heutige und für die (vorstellbare) zukünftige wissenschaftliche Soziologie.

In einer pragmatischeren Formulierung heißt das, daß die Bezeichnung „Klassiker" für jene Mitglieder unserer Disziplin gelten soll, von denen gesagt werden kann, daß ihr Werk auch heute noch der Lektüre „wert" ist, daß man ohne diese Arbeiten „nicht auskommt", wenn man heute Soziologie betreiben will. Unterstrichen sei dabei der Begriff *Werk*: Es sind nicht so sehr einzelne, noch so wichtige Einzelergebnisse, ein einziges Buch, ein einziger Buchtitel gar, die einen Soziologen zum Klassiker machen, sondern es ist die Einführung *neuer Sehweisen*, durch die *neue Begriffe* und *neue Methoden* geschaffen werden. Und mit der erfolgreichen Einführung neuer Betrachtungsweisen könnte, in einem rigorosen Verständnis, der Klassiker überflüssig werden. Seine „Erfindung" wird Bestandteil des allgemeinen Wissenschaftsverständnisses: die Erinnerung an den Klassiker hat dann nur mehr antiquarischen Wert.

Bei einer soziologisch tragfähigen Klassikergeschichte der Soziologie, die vom Diskursgedanken ausgeht, wird es darauf ankommen, die „Lebendigkeit" des Klassikers durch immer neue Lesarten und Interpretationen seines Werkes in den verschiedenen Stadien der Wissenschaftsentwicklung aufzuzeigen. Aus der Tatsache, daß heutige soziologische Theoretiker der Vergangenheit des soziologischen Denkens stärker verpflichtet sind als sie zumeist angeben oder wissen, greifen wir erneut jenen Gedanken des *gemachten Klassikers* auf: Es läßt sich unschwer zeigen, daß gerade die zentralen „deutschen" Soziologen wie Max Weber, Georg Simmel, Karl Mannheim und Alfred Schütz erst durch die US-amerikanische Rezeption zu internationalen Klassikern wurden. Die „gemachten" Klassiker sind jene universalen Symbolfiguren, die aufgerichtet werden, um sich selbst und anderen zu demonstrieren: „Hier wird Soziologie betrieben". Gerade in jenen wissenschaftlichen Disziplinen, in denen eine unbestrittene methodologische und/oder inhaltliche Identität fehlt, erfüllen Klassiker die zentrale Funktion der *Stiftung und Begründung von Identität*. In diesem Sinne haben wir mit einer Sammlung „Klassiker der Soziologie" auch eine *soziologische Stammesgeschichte*, eine Versammlung der Ahnen des Hauses der Soziologie vor uns.

In bewußter Veränderung jenes Konzepts, wie es für die beiden Bände *Klassiker des soziologischen Denkens*, die 1976/78 ebenfalls beim Verlag C.H. Beck herausgegeben wurden und die seit Jahren vergriffen sind, wird hier eine neue Fassung dieses Projekts veröffentlicht, die sich in mancherlei Weise von der früheren Fassung unterscheidet. Nicht zuletzt die Erfahrungen mit Diskussionen um die damalige Auswahl führten dazu, daß nunmehr sowohl Autoren aufgenommen werden, die beim Erscheinen der früheren Fassung noch lebten (Lazarsfeld, Parsons, Aron, Homans, Goffman, Luhmann), als auch solche, die heute (erfreulicherweise) leben, von denen aber gegenwärtig angenommen werden kann, daß sie die oben genannten Kriterien erfüllen (Merton, Habermas, Bourdieu).

Aus soziologiehistorischen Gründen mag es interessant sein, jene Namen zu nennen, die ich damals nicht aufgenommen hatte – da ich die endgültige Abgeschlossenheit von Leben und Werk zum Aufnahmekriterium bestimmt hatte –, die aber in Rezensionen der ersten Ausgabe von 1976/78 angemahnt worden waren. Es waren dies, in alphabetischer Reihenfolge: Theodor W. Adorno, Raymond Aron, Herbert Blumer, Norbert Elias, Arnold Gehlen, Ludwig Gumplowicz, Georges Gurvitch, Maurice Halbwachs, George C. Homans, Max Horkheimer, Talcott Parsons, Helmuth Plessner, René König, Paul F. Lazarsfeld, Claude Lévi-Strauss, Georg Lukács, Marcel Mauss, Robert K. Merton, C. Wright Mills, Gaetano Mosca, Edward Ross, Helmut Schelsky, Albion W. Small, Pitirim Sorokin, Othmar Spann, William I. Thomas, Lester Frank Ward, Alfred Weber, Leopold von Wiese.

Es läßt sich leicht feststellen, in welchen Fällen ich diesen Anregungen folgte, weil sie auch meiner Einschätzung von der Bedeutung ihrer soziologischen Beiträge entsprachen. Gerne hätte ich in diese neue Sammlung zwei weitere soziologische Autoren aufgenommen, für die es zu meinem eigenen Bedauern nicht gelang, eine adäquate Verfasserbesetzung sicherzustellen, nämlich James S. Coleman (1926–1995) und Anthony Giddens (geb. 1938).

9. Über die Zukunft des Hauses der Soziologie

George Orwell hatte offensichtlich doch nicht recht! Es war 1989, und nicht das Jahr 1984, das den zentralen Wendepunkt der Menschheitsgeschichte im 20. Jahrhundert markierte, soweit sie von der nördlichen Halbkugel dominiert wurde und wird.

Die Soziologie als *die* „westliche" Wissenschaft wird an den entscheidenden Brüchen seit jenem Jahr nicht vorbeikommen. In den vergangenen zehn Jahren wirft der Beginn der Auflösung der dichotomen Weltordnung mit ihren Spannungen zwischen Sozialismus und Kapitalismus, zwischen „Volksdemokratie" und Repräsentativer Demokratie ein grelles Licht auf Zustand und Perspektiven des Okzidents und auf die Zukunft seines Dreiklangs von Freiheit, Demokratie und Kapitalismus. Genau diese drei Themen standen im Zentrum der wissenschaftlichen Aktivitäten im Haus der Soziologie seit dessen Eröffnung: sie sind und waren die Themen eben jener soziologischen Weisen, mit denen sich die folgenden Beiträge auseinandersetzen.

Abschließend und ausblickend sollen daher einige Überlegungen angeboten werden, die unter der Fragestellung stehen: Wie sollte eine Soziologie *für* das 21. Jahrhundert aussehen? Damit meine ich eben nicht nur eine Soziologie *im* 21. Jahrhundert, sondern eine *für* das 21. Jahrhundert. Und das meint natürlich *eine Soziologie für die Menschen*, die den bevorstehenden Schritt in das nächste Millennium machen werden.

Da sich die hier vorgelegte Sammlung in erster Linie an junge und alte Bewohner des Hauses der Soziologie richtet, halte ich mich bei den, gewissermaßen *nach innen* gerichteten Vorstellungen, die ich für die Zukunft unseres Faches habe, nicht ausführlich auf. Ich denke dabei sowohl an die unverzichtbare und endgültige *Aufhebung der paradigmatischen Trennungen von soziologischen Mikro-Ansätzen und Makro-Ansätzen* als auch an die notwendige *Überwindung der Fronten zwischen den sogenannten „Quantitativen" und den „Qualitativen".* Spätestens seit den intermediär angelegten, sowohl theoretisch begründeten wie empirisch vorgehenden soziologischen Großunternehmen von Max Weber, Norbert Elias, Jürgen Habermas, Pierre Bourdieu und Anthony Giddens, sollten solche Trennungen im Bereich proto-soziologischer Konzepte verbleiben. Die Notwendigkeit der *Weiterentwicklung einer selbstreflexiven Soziologie* sollte durch das bereits Ausgeführte keiner nochmaligen Begründung bedürfen. Ebenso sollte die Notwendigkeit einer Option für eine *herrschaftskritische Soziologie*, die sich von einer affirmativ wirkenden abgrenzt, aus den historischen Erfahrungen der technokratischen Nutzbarmachung der Soziologie keiner weiteren Begründung bedürfen.

Damit komme ich zum eigentlich schwierigsten Zusammenhang dieser, wie ich meine, selbstverständlichen Forderungen: Die Soziologie kann es sich, nach meiner Überzeugung, nicht mehr länger erlauben, „wert(urteils)frei" zu sein, sondern sie wird *wertbezogen* werden müssen.

Das sagt sich so einfach: Die Soziologie solle die Frage nach der *Guten Gesellschaft* nicht aus den Augen verlieren. Wenn die „Menschenwissenschaft Soziologie" (Norbert Elias) als intellektuell-wissenschaftliches Unternehmen die Mitarbeit an der Utopie einer *Guten Gesellschaft* aufkündigt, dann steht nach meiner Meinung zumindest die innere Liquidation dieses Unternehmens bevor, das mit so viel Enthusiasmus und Hoffnungen im 19. Jahrhundert begonnen und im 20. Jahrhundert ausgebaut wurde. Das Haus der Soziologie würde seine innere Legitimation verlieren, wenn in ihm der Frage nach der *Guten Gesellschaft* nicht mehr nachgegangen wird, wenn dort keine Vorlagen für einen utopischen Realismus mehr produziert würden.

Die Soziologie muß auch weiterhin – sicherlich nicht alleine, aber gewiß auch – Fragen stellen wie:

* Lassen sich verstärkt Prozesse gesellschaftlicher Integration oder Desintegration beobachten?
* Wachsen oder reduzieren sich soziale Ungleichheiten?
* Wie lassen sich individuelle Zielsetzungen mit kollektiven Zielsetzungen integrieren?
* Wie sollen wir in unvollkommener Gesellschaft leben?
* Was macht eine gerechte Gesellschaft aus?

Über dem institutionellen und intellektuellen Erfolg der Soziologie im Laufe des 20. Jahrhunderts, der eine *Versozialwissenschaftlichung des allgemeinen Denkens* mit sich brachte, wird häufig übersehen, daß es eben dieser äußere Erfolg war, der die Soziologie um das Zulassen solcher Fragen als „wissenschaftlich" gebracht hat. Sicherlich muß der Anspruch eines Auguste Comte, die Soziologie zur „Leitwissenschaft" einer Gesellschaft zu machen, bei der Schwellenüberschreitung zum 21. Jahrhundert endgültig verabschiedet werden.

Die Loslösung der Soziologie von Theologie, Metaphysik, Philosophie und Politischer Philosophie des 19. Jahrhunderts kann und sollte nicht rückgängig gemacht, aber durch eine *(Wieder-) Aufnahme der Diskurse* korrigiert werden. Es mag sein, daß die

Soziologie erst durch ihre Emanzipation von den traditionellen Morallehren entstehen konnte. Aber nun, nach ihrer hundertjährigen Befreiung, sollte es möglich sein, das Unterfangen einer moralfreien Thematisierung von Moral erneut anzugehen. Dabei kann es nicht allein um eine „Soziologisierung" des ethischen Diskurses gehen, sondern darum, daß die wissenschaftliche Soziologie sich weiterhin als Disziplin *auch* um intellektuelle Hilfestellungen für die vielfältig orientierungslos gewordenen Menschen in Gesellschaften bemüht. Es war ja ein nicht völlig unsinniges Projekt, das die Begründer unseres Faches, wie eben beispielsweise Emile Durkheim, in Absetzung von der Moralphilosophie für die Soziologie zu verfolgen suchten.

Wer also mit solchen Fragen die Forderung verbindet, die wissenschaftliche Soziologie solle sich in Zukunft wieder verstärkt mit ihrem ursprünglichen Gründungskonzept einer *Moralwissenschaft* auseinandersetzen, muß Antworten auf die Frage suchen, woher er die Maßstäbe seiner Moral beziehen möchte. Die Frage nach „Standards" für Wahrheit, Moral und Perspektiven einer humanen Gesellschaft wird sich nicht ersetzen lassen durch Beiträge aus pluraler Sicht. Davon gibt es derzeit einige, wie die Konkurrenz divergierender Perspektiven, der Geschlechter, der Ethnien, der Klassen, der Kulturkreise, der Regionen, der Religionen und ausgewählter ideologischer Positionen zeigt. Die intellektuell-wissenschaftliche Reaktion auf die Fragmentierung der Welterfahrung darf nach meiner Meinung weder die Kapitulation gegenüber einem zynischen oder nihilistischen Weltbild sein, noch der Rückzug in technischen Fetischismus der Sozialforschung oder die sterile Artistik des soziologischen Theorie-Spiels. Die heutige Herausforderung für die Soziologie ist es, in einer so differenzierten und zersplitterten Welt wie der unseren neue Arten des Wertekonsens *mit*zukonstruieren.

Gerade weil es nicht ihre wissenschaftliche Aufgabe sein kann, *Begründungen* von Werten und Normen zu liefern, sondern das Entstehen von *Wertbindungen* (Hans Joas) handelnder Menschen wissenschaftlich zu rekonstruieren, kann die Soziologie dabei helfen, die *gesellschaftlichen Konsequenzen unterschiedlicher Werte und Normen vergleichend zu analysieren.* Dabei geschieht diese wissenschaftliche Analyse von Ethik und Moral nicht primär aus der Sicht des Systems, sondern *aus der Perspektive der menschli-*

chen Akteure in konkreten Gesellschaften. Spätestens seit Jürgen Habermas hat sich das Konzept einer „Diskursethik" entwickelt, das die Verabschiedung von einem moralischen und ethischen Super-Code für Gesamtgesellschaften mit sich bringt und auf polyzentrische Weltbilder und konkurrierende Normensysteme abzielt.

Ich stelle mir somit für die Zukunft des Hauses der Soziologie ein alt-neues Programm vor. Es sollte ein *Schulhaus für soziologische Intellektuelle* werden: empirisch fundiert, mit theoretischem Anspruch und ausgestattet mit sozialpolitisch-ethischem Gewissen. Öffentlich denkende Menschen, die sich verantwortungsvoll in aktuelle politische Auseinandersetzungen ihrer Gesellschaften einmischen. Sie tun dies nicht mit dem erhobenen Zeigefinger moralischer Warnungen, sondern aus dem Fundus der Ergebnisse ihrer wissenschaftlichen Analysen, in denen es auch darum geht, die denkbaren und wahrscheinlichen Konsequenzen unterschiedlicher Normensysteme miteinander zu vergleichen. Daß sie dabei ihr ganz besonders geschärftes Augenmerk auf die *unbeabsichtigten Folgen menschlichen Handelns* werfen, die nur selten den Absichten und Erwartungen der Handelnden selbst entsprechen, verdanken sie einer zentralen Einsicht aus dem Bereich ihrer soziologischen Wissensproduktion.

Gerade weil sich die wissenschaftliche Soziologie von „heteronomen Wertungen" (Norbert Elias) freihalten muß, also weder selbst moralisieren kann noch darf, ist sie in der Lage, nüchterne Analysen unterschiedlicher Moralen und ihrer Konsequenzen für Individuen und Gesellschaften zu liefern. Die idealen Bewohner des Hauses der Soziologie leben in engagierter Distanz und Autonomie gegenüber jenen Problemstellungen und Problemlösungen, wie sie in Wirtschaft, Politik und Gesellschaft für die kollektive Konstruktion sozialer Wirklichkeit erzeugt werden.

Gerade deswegen muß die wissenschaftliche Soziologie analytisch und selbstreflexiv dazu beitragen, daß kulturspezifische Alternativen miteinander verglichen und ihre unterschiedlichen Konsequenzen gegeneinander abgewogen werden. Angesichts der sozialwissenschaftlichen Unmöglichkeit absoluter, kulturneutraler Wertentscheidungen verbietet sich der Gedanke an eine universale Konsensmoral und eröffnet zwingend die Aussicht auf eine *Mehrzahl von Vereinbarungsmoralen.*

Die Suche nach Regeln des Zusammenlebens erzeugt notwendigerweise Streit. In modernen Gesellschaften werden solche normativen Konflikte permanent geführt. Modernisierung ist begleitet von der Erosion überlieferter Selbstverständlichkeiten. Je moderner eine Gesellschaft ist, desto fragiler wird ihr innerer Zusammenhalt. Sie kann die Frage nach Konzepten guten Lebens nicht im Rückgriff auf allseits anerkannte Traditionen beantworten. Auch kann sie kollektive Identität weder durch Religionen – schon gar nicht durch eine Religion allein – stiften, weil sich die religiösen Lebenswelten selbst pluralisiert haben. So muß eine moderne Gesellschaft ihre Identität in diskursiver Verständigung immer neu zu gewinnen versuchen. Dies provoziert Dauerdebatten über die Grenzen des Pluralismus.

Damit wird aus dem Haus der Soziologie vor allem ein Schulhaus für engagierte soziologische Intellektuelle. Nach meiner Überzeugung sollte dieses Haus vor allem auf dem Gelände von Universitäten stehen, die schon darum keine Berufsschulen für Technokraten, Datentechniker oder Ideologen sein dürfen. Dorthin will die Soziologie Menschen anlocken, von denen Max Weber sowohl „Leidenschaft" als auch „Augenmaß" forderte. Sie werden überzeugt sein von der Notwendigkeit der interdisziplinären Öffnung, der multikulturellen Orientierung, der intergesellschaftlichen, globalen Ausrichtung und der Mitwirkung bei der Erzeugung eines ökologischen Verantwortungsbewußtseins.

Wie und wodurch die Beiträge der hier versammelten Klassiker der Soziologie in jeweils ihrer Gesellschaft und zu jeweils ihrer Zeit solchen Erwartungen nachgekommen sind, darüber geben die folgenden Beiträge Auskunft. Die Auseinandersetzung mit ihnen hilft, die Ziele für das zukünftige Haus der Soziologie glaubwürdig zu formulieren und anzusteuern. Insgesamt muß es für die Soziologie als wissenschaftliches Unternehmen darum gehen, mitzuhelfen, daß die im Zentrum der Forschung stehenden Menschen und ihre Kinder ein menschenwürdiges Leben in Gerechtigkeit führen können.

Jenseits aller erheblichen Unterschiede bei der Beantwortung dieser Fragen läßt sich festhalten: Von Auguste Comte, mit dem diese Sammlung anhebt, bis hin zu Pierre Bourdieu, mit dem sie (vorläufig) abschließt, haben sich alle hier versammelten Klassiker der Soziologie am Unternehmen der Beantwortung dieser Fragen beteiligt. An der Bewährungsaufgabe, ob sich die wissenschaftliche Soziologie, als Erbin der Aufklärung, auch weiterhin an der *Selbstaufklärung Offener Gesellschaften* beteiligen wird, entscheidet sich die Zukunft des Hauses der Soziologie und seiner Bewohner.

Michael Bock

Auguste Comte
(1798–1857)

1. Leben und Kontext

1.1. Biographische Notizen

Isidore Marie Auguste François Xavier Comte wurde am 19. Februar 1798 in Montpellier in Südfrankreich geboren[1]. Sein Vater war Finanzbeamter. Die Familie war gut katholisch und streng monarchistisch ausgerichtet. Comte besuchte zunächst das Lyzeum in Montpellier. Dort wurden rasch seine ungewöhnliche Begabung, aber auch Charakterzüge offenbar, die ihm sein ganzes Leben hindurch Schwierigkeiten bereiten sollten: eine aufbrausende Art, die Ablehnung von äußerer Autorität, eine nach außen elitär und arrogant wirkende Selbsteinschätzung. Nachdem Comte die sprachlichen Fächer vorzeitig durchlaufen hatte, betrieb er intensive mathematische Studien mit einem solchen Erfolg, daß er ebenfalls vorzeitig die Aufnahmeprüfung für die berühmte *École Polytechnique* in Paris bestand.

Die in der Zeit der Revolution gegründete *École Polytechnique* war das Mekka der Naturwissenschaften, während die großen Geisteswissenschaftler der Epoche an der humanistisch ausgerichteten *École Normale Superieure* lehrten. Der junge Comte wurde in den damaligen Glaubenskrieg zwischen den *polytechniciens* und *normaliens* hineingezogen und davon in einer sehr grundsätzlichen Weise geprägt. Unabhängig von den mathematischen und naturwissenschaftlichen Lehrinhalten herrschte unter den *polytechniciens* ein Klima des überschießenden Glaubens an die Möglichkeiten von Naturwissenschaft und Technik. Auch noch in der Restauration wirkte der republikanische Gründungsgeist[2] nach. Allerdings wurde Comte bald wegen disziplinarischer Schwierigkeiten von der Schule verwiesen. Zurück in Montpellier besuchte er im Sommer 1816 einige wichtige Kurse der dortigen medizinischen Fakultät[3].

Da er längst vom Katholizismus und Monarchismus nichts mehr wissen wollte, überwarf er sich mit seiner Familie, setzte sich nach Paris ab und hielt sich dort mit kurzfristigen und kümmerlichen Gelegenheitstätigkeiten über Wasser. Eine gewisse Stabilisierung trat ein, als der 19jährige Comte den Grafen Claude-Henri de Saint-Simon traf, dessen Schüler und Sekretär er wurde. Saint-Simon führte ihn in die Gesellschaft der Intellektuellen, mehr noch der Industriellen und Bankiers ein und vermittelte honorierte Beiträge in Zeitschriften. Auch diese Beziehung, in der Comte zunehmend weniger rezeptiv, sondern vielmehr kreativ und innovativ wurde, zerbrach 1824 nach quälenden Perioden der persönlichen und wissenschaftlichen Entfremdung. Anlaß waren Streitigkeiten über die Priorität und die Publikationsmodalitäten der von Comte schon 1822 verfaßten, später leicht verändert unter dem Titel *Plan de traveaux scientifiques nécessaires pour réorganiser la société*[4] veröffentlichten Arbeit[5]. Darin hatte sich Comte weit von Saint-Simons sozialphilosophischen und ökonomischen Vorstellungen[6] entfernt. Im Unterschied zu diesem gab er der Ausarbeitung der wissenschaftlichen Grundlagen der Reorganisation der Gesellschaft vor der industriellen Reorganisation absolute logische und zeitliche Priorität. Dieser Aufgabe widmete er sich in den nächsten Jahren in der Ausarbeitung des *Cours de philosophie positive*[7].

Der Bruch mit Saint-Simon markiert das Ende von Comtes Jugend. Seit dem *Plan* stand sein Lebenswerk fest: nicht mehr und nicht weniger als die Ausarbeitung der positiven Philosophie und der positiven Politik, von deren epochaler, ja universalgeschichtlicher Bedeutung für das Geschick der Menschheit er überzeugt war.

Die Stringenz seines Lebensprogramms stieß sich jedoch hart mit den trivialen äußeren Fakten der Lebensbewältigung. Alle akademischen Ambitionen, insbesondere seine Versuche, an der *École Polytechnique* eine Professur zu erhalten, wurden teils hintertrieben, teils waren sie unrealistisch, jedenfalls führten sie zu einer Spirale von immer schärferen Ausfällen Comtes gegen die Professorenschaft und einer reziproken Verschlechterung seiner Chancen. Am Ende verlor er sogar seine langjährige Tätigkeit in den Aufnahmeprüfungen der *École Polytechnique*, die ihm neben privaten Mathematikstunden ab 1832 immerhin ein bescheidenes

Auskommen ermöglicht hatte. So blieb er zeitlebens ohne adäquate akademische Stellung und Reputation und war zunehmend auf Zuwendungen von Freunden und Gönnern angewiesen.

Auch seine Beziehungen zu Frauen waren keine solide Grundlage für stetige wissenschaftliche Arbeit, wie sie seine hochfliegenden Pläne erfordert hätten. Seine Ehefrau Caroline Massin, die er als Prostituierte kennengelernt und nur auf Drängen seiner Mutter kirchlich geheiratet hatte, mußte schwer unter Wutausbrüchen und gewalttätigen Angriffen, nach der Trennung im Jahr 1842 unter teils berechtigten Anklagen, teils üblen Verleumdungen leiden. Ein ernsthafter psychischer Zusammenbruch nach der dritten Vorlesung des *Cours*, den Comte ab 1826 in seiner Privatwohnung gab, führte zur Einlieferung Comtes in die Psychiatrie, von wo aus er als „nicht geheilt" nach Hause entlassen wurde. Dort konnte seine Frau allmählich seinen Zustand so weit stabilisieren, daß er die unterbrochenen Vorlesungen des *Cours* zu Ende bringen und das voluminöse Werk von sechs Bänden zwischen 1830 und 1842 nach und nach veröffentlichen konnte.

Eine neue Periode im Leben Comtes begann nach Abschluß des *Cours* mit der endgültigen Trennung von seiner Frau und der neuen Liebe zu Clotilde de Vaux ab 1844. Dieses Verhältnis blieb zum Leidwesen Comtes rein romantisch-platonisch und ging nach dem frühen Tod der Geliebten (1846) in deren kultische Verehrung über. Unterdessen wurde Comte immer selbstbewußter, was seine weltgeschichtliche Stellung und Mission betraf. Aus der kultischen Verehrung Clotildes wurde die Religion der Menschheit mit ihm, Auguste Comte, als ihrem Gründer und Hohepriester. Das wichtigste Werk aus dieser Epoche, in welchem auch die Religion der Menschheit und die ihr entsprechende Gesellschaftsordnung im einzelnen ausgeführt sind, ist das vierbändige *Système de politique positive*[8] (1851–1854), das ergänzt wird durch den in populärer Abbreviatur abgefaßten *Catéchisme positiviste* (1852) und eine nicht mehr vollendete *Synthèse subjective* (erster Band 1856).

1.2. Der geistige Nährboden

Wie für ganz Europa setzte die Französische Revolution für das philosophische und politische Denken in Frankreich[9] die entscheidenden Bezugspunkte. Als Comte politisch zu denken begann, hatte zwar 1814 die Restauration der Bourbonen die Oberhand gewonnen, doch war dies nicht mehr ein bruchloses Anknüpfen an die monarchische Tradition, sondern der Erfolg eines „Lagers", einer „Partei", der nach wie vor andere Lager und Parteien gegenüberstanden. Durch die Revolution war die politische Gestaltung des Gemeinwesens in einer so grundsätzlichen Weise fraglich geworden, daß jeder Standpunkt nur mehr ein Standpunkt unter anderen sein konnte[10].

Dies ist der Ausgangspunkt von Comtes Erkenntnisstreben: die Diagnose einer fundamentalen „Anarchie" der Zeit, die er in erster Linie als eine geistige ansieht. Weder Napoleons Herrschaft und die dabei geförderten zentralistischen und bürokratischen Tendenzen noch die Verfassung von 1814 bringen die einander widerstrebenden revolutionären und restaurativen Tendenzen und Interessen zur Ruhe. Die Gegensätze flammen in den Revolutionen von 1830 und 1848 wieder auf, zunehmend meldet neben dem Bürgertum auch die Arbeiterschaft ihre Interessen an. Diese Abfolge von Revolutionen und Bürgerkriegen ist für Comte ein sinnloser Kräfteverschleiß, die Verfassungen, die dabei herauskommen, nichts als ein verachtenswertes „Geschwätz"[11] der Juristen.

In unvermitteltem Gegensatz hierzu sieht er Wissenschaft und Industrie aufblühen. Die Naturwissenschaften kommen in die Phase ihrer technischen Umsetzung und Nutzbarkeit und beflügeln die industrielle Produktivität. Nur wird dies nach Comte alles nichts nützen, wenn nicht die geistige Anarchie durch eine Neuordnung der geistlichen und weltlichen Gewalt überwunden wird. Dies sollte durch seinen Transfer der wissenschaftlichen Methode auf Geschichte, Gesellschaft und Politik gelingen.

Vom Glauben an die universale Mission der naturwissenschaftlichen Denkweise und Methode ist Comtes geistige Umwelt durchtränkt. Hinzu kommt eine geschichtsphilosphische Grundstimmung, in die Comte durch Lektüre und die Verbindung mit Saint-Simon versetzt wird. Als säkulare Varianten der christlichen Vorstellung einer nach Gottes Plan ablaufenden Heilsgeschichte werden vor allem im 18. und 19. Jahrhundert zahlreiche Entwürfe über einen ebenso planvollen, jedoch im Diesseits an sein Ziel kommenden Verlauf der Geschichte vorgetragen und mischen sich mit dem utopischen Denken[12]. Die Verfasser, unter ihnen natürlich auch Georg Friedrich Wilhelm Hegel und Karl Marx, sehen sich meist an der Schwelle zur endgültigen und vollkommenen Gestalt, welche die Menschheit als Ziel des „Fortschritts" erreichen wird, und schreiben sich selbst oft einen entscheidenden Beitrag zu, der die Entwicklung katalysieren soll[13].

Comte beerbt zwar diese geschichtsphilosophische Tradition, vor allem Marie-Jean-Antoine-Nicolas Caritat de Condorcet und Anne Robert Jaques Turgot, doch trennt ihn von ihr der französische Traditionalismus, den er von Louis Gabriel Amboise de Bonald und Joseph Marie de Maistre[14] übernimmt. Hier liegen die Wurzeln seiner Auffassung von der Gesellschaft als der alles umgreifenden und dem Individuum ontologisch vor- und übergeordneten Wirklichkeit sowie von der ordnungstiftenden und bestandserhaltenden Funktion einer umfassenden geistigen Synthese, wie sie der Katholizismus im Mittelalter verkörpert hatte. Comte modifiziert jedoch auch diese Quelle entscheidend: katholische Restauration wäre töricht. Was nottut, ist ein funktionales Äquivalent: die aus der Wissenschaft der Soziologie abgeleitete Religion der Menschheit.

2. Hauptlinien des Werkes

2.1. Die Entwicklung des menschlichen Geistes und der Wissenschaft

Im Zentrum des Comte'schen Werkes stehen zwei „Gesetze". Zum einen das (bekanntere) „Drei-Stadien-Gesetz", zum anderen das (weniger bekannte) „enzyklopädische Gesetz".

Nach dem Drei-Stadien-Gesetz durchläuft der menschliche Geist bei seinem Streben, die Erscheinungen der Welt zu erfassen und zu ordnen, drei verschiedene Stadien oder Phasen. Die erste Phase, die Comte „theologisch" oder „fiktiv" nennt, ist dadurch gekennzeichnet, daß die Erscheinungen und ihre Veränderungen dem Wirken von menschlichen Wesen zugeschrieben werden. In der zweite Phase, die Comte die „metaphysische" nennt, sind es nur noch abstrakte Wesenheiten, die sich der Mensch als hinter den Erscheinungen wirkend vorstellt, etwa die Natur oder das Leben. Der Anthropomorphismus der ersten Phase ist abgelegt.

In der dritten, „positiven" Phase erfaßt der menschliche Geist die Erscheinungen nur noch in ihrer reinen Tatsächlichkeit, geordnet nach ihrer Ähnlichkeit und ihrer Aufeinanderfolge. Er begnügt sich damit, die Gesetze aufzustellen, denen diese unterliegen, ohne noch weiter nach Ursachen zu fragen, die ihrerseits diesen Gesetzen zugrunde liegen.

Das Drei-Stadien-Gesetz ist von universeller Geltung. Es gilt nicht nur für die gesamte intellektuelle Entwicklung der Menschheit, sondern auch für die individuelle Entwicklung und den Verlauf von Geisteskrankheiten[15]. Allerdings gibt es Ungleichzeitigkeiten. Einfache Sachverhalte erschließen sich schneller dem Zugriff eines Geistes mit positiver Erkenntnishaltung, während bei komplexen Sachverhalten das theologische und das metaphysische Stadium länger andauern. Aus diesem Grund gibt es schon zu Beginn der Menschheitsgeschichte einzelne Bereiche positiven Wissens. Solche Ungleichzeitigkeiten sind für Comte der eigentliche Motor der gesellschaftlichen Entwicklung. Das Nebeneinander von Erkenntnisweisen aus verschiedenen Stadien stört das Bedürfnis des Menschen nach Kohärenz seiner Weltauffassung. Abhilfe kann, da die Richtung feststeht, nur in der fortschreitenden Positivierung von Wissensbeständen bestehen.

An dieser Stelle ergibt sich nun die Verbindung des Drei-Stadien-Gesetzes mit dem enzyklopädischen Gesetz. Denn das Drei-Stadien-Gesetz gilt auch und ganz besonders in der Entwicklungsgeschichte der Wissenschaften. Auch diese durchlaufen ein theologisches und ein metaphysisches Stadium, bevor sie zur vollen Positivität gelangen, und auch bei diesen gilt, daß die Wissenschaften mit den komplexeren Gegenständen später positiv werden als die Wissenschaften mit den einfacheren.

Diesen Gedanken führt Comte in einer hierarchischen Klassifikation der Wissenschaften aus, in welcher er die zeitgemäße Aufgabe der positiven Philosophie sieht, als Wissenschaftstheorie die Einzelwissenschaften nach ihrer Methode und ihren wichtigsten Resultaten in einer höheren Einheit zusammenzufassen. Die theoretischen Hauptwissenschaften stehen dabei in einer Stufenfolge. Ihre Gegenstandsbereiche bedingen sich zwar jeweils, determinieren sich aber nicht. Die einfachsten und allgemeinsten Phänomene bilden die Voraussetzung für die komplexeren, die aber aus ihnen nicht abgeleitet werden können.

Die Grundeinteilung der Wissenschaften ist die zwischen anorganischer und organischer Physik. Die anorganische Physik zerfällt in die Physik des Himmels (Astronomie) und die der Erde, wobei zwischen der Physik im engeren Sinn und der Chemie zu unterscheiden ist. Die organische Physik zerfällt in die Physiologie (oder Biologie) und die soziale Physik. Später[16] spricht Comte wegen des Streits mit dem Belgier Adolphe Quételet bezüglich des Ausdrucks *physique sociale*[17] von *sociologie*. Grundwissenschaft und Modell positiver Wissenschaftlichkeit schlechthin ist allerdings die Mathematik[18]. Logik und Psychologie entfallen nach Comte als eigenständige Wissenschaften. Die Logik ist im Grunde nichts weiter als der gesunde Menschenverstand. Sie kann sinnvoll nur in den Methoden der Einzelwissenschaften studiert werden. Die Psychologie wäre, würde man sie als selbständige Wissenschaft ansehen wollen, auf die Methode der Introspektion angewiesen, die Comte jedoch als völlig unwissenschaftlich ablehnt[19]. Eine „geisteswissenschaftliche" Methode kann es in der Wissenschaft nicht geben.

Die Stufenfolge der Wissenschaften kommt darin zum Ausdruck, daß die Astronomie zwar von der Mathematik abhängig ist, die sie zur Darstellung der astronomischen Phänomene benötigt, aber von allen folgenden Wissenschaften unabhängig. Alle irdischen Phänomene hängen jedoch von der Stellung der Erde im Sonnensystem ab. Die physikalischen Phänomene sind komplexer als die astronomischen, daher ist die Physik schon weniger präzise als die Astronomie, jedoch wächst ihr mit dem Experiment eine Methode zu, die in der Astronomie keine Anwendung finden kann. Die Chemie setzt zwar die physikalischen Eigenschaften der Körper voraus, doch werden diese dadurch in ihren chemischen Eigenschaften nicht determiniert. Zur Methode der Wissenschaft steuert die Chemie die Kunst der Klassifikation bei.

Mit der Biologie, in der die organische Physik beginnt, zu der auch die soziale Physik bzw. Soziologie gehört, ändert sich in methodischer Hinsicht etwas Grundlegendes. In der anorganischen Physik sind die einzelnen Elemente besser bekannt als das Ganze und in der Regel auch allein beobachtbar, während für die organische Physik das umgekehrte gilt: ein Organ oder eine Funktion ist ohne das ganze Lebewesen nicht zu erklären. Dies gilt ebenso für die einzelnen sozialen Phänomene in ihrem Verhältnis zum Ganzen der Gesellschaft, und zwar nicht nur horizontal für bestimmte Räume und Epochen, sondern auch vertikal in der geschichtlichen Enwicklung. Stets können die Einzelerscheinungen nur im Zusammenhang des Ganzen erklärt werden[20]. Comte wird mit dieser Auffassung zu einem einflußreichen Vertreter organizistischer und geschichtsphilosophischer Gesellschaftstheorien[21].

Im übrigen bleibt es bei der Stufenfolge der Wissenschaften. Die Biologie ist von allen vorhergehenden Wissenschaften abhängig. Die Wechselwirkungen zwischen Organismus und Umwelt basieren auf chemischen Prozessen, die Organismen sind aber auch den physikalischen Gesetzen unterworfen und mit diesen zusammen den astronomischen. Zur positiven Wissenschaft steuert die Biologie die vergleichende Methode bei. Die Soziologie endlich hängt ersichtlich von der Biologie und mit dieser von den übrigen Wissenschaften ab, ist aber doch vermöge der ihr eigenen historischen Methode, mit der sie die Menschheit in ihrer Entwicklung untersucht, eine selbständige Wissenschaft.

Aus dieser Klassifikation ergeben sich nicht nur klare Kriterien für den weiteren Fortschritt der einzelnen Wissenschaften, aus denen die Reste metaphysischer Denkmethoden ausgemerzt werden müssen[22], sondern sie weist vor allem der Soziologie die Rolle als Schlußstein im System der Wissenschaften zu. Die Gründung der Soziologie durch ihn, Auguste Comte, ist nicht irgendein zufälliger Einfall eines kümmerlich lebenden Privatgelehrten, sie ist schlicht „an der Zeit". Es handelt sich um eine Art wissenssoziologischer Selbstbegründung für den Anspruch, daß die Soziologie gerade hier und jetzt die Führungsrolle unter den Wissenschaften und bei der Reorganisation der Gesellschaft übernehmen muß.

2.2 Soziale Statik und Dynamik

Gegenstand der sozialen Statik und der sozialen Dynamik sind nicht einzelne Gesellschaften, Nationen oder Kulturen, sondern gemäß der Regel vom Vorrang des Ganzen vor den Teilen die Menschheit als Ganzes.

Die soziale Statik untersucht die zeitlos unwandelbaren Bedingungen des menschlichen Zusammenlebens überhaupt, vor allem diejenigen, die den sozialen Konsensus garantieren. Einer anatomischen Analyse vergleichbar ermittelt sie die Organe, die aus den einzelnen Individuen, Familien und den sonstigen Institutionen ein Ganzes, eine Einheit, ein Kollektiv schaffen. Vor allem im *Système* setzt Comte die soziale Statik mit seinen Auffassungen über die menschliche Natur in Beziehung. Der Mensch ist nach Comte nicht in erster Linie das vernünftige Tier, und die Entwicklung führt nicht zu zunehmender Herrschaft des Verstandes über die Affekte, sondern der Mensch besteht aus Gefühl, Aktivität und Verstand. Die Organisation der Gesellschaft muß dem Rechnung tragen.

Im einzelnen untersucht Comte Religion, Eigentum, Familie, Sprache und Arbeitsteilung. Von besonderer Bedeutung ist zunächst die Religion, weil sie den sozialen Konsensus sichert. Im Dogma richtet sie sich an den Verstand, im Kult verschafft sie den Empfindungen Ausdruck und sie regelt auch das private und öffentliche Verhalten der Menschen (Comte spricht hier von *régime*). Eigentum ist als Ausdruck der Aktivität anzusehen, Sprache als der des Denkens. In Eigentum und Sprache wird einerseits der zivilisatorische Fortschritt sichtbar, andererseits machen beide die völlige Abhängigkeit der Lebenden von den durch Generationen angehäuften Hinterlassenschaften an Gütern und Ausdrucksmöglichkeiten sinnfällig. Die Familie ist im wesentlichen eine affektive Einheit. Die Frau soll dem Mann wegen dessen überlegenen intellektuellen Fähigkeiten gehorchen, ist aber gleichwohl der überlegene Teil, weil sie die ungleich wertvollere Macht der Liebe verkörpert. Die Arbeitsteilung schließlich entspricht dem aktiven Element der menschlichen Natur. Sie erzeugt eine Differenzierung der Funktionen. Damit wächst die Notwendigkeit von Kooperation und sozialem Konsensus.

Die praktische Organisation der Gesellschaft wird immer durch die Reichen, Starken und Mächtigen bestimmt sein. Daran ändert sich auch in der industriellen Epoche nichts. Die Bankiers und die Industriellen („Patrizier") konzentrieren bei sich Kapital und Entscheidungsbefugnisse. Dies ist ebenso richtig, wie daß die Arbeiter („Proletarier") gehorchen, denn beides entspricht den Erfordernissen der industriellen Arbeitsorganisation und den unterschiedlichen Fähigkeiten der Menschen. Das Privateigentum soll bleiben, aber seinen willkürlichen privaten Charakter verlieren und in den Dienst seiner sozialen Funktion gestellt werden.

Allerdings wird die weltliche oder materielle Macht immer durch eine spirituelle Macht ergänzt und begrenzt. Diese kann mehr durch die Macht des Geistes wirken oder mehr durch die Macht der Liebe, jedenfalls aber ist es ihre Aufgabe, die Menschen innerlich auf die Gemeinschaft auszurichten. Sie macht sie bereit, der weltlichen Macht zu gehorchen. Dieser letzteren verleiht sie Legitimität, erinnert sie aber auch an ihre Pflicht, ihre sozialen Funktionen im Interesse des Ganzen auszuüben. Die spirituelle Macht verbreitet das Bewußtsein, daß es über der weltlichen Rangordnung von Reichtum und Macht eine geistige Rangordnung gibt, in der die moralischen Verdienste und die Hingabe an die Gemeinschaft zählen. Für die Durchsetzung des Positivismus sind daher die Frauen und die Proletarier am wichtigsten.

Untersucht die soziale Statik die Menschheit bezüglich der zeitlosen Grundbedingungen sozialer Ordnung, so wird in der sozialen Dynamik derselbe Gegenstand, die Menschheit, in seiner Entwicklung analysiert. Die Gesamtentwicklung ist determiniert durch das Drei-Stadien-Gesetz, das sich jedoch nicht isoliert auf die intellektuelle Entwicklung auswirkt, sondern auch auf die jeweils vorherrschenden menschlichen Fähigkeiten und die gesellschaftlichen Institutionen, so daß sich eine Parallelität der entsprechenden Entwicklungsreihen ergibt.

	Verstand	Aktivität	Gefühle	Sympathie	Organisation
1	Fetischismus	Eroberung	Egoismus	national	militärisch
	Polytheismus				
	Monotheismus				
2	Metaphysik	Verteidigung		europäisch	feudal
3	Positivismus	Arbeit	Altruismus	universal	industriell

Der Mensch ändert sich nicht im Verlauf dieser Entwicklung. Es gelingt ihm aber zunehmend, seine edleren Eigenschaften besser zur Geltung zu bringen. Motor der Entwicklung sind neben den Ungleichzeitigkeiten in der Positivierung des Denkens die Konflikte zwischen den Intellektuellen und den Führern der gesellschaftlichen Organisation. Mit der endgültigen Durchsetzung des Positivismus werden diese Konflikte gegenstandslos, weil die universale industrielle Organisation insofern mit dem positivistischen Denken völlig kompatibel ist, als die Notwendigkeiten ihrer Ausgestaltung wissenschaftlich demonstrierbar sind, was im übrigen dank der positivistischen Erziehung und des Wirkens der geistlichen Gewalt reibungslos funktionieren wird.

Die Entwicklung der Menschheit ist nach Comte unaufhaltsam und irreversibel. Die Einflüsse von Klima, Rasse und politischem Handeln führen nur zu gewissen „Oszillationen"[23] um deren gesetzmäßig festliegende mittlere Linie. Gleichwohl gibt es für die menschliche Politik einen Gestaltungsspielraum: sowohl die anfallenden „Kosten" als auch das Tempo der Entwicklung können beeinflußt werden, wenn erst ihr gesetzmäßiger Gang bekannt und in die Zukunft extrapoliert ist. Das „progressive", den Fortschritt befördernde Handeln wird zur ethischen Pflicht. So ist etwa eine beschleunigte Entwicklung der nichteuropäischen Regionen durchaus möglich, vielleicht sogar bis hin zum „Überspringen" des metaphysischen Stadiums[24]. „Reaktionäres" Handeln hingegen ist sinnlos. Es wird die Entwicklung ohnehin nicht dauerhaft aufhalten. Auch „Restauration" bringt die Gesellschaft nur zu dem Punkt zurück, von wo aus sie erneut dieselbe Entwicklung einschlagen wird.

Allerdings ist es eitel und gefährlich, isoliert auf den intellektuellen und zivilisatorischen Fortschritt im Sinne von Aufklärung, Demokratie und Gewissensfreiheit zu setzen. Dies gerade war die Schwäche der „kritischen" oder „metaphysischen" Epoche zwischen Reformation und Revolution, in der zwar die mittelalterliche Ordnung zerstört, jedoch keine tragfähige neue Ordnung begründet, sondern „Anarchie" in Permanenz erzeugt wurde. Im Gegensatz zur aufklärerischen Kritik an „Priestertrug" und „Aberglauben" bewundert Comte die großen religiösen Synthesen sowohl des primitiven Fetischismus als auch des mittelalterlichen Katholizismus. Auch wenn ihre Zeit vorbei ist, haben sie doch Ordnungen gestiftet, in denen sich die soziale Organisation und die menschliche Natur einigermaßen in Einklang befanden. Jede Übereilung, jedes progressive Vorpreschen auf einem einzelnen Gebiet ist daher nicht in seinem Sinn. Auch in der positivistischen Endgesellschaft soll der Mensch mit allen seinen Bedürfnissen und Interessen ohne Rest aufgehen, die Menschheit zu ihrer endgültigen Bestimmung finden und die Geschichte enden.

Im Zentrum der positivistischen Endgesellschaft steht die von Comte gegründete Religion der Menschheit. Da das theologische

Stadium endgültig überwunden ist, kann nicht ein Gott im herkömmlichen Sinn Gegenstand der religiösen Verehrung sein. Das von Saint-Simon gegründete „Neue Christentum" ist noch deistisch und damit der metaphysischen Epoche verhaftet. Bei Comte ist das Objekt der Verehrung ganz irdisch. Es ist die Menschheit. Aber nicht die Menschheit in ihrer Schwäche und Gemeinheit, sondern die Menschheit, wie sie in vorbildlichen Menschen (und Tieren!) und deren Werken schon einen Abglanz der Unsterblichkeit erlangt hat[25]. Diese ideale Menschheit ist das *Grand Être* (Große Wesen), das in der Religion der Menschheit verehrt wird. Comte hat hierzu einen ins einzelne gehenden Kult ausgearbeitet, dazu einen positivistischen Kalender und ein positivistisches Dogma.

Von der Anpassung der Erziehung an das Drei-Stadien-Gesetz bis zur Architektur der positivistischen Tempel ist alles genauestens bedacht. Anzahl, Laufbahn, Aufgaben und Gehalt der Priester sind ebenso genau bestimmt wie die Zahl der Patrizier, die Besoldung der Proletarier sowie Anzahl und Einwohnerzahl der verbleibenden Republiken. Im übrigen wird das ganze private und öffentliche Leben, also etwa Ehe, Familie und Erbrecht, in altruistischer Richtung erneuert. Mit der Gewissensfreiheit wird es ebenso zu Ende sein wie mit jeder Art von „Rechten", da diese als Ausdruck von Egoismus und Individualität von vornherein unmoralisch sind, während allein „Pflichten" aller gegen alle die Individuen in ein angemessenes Verhältnis zur Menschheit bringen, der sie doch alles schulden, was sie sind und haben.

3. Zur Wirkungsgeschichte

Die Ideen Comtes hatten, teils durch die Tätigkeit der positivistischen Kirche und des sonstigen organisierten Positivismus verbreitet, teils auch unabhängig von diesen, einen erheblichen Einfluß auf Einzelpersonen, weltanschaulich ausgerichtete Vereinigungen, Verbände und Parteien, kurz: auf die im 19. Jahrhundert zahllosen „intermediären Gruppen"[26]. Dabei gab es die auch sonst aus der Geistes- und Religionsgeschichte bekannten Häresien, Apologien und Spaltungen, Verbindungen mit ähnlichen philosophischen Strömungen[27] und nationale Einfärbungen[28]. Einer besonderen Erwähnung bedarf der Umstand, daß der zunächst vor allem in Frankreich, England und Italien heimische Positivismus in den Staatsgründungen Brasiliens und der Türkei eine große Rolle gespielt und hierbei gewissermaßen dem Marxismus-Leninismus den Rang als „Modernisierungsideologie" abgelaufen hat[29].

Für die Geschichte der Soziologie[30] wird diese Seite der Wirkungsgeschichte des Positivismus gern marginalisiert. Die skurrilen Züge des Comte'schen Spätwerks, insbesondere die Religion der Menschheit, werden vom „eigentlichen" wissenschaftlichen Werk abgetrennt. Es vollzieht sich hierbei ein in der Logik des Drei-Stadien-Gesetzes selbst angelegtes Muster der permanenten Abstoßung von Lehren, die noch nicht ganz von allen theologischen und metaphysischen Restbeständen gereinigt erscheinen. Die „falschen Freunde" werden von den „wahren Freunden" des Positivismus aufgespürt und ihre Lehren indiziert[31]. Der Comte des *Cours* jedoch, d. h. das Programm der rein wissenschaftlichen Behandlung von Geschichte, Gesellschaft und Politik, wird etwa von Ernest Renan, Hippolyte Taine und Emile Durkheim, von John Stuart Mill, Herbert Spencer und Thomas Buckle, von Edward B. Tylor und Lester Frank Ward, von Wilhelm Ostwald, Karl Lamprecht und Kurt Breysig und vielen anderen begeistert übernommen. Comtes Namen wird schon bald zu einer Chiffre für dieses Programm, ohne daß man sich mit seinen Auffassungen im einzelnen auseinandersetzt. Eine diffuse Hintergrundwirkung seiner Lehre reicht insofern, nicht zuletzt auch aufgrund ihrer weltanschaulichen Attraktivität für die verunsicherten Intellektuellen des 19. Jahrhunderts, weit über den organisierten Positivismus und die beispielhaft genannten großen Namen hinaus. Die Wirkung Comtes fügt sich in einen breiten Grundstrom verwandter Ideen ein. Ähnliches gilt mit umgekehrtem Vorzeichen für die bald aufbrechenden Auseinandersetzungen um das vom Positivismus bestrittene Eigenrecht der Geisteswissenschaften[32], in denen Comte und Herbert Spencer oft pauschal und stellvertretend für eine sehr viel breitere Diskussion angegangen werden.

Nach einem vergleichbaren Muster verläuft die Wirkungsgeschichte Comtes in der akademischen Soziologie. Die akademische Institutionalisierung und Professionalisierung der Soziologie war mit einer programmatischen Beschränkung auf „Wissenschaft" verbunden. Der späte Comte und die Religion der Menschheit mußten vor diesem Hintergrund als peinliche Entgleisungen erscheinen, zu entschuldigen allenfalls durch Liebeswahn, Geisteskrankheit oder Inkonsequenz. Auf dem Weg der Soziologie zur akademischen Reputation wurde klar, daß sie nur dann anerkannt wird, wenn sie sich als Wissenschaft formiert. Durkheim etwa und sein Interpret René König sehen das Verhältnis der Soziologie zu Saint-Simon, Comte und den sozialistischen Doktrinen nach diesem Muster[33], und so ist es im wesentlichen auch geblieben[34].

Dabei verdankt die Soziologie Comte nicht nur ihren Namen, sondern viele ihrer zentralen Themen und Perspektiven. Weit über einzelne seiner Charakteristika hinaus („Organizismus", „Holismus", „Historizismus") hat der Comte'sche Ansatz der Soziologie als Krisenwissenschaft Geschichte gemacht. Die Vorstellung, allein der Soziologie sei es möglich, eine gesellschaftliche Wirklichkeit, die sich aufzulösen, zu verflüssigen, wegzubrechen schien, zuerst geistig und dann politisch zu bewältigen, indem man a) nach elementaren und universalen „funktionalen" Bestandsvoraussetzungen (Statik) fragt und b) die Fülle der scheinbar chaotischen Erscheinungen durch Einordnung in eine zeitliche Abfolge bannt (Dynamik), ist ein bleibendes Erbteil des Faches geworden, einschließlich des daraus resultierenden Anspruchs auf geistige Führung und politischen Einfluß.

Emile Durkheims Verständnis der „Anomie" etwa, die aus einem pathologischen Zurückbleiben der „organischen Solidarität" hinter dem Stand der Arbeitsteilung resultiert, aber auch sein Begriff des „Kollektivbewußtseins" oder seine Religionssoziologie sind ohne Comte schwer vorstellbar. Aber auch die um den Funktionalismus von Talcott Parsons und die Modernisierungstheorien gruppierte Gestalt, in der die Sozialwissenschaften nach dem Zweiten Weltkrieg ihren globalen Siegeszug antraten, fügt sich dem positivistischen Kampfruf „Ordnung und Fortschritt" zwanglos ein[35]. Von der Religion der Menschheit sprach Durkheim zwar nicht mehr, aber eine soziologische Elementarschulbildung und die moderierende Wirkung säkularer intermediärer Gruppen sollten der nachhinkenden organischen Solidarität aufhelfen. Und auch nach dem Zweiten Weltkrieg bedurfte es einer positivistischen Kirche nicht mehr, nachdem die sozialwissenschaftliche Mission eine Angelegenheit der Regierungen geworden war[36].

Die Soziologie Comtes und seine Religion der Menschheit sind tot. Die wissenschaftlich legitimierte und geplante Auflösung des Individuums im Entwicklungsgang des Kollektivs der Menschheit wird mit so doktrinärer Unerbittlichkeit und so entlarvender Offenheit in ihren totalitären Konsequenzen durchgeführt, daß man heute darüber lacht oder erschrickt. Comte wurde dadurch nicht nur eine Symbolfigur für die liberale Kritik am Elend des Historizismus[37], sondern auch für die in den 60er Jahren in der Bundesrepublik aufblühende „kritische" Soziologie zum abschreckenden Beispiel für „positivistische" Soziologie[38]. Die Vorstellung der Soziologie als eines säkularen Programms zur Perfektion der Menschheit und ihrer Daseinsbedingungen lebt jedoch in veränderter Gestalt in dem Führungsanspruch fort, der nach dem herrschenden Selbstverständnis der professionellen Soziologie nach wie vor für die politische Gestaltung der Gesellschaft erhoben wird.

Literatur

1. Werkausgaben und Titel in deutscher Sprache

Auguste Comte, 1968–1971, Oeuvres. Editions Anthropos. Paris. 12 Bände.
    Die wichtigsten wissenschaftlichen Publikationen sind in dieser Ausgabe enthalten. Für die privaten Aufzeichnungen vergleiche ergänzend:
Comte, Auguste, 1973–1990, Correspondance général et confessions. Textes établis par Paulo E. de Berrêdo Carneiro. 8 Bände. Paris.
Daneben gibt es eine Vielzahl von leicht zugänglichen Sammlungen, Auszügen und Übersetzungen einzelner Werke Comtes in den verschiedensten Sprachen, die u. a. von der „Société positiviste" veranlaßt wurden. In deutscher Sprache sind erschienen:
Comte, Auguste, 1891, Katechismus der positiven Religion. Übers. von E. Roschlau. Leipzig.
Comte, Auguste, 1894, Der Positivismus in seinem Wesen und seiner Bedeutung. Übers. von E. Roschlau. Leipzig.
Comte, Auguste, 1923, Soziologie. Übers. von Valentine Dorn und eingel. von Heinrich Waentig. 3 Bände. 2. Aufl. Jena.
Comte, Auguste, 1928, Aufruf an die Konservativen. Neufeld.
Comte, Auguste, 1973, Plan der wissenschaftlichen Arbeiten, die für eine Reorganisation der Gesellschaft notwendig sind. Eingel. von Dieter Prokop. München.
Comte, Auguste, 1974, Die Soziologie. Die positive Philosophie im Auszug. Hrsg. von Friedrich Blaschke mit einer Einleitung von Jürgen von Kempski. 2. Aufl.

Comte, Auguste, 1994, Rede über den Geist des Positivismus. Übers., eingel. und hrsg. von Iring Fetscher. Hamburg.

2. Bibliographien

Arbousse-Bastide, Paul, 1957, La doctrine de L'éducation universelle dans la philosophie d'Auguste Comte. 2 Bände. Paris.
Gouhier, Henri, 1965, La vie d'Auguste Comte. 2. Aufl. Paris.
Massing, Otwin, 1976, Auguste Comte. In: Dirk Käsler (Hrsg.), Klassiker des soziologischen Denkens, Band 1. München, S. 19–61 sowie 365 ff.

3. Biographien

Arbousse-Bastide, Paul, 1968, Auguste Comte. Paris.
Fuchs-Heinritz, Werner, 1998, Auguste Comte. Einführung in Leben und Werk. Opladen.
Gruber, Hermann, 1889, Auguste Comte, der Begründer des Positivismus. Sein Leben und seine Lehre. Freiburg.
Kremer-Marietti, Angèle, 1970, Auguste Comte. Paris.
Mill, John Stuart, 1961, Auguste Comte and Positivism. Ann Arbor.
Ostwald, Wilhelm, 1914, Auguste Comte. Der Mann und sein Werk. Leipzig.
Pickering, Mary, 1993, Auguste Comte. An Intellectual Biography, Volume I. Cambridge.

4. Monographien und sonstige Literatur

Wesentlich zur Übersicht über die Literatur zu Comte trägt jetzt bei die Arbeit von Bernhard Plé, Die „Welt" aus den Wissenschaften, Stuttgart 1996. Dort sind, abgesehen von einem vorzüglichen Verzeichnis der Sekundärliteratur, nicht nur Lexikon-Artikel zum Positivismus zusammengestellt (S. 473–475), sondern auch die „apologetische" Literatur (S. 476–481) sowie die Propagandaschriften der Positivisten und ihrer erklärten Sympathisanten (S. 482–493).

Besonders wird hingewiesen auf:
Aron, Raymond, 1971, Hauptströmungen des soziologischen Denkens. 2 Bände. Köln.
Bock, Michael, 1980, Soziologie als Grundlage des Wirklichkeitsverständnisses. Zur Entstehung des modernen Weltbildes. Stuttgart.
Bottomore, Tom/Nisbet, Robert, (eds.), 1978, A History of Sociological Analysis. New York.
Charlton, D. G., 1959, Positivist Thought in France during the Second Empire, *1852–1870*. Oxford.
Emge, R. Martinus, 1987, Saint-Simon. Einführung in ein Leben und Werk, eine Schule, Sekte und Wirkungsgeschichte. München/Wien.
Hayek, Friedrich A. von, 1979, Mißbrauch und Verfall der Vernunft. Ein Fragment. 2. Aufl. Salzburg.
Leroy, Maxime, 1954, Histoire des idées sociales en France. 3 Bände, Band III.: D'Auguste Comte à P.-J. Proudhon. Paris.
Lévy-Bruhl, Lucien, 1926, La Philosophie d'Auguste Comte. 2. Aufl. Paris.

Löwith, Karl, 1973, Weltgeschichte und Heilsgeschehen. Die theologischen Voraussetzungen der Geschichtsphilosophie. 6. Aufl. Stuttgart.

Manuel, Frank E., 1962, The Prophets of Paris. Cambridge Mass.

Massing, Otwin, 1966, Fortschritt und Gegenrevolution. Die Gesellschaftslehre Comtes in ihrer sozialen Funktion. Stuttgart.

Steinhauer, Margarete, 1964, Die politische Soziologie Comtes und ihre Differenz zur liberalen Gesellschaftstheorie Condorcets. Marburg.

Tenbruck, Friedrich H., 1984, Die unbewältigten Sozialwissenschaften oder die Abschaffung des Menschen. Graz/Wien/Köln.

Waentig, Heinrich, 1894, Auguste Comte und seine Bedeutung für die Entwicklung der Sozialwissenschaften. Leipzig.

Anmerkungen

1 Zur Biographie Comtes vgl. Gouhier, Henri: La vie d'Auguste Comte, 2. Aufl., Paris 1965; ders.: La jeunesse d'Auguste Comte et la formation du positivisme, 3 Bände, Paris 1933–1941; Gruber, Hermann: Auguste Comte, der Begründer des Positivismus. Sein Leben und seine Lehre, Freiburg 1889; Pickering, Mary: Auguste Comte. An Intellectual Biography, Volume I, Cambridge 1993.

2 Hayek, Friedrich A. von: Mißbrauch und Verfall der Vernunft. Ein Fragment, 2. Aufl. Salzburg 1979, S. 143–159.

3 Lepenies, Wolf: Normalität und Anormalität. Wechselwirkungen zwischen den Wissenschaften vom Leben und den Sozialwissenschaften im 19. Jahrhundert, in: ders. (Hrsg.): Geschichte der Soziologie, Band 3; Frankfurt a. M. 1981, S. 227–251, dort S. 231.

4 Im folgenden nur noch „Plan", zitiert nach der deutschen Ausgabe, München 1973.

5 Zu den Einzelheiten vgl. Manuel, Frank E.: The Prophets of Paris, Cambridge Mass. 1962, S. 251–260.

6 Oevres de Claude-Henri de Saint-Simon, 6 vols., Paris 1966. Über Saint-Simon und sein Denken informieren ausführlich Pickering (wie Fn 1, S. 60–101), Manuel (wie Fn 5, S. 103–148) und v. Hayek (wie Fn 2, S. 160–176).

7 Im folgenden nur noch „Cours", Oeuvres, Band I–VI.

8 Im folgenden nur noch „Système", Oeuvres, Band VII–X.

9 Eine gedrängte, aber informative Übersicht bei Erich Rothacker: Philosophie und Politik im französischen Denken des frühen 19. Jahrhunderts, in: Hans Wenke (Hrsg.): Festschrift für Eduard Spranger, Leipzig 1942, S. 149–170.

10 Brunner, Otto: Vom Gottesgnadentum zum monarchischen Prinzip, in: ders.: Neue Wege der Verfassungs- und Sozialgeschichte, 2. Aufl., Göttingen 1968, S. 160–186.

11 „Plan", S. 52.

12 Löwith, Karl: Weltgeschichte und Heilsgeschehen. Die theologischen Voraussetzungen der Geschichtsphilosophie, 6. Aufl., Stuttgart u. a. 1973; Talmon, J. L.: Politischer Messianismus, Köln und Opladen 1963; Bock, Kenneth: Theories of Progress, Development, Evolution; in: Tom Bottomore, Robert Nisbet (eds.): A History of Sociological Analsysis, New York 1978, S. 39–79.

13 Manuel, wie Fn 5, S. 300.
14 Nisbet, Robert: Conservatism, in: Tom Bottomore, Robert Nisbet (eds.): A History of Sociological Analysis, New York 1978, S. 80–117, besonders S. 105–107; Spaemann, Robert: Der Ursprung der Soziologie aus dem Geist der Restauration. Studien über L. G. A. de Bonald, München 1959.
15 „Système" Band III, S. 75 ff.; Lepenies, wie Fn 3, S. 236–238.
16 Ab S. 195 bzw. 200 f. im Band IV des „Cours".
17 „Cours" Band IV, S. 6, Anm. 1.
18 Die Mathematik zerfällt bei Comte, der damals üblichen Einteilung entsprechend, in abstrakte und konkrete Mathematik. Nur die Algebra ist abstrakte Mathematik und benutzt die Logik, während Geometrie und Mechanik die konkrete Mathematik bilden und auch auf die Methode der Beobachtung zurückgreifen (vgl. J. von Kempski: Einleitung zu Auguste Comte, Die Soziologie. Positive Philosophie, Stuttgart 1974, S. XXIV).
19 „Cours" Band I, S. 30.
20 „Cours" Band IV, S. 286.
21 Von Hayek, wie Fn 2, S. 250 ff.
22 Comte sieht diesbezüglich vor allem in der Biologie seiner Zeit Bewegung und war hierüber auch gut im Bilde, vgl. Canguilhem, Georges: Auguste Comtes Philosophie der Biologie und ihr Einfluß im Frankreich des 19. Jahrhunderts, in: Lepenies, Wolf (Hrsg.): Geschichte der Soziologie, Band 3; Frankfurt a. M. 1981, S. 209–226.
23 „Cours" Band IV, S. 325.
24 Manuel, wie Fn 5, S. 280.
25 Vgl. etwa „Système" Band IV, S. 30.
26 Tenbruck, Friedrich H./W. A. Ruopp: Modernisierung – Vergesellschaftung – Gruppenbildung–Vereinswesen, in: KZfSS 1983, Sonderheft 23, S. 65–74.
27 Vgl. etwa Lübbe, H.: Politische Philosophie in Deutschland. Studien zu ihrer Geschichte, München 1974, S. 124–170.
28 Über alle diese Phänomene informiert jetzt ausführlich und anhand reichen Quellenmaterials Berhand Plé, Die „Welt" aus den Wissenschaften. Der Positivismus in Frankreich, England und Italien von 1848 bis ins zweite Jahrzehnt des 20. Jahrhunderts. Eine wissenssoziologische Studie, Stuttgart 1996.
29 Vgl. die bei Plé, wie Fn 28, S. 9–11 angegebenen Standardwerke.
30 Es sei hier kurz erwähnt, daß die Wirkung Comtes auf die Mediziner und Biologen ganz außerordentlich war (vgl. Canguilhem, wie Fn 22).
31 Vgl. etwa die Darstellung bei Charlton: Positivist Thought in France during the Second Empire, 1852–1870, Oxford 1959, wonach nach Comtes Abfall vom Positivismus Émile Littré und Claude Bernard als „les vrais amis du positivisme" in die Bresche gesprungen seien.
32 Lepenies, Wolf: Die drei Kulturen. Soziologie zwischen Literatur und Wissenschaft, München/Wien 1985; Scholtz, Gunther: Zwischen Wissenschaftsbedürfnis und Orientierungsanspruch. Zu Grundlage und Wandel der Geisteswissenschaften, Frankfurt a. M. 1991; Karl Acham: Geschichte und Sozialtheorie. Zur Komplementarität kulturwissenschaftlicher Erkenntnisorientierungen, Freiburg/München 1995.
33 König, René: Kritik der historisch-existentialistischen Soziologie. Ein Beitrag zur Begründung einer objektiven Soziologie, München 1975.

34 Vgl. etwa Ritzer, George: Sociological Beginnings. On the Origins of Key Ideas in Sociology, New York u.a. 1994.

35 Kellermann, Paul: Kritik einer Soziologie der Ordnung. Organismus und System bei Comte, Spencer und Parsons, Freiburg 1967.

36 Tenbruck, Friedrich H.: Die unbewältigten Sozialwissenschaften oder die Abschaffung des Menschen, Graz/Wien/Köln 1984; Plé, Bernhard: Wissenschaft und säkulare Mission. „Amerikanische Sozialwissenschaft" im Sendungsbewußtsein der USA und im geistigen Aufbau der Bundesrepublik Deutschland, Stuttgart 1990.

37 Von Hayek, wie Fn 2, S. 265–288; Popper, Karl R.: Das Elend des Historizismus, 2. Aufl. Tübingen 1969.

38 Massing, Otwin: Fortschritt und Gegenrevolution. Die Gesellschaftslehre Comtes in ihrer sozialen Funktion, Stuttgart 1966; Steinhauer, Margarete: Die politische Soziologie Auguste Comtes und ihre Differenz zur liberalen Gesellschaftstheorie Condorcets, Marburg 1964; Maus, Heinz: Bemerkungen zu Comte, in: KZfSS 1952/53, S. 513–529.

Ralf Dahrendorf

Karl Marx
(1818–1883)

Karl Marx war Privatgelehrter und Publizist. In Trier, wo er am 5. Mai 1818 als Sohn eines zur protestantischen Staatskirche Preußens konvertierten Rechtsanwalts aus jüdischer Familie geboren wurde, absolvierte er das Gymnasium. Von 1835 bis 1841 studierte er zunächst Recht in Bonn, dann Philosophie und verwandte Fächer an der Berliner Universität. Nach der Promotion 1841 fand er die akademische Laufbahn aus politischen Gründen versperrt. Als Journalist und Autor fristete er zeit seines Lebens ein eher kärgliches Dasein. Von 1843 bis zu seinem Tode am 14. März 1883 verbrachte er dieses teils freiwillig, teils aus Gründen der Zensur mit wenigen Unterbrechungen außerhalb Deutschlands, zunächst (1843) in Paris, dann (bis 1848) in Brüssel, ab 1849 in London. Hier entwickelte er die frühen Schriften über Ökonomie und Philosophie zu den großen sozial-ökonomischen Werken, fügte diesen kleine politische Schriften hinzu und betätigte sich gelegentlich, wenn auch ohne nennenswerten Erfolg, als Agitator für sozialistische Gruppen. Seit der ersten Begegnung in Paris 1844 verband ihn eine lebenslange Partnerschaft mit dem 1820 geborenen Autor und Fabrikbesitzer Friedrich Engels.

In den 65 Jahren seines Lebens gab es Momente, in denen der Name Karl Marx einer breiteren Öffentlichkeit bekannt wurde. Jedenfalls kannte ihn die preußische Polizei, die den Rheinländer wegen Anstiftung zum Aufruhr (durch Zeitungsartikel) 1849 des Landes verwies. Auch war der Name in den sektenartigen Zirkeln geläufig, in denen Sozialismus und Kommunismus ihre Anfänge erlebten. Doch erst nach seinem Tod schwoll solch sporadische Bekanntheit zu dauerhaftem Ruhm und Einfluß an. In dem Jahrhundert, das zwischen dem Erscheinen des Dritten Bandes von Marx' *Kapital* und dem dramatischen Ende der in seinem Zeichen angetretenen Regimes in Europa lag, ist kein Name so gründlich und folgenreich gebraucht und mißbraucht worden wie der von Marx. Es gab Zeiten, in denen die meisten Intellektuellen und Politiker sich entweder als Marxisten oder als Antimarxisten verstanden. Diesem Spuk setzte die Revolution von 1989 ein Ende. Seitdem wird der zuvor allgegenwärtige Name von Marx gleichsam aktiv vergessen. Wer spricht am Ende des Jahrtausends noch von Marx?

Solche Stille nach dem Sturm hat den Vorteil, daß es fast schon möglich wird, über den Sozialwissenschaftler Marx *sine ira et studio* zu schreiben. Der Jura- und Philosophiestudent aus einer bürgerlichen Trierer Anwalts- und Rabbiner-Familie fand sich am Ende der 1830er Jahre in einem geistigen Klima, das durch zwei Kräfte bestimmt wurde: Hegel und die Entdeckung des Sozialen. Hegels Philosophie beherrschte die Geister der Generation nach dem Tod des Meisters im Jahre 1831. Viele glaubten, es gebe nach ihr nichts Neues mehr zu denken und zu sagen. Hegelsche Rechte und Hegelsche Linke, Alt- und Junghegelianer empfanden sich gleichermaßen als Epigonen. Der junge Marx suchte seinen Ort in der Nähe zur Hegelschen Linken, auch wenn er deren Protagonisten – Ludwig Feuerbach, Bruno und Edgar Bauer, Max Stirner „und Konsorten" – alsbald 1844/45 in zwei „kritischen Kritiken", der *Heiligen Familie* und der *Deutschen Ideologie*, aufspießen sollte.

Es war indes die Entdeckung des Sozialen, die Marx über die Begrenzung der Epigonengeneration hinausführte. Die Entdeckung war zunächst höchst real, als nämlich der Mitarbeiter der *Rheinischen Zeitung* in den Jahren 1842/43 über die Lage der Weinbauern an der Mosel schrieb. (Nur klassische Armut hat Marx aus eigener Anschauung gekannt; die neue Armut des Industrieproletariats war ihm vornehmlich aus Berichten und Büchern geläufig, darunter aus dem Werk seines Freundes Friedrich Engels über die *Lage der arbeitenden Klasse in England*, geschrieben 1844/45 „nach eigener Anschauung und authentischen Quellen".) Der Realerfahrung fügte Marx dann die Lektüre der Ökonomen hinzu, zuerst die des Sozialökonomen Pierre Joseph Proudhon, dann aber, wichtiger und prägender, die der britischen Ökonomen und unter ihnen vor allen David Ricardo.

Aus solchen Elementen entstanden die Pariser Manuskripte von 1844/45 (auch bekannt unter dem Titel *Nationalökonomie und Philosophie*), die ersten politischen Programmschriften, darunter das *Manifest der Kommunistischen Partei* (1848), und vor allem das Kernstück Marxscher Sozialwissenschaft, die *Kritik der politischen Ökonomie"* (1859). In diesem Band sind die Elemente des dreibändigen *Kapital* schon enthalten. In kleineren Schriften (darunter dem soziologischen Juwel *Der 18. Brumaire des Louis Bonaparte* von 1852, das Louis Napoleons „Machtergreifung" von 1851 aus den Interessen der organisationsunfähigen und -unwilligen Parzellenbauern erklärt), erst Jahrzehnte später vollständig veröffentlichten Werken (wie den *Grundrissen der Kritik der politischen Ökonomie* von 1857/58), in Polemiken, Briefen und Kommentaren zu Zeitereignissen hat Marx seine Grundthesen entfaltet und vielfach angewendet.

Selbst wenn das Wort schon gängig gewesen wäre, Marx hätte sich nicht Soziologe genannt. Philosophie und Politische Ökonomie waren seine Metiers. Mit zunehmender Reife sah er sich vornehmlich als Ökonom. Indes ist der Kerngedanke seiner stets politischen Ökonomie eine Theorie des sozialen Wandels, angewandt vor allem auf die Geschichte des modernen Kapitalismus und von großer prognostischer Kraft, so daß sie zum Kampfinstrument einer am Ende weltumspannenden politischen Bewegung werden konnte.

Theorie des sozialen Wandels

Methodischer Ausgangspunkt dieser Theorie ist die Annahme, daß die Geschichte der Menschheit erkennbaren Gesetzen folgt, die deren Verlauf auf ein zumindest andeutungsweise bestimmbares zukünftiges Ziel hinführen. Das ist Hegel, auf den Kopf gestellt, oder vielmehr (in Marx' Worten) „vom Kopf, auf dem er stand, auf die Füße gestellt". Die Füße finden ihren Halt auf dem Boden der Ökonomie, die bei Hegel nur hypostasierter Geist ist, während Marx umgekehrt das Bewußtsein als vom ökonomischen Sein bestimmt versteht. Ökonomische Verhältnisse bilden die „reale Basis", Produkte des Geistes hingegen den „Überbau" (um die viel später verwendete Terminologie zu verwenden). Das ist der eine Teil der Marxschen Wendung. Der andere besteht darin, daß für Hegel der preußische Staat als Idee (und wohl auch als Realität) bereits die Erfüllung der Dialektik der Geschichte, die letzte Synthese darstellte, während Marx seine Gegenwart als vorletzten Schritt der Geschichte, also als Antithese sah. Die Erfüllung, nämlich die kommunistische Gesellschaft, lag noch in der Zukunft, wenn auch schon beinahe greifbar nahe. Sie war daher Aufforderung zur Tat.

Dieser – philosophische – Hintergrund hat vor allem die Wirkung des Marxschen Denkens geprägt. Ökonomismus plus Utopismus haben viele Zeitgenossen und Spätere eingenommen. Die Begriffe klingen häßlich; gemeint sind die Annahmen, daß die relevante Realität vor allem sozialökonomischer Natur ist und daß diese auf ein Ziel hintreibt, das vielen, wenn nicht allen Erfüllung verspricht.

Läßt man indes diese philosophischen Elemente für sich – und sie sind gedanklich ablösbar von der Kritik der politischen Ökonomie –, dann wird in den nächsten Schritten des Marxschen Denkens eine Theorie erkennbar, die sich auch in zeitgenössischer soziologischer Sprache darstellen läßt. Sie besagt, daß die Geschichte – der soziale Wandel – durch die Wechselwirkung von zugrundeliegenden Strukturen und organisierten Kräften vorangetrieben wird. Dies geschieht jeweils in Stufen, die verschiedene Epochen oder Gesellschaftsformen voneinander trennen.

Die zugrundeliegenden Strukturen bestimmt Marx sozialökonomisch. Er nennt sie in der Regel Produktivkräfte und Produktionsverhältnisse (Produktionsweisen). Die Produktionsverhältnisse sind die jeweils bestehenden sozialökonomischen Strukturen, also Eigentumsverhältnisse, Organisationsformen vor allem des Wirtschaftens, der Stand der technischen Entwicklung. Die Produktivkräfte hingegen sind die Antriebskräfte der Entwicklung. Marx, der unzweifelhaft bei seiner Begrifflichkeit vor allem die Industrielle Revolution im Sinne hatte, dachte an die Erfindungen und Entdeckungen, mechanische Webstühle, die Dampfmaschine. Indes sah er auch neue Möglichkeiten der Eigentumsordnung, Investitionskapital, Fabriken und Unternehmen, überhaupt das Arsenal der Faktoren, die wir Kapitalismus nennen, als Produktivkräfte. Diese bilden die *dynamis* im Hinblick auf die *energeia*, um Aristotelische Begriffe zu verwenden, die dem Hegelianer Marx dennoch nahe waren.

Die Beziehung von Produktivkräften und Produktionsverhältnissen – von Antriebsfaktoren und bestehenden Strukturen – ist nicht statisch. Es gibt Phasen, in denen bestehende Strukturen den produktiven Möglichkeiten der Zeit durchaus entsprechen. Früher oder später treten die beiden aber auseinander. Die Produktivkräfte wachsen, während die bestehenden Strukturen erstarren. Wiederum drängt sich die Erfahrung der Industriellen Revolution auf. Spätmittelalterliche Strukturen der Zünfte und Stände behindern die Entwicklung kapitalistischer Unternehmen. Der Widerspruch wird zunehmend unhaltbar. Die neuen Unternehmen entfalten sich in bestimmten Städten. Alsbald zeigt sich, daß sie stärker sind als die hinderlichen Strukturen der alten Welt. Am Ende müssen die Produktionsverhältnisse nachgeben; eine neue Sozialstruktur entsteht.

In dieser Form ist die Theorie wenn nicht Metaphysik, so doch äußerste Abstraktion. Was soll die Rede von Kräften und Strukturen und ihrer Dialektik in Wirklichkeit bedeuten? Hier tritt das eigentlich geniale Element der Marxschen Theorie des Wandels auf den Plan. Produktivkräfte und Produktionsverhältnisse schweben nicht in der Luft; sie werden von sozialen Gruppen vertreten. Solche Gruppen nennt Marx Klassen. Es gibt jeweils die Klasse derer, die ein Interesse daran haben, die bestehenden Produktionsverhältnisse zu verteidigen, und die andere Klasse, die im Namen neuer Möglichkeiten die Veränderung dieser Strukturen fordert. Der sich verschärfende Kampf der Klassen ist Ausdruck der zunehmenden Unvereinbarkeit von Produktivkräften und Produktionsverhältnissen.

Wiederum ist die Erfahrung der Industriellen Revolution unverkennbar. Die Klasse, die die neuen Produktivkräfte vertrat, war die Bourgeoisie. Ihre Hoffnungen wurden durch die feudal-ständische Struktur der vorindustriellen Gesellschaften enttäuscht. Sie forderte daher Veränderung. Sie verlangte insbesondere die Beseitigung der Privilegien der alten, oft von der Kirche gestützten Führungsschicht. An diesem Punkt schiebt sich indes eine andere historische Erfahrung über die der Industriellen Revolution, nämlich die Französische Revolution, die für die Generation des jungen Marx noch lebendige Geschichte war. In der Französischen Revolution haben zum ersten Mal massenhaft an einem Ort versammelte, zumindest rudimentär organisierte Menschen eine den Wandel prägende Rolle gespielt. Mit einiger Mühe der Interpretation könnte man die Französische Revolution als Symptom eines Klassenkampfes beschreiben.

Klassen entwickeln sich im Verlaufe ihrer Geschichte und der

Peripetie der Epochen. Am Anfang einer neuen Epoche – nach der Etablierung neuer Produktionsverhältnisse – ist die herrschende Klasse stark. Sie hat gerade obsiegt und ist nun dabei, eine Gesellschaft nach ihrem Bilde zu schaffen. Die alte herrschende Klasse findet sich an den Rand gedrängt; sie hat ihre historische Rolle erfüllt. Andererseits sind neue Produktivkräfte nur in ersten Ansätzen erkennbar. Noch gibt es keine beherrschte Klasse, die im Namen dieser Kräfte neue Ansprüche anmelden könnte. Allmählich verändert sich jedoch die Szenerie. Die neue beherrschte Klasse beginnt sich zu formieren. Das Bewußtsein wächst, daß sie die Zukunft auf ihrer Seite hat. Mit zunehmender Organisation wird der Klassenkampf härter. Es ist Eisen in der Luft.

Der revolutionäre Charakter der Marxschen Theorie

Die hier in knappen Worten skizzierte Theorie des sogenannten „dialektischen" oder „historischen Materialismus" wird von Marx nirgends so eindeutig entwickelt wie von seinen Interpreten. Am ehesten findet man sie im mit Recht berühmten Vorwort zur *Kritik der politischen Ökonomie* von 1859. Das *Manifest der Kommunistischen Partei* betont naturgemäß den Klassenkampf stärker als die Dialektik von Produktivkräften und Produktionsverhältnissen; das Umgekehrte gilt für das *Kapital*.

Ein Merkmal der Theorie wird indes durchgängig bei Marx erkennbar; es ist der Schlüssel zu seiner Analyse, damit auch zum Verständnis seiner Wirkung, und es ist Ansatzpunkt der Kritik an seinem Werk: der revolutionäre Charakter der Theorie.

Produktivkräfte und Produktionsverhältnisse wirken innerhalb historischer Epochen. In diesen entfalten sich Produktionsverhältnisse zu voller Blüte. Manchmal passen sie sich auch in winzigen Schritten an neue Forderungen an. Marx fand es erstaunlich schwierig (im 3. Band des *Kapitals*), das damals neue Phänomen der Aktiengesellschaften zu erklären, das in gewisser Weise die Vergesellschaftung des Kapitals vorwegnahm. Im Kern nämlich sind für Marx Produktionsverhältnisse, also bestehende Strukturen, starr. Die Interessen der Herrschenden zielen auf Besitzstandswahrung, und das heißt zumeist auf Erhaltung des Status quo. Produktivkräfte dagegen sind unbeirrbar dynamisch. Keiner kann sie aufhalten. Sie geben keine Ruhe, bevor sie nicht die bestehenden Strukturen umgestürzt haben.

„Sie" – das heißt praktisch die unterdrückten Klassen, die ihre Interessen zu herrschenden Werten erheben wollen. Auch der Klassenkampf ist nicht etwa ein Konflikt, der zu allmählichen Veränderungen führt, sondern ein Kampf um alles oder nichts. Herrschende Klassen versteifen sich in ihrer Position. Unterdrückte, oder besser, fordernde Klassen werden zunehmend ungeduldig. Der Kampf zwischen beiden nimmt an Heftigkeit in dem Maße zu, in dem die Organisation der Fordernden solider wird. Am Ende beginnt die herrschende Klasse sich aufzulösen; einige ihrer Mitglieder machen gemeinsame Sache mit dem Klassenfeind.

Diese scheinbar nebensächliche These ist für Marx wichtig, um die eigene Position zu erklären. (Sie kehrt übrigens in der gesamten an Marx anschließenden Literatur wieder.) Wie kommt es, daß Marx – daß er wie andere bürgerliche Intellektuelle – den Gang der Geschichte kennt und sogar in der Lage ist, der Klasse das Wort zu reden, die seiner Ursprungsklasse entgegensteht? Das ist nur möglich kurz vor dem Ende eines Systems, wenn also die Revolution bereits ihre Schatten vorauswirft. Alfred Weber und Karl Mannheim sollten dem später den Gedanken der sozial „freischwebenden Intelligenz" hinzufügen.

Jeder Klassenkampf führt am Ende zu einer gewaltsamen Explosion, also zur Revolution. Revolution bedeutet dabei, daß eine bisher unterdrückte Klasse, die zugleich die Chancen neuer Produktivkräfte repräsentiert, die herrschende Klasse als solche beseitigt und neue Produktionsverhältnisse durchsetzt. Die herrschende Klasse von gestern endet auf dem Schutthaufen der Geschichte. Der Triumph der neuen herrschenden Klasse ist zugleich der Beginn eines neuen Konflikts.

Dieser revolutionäre Charakter der Marxschen Theorie hat wichtige Folgen und stellt wichtige Fragen. Er schließt viele Formen des sozialen Wandels aus. Insbesondere erklärt er nicht die Möglichkeit von Reformen. Es kann nach dieser Theorie zum Beispiel keine erfolgreiche sozialdemokratische Reformpartei geben. Wendet man die Theorie praktisch, das heißt macht man sie zum Programm, dann bedeutet das, daß es eine sozialdemokratische Reformpartei nicht geben darf. Wer den Kapitalismus reformieren will, ist kraft Definition Verteidiger des Kapitalismus. Hier hat das folgenschwere Schisma der sozialistischen Bewegung seinen theoretischen Ursprung.

Anwendung der Theorie auf den Kapitalismus

Doch greift diese kritische Anmerkung vor. Marx wendet seine Theorie des Wandels zunächst auf historische Gesellschaftsformen an. „Die Geschichte aller bisherigen Gesellschaft ist die Geschichte von Klassenkämpfen", schreiben Marx und Engels im ersten Satz des Kommunistischen Manifests. Sie geben ihre Beispiele mit einer gewissen historischen Großzügigkeit: „Freier und Sklave, Patrizier und Plebejer, Baron und Leibeigener, Zunftbürger und Gesell, kurz, Unterdrückter und Unterdrückte" – nicht in allen genannten Fällen ist die „revolutionäre Umgestaltung der ganzen Gesellschaft" erkennbar, mit der der Klassenkampf „jedesmal" endet. Noch weniger lassen sich die genannten Gruppen mit historischen Produktivkräften und Produktionsverhältnissen identifizieren.

Tatsächlich hatte Marx bei seiner Theorie vor allem die bürgerliche Revolution im Sinn. Richtiger wäre es zu sagen: die doppelte bürgerliche Revolution, nämlich die Industrielle und die Französische Revolution. Daß beide nicht eigentlich im selben Land, also in derselben Gesellschaft stattgefunden haben, wird dabei übersehen. Die Französische Revolution hat ja nicht zur raschen Industrialisierung Frankreichs geführt; und die englische Industrielle Revolution war nicht das Ergebnis von Klassenkampf und Machtwechsel. Nur in einer stark stilisierten Version der Geschichte kann man die Überlagerung der beiden „Revolutionen" als Beleg für die Theorie des Wandels betrachten.

In ähnliche Schwierigkeiten gerät Marx bei der Analyse des Kapitalismus, der er den größten Teil seiner intellektuellen Energie gewidmet hat. Es liegt auf der Hand, daß durch die Lohnarbeit, insbesondere in ihrer massenhaften Verbreitung, eine neue soziale Kategorie entstanden ist. Marx nennt sie das Proletariat; andere sprechen von der Arbeiterklasse. Diese Klasse gerät insbesondere in Gesellschaften, in denen bäuerliche Landwirtschaft und andere Formen der Selbständigkeit früh schon auf ein Minimum reduziert worden sind, in eine soziale Lage der Armut und Abhängigkeit. England liefert das eindringlichste Beispiel. Da diese Klasse zugleich für das Wachstum der Wirtschaft unentbehrlich ist, kann sie sich allmählich organisieren und durch ihre Vertreter Einfluß auf ihre Lebensbedingungen gewinnen. Die detaillierte Beschreibung der Klassenbildung im *Manifest der Kommunistischen Partei* trifft vor allem – vielleicht: nur – für die Organisation der Industriearbeiterschaft in Gewerkschaften und sozialistischen Parteien zu. Es ist weniger evident, daß die Entfaltung des Klassenkampfes in kapitalistischen Gesellschaften unweigerlich auf eine revolutionäre Explosion zusteuert. Tatsächlich gibt es kein einziges Beispiel für revolutionäre Wandlungen aufgrund von Auseinandersetzungen zwischen Bourgeoisie und Proletariat. Im Gegenteil hat eine allmähliche Integration der zunächst offenbar benachteiligten Arbeiterklasse stattgefunden, die ihren sinnfälligsten Ausdruck in der eher nationalbewußten als klassenbewußten Haltung der Arbeiterparteien Europas zum Ersten Weltkrieg im Jahre 1914 fand.

Doch führt Marx' Theorie zu einem noch tieferen Problem. In welchem Sinn kann man sagen, daß das Proletariat neue Produktivkräfte vertritt? Welche Zukunft liefert der Arbeiterklasse das Pathos ihrer Organisation? Denn für die Theorie ist es entscheidend, daß der Kampf einer unterdrückten Klasse nicht ein Akt des Willens, sondern ein Resultat historischer Notwendigkeit ist. „Es handelt sich nicht darum, was dieser oder jener Proletarier oder selbst das ganze Proletariat als Ziel sich einstweilen vorstellt. Es handelt sich vielmehr darum, was es ist, und was es diesem Sein gemäß geschichtlich zu tun gezwungen sein wird." (So in der *Heiligen Familie*, MEGA I/3, S. 207) Nur eben: welche neuen Produktivkräfte treiben den Prozeß? Die Bourgeoisie vertrat die kapitalistische Industriegesellschaft – welche neue Ordnung repräsentiert das Proletariat?

Hier ist Hegel für Marx zeit seines Lebens bestimmend geblieben, der Hegel nämlich, der ein Ende der Geschichte kennt. Das Proletariat vertritt nicht so sehr eine neue Form des Wirtschaftens wie eine ganz und gar andere Gesellschaft. Diese ist (vermutlich) eine Industriegesellschaft, aber eine ohne Klassenkämpfe, ja ohne die Dialektik von Produktivkräften und Produktionsverhältnissen, sogar ohne die Arbeitsteilung, vom Privateigentum ganz zu schweigen. „An die Stelle der alten bürgerlichen Gesellschaft mit ihren Klassen und Klassengegensätzen tritt eine Assoziation, worin die freie Entwicklung eines jeden die Bedingung für die freie Entwicklung aller ist." (So am Ende von Teil II des *Manifests der Kommunistischen Partei*).

Mit anderen Worten, die kapitalistische Gesellschaft ist die letzte, auf die die Theorie des Wandels Anwendung findet. Das Proletariat vertritt nicht neue Produktivkräfte, sondern das ganz und gar Andere. Marx hat diese Utopie – so muß man sie nennen – häufiger und auch durchgängiger beschrieben als manche meinen. Sie ist seine Leitidee, die Marxsche Version der Wirklichkeit der sittlichen Idee.

Marx und Marxismus

Selbst diese überaus geraffte Darstellung gibt Hinweise auf die Anknüpfungspunkte des marxistischen Denkens und Handelns. Was die praktischen Anwendungen betrifft, so gab die mehr oder minder vulgäre Interpretation von Marx einer politischen Bewegung, die gewiß auch ohne ihn entstanden wäre, das Pathos der Geschichte. Die Verknüpfung der Armen mit Endzeit-Hoffnung nahm eine alte (christliche) Tradition auf und ermutigte Demagogen wie ihre Anhänger. Der revolutionäre Charakter der Theorie löste sich vielfach von ihrer realen Basis und wurde zum Kennzeichen höchst voluntaristischer Bewegungen bis hin zu den studentischen „Revolutionären" von 1968.

Geschichtsmächtiger noch wurde der historische Irrtum, die Industrielle und die Französische Revolution gleichsam in ein Ereignis zu denken. So war es zwar nicht in Frankreich oder England, aber so wurde es in Ländern, in denen weder die bürgerliche noch die industrielle Revolution bisher stattgefunden hatten, aber beide sich aufdrängten. In gewisser Weise war die Russische Revolution von 1917 die einzige, auf die Marx' Theorie zutraf; hier wurden alte Führungsschichten beseitigt und neue Produktionsmethoden eingeführt. Lenins Wort faßt dies sinnfällig zusammen: „Sozialismus heißt Sowjets plus Elektrifizierung". Ein Regime der Räte und industrielle Entwicklung. Marx' Theorie des

Wandels erwies sich als Handlungsanweisung für verspätete Modernisierung. Ihre Beliebtheit in der Dritten Welt hatte von daher durchaus Berechtigung.

Indes ist hier von Marx als einem Klassiker der Sozialwissenschaft – nicht ihrer praktischen Anwendung – die Rede. In der Folgezeit ist die hier ins Zentrum gerückte Theorie nicht wesentlich korrigiert oder auch nur ergänzt worden. Sie wurde eher ignoriert; soziologische Theorie und Theorie der Gesellschaft wandten sich anderen Themen zu. Das ist kennzeichnend für nicht-kumulative Disziplinen; es ist auch bedauerlich. Befreit man nämlich Marx' Theorie des Wandels von ihrem Ökonomismus und ihrem Hegelianismus, dann bleibt sie ein kraftvolles Instrument der Analyse. Daß neue Kräfte sich an alten Strukturen reiben, und daß beide organisierte Repräsentanten haben, die das politische Terrain zu behaupten suchen, mag einfach klingen, ist aber potentiell eine der wichtigsten Theorien der Sozialwissenschaft.

Statt seine Theorien zu prüfen oder zu entwickeln, ist immer wieder versucht worden, Marx umzuinterpretieren. Nahezu alle diese Interpretationen knüpfen an die idealistische Utopie von Marx („Assoziation freier Menschen"), nicht an seine ökonomisch-materialistische Analyse an. Dahinter steckt der Versuch, Marx angesichts der Tatsache zu „retten", daß die von ihm prognostizierte Revolution in den hochentwickelten Ländern nicht stattgefunden hat. Der Versuch ist fast immer mit einer aktivistischen Wendung, also einem grundlegenden Mißverständnis des Marxschen Denkens verbunden.

Bei Max Weber war es noch Marx-Kritik, wenn er dem „Geist des Protestantismus" eine zentrale Rolle in der Entwicklung des Kapitalismus zuschrieb. Weil Menschen glaubten, daß ihre guten Taten in dieser Welt ihnen in der nächsten auf dem Habenkonto angerechnet werden – nicht weil sie die Herrschaft einer Klasse im Namen neuer Produktivkräfte etablieren wollten –, waren sie bereit zu sparen, zu investieren und die Maschinerie des Kapitalismus in Gang zu setzen. Religion war also nicht Opium, sondern Vitamin für das Volk.

Max Weber sah sich gewiß nicht als Marxist. Andere, die sich als Marxisten sahen oder so gesehen werden wollten (solange die Mode dauerte), interpretieren noch Produktivkräfte und Produktionsverhältnisse um als Kräfte des menschlichen Geistes, die sich an den politischen und sozialen Verhältnissen der Zeit reiben. Das war vor allem der Tenor der sogenannten „Frankfurter Schule". Man muß allerdings die Frage stellen, ob nicht der Autor der *Heiligen Familie, oder Kritik der kritischen Kritik* eine ähnliche Polemik auch zur Kritik der kritischen Theorie hätte schreiben können.

Unter den vielen Sozialwissenschaftlern, die sich selbst in der Marxschen Tradition sehen, ist möglicherweise Jürgen Habermas der interessanteste. Auch er zäumt indes Marx gleichsam von hinten her auf. Sein Interesse gilt vor allem dem Marxschen Begriff der Assoziation, in der sich die Geschichte erfüllt. Die Gesellschaft freier Menschen ist für ihn eine Gesellschaft (herrschafts)frei kommunizierender Menschen. Marx' Kernfrage, wie wir nämlich von hier nach dort kommen, bleibt dabei unbeantwortet.

Jenseits einzelner bedeutender Autoren, die Stücke der von Marx begründeten Tradition aufgenommen und entwickelt haben, gibt es – gab es zumindest bis 1989 – eine nahezu unübersehbare Literatur des „Marxismus". Iring Fetscher hat wichtige Beiträge zu dieser Literatur gesammelt und kommentiert (in den drei Bänden *Der Marxismus*, 1962). Leszek Kolakowski hat die Hauptströmungen des Marxismus (in den ebenfalls dreibändigen *Main Currents of Marxism*, 1978) mit der erbarmungslosen Klarsichtigkeit dessen, der selbst durch das Fegefeuer gegangen ist, behandelt. Für die Geschichte der Sozialwissenschaften ist das Phänomen des Marxismus selbst bedauerlich, hat es doch wichtige Theorien zur Ideologie einer Sekte gemacht statt sie im Hauptstrom der Disziplinen zu halten.

Was bleibt von Marx?

Diese Darstellung des Soziologen und Sozialwissenschaftlers Marx war zugleich durchaus kritisch. Marx' Theorie des sozialen Wandels ist zwar genial, hat aber nur wenige Anwendungen. Möglicherweise ist sie gerade dort relevant, wo sie ihr Urheber nicht anwenden wollte, nämlich in den Ländern an der Schwelle zu modernen Industriewirtschaften. Als allgemeine Theorie der

Geschichte läßt sich die Kombination der aristotelischen Denkfigur eines Wechselspiels von Kräften und Strukturen mit dem Gedanken des Klassenkampfes nicht halten, auch wenn es gut tut, sich in der politisch-soziologischen Analyse an diese zu erinnern.

Die tiefste Schwäche – und größte Wirkung – des Marxschen Werkes liegt in seinem historischen Wurf in utopischer Absicht. Hier steht Marx in einer Hegelschen Tradition, die bis heute fortwirkt (siehe Francis Fukuyamas „Ende der Geschichte"), ohne darum an Überzeugungskraft gewonnen zu haben. Wer sich eher in der Tradition von Kant, und in neuerer Zeit von Karl Popper, sieht, wird die eschatologischen Elemente des Werkes von Marx fremd finden. Sozialwissenschaft ist ohnehin konstitutionell hegelfremd.

Damit fällt das Pathos der Marxschen Theorie. Es bleiben jedoch eine Reihe von Elementen, die im folgenden in bewußt synkretistischer Manier aufgezählt werden sollen:

Die hier als „Ökonomismus" beschriebene, in der Regel Materialismus genannte Annahme, daß das gesellschaftliche Sein der Menschen ihr Bewußtsein bestimmt – und nicht umgekehrt – ist zum Anlaß einer Tradition der Ideologiekritik geworden. Diese vor allem von Karl Mannheim (*Ideologie und Utopie*, 1928) entwickelte Methode hat sich in der von ihm so genannten Wissenssoziologie niedergeschlagen.

Die Theorie der Klassenbildung und des Klassenkonflikts hat zu einer breiten Literatur Anlaß gegeben. Sie ist ein Kernstück der politischen Soziologie, d.h. des Versuchs, politische Organisationen und Aktionen auf soziale Interessen und Bewegungen zurückzuführen. Eine Generation von Soziologen nach dem Zweiten Weltkrieg (Daniel Bell, und auch C. Wright Mills in den USA, Alain Touraine in Frankreich, Tom Bottomore und David Lockwood in Großbritannien) hat diese Analyse vorangetrieben. Sie war das Thema auch meines Buches *Soziale Klassen und Klassenkonflikt in der industriellen Gesellschaft* (1958).

In einem weiteren gesellschaftstheoretischen Sinn hat Marx jene Ansätze befruchtet, die die Aufmerksamkeit von Theorie und Analyse auf sozialen Konflikt und sozialen Wandel lenken. Diesen steht der Ansatz gegenüber, für den Einheit und Zusammenhalt von Gesellschaften das Kernthema sind und der auf Auguste Comte sowie auch auf Emile Durkheim zurückgeführt werden kann. Der Streit um das Werk von Talcott Parsons hat in den 60er Jahren zur Kristallisierung der verschiedenen Ansätze geführt.

Ein spezifischer Aspekt der Konkurrenz von gesellschaftstheoretischen Ansätzen ist die soziologische Theorie der Revolution. Ihre Bezüge auf Marx sind unverkennbar, sogar bei Crane Brinton, Louis Gottschalk und Carl Brinckmann, also bei Sozialhistorikern mit philosophischer Neigung. Sammelwerke, wie die von Kurt Lenk (*Theorie der Revolution*) und Klaus von Beyme (*Empirische Revolutionsforschung*) belegen den Nachhall Marxscher Ideen in jedem Kapitel.

Der Einfluß von Marx auf die moderne Ökonomie läßt sich allenfalls als marginal bezeichnen. (Hier hat die Postulierung einer „marxistischen Ökonomie" nicht geholfen, ja diese hat sogar den Begriff der „politischen Ökonomie" zeitweilig diskreditiert.) Dennoch ist die Tatsache nicht gering zu schätzen, daß Marx mehr als andere Klassiker der Soziologie die Einheit der Sozialwissenschaften repräsentiert. Zu einer Zeit, zu der diese wieder zum Thema wird, kann die Anknüpfung an die problem-, nicht disziplinbezogene Analyse von Marx nützlich sein.

Schließlich bleibt die große Frage zu beantworten, wie wir uns das Verhältnis von Max Weber, dem eigentlichen Heros der modernen Soziologie, und Karl Marx vorzustellen haben. Es gibt diejenigen, die das Werk Webers als eine Art Antwort auf Marx betrachten (Reinhard Bendix zum Beispiel), und andere, die begründen, daß Marx für Weber nicht von besonderer intellektueller Bedeutung war (Martin Albrow zum Beispiel). Sicher ist, daß Webers methodischer Ansatz nicht eine Sekte von Weberisten, sondern eine Soziologie begründet hat, die sich auf ihn berufen kann, ohne ihm zu verfallen. Das allein unterscheidet ihn fundamental von Karl Marx und erweist die Begrenzung des so bedeutenden und geschichtsträchtigen Werkes von Marx.

Literatur

1. Bibliographien

(Die hier angeführten Titel enthalten Bibliographien zur Marx-Literatur)

Kühne, Karl, 1974, Ökonomie und Marxismus. Registerband. Neuwied/Berlin.
Lenk, Kurt, 1972, Marx in der Wissenssoziologie. Neuwied/Berlin.

Leonhard, Wolfgang, 1970, Die Dreispaltung des Marxismus. Düsseldorf.
Neubauer, Franz, 1979, Marx-Engels-Bibliographie. Boppard am Rhein.
Vranicki, Predag, 1972–74, Geschichte des Marxismus. Frankfurt a. M.

2. Schriften von Karl Marx

Werkausgaben

Marx-Engels-Werke (MEW), 1956 ff., hrsg. vom Dietz-Verlag Berlin. Besteht aus 26 Textbänden, 13 Briefbänden, 2 Ergänzungsbänden (frühe Schriften) und 2 Registerbänden. Enthält nicht den Rohentwurf zum „Kapital", die „Grundrisse der Kritik der politischen Ökonomie" und einige andere Nebenarbeiten. Die 1927 begonnene und 1935 abgebrochene historisch-kritische Gesamtausgabe der Werke, Schriften und Briefe reicht nur bis 1848.
Marx-Engels-Gesamtausgabe (MEGA), 1975 ff., hrsg. vom Institut für Marxismus-Leninismus der KP der Sowjetunion und vom Institut für Marxismus-Lenismus beim ZK der SED, Dietz-Verlag Berlin. Heutiger Herausgeber ist die Internationale Marx-Engels-Stiftung Amsterdam. Besteht aus 4 Abteilungen: 1. Werke, Artikel, Entwürfe, 2. „Das Kapital" und Vorarbeiten, 3. Briefwechsel, 4. Exzerpte, Notizen, Marginalien.
Landshut, Siegfried, 1971, Die Frühschriften. Stuttgart.
Lieber, H. J.: und Furth, P., 1960–64, Karl Marx. Werke, Schriften, Briefe. Studienausgabe in 6 Bänden. Stuttgart.

Wichtige Einzelschriften zur Gesellschaftstheorie

(Aus dem Nachlaß herausgegebene Texte sind mit N gekennzeichnet)

Artikel in der Rheinischen Zeitung. Köln. 1842–43.
Kritik des hegelschen Staatsrechts. 1843 (N).
Beiträge in den Deutsch-französischen Jahrbüchern. 1844: Zur Kritik der hegelschen Rechtsphilosophie. Einleitung. Zur Judenfrage.
Ökonomisch-Philosophische Manuskripte. 1844 (N).
(mit F. Engels) Die Heilige Familie, oder Kritik der kritischen Kritik. Gegen Bruno Bauer und Konsorten. Frankfurt a. M. 1845. Thesen über Feuerbach. 1845. (N).
(mit F. Engels) Die Deutsche Ideologie, Kritik der neuesten deutschen Philosophie in ihren Repräsentanten, Feuerbach, B. Bauer und Stirner, und des deutschen Sozialismus in seinen verschiedenen Propheten. 1845–46. (N).
Das Elend der Philosophie. Antwort auf Proudhons „Philosophie des Elends". 1847 (Originalausgabe französisch).
(mit F. Engels) Manifest der Kommunistischen Partei. London. 1848.
Lohnarbeit und Kapital. 1849.
Die Klassenkämpfe in Frankreich. Artikel in: Neue Rheinische Zeitung, Politisch-Ökonomische Revue. London/New York/Hamburg. 1850.
Der Achtzehnte Brumaire des Louis Bonaparte. New York. 1852.
Grundrisse der Politischen Ökonomie (Rohentwurf). 1857–58. (N). Berlin 1953. Nachdruck Frankfurt a. M./Wien o. J.
Zur Kritik der Politischen Ökonomie. Berlin. 1859.
Lohn, Preis und Profit. Vortrag. London. 1865. (N).

Das Kapital. Kritik der Politischen Ökonomie. Buch I. Hamburg. 1867.
Das Kapital. Buch II und III. (N).
Theorien über den Mehrwert. 4 Bände. (N).
Der Bürgerkrieg in Frankreich. Leipzig. 1871.
Randglossen zum Gothaer Parteiprogramm. 1875. (N).
Randglossen zu Adolph Wagners „Lehrbuch der politischen Ökonomie".
1879–80. (N).

3. Monographien

Althusser, Louis, 1996, Das Kapital lesen. Reinbek bei Hamburg.

Coletti, Lucio, 1973, Marxismus als Soziologie. Berlin.

Dahrendorf, Ralf, 1971, Die Idee des Gerechten im Denken von Karl Marx. (1. Aufl. u. d. Titel: Marx in Perspektive: Die Idee des Gerechten im Denken von Karl Marx, 1952). 2. Aufl. Hannover.

Fetscher, Iring (Hrsg.), 1962, Der Marxismus. Seine Geschichte in Dokumenten. 2 Bände. München.

Fetscher, Iring, (Hrsg.), 1976, Grundbegriffe des Marxismus. Hamburg.

Fromm, Erich, 1975, Das Menschenbild bei Marx. Mit den wichtigsten Teilen der Frühschriften von Karl Marx. Frankfurt a. M.

Kolakowski, Leszek, 1979, Die Hauptströmungen des Marxismus: Entstehung, Entwicklung, Zerfall. 3 Bände (engl. Ausgabe: The Main Currents of Marxism, 1978). München.

Lefèbvre, Henri, 1975, Der Marxismus. München.

Mohl, Ernst Theodor, 1969, Folgen einer Theorie. Frankfurt a. M.

4. Biographien

Berlin, Isaiah, 1959, Karl Marx. Sein Leben und Werk. München.

Cornu, Auguste, 1954 ff., Karl Marx und Friedrich Engels. Leben und Werk. Berlin.

Gemkov, Heinrich, 1972, Karl Marx: Eine Biographie. Frankfurt a. M.

Institut für Marxismus-Leninismus beim ZK der KPdSU (Hrsg.), 1973, Karl Marx Biographie. Berlin.

Marx-Engels-Lenin-Institut Moskau (1934 zusammengestellt), 1971, Karl Marx. Chronik seines Lebens in Einzeldaten. Frankfurt a. M.

McLellan, David, 1974, Karl Marx. Leben und Werk. München.

Mehring, Franz, 1960, Karl Marx. Geschichte seines Lebens. (zuerst 1918). Berlin.

Nicolaevsky, B. und Maenchen-Helfen, O., 1963, Karl Marx. Eine Biographie. Berlin/Bonn.

Raddatz, Fritz, 1975, Karl Marx. Eine politische Biographie. Hamburg.

Michael Kunczik

Herbert Spencer
(1820–1903)

1. Leben und zeitgenössischer sozialer und politischer Kontext

Herbert Spencer, geboren am 27. April 1820 in Derby, gestorben am 8. Dezember 1903 in Brighton, war der Sohn eines protestantischen Geistlichen. Als Mitglied einer nonkonformistischen Familie besuchte er nicht die anglikanische Schule, sondern erhielt Privatunterricht, wobei Mathematik und Naturwissenschaften im Vordergrund standen. Spencer wurde Eisenbahningenieur (der Beruf wurde 1843 bis 1848 ausgeübt) und war dann 1848 bis 1852 als Journalist für *The Economist* tätig. Spencer war niemals in finanzieller Not und lebte zurückgezogen. (Er verbrachte den größten Teil seines Lebens in Hotelzimmern; sein Liebesleben muß, soweit bekannt geworden, eher zurückhaltend gewesen sein.) Am Ende seines Lebens war Spencer berühmt und reich, hatte aber gleichwohl Ehrungen im wissenschaftlichen bzw. universitären Bereich abgelehnt.[1]

Nach Richard Hofstadter sind allein in den USA (ohne Berücksichtigung von Raubdrucken) bis zum Ende des Jahres 1903 insgesamt 386 755 Exemplare seiner Werke verkauft worden.[2] Angesichts dieser enormen Auflage ist es durchaus gerechtfertigt, Spencer als einen der wichtigsten Repräsentanten des geistigen Lebens der Victorianischen Epoche zu sehen: Seine Werke reflektieren die in der zweiten Hälfte des 19. Jahrhunderts in Großbritannien und in den USA dominanten Wertstrukturen. Der publizistische Erfolg von Spencer beruhte zu einem erheblichen Teil darauf, daß seine Arbeiten leicht als wissenschaftliche Rechtfertigungsideologie eines extrem liberalen Manchesterkapitalismus interpretiert werden konnten. Zur Erreichung des größtmöglichen Gemeinwohls empfahl er – wie die Grenznutzentheoretiker – die Verfolgung von Eigeninteressen ohne staatliche Eingriffe. Dieses Gedankengut traf insbesondere in den USA auf eine große Rezeptionsbereitschaft, wo die für Spencers Denken zentralen

Konzepte wie *„survival of the fittest"* – diesen Begriff hat Spencer vor Darwin geprägt – oder *„struggle for existence"* gängige Schlagworte wurden. Spencer war der Meinung, daß soziale Prozesse von einem universell gültigen Gesetz, dem des Existenzkampfes, bestimmt werden. Soziale Konflikte, wie Kriege oder der Wettbewerb in der Wirtschaft, sind für die Evolution von Gesellschaften zentral. Charles R. Henderson, zu Lebzeiten von Spencer Professor an der Universität Chicago, charakterisierte das Weltbild amerikanischer Geschäftsleute dahingehend, daß wirtschaftlicher Wettbewerb auf einem Schlachtfeld erfolge, wo im Existenzkampf dafür gesorgt werde, daß der Beste überlebe.[3]

Allerdings ist es eine zu starke Vereinfachung, Spencer als ersten Sozialdarwinisten zu bezeichnen, denn er argumentierte auch, daß reiner Wettbewerb, der ohne angemessene moralische Zurückhaltung ausgetragen werde, nichts anderes als wirtschaftlicher Kannibalismus sei.[4] Mit dieser Betonung der *„adequate moral restraints"* liegt Spencer auf einer Ebene mit Adam Smith, der ja nicht nur den Hedonismus in Gestalt des *laissez faire* vertrat (*Wealth of Nations*), sondern eine genauso wichtige *„Theory of Moral Sentiments"* erarbeitete.[5] Der Mensch ist nach Spencer sowohl altruistisch als auch egoistisch. Gesellschaft basiert auf dem Geschlechtstrieb, der zur Herausbildung der Institution Familie führt, die wiederum die Einheit darstellt, die sich im Überlebenskampf bewähren muß. Innerhalb der Familie ist *„sympathy"* von entscheidender Bedeutung, denn ein Kind überlebt nicht deshalb, weil es stark ist, sondern weil seine Schwäche die Sympathie der anderen weckt.[6]

Ein weiterer Grund für den publizistischen Erfolg Spencers liegt darin, daß er ganz offensichtlich eine von seinen Lesern als befriedigend empfundene Lösung für die Frage anzubieten hatte, wie Wissenschaft und Religion miteinander vereinbart werden könnten.[7] Spencers Antwort auf diese um die Zeit der Jahrhundertwende viel diskutierte Frage war, daß die Sphäre des Religiösen, nämlich die Verehrung des Unerkennbaren, unverletzbar bleiben werde, welche Detailerkenntnisse auch immer die Wissenschaft gewinnen möge. Es gibt für Spencer etwas Absolutes (auch Kraft genannt), das für immer unerkennbar bleibt (*„the unknowable"*).

2. Werk und wissenschaftliche Rolle

Spencer hat keine Schule hinterlassen, wurde aber 1927 in einer Umfrage unter 258 amerikanischen Soziologen als der bei weitem einflußreichste ausländische Soziologe benannt.[8]

Spencers umfangreiches Lebenswerk ist ein Versuch, das damalige Wissen in einem System der synthetischen Philosophie zusammenzufassen. Einen Teilbereich dieses Systems stellen seine Ausführungen zur Soziologie dar, die sich insbesondere in der *Einleitung in das Studium der Sociologie* sowie in den *Principien der Sociologie* finden. Seine Ausführungen zur Soziologie – und nur auf diese wird im folgenden eingegangen[9] – wurden von Anbeginn an von der soziologischen Fachwelt vielfach emotionsbehaftet bekämpft und auch fehlinterpretiert. Albion Small, einer der einflußreichsten amerikanischen Soziologen im ersten Viertel des 20. Jahrhunderts, argumentierte 1897, Spencers Soziologie sei keine Soziologie der Gegenwart, sondern eine der Vergangenheit. Die moderne Soziologie verdanke diesem Autor nichts.[10] Ebenfalls um die Jahrhundertwende konstatierte der nicht minder einflußreiche Franklin H. Giddings, daß es in der Soziologie zwei bedeutende, miteinander im Wettstreit stehende Vorstellungen bezüglich der essentiellen Natur von Gesellschaft gebe; nämlich eine mehr psychologische Konzeption und eine auf Spencer zurückgehende organische Konzeption.[11] Das Urteil von Giddings aber verweist bereits auf eine wichtige Verzerrung der Spencer-Rezeption: Spencer vertrat keineswegs nur eine organische Konzeption der Soziologie (nur auf diese wird hier im folgenden eingegangen), sondern es wurde auch eine aus heutiger wissenschaftlicher Perspektive als naiv einzuordnende summative Auffassung von Gesellschaft vertreten. So behauptete er, „von menschlichen Gesellschaften wie von andern Dingen (gilt), daß die Eigenschaften der Einheiten die Eigenschaften des Ganzen, welches sie bilden, bestimmen."[12] Spencer postulierte: „Ist also die Natur der Einheiten gegeben, so ist auch die Natur des Aggregats, welches sie bilden, vorherbestimmt."[13]

Als Positivist fragte Spencer nicht nach Sinn und Wesen von Erscheinungen, sondern versuchte, wissenschaftliches Denken auf die Analyse von historischen und sozialen Prozessen zu übertragen.[14] Gesellschaftliche Sachverhalte sollten so untersucht werden, als ob sie auf wissenschaftlichen Gesetzen basierten. Die beobachteten Tatsachen benötigten keinerlei Auslegung mehr, da lediglich die realen Zusammenhänge festzustellen wären. Auch in der Soziologie, die ja nach positivistischem Verständnis eine Ausdehnung der Wissenschaften auf die Analyse menschlicher Gesellschaften darstellt, muß jeder Satz auf Tatsachen, also auf Beobachtbarem, gründen. Wie vor ihm Auguste Comte und nach ihm die Begründer der modernen Systemtheorie (z.B. Ludwig von Bertalanffy) betrachtete Spencer die Biologie als die Wissenschaft, die das Vorbild für die Soziologie darstellen könnte[15]. Dabei wurde die Soziologie als die komplexeste aller Wissenschaften verstanden: „Die Soziologie ist eine Wissenschaft, welche die Erscheinungen aller anderen Wissenschaften umfaßt."[16]

Den Schlüssel zur Erkenntnis des Universums sah Spencer in der Evolution, die nach Naturgesetzen verlaufe, die vom Menschen nicht bzw. allenfalls negativ beeinflußbar seien. Er verstand Soziologie als das Studium der Evolution in ihrer verwickeltsten Form.[17] Hierbei tritt allerdings das Problem auf, daß das Spencersche Evolutionskonzept mehrdeutig interpretierbar ist.[18] So unterscheidet Robert G. Perrin vier Konzepte der sozialen Evolution bei Spencer, nämlich: 1. soziale Evolution (= Fortschritt) als Entwicklung hin auf die ideale Gesellschaftsordnung; 2. soziale Evolution als Differenzierung sozialer Aggregate in funktionale Subsysteme; 3. soziale Evolution als zunehmende Arbeitsteilung; 4. soziale Evolution als Entwicklung verschiedener Gesellschaftstypen.[19] Ungeachtet dieser unterschiedlichen Interpretationen bedeutet Evolution bei Spencer aber immer: Transformation des unzusammenhängenden Homogenen zum wechselseitig abhängigen Heterogenen[20], also Integration bei gleichzeitig sich vollziehender Differenzierung. Aus unbestimmter, unzusammenhängender Gleichartigkeit wird im Verlaufe des Evolutionsprozesses bestimmte, zusammenhängende Ungleichheit. Evolution, die sich über den Mechanismus der Anpassung an die Umwelt vollzieht, erfolgt überall in der erkennbaren Natur.[21]

Im Rahmen seiner Analyse hat Spencer nicht nur alle wesentlichen Probleme der modernen Institutionenlehre aufgezeigt[22], sondern auch Kernbegriffe der modernen Soziologie herausgearbeitet, wie soziale Struktur und soziale Funktion, die im Kontext einer Theorie sozialen Wandels stehen. Spencers Sprache ist altertümlich, seine Ideen könnten einer modernen Systemtheorie entnommen sein. So heißt es in den *Principien der Soziologie* (§ 234, § 235): „Veränderungen des inneren Baues (Strukturveränderungen M. K.) können nicht stattfinden ohne Veränderungen der Functionen. [...] Wenn das Wesen der Organisation auf einer solchen Zusammenfügung des Ganzen beruht, dass seine Theile wechselseitig abhängige Thätigkeiten ausführen können, so muss in demselben Maasse, als die Organisation eine höher wird, auch die Abhängigkeit jedes Theiles von den übrigen immer grösser werden, so dass die Trennung von denselben ihm verderblich sein würde, und umgekehrt."

Spencer verstand Gesellschaft als Organismus, ohne, wie noch gezeigt wird, dabei eine Reifikation des Organismuskonzepts vorzunehmen. Er unterschied drei funktional bestimmte, sich im Zuge der Evolution herausbildende Systeme, nämlich das Ernährungs- oder Erhaltungssystem, das Verteilungssystem und das regulierende System. Für Spencer galt von den allerersten kosmischen Veränderungen bis zu den letzten Ergebnissen der Kultur, daß die Transformation des Homogenen zum Heterogenen im wesentlichen die Entwicklung ausmacht. Im gesellschaftlichen Bereich (die nachfolgenden Überlegungen betreffen nicht die „niedrigsten socialen Aggregate", zu denen Spencer bemerkt: „Eine führerlose wandernde Horde primitiver Menschen zerstreut sich ohne irgend welchen Nachtheil."[23]) konstatierte er, daß die kriegerische Gesellschaft abgelöst werde durch die industrielle Gesellschaft.[24] Als kriegerisch charakterisierte Gesellschaften, in denen „das Heer nichts anderes ist als das mobilisierte Volk, während das Volk eine auf dem Friedensfuß befindliche Armee darstellt"[25], sind von mittlerer Größe und durch schwache Differenzierung ausgezeichnet. Überlebt haben diejenigen Gesellschaften, die einen großen Teil ihrer Ressourcen in feindselige Aktionen gegenüber anderen Gesellschaften gerichtet und dabei zentralisierte Herrschaftsformen entwickelt haben.

Demgegenüber werden industrielle Gesellschaften als hochgradig ausdifferenziert gesehen.[26] Sie zeichnen sich durch hohe individuelle Freiräume aus: „Das Zusammenwirken vermöge dessen die mannigfaltigen Thätigkeiten der Gesellschaft durchgeführt werden, wird nun zu einem freiwilligen Zusammenwirken."[27] Die

Regierung hat im Grunde nur die Aufgabe, den Willen der Bürger zu verwirklichen.[28] Jeder Versuch, die freiwillige Konsensuserreichung in Verhandlungen durch steuernde Eingriffe zu unterbinden, führt zwangsläufig zu Rückschlägen. Freie Marktwirtschaft dominiert, und anders als in der militärischen Gesellschaft wird Status erworben und nicht zugeschrieben. Das Verhältnis zu anderen Staaten wird durch Handel und Diplomatie, nicht durch militärische Aktionen bestimmt. Bei der Darstellung der industriellen Gesellschaft entwickelt Spencer eine Theorie, die soziales Handeln als Austausch versteht.[29]

Spencer beanspruchte mit seiner Soziologie, die gesamte Geschichte der Menschheit, deren Vergangenheit und Zukunft, erklären zu können. Die Konsequenz bestand in der Einnahme einer diachronischen Perspektive; historische Ereignisse wurden als einzigartig bzw. unwiederholbar angesehen und als Ergebnis von innerhalb der Gesellschaft wirkenden Kräften verstanden. Die Aufgabe der Soziologie sah er in der Identifikation dieser Kräfte und der Erkenntnis bzw. Ableitung von Prozeßverläufen.

Spencer war zur Bewältigung dieser Aufgabe nicht sonderlich gut gerüstet, zumindest was seine Kenntnisse der Geschichtswissenschaft betrifft.[30] Albion Small kritisierte, daß Spencer zwar eine enorme Menge an deskriptiven Materialien gesammelt habe, diese Datenfülle aber nicht wissenschaftlich reduziert habe.[31] Grundsätzlich ging Spencer nicht so vor, daß er versuchte, über die Empirie zu universal gültigen Gesetzen zu gelangen. Im Gegenteil bemühte er sich, einmal als ‚wahr' erkannte Gesetzmäßigkeiten nachträglich zu belegen.[32] Das Ergebnis dieser Arbeitsweise waren Texte, die Ernst Troeltsch als „entsetzliche Mischungen biologischer und historischer Exzerpte" charakterisierte.[33]

Mit dieser „Mischung" sollte alles (mit Ausnahme der Existenz Gottes) erklärt werden können, denn allen Entwicklungen in Natur und Gesellschaft lag nach Spencer ein Grundprinzip bzw. ein Gesetz zugrunde, das es zu erkennen galt. Spencer war, so argumentieren Abram Kardiner und Edward Preble, sein ganzes Leben lang von dem Bedürfnis besessen, „die ganze Natur, die anorganische, die organische und die superorganische, in ein ordentliches, vollkommen axiomatisiertes System einzupassen.[34] Die Grundlage dafür sollte die wissenschaftliche Detailforschung liefern, die er selbst aber nicht betrieb. Wie die moderne Systemtheorie wollte Spencer einen wissenschaftstheoretischen Rahmen entwickeln, der in verschiedenen Wissenschaftsdisziplinen anwendbar sein sollte. Über enge Fächerabgrenzungen hinaus sollten strukturelle Ähnlichkeiten aufgedeckt werden.

Spencer hat Gesellschaft nicht mit Organismen gleichgesetzt. So schreibt er in den *Principien* im § 213: „Die einzig denkbare Ähnlichkeit zwischen einer Gesellschaft und einem beliebigen andern Ding muß also beruhen auf dem Parallelismus des Princips in der Anordnung ihrer Bestandtheile." Die These, daß zwischen Organismus und Gesellschaft nur eine Analogie im Sinne eines heuristischen Instrumentariums zu sehen ist, verdeutlicht der § 220 der *Principien* (mißverständlich lautet die Überschrift des Kapitels: „Die Gesellschaft ist ein Organismus"): „Die einzelnen Theile eines Thieres stellen ein concretes Ganzes dar, die Theile einer Gesellschaft dagegen bilden ein Ganzes, welches discret ist." Gemeinsamkeiten bestehen nur bezüglich der Gesetze der Organisation (dies wird von Spencer insbesondere in § 269 verdeutlicht).

Das Denken in Analogien soll lediglich als heuristisches Instrument dienen. Ein Aspekt der auch auf die moderne Systemtheorie zutrifft. So verweist Fred E. Emery auf die heuristische Komponente des Systemdenkens, das die Erkenntnis der Gestaltsqualitäten ,lebender' Systeme ermögliche, die vermittels anderer Paradigmen nicht aufgedeckt worden wären.[35] Die Systemanalyse sei geeignet, das Generelle im Besonderen aufzudecken. Da lebende Systeme offene Systeme seien, müßten zugleich die Umwelt sowie deren für das adaptive Verhalten relevante Eigenschaften charakterisiert werden. Ohne hier weitere Zitationen anführen zu wollen, sei als letzter Hinweis auf die Position von Spencer auf die Fußnote zu § 269 der *Principien* verwiesen, in der ausdrücklich der Glauben zurückgewiesen wird, „dass es irgendeine besondere Analogie zwischen dem socialen Organismus und dem menschlichen Organismus gebe ..."[36]

Zwar ist es bei einigen Passagen in den *Principien* verführerisch, Organismus und Gesellschaft als Synonyme zu interpretieren (etwa wenn im § 240 von jenen „Canälen" gesprochen wird, die die gleiche Aufgabe zu erfüllen haben, „wie sie im lebenden Körper dem Gefäßsystem anheimfällt, welches jedem einzelnen Gebilde und jeder kleinsten Einheit desselben einen Strom von Nährstoffen zuführt, der stets seiner Thätigkeit entsprechend bemessen ist"), aber der soziale Organismus wird nicht mit einem Einzelorganismus gleichgesetzt, der nur ein einziges sensitives Zentrum besitzt.

Spencer steht der modernen Systemtheorie sehr nahe, wenn von der gegenseitigen Beeinflussung der Gesellschaft und ihrer Einheiten gesprochen wird. Es müsse der Einfluß der „Theile auf das Ganze" sowie „der Einfluss des Ganzen auf die Theile" berücksichtigt werden. In § 10 der *Principien* schreibt er: „Sobald ein sociales Verhältniss eine gewisse Festigkeit erlangt hat, beginnen Wirkungen und Rückwirkungen zwischen der Gesellschaft als Ganzem und jedem Gliede derselben, so daß die eine auf die Natur des anderen Einfluss gewinnt."

Dieser ganzheitliche Aspekt, der die Wechselbeziehung zwischen Ganzem und Elementen betont, charakterisiert Spencers Soziologieverständnis. In den *Principien* (§ 210) wird ausgeführt, die „höchste Vollendung der Sociologie" sei dann erreicht, „wenn sie das ungeheure, vielgestaltige Aggregat so zu erfassen vermag, dass ersichtlich wird, wie jede einzelne Gruppe auf jeder einzelnen Stufe theils durch ihre eigenen Antecedentien, theils durch die vergangenen und gegenwärtigen Einwirkungen aller andern auf sie bestimmt wird."

Dies ist nichts anderes als eine Vorwegnahme der modernen Allgemeinen Systemtheorie, die beansprucht, der neue umfassende wissenschaftstheoretische Rahmen zu sein. Der Systemtheoretiker wird dabei als neuer wissenschaftlicher Generalist betrachtet, der in verschiedenen Wissenschaftsdisziplinen mit gleichartigen, abstrakten Modellen arbeitet.[37] Die Systemtheorie soll die „endlich fällige Synthese zwischen atomistischem und holistischem Prinzip" herstellen.[38] Mit Hilfe der Systemtheorie soll aufgezeigt werden, wie makrosoziologische Variablen mikrosoziologische Variablen (z.B. individuelle Motivationen und Verhaltensweisen) beeinflussen und wie diese wiederum auf die Makro-Variablen zurückwirken. Genau dies war auch das Ziel von Spencer, der keine Trennung zwischen Mikro- und Makrosoziologie kannte. Unbestreitbar aber bleibt, daß Spencer ein extremer Individualist[39] war, wie z.B. § 222 der *Principien* verdeutlicht: „Die Gesellschaft existirt zum Nutzen ihrer Glieder und nicht ihre Glieder zum Nutzen der Gesellschaft."

Die Analyse von Prozessen des sozialen Wandels wurde von

Spencer als Mittel zur Aufdeckung der Grundlagen sozialer Ordnung verstanden. Gesellschaften, die als sich selbst regulierende soziale Systeme aufgefaßt wurden, entwickeln sich in einem ständigen Prozeß der Anpassung an die Umwelt, wobei immer neue Fließgleichgewichte angestrebt werden. Dabei kann es Stabilität und Stagnation geben. Spencer entwickelte zwar keine Theorie der Persistenz sozialer Strukturen[40], aber er warf die Frage nach den funktionalen Voraussetzungen von Gesellschaft auf; etwa wenn er argumentiert, daß „es gewisse allgemeine Bedingungen (gibt), welche in jeder Gesellschaft bis zu einem gewissen Grade erfüllt werden müssen, ehe dieselbe zusammenzuhalten vermag."[41]

Unter den Soziologen des 19. Jahrhunderts nimmt Spencer auch deshalb eine Ausnahmestellung ein, weil er, anders als etwa Saint-Simon und Comte, nicht für ein Eingreifen in die politische Praxis mit Hilfe wissenschaftlicher Methoden plädierte. Spencer war ein Gegner von Staatseingriffen in das sich selbst regulierende soziale System Gesellschaft. Er nahm einen Standpunkt ein, der mit ,paradoxer Aktionismus' bezeichnet werden kann. Spencer war davon überzeugt, daß soziale Prozesse Gesetzen unterworfen sind, aber die konstatierte „ausserordentliche Complicirtheit sozialer Handlungen und die daraus entstehende übergrosse Schwierigkeit, auf specielle Resultate rechnen zu können"[42], bedeutete, daß die Soziologie auf absehbare Zeit nur eine Handlungsmöglichkeit habe, nämlich vor übereilten und unreflektierten Handlungen zu warnen. Die Interdependenzen innerhalb eines sozialen Systems seien derart komplex, daß die Ergebnisse planerischer Eingriffe unvorhersehbar seien, denn soziale Systeme zeigen – um einen Ausdruck des Systemtheoretikers Jay W. Forrester zu verwenden – ,counterintuitive behavior'.[43] Spencer begriff historische Prozesse als langsamen, graduellen Wandel, der vom Menschen nicht beschleunigt, sondern allenfalls behindert werden konnte. Gegen Sachzwänge, also gegen Naturgesetze, vorzugehen wurde als sinnlos angesehen.

Den Tatbestand, daß das Verhalten komplexer sozialer Systeme, die durch wechselseitige Vermaschung ihrer Subsysteme charakterisiert sind, dem menschlichen Verstand nur schwer erschließbar ist, beschreibt Spencer folgendermaßen: „Jede aktive Kraft erzeugt mehr als eine Veränderung – jede Ursache erzeugt mehr als eine Wirkung."[44] Spencer schnitt bei der Untersuchung der Problematik steuernder Eingriffe in gesellschaftliche Prozesse ein Thema an, das später zu einem zentralen Gegenstand der funktionalistischen Soziologie wurde, nämlich die Frage nach den unvorhergesehenen Folgen sozialen Handelns.[45] Ein Eingreifen in die gesellschaftliche Entwicklung ist nach Spencer deshalb sinnlos und gefährlich, weil die nicht vorhersehbaren Folgen (Dysfunktionen) geplanter Handlungen in einem komplexen sozialen System immer größer sind als die geplanten Folgen.[46]

3. Wirkung auf das zeitgenössische soziologische Denken und auf die gegenwärtige internationale Soziologie

Viele Abhandlungen über Spencer werden dem Autor nicht gerecht, wobei die in der Literatur aufzufindenden Unstimmigkeiten zu einem erheblichen Teil darin begründet liegen, daß Spencer über einen langen Zeitraum hinweg publiziert hat (1839–1902), was zur Folge hatte, daß er sich oftmals selbst revidierte bzw. nicht immer in sich konsistente Ausführungen tätigte. Hier wird nicht beansprucht, Spencers soziologischem Denken in seiner gesamten Breite und Tiefe sowie seinen vielen Verästelungen gerecht geworden zu sein; dazu müßten auch die Publikationen zur Psychologie, Philosophie, Morallehre und Biologie berücksichtigt werden. Nicht einmal alle für die Soziologie relevanten Aspekte (z.B. seine Feststellungen zur öffentlichen Meinung, zur Massenkultur oder zur Soziologie der Mode) konnten hier berücksichtigt werden.

Trotz der Vielzahl der eher polemischen bzw. stark vereinfachenden Spencerinterpretationen liegt der Beitrag von Spencer zur Soziologie[47] nicht nur in dem von ihm ausgelösten Protest, obwohl etwa die These vertreten wird, die britische Soziologie sei im Kampf gegen Spencers Theorie entstanden.[48] Im deutschen Sprachraum ist die organizistische Schule der Soziologie, die verbunden ist mit Namen wie Otto Ammon, Wilhelm Schallmeyer, Ludwig Gumplowicz, Gustav Ratzenhofer, Paul von Lilienfeld oder Albert Schäffle, durch Spencer beeinflußt worden.[49] Auch im Werk von Gustav Schmoller, dem führenden Vertreter der jüngeren historischen Schule der Nationalökonomie, die durch deskriptive wirtschaftshistorische Forschungen die Erarbeitung einer umfassenden Theorie anstrebte[50], sind deutlich die Einflüsse von Spencer festzustellen. So charakterisierte Troeltsch Schmollers Grundriß der Nationalökonomie als „ganz auf der Spencerschen Methode aufgebaut.“[51]

Spencer ist noch immer einer der umstrittensten soziologischen Klassiker. Von einigen Autoren wird er nicht einmal als Soziologe anerkannt, sondern als „Philosoph“ bzw. „Sozialphilosoph“ apostrophiert. Paul F. Lazarsfeld beklagt Spencers schädlichen Einfluß auf die Soziologie, denn die modernen Wissenschaftstheoretiker würden sich, wenn sie sich gelegentlich mit den Sozialwissenschaften befaßten, Autoren wie Spencer, die an der Entwicklung sämtlicher Gesellschaften von ihrer Entstehung bis zu ihrem Untergang interessiert waren, herausgreifen, wohingegen laufende empirische Arbeiten unbeachtet blieben.[52] Auf der anderen Seite argumentiert Dietrich Rüschemeyer, es sei „im Rückblick erstaunlich, in welchem Maß die soziologische Theorie des zwanzigsten Jahrhunderts und insbesondere die strukturell-funktionale Theorie den Grundansätzen des spencerschen Denkens verhaftet geblieben ist.“[53] Ähnlich charakterisiert Helmut Schelsky die Soziologie Spencers als in ihren Grundannahmen höchst modern und meint, die modernen Sytemtheoretiker wären ihm mehr verpflichtet, als sie „angeben oder wissen“.[54] Damit ist das zentrale Problem der Spencer-Rezeption herausgestellt: Spencer als Person ist in Vergessenheit geraten, seine Ideen und Theorien aber wirken weiter bzw. haben, wie bereits für die Allgemeine Systemtheorie verdeutlicht worden ist, gegenwärtiges Denken vorweggenommen. Inzwischen hat es sich fast schon als Ritual herausgebildet, Arbeiten über Spencer mit der Klage zu beginnen, dessen Arbeit sei zu unrecht nicht beachtet worden.[55]

Talcott Parsons behauptete in „The Structure of Social Action“, es lohne sich nicht mehr, Spencer zu lesen: „Spencer is dead.“[56] Diese Behauptung entbehrt nicht einer gewissen Pikanterie, denn Parsons sieht sich im Jahre 1961 in der Einleitung zur Neuauflage von Spencers *The Study of Sociology* zu dem Zugeständnis veranlaßt, das Wiederaufleben evolutionären Denkens in der Soziologie weise auf die Bedeutsamkeit der Überlegungen von Spencer hin. Parsons verweist dabei auf drei entscheidende Ideen der Spencerschen Soziologie, nämlich Gesellschaft als sich selbst regulierendes System zu verstehen, die Vorstellung der Ausdifferenzierung von Funktionen und das Evolutionskonzept.[57] Insbesondere die Verbindung der Vorstellung von Gesellschaft als selbstregulativem System mit dem Gedanken der funktionalen Differenzierung bringe Spencer nahe an die Position der modernen funktionalen soziologischen Theorie.[58] In *Evolutionary Universals in Society* unternimmt Parsons 1964 nichts anderes als den Versuch, die Evolutionstheorie in die Soziologie wieder einzuführen.[59] Das Spätwerk von Parsons *Gesellschaften. Evolutionäre und komparative Perspektiven* liest sich in weiten Teilen wie eine Weiterführung der Argumentationskette von Spencer.[60] Die Terminologie von Parsons umfaßt denn auch Begriffe wie Variation, Auslese, Anpassung, Differenzierung und Integration. Für Parsons ist es „... eine feststehende Tatsache, daß das Evolutionsprinzip auf die Welt des Lebenden Anwendung findet. Hierzu gehört auch der soziale Aspekt menschlichen Lebens."[61] Eine solche Aussage läßt nur einen Schluß zu: Die Gedanken von Spencer sind immer noch nicht tot, sondern noch sehr lebendig.[62]

Eine „faire" Beurteilung Spencers kann nur im Kontext des Wissensstandes und des intellektuellen Klimas des 19. Jahrhunderts geschehen. Aber auch dann ist die Einordnung von Spencer als konservativer, reaktionärer Ideologe des Kapitalismus oder als Apologet des Victorianischen England zu pauschal.[63] Der utopische Endzustand bei Spencer ist vielmehr ein Zustand, in dem jeder nach seinen Fähigkeiten und Verdiensten in einer staatsfreien Gesellschaft friedlich sein persönliches Glück anstrebt.

Der entscheidende Beitrag von Spencer zur modernen Soziologie liegt in der Grundlegung der modernen Systemtheorie. Die Biologie als Strukturwissenschaft hat für die Systemtheoretiker die gleiche Bedeutung, die ihr Spencer für die Soziologie zuschrieb.[64] Gerade Begriffe wie Überleben, Anpassung, Gleichgewicht usw. stehen im Zentrum der Analyse. Die Frage, wie weit die Soziologie seit Spencer in bezug auf die systemtheoretische Analyse gekommen ist, läßt sich vorsichtig mit „nicht sehr weit" beantworten. Mit Hilfe der Systemtheorie soll der Zustand erreicht werden, den Spencer als „höchste Vollendung der Sociologie" bezeichnete. Es soll aufgezeigt werden, wie makrosoziologische Variablen mikrosoziologische Variablen beeinflussen et vice versa. Gesellschaft wird, wie von Spencer auch, als soziales System verstanden, das aus mehrfach vermaschten Regelkreisen besteht.

Im Zusammenhang mit der Untersuchung der Frage, was denn das Ziel sei, dem alle Dinge zustreben, entwickelt Spencer in den *Grundlagen der Philosophie* sogar das Konzept der Entropie: „Vorläufig müssen wir uns mit der Gewissheit begnügen, daß das zunächst liegende Endziel aller Umformung, die wir betrachtet haben, ein Zustand der Ruhe ist."[65] Auch die Grundzüge der Kybernetik, der Wissenschaft von den Steuerungsmechanismen, sind bei Spencer im Kontext der Analyse der Bevölkerungsentwicklung aufzufinden, wenn er schreibt: „Jede Art von Geschöpfen vermehrt sich fort und fort, bis sie die Grenze erreicht, bei welcher ihre aus allen Ursachen herrührende Sterblichkeit ihre Fruchtbarkeit aufwiegt."[66] Spencer beschreibt ein sich im Fließgleichgewicht erhaltendes Bevölkerungssystem (Biotop), das sich bei gegebenen ökologischen Verhältnissen herausbildet. Er erklärt die Oszillation um den Gleichgewichtspunkt des Biotops Gesellschaft vermittels negativer Rückkopplung: „Wie in wohlfeilen Zeiten die Zahl der Heirathen zunimmt und in Zeiten des Mangels wieder zurückgeht, so sieht man leicht ein, daß die ausdehnende Kraft ein außergewöhnliches Vorrücken erzeugt, sobald sich die einengende Kraft vermindert, und umgekehrt, und da somit zwischen beiden stets ein so vollkommenes Gleichgewicht besteht, als es die sich verändernden Bedingungen nur zulassen."[67]

Die Entwicklung der soziologischen Theorie wäre wohl anders verlaufen, wenn die Arbeiten von Spencer sorgfältiger gelesen worden wären. Dies gilt mit Sicherheit für die Systemtheorie, aber es bietet sich an, auch danach zu fragen, inwieweit die Theorie des symbolischen Interaktionismus nicht durch die Erkenntnisse, die bei der Analyse der ‚Herrschaft des Ceremoniells‘ gewonnen worden sind, zu ergänzen wäre. Gegenwärtig werden u. a. die Überlegungen Spencers zur Frauen- und Geschlechterfrage[68] sowie zur Musiksoziologie wieder diskutiert; die Evolutionstheorie ist ohnehin noch immer aktuell. Es ist an der Zeit, Spencer vom Stigma des sozialdarwinistischen Sozialphilosophen zu befreien.

Literatur

1. Werkausgaben

Andreski, S. (Hrsg.), 1964, Herbert Spencer. Principles of Sociology. London.

Macrae, D. (Hrsg.), 1969, Herbert Spencer. The man versus the state. With four essays on politics and society. London.

Peel, J. D. Y. (Hrsg.), 1972, Herbert Spencer on social evolution. Selected writings. Chicago.

Spencer, Herbert, 1875, Einleitung in das Studium der Sociologie. 2 Bände. Leipzig.

Spencer, Herbert, 1886–1897, Die Principien der Sociologie. Stuttgart.

Spencer, Herbert, 1891, Von der Freiheit zur Gebundenheit. Berlin.

Spencer, Herbert, 1905, Autobiographie. 2 Bände. Stuttgart/Leipzig.

Spencer, Herbert, 1901, Essays: Scientific, political, and speculative. 3 Bände. London.

Spencer, Herbert, 1911, First Principles. 6th ed. London.

Spencer, Herbert, 1940, The man versus the state. London.

2. Biographien und Monographien

Andreski, H., 1972, Herbert Spencer. Structure, function and evolution. London.

Battistelli, F., 1993, War and militarism in the thought of Herbert Spencer. With an unpublished letter on the Anglo-Boer War. In: International Journal of Comparative Sociology, 34.

Böhlke, E., 1988, A system of synthetic philosophy. Grundzüge des philosophischen Denkens von Herbert Spencer. Diss. (Humboldt Universität). Berlin.

Carneiro, R. L., 1968, Herbert Spencer. In: International Encyclopedia of the Social Sciences, 15.

Corning, P. A., 1982, Durkheim and Spencer. In: British Journal of Sociology, 33.

Coser, L. A., 1971, Masters of sociological thought. Ideas in historical and social context. New York.

Donovan, A. J., 1983, The political clock: the deterministic political philosophy of Herbert Spencer. Ph.D. Fortham University. New York.

Duncan, D., 1908, The life and letters of Herbert Spencer. London.

Eff, E. A., 1989, History of thought as ceremonial genealogy: The neglected influence of Herbert Spencer on Thorstein Veblen. In: Journal of Economic Issues, 23.

Elliot, H., 1917, Herbert Spencer. London.

Engels, E. M., 1993, Herbert Spencers Moralwissenschaft –Ethik oder Sozialtechnologie? Zur Frage des naturalistischen Fehlschlusses bei Herbert Spencer. In: Bayertz, K. (Hrsg.), Evolution und Ethik. Stuttgart.

Engels, E. M. (Hrsg.), 1995, Die Rezeption von Evolutionstheorien im 19. Jahrhundert. Frankfurt a. M.

Goldthorpe, J. H., 1969 (zuerst 1963), Herbert Spencer, In: Raison, T. (Hrsg.), The founding fathers of social science. Harmondsworth.

Gray, S., 1996, The political philosophy of Herbert Spencer. Individualism and organism. Aldershot.

Kellermann, P., 1967, Kritik einer Soziologie der Ordnung. Organismus und System bei Comte, Spencer und Parsons. Freiburg.

Kellermann, P., 1976, Herbert Spencer. In: Kaesler, D. (Hrsg.), Klassiker des soziologischen Denkens. Bd. I. München.

Kellermann, P., 1987, Herbert Spencer. In: Fetscher, I./Münkler, H. (Hrsg.), Pipers Handbuch der politischen Ideen. Bd. 5. München und Zürich.

Peel, J. D. Y., 1971, Herbert Spencer. The evolution of a sociologist. London.

Perrin, R. G., 1976, Herbert Spencer's four theories of social evolution. In: American Journal of Sociology, 81.

Ritsert, J., 1966, Organismusanalogie und politische Ökonomie. Zum Gesellschaftsbegriff bei Herbert Spencer. In: Soziale Welt, 17.

Rüschemeyer, D., 1985, Spencer und Durkheim über Arbeitsteilung und Differenzierung: Kontinuität oder Bruch. In: Luhmann, N. (Hrsg.), Soziale Differenzierung. Zur Geschichte einer Idee. Opladen.

Schelsky, H., 1980, Die Institutionenlehre Herbert Spencers und ihre Nachfolger. In: ders., Die Soziologie und das Recht. Opladen.

Simon, W. M., 1969, Herbert Spencer and the social organism. In: Journal of the History of Ideas, 21.

Sombart, N., 1955, Herbert Spencer. In: Weber, A. (Hrsg.), Einführung in die Soziologie. München.

Stark, W., 1961, Herbert Spencer's three sociologies. In: American Sociological Review, 26.

Taylor, W. M., 1992, Men versus the state. Herbert Spencer and late Victorian individualism. Oxford.

Thiel, M., 1983, J. St. Mill, Lotze, Spencer. Methode Bd. VII. Heidelberg.

Turner, J. H., 1985 (2. Aufl. 1989), Herbert Spencer. A renewed appreciation. Beverly Hills.

Wiese, L. von, 1960, Herbert Spencers Einführung in die Soziologie, Köln/Opladen.

Wiltshire, D, 1978, The social and political thought of Herbert Spencer. Oxford.

Young, R. M., 1987, Herbert Spencer and inevitable progress. In: History Today, 37.

Anmerkungen

1 Waters, M., Modern Sociological Theory, London 1994. S. 295.

2 Hofstadter, R., Social Darwinism in American thought: 1860–1915, Philadelphia 1944. S. 21.

3 Henderson, C., Business men and social theorists, in: American Journal of Sociology, 1, 1896, S. 386. Zum Mythos der amerikanischen Großstadt (Theodore Dreiser) und Spencers Sozialphilosophie vgl. Schnackertz, H. J., Darwinismus und literarischer Diskurs. Der Dialog mit der Evolutionsbiologie in der englischen und amerikanischen Literatur, München 1992, S. 142 ff.

4 Spencer, H., Essays. Scientific, Political, and Speculative, Vol. 3, New York 1898, S. 138.

5 John Offer verweist darauf, daß der zweite Band von Spencers „The Principle of Ethics" ein Kapitel mit der Überschrift „The Relief of the Poor" enthält, in dem die Grundzüge einer Soziologie der Wohlfahrt entwickelt werden. Offer, J., Tönnies and Spencer: An assessment of Tönnies as a critic of Spencer, and a view of their dual relevance to aspects of contemporary sociological research on welfare, in: Clausen, L. und Schlüter, C. (Hrsg.), Ausdauer, Geduld und Ruhe. Aspekte und Quellen der Tönnies-Forschung, Hamburg 1991, S. 285.

6 Vgl. ausführlich: The Principles of Psychology, 2nd ed., Vol. 1, London 1870.

7 Vgl. Hofstadter, R., a.a.O., S. 24; Matthes, J., Religion und Gesellschaft, Bd. I., Reinbek 1967, S. 122 f. Spencers Überlegungen implizieren einerseits eine Ablehnung der Kirchenbevormundung und andererseits die Anerkenntnis, daß Wissen immer relativ bleiben müsse, also nicht bis auf den tiefsten und letzten Grund der Dinge reichen könne. Ein Ende der Religion aufgrund des Forschritts der Wissenschaft wird von Spencer nicht prognostiziert.

8 Vgl. Levine, D. N./Carter, E. B./Gorman, E. M., Simmel's influence on American Sociology, in: American Journal of Sociology, 81, 1976, S. 841.

9 So gibt es in den Naturwissenschaften (z.B. Bartholomew, C. F., Herbert Spencer's contribution to solar physics, in: Journal for the History of Astronomy, 19, H. 1, 1988), in der Pädagogik (z.B. Fischer, T., Herbert Spencer. Ein Wegbereiter der modernen Erlebnispädagogik, Lüneburg 1996; Muri, J. G., Normen der Erziehung. Analyse und Kritik von Herbert Spencers evolutionistischer Pädagogik, München 1982; ders., Herbert Spencer (1820–1903), in: Scheuerl, Hans (Hrsg.), Klassiker der Pädagogik. Erster Band: Von Erasmus von Rotterdam bis Herbert Spencer, 2. Aufl., München 1991) oder den Wirtschaftswissenschaften (z.B. Schwartzmann, J., Herbert Spencer and Henry George: A Controversy, in: Engelhardt, W.W. und Thiemeyer, T. (Hrsg.), Gesellschaft, Wirtschaft, Wohnungswirtschaft. Festschrift für Helmut Jenkis, Berlin 1987) immer wieder Diskussionen um Thesen von Spencer; dies gilt wegen der Evolutionstheorie besonders für die Biologie. Grenzziehungen zwischen Politikwissenschaft, Philosophie und Soziologie sind oftmals nicht möglich. Ein Indikator für das noch heute ausgeprägte Interesse an Spencer ist der Tatbestand, daß 1994 als Reprint eine alte Kritik an Spencer veröffentlicht worden ist: Watson, J., Comte, Mill, and Spencer. An outline of philosophy, New York 1895; Reprint: Bristol 1994, with a new introduction by Anthony Pyle.

10 Vgl. Small, A., Rezension des Bd. III der Principles of Sociology, in: American Journal of Sociology, 2, 1897, S. 742.

11 Giddings, F. H., The concepts and methods of sociology, in: American Journal of Sociology, 10, 1904.

12 Spencer, H., Einleitung in das Studium der Sociologie, Bd. I, Leipzig 1875, S. 62.

13 Ebenda, S. 61.

14 Zu einer vergleichenden Analyse von Spencer und Comte vgl. Nisbet, R. A., Social change and history, New York 1969, S. 160 ff.
15 Vgl. Spencer, H., Einleitung in das Studium der Sociologie, Bd. II, Leipzig 1875, Kap. 14: Vorbereitung in der Biologie, S. 158 ff.
16 Ebenda, S. 144.
17 Ebenda, S. 233.
18 Vgl. Becker H./Barnes, H. E., Social thought from lore to science, New York 1961, S. 166 f; Peel, J. D. Y., Spencer and the neo-evolutionists, in: Sociology, 1969; Perrin, R. G., Herbert Spencer's four theories of social evolution, in: American Journal of Sociology, 81, 1976.
19 Bei Perrin (a. a. O., S. 1342) findet sich eine Zusammenstellung von z. T. entgegengesetzten Interpretationen der Ausführungen Spencers zur sozialen Evolution.
20 Typisch ist etwa folgende Aussage von Spencer (Principien der Sociologie, Bd. I, Stuttgart 1886, S. 210): „Der sprachliche Fortschritt ist in erster Linie zu betrachten ..., während sie (die Sprache; M. K.) aus einem verhältnismäßig unzusammenhängenden, unbestimmten und gleichartigen Zustand in höhere Zustände übergeht, die immer zusammenhängender, bestimmter und ungleichartiger sind."
21 Kardiner und Preble fassen die drei Hauptstufen der Evolution nach Spencer zusammen: „1. Die einfachste Form ist die allmähliche Konzentration von verstreuten, sich bewegenden Elementen in ein kohärentes Aggregat bei gleichzeitigem Verlust an Bewegung dieser Elemente. 2. Die Zwischenform entsteht, wenn innerhalb des kohärenten Aggregats geringe Materiekonzentrationen eintreten. Diese Umwandlungen transformieren die homogene langsam in eine heterogene Masse, und zwar durch Teilungen und Unterteilungen bis hin zur kleinsten Einheit. 3. Die höchste Form der Evolution ist erreicht, wenn die Kräfte der differenzierten Teile im Gleichgewicht sind mit den Kräften, denen das gesamte Aggregat als Ganzes ausgesetzt ist." (Kardiner, A./Preble, E., Wegbereiter der modernen Anthropologie, Frankfurt a. M. 1974, S. 43; zuerst 1961).
22 Vgl. Schelsky, H., Die Institutionenlehre Herbert Spencers und ihre Nachfolger, in: ders., Die Soziologie und das Recht, Opladen 1980, S. 250.
23 Spencer, H., Die Principien der Sociologie, Bd. II, Stuttgart 1887, S. 48.
24 Vgl. ebenda, S. 120 ff.
25 Ebenda, S. 129.
26 Spencer (ebenda, S. 137) schreibt: „Die Eigenthümlichkeiten des industriellen Typus müssen leider aus ungenügenden und sehr verworrenen Unterlagen erschlossen werden."
27 Ebenda, S. 143.
28 Vgl. ebenda, S. 142.
29 Vgl. ebenda, S. 143.
30 Vgl. Kardiner, A./Preble, E., a. a. O., S. 40; von Wiese, L., Soziologie, Berlin 1967, S. 55.
31 Small, A. W., a.a.O., S 742.
32 Vgl. z. B. Spencer, H., Eine Autobiographie, Bd. 2, Stuttgart 1905, Kap. 34: „Ich plane ein System".

33 Troeltsch, E., Der Historismus und seine Probleme. Erstes Buch: Das logische Problem der Geschichtsphilosophie, Aalen 1961, S. 425; zuerst 1922.
34 Kardiner, A./Preble E., a. a. O., S. 35.
35 Emery, F. E. (Hrsg.), Systems Thinking, Harmondsworth 1969.
36 Zu einer wissenschaftshistorischen Einordnung der Organismusanalogie vgl. Kroeber, A. L./Parsons, T., The concepts of culture and of social system, in: American Sociological Review, 23, 1958. Zur Analogie zwischen Gesellschaft und Organismus vgl. auch Ossowski, S., Die Besonderheiten der Sozialwissenschaften, Frankfurt a. M. 1973.
37 Vgl. z. B. Lenk, H., Wissenschaftstheorie und Systemtheorie, in: Ders./ Ropohl, G. (Hrsg.), Systemtheorie als Wissenschaftsprogramm, Königstein i. Ts. 1978, S. 238. Systemtheorie wird im folgenden als Synonym für Allgemeine Systemtheorie verwandt.
38 Ropohl, Einführung in die Allgemeine Systemtheorie, in: Lenk, H./ Ropohl, G. (Hrsg.), a. a. O, S. 46.
39 Kon, I. S., Der Positivismus in der Soziologie, Berlin (Ost) 1968, S. 29 f; Parsons, T., The structure of social action, New York 1968, S. 4; zuerst 1937; Vierkandt, A. (Hrsg.), Handwörterbuch der Soziologie, Stuttgart 1931, S. 234; von Wiese, L., Herbert Spencers Einführung in die Soziologie, Köln/Opladen 1960, S.12.
40 Vgl. Bock, R. N., Evolution, function and change, in: American Sociological Review, 28, 1963.
41 Spencer, H., Einleitung in das Studium der Sociologie, Bd. II, Leipzig 1875, S. 185.
42 Ebenda, Bd. I, S. 22.
43 Forrester, J. W., Counterintuitive behavior of social systems, in: Theory and Decision, 2, 1971.
44 Spencer, H., Die Evolutionstheorie, in: Dreitzel, H. P. (Hrsg.), Sozialer Wandel, Neuwied/Berlin 1967, S. 129 ; Auszüge aus Progress: Its law and cause, New York 1907.
45 Vgl. insbesondere Merton, R. K., The unanticipated consequences of purposive social action, in: American Sociological Review, 1, 1936.
46 Vgl. z. B. Spencer, H., Einleitung in das Studium der Sociologie, Bd. II, a. a. O., Kap. 11: Das politische Vorurtheil.
47 Hier wird vor allem auf den Beitrag Spencers zur modernen Systemtheorie eingegangen. Unberücksichtigt bleibt Spencers Einfluß auf die Musiksoziologie (Offer, J., An examination of Spencer's sociology of music and its impact on music historiography in Britain, in: International Review of the Aesthetics and Sociology of Music (IRASM) 14 (1983), 1, 33–52; ders., Dissonance over Harmony: a Spencer oddity, in: Sociology, 17, 1983) oder die Wissenssoziologie (Parsons, T., Introduction, in: Spencer, H., The Study of Sociology, Ann Arbor, Mich. 1961, S. VI.)
48 Vgl. Abrams, P., The origins of British sociology, Chicago 1968, S. 67.
49 Vgl. z. B. Ambros, D., Über Wesen und Formen organischer Gesellschaftsauffassung, in: Soziale Welt, 14, 1963; Francis, E. K., Darwins Evolutionstheorie und der Sozialdarwinismus, in: Kölner Zeitschrift für Soziologie und Sozialpsychologie, 33, 1981; Kon, I. S., a. a. O.; Nikles, B. W./Weiß, J., Einleitung, in: dies. (Hrsg.), Gesellschaft, Organismus-Totalität-System,

Hamburg 1975; Zmarzlik, H. G., Der Sozialdarwinismus in Deutschland als geschichtliches Problem, in: Vierteljahreshefte für Zeitgeschichte, 11, 1963.

50 Vgl. z. B. Stavenhagen, G., Geschichte der Wirtschaftstheorie, 4. Aufl., Göttingen 1969, S. 197 ff.

51 Troeltsch, E., a. a. O., S. 432.

52 Lazarsfeld, P. E., Wissenschaftslogik und empirische Sozialforschung, in: E. Topitsch (Hrsg.), Logik der Sozialwissenschaften, Köln/Berlin 1967, S. 37; zuerst 1962.

53 Rüschemeyer, D., Spencer und Durkheim über Arbeitsteilung und Differenzierung: Kontinuität oder Bruch, in: Luhmann, N. (Hrsg.), Soziale Differenzierung. Zur Geschichte einer Idee, Opladen 1985, S. 176.

54 Schelsky, H., a. a. O., S. 248.

55 Taylor, W.M., Men versus the state. Herbert Spencer and late Victorian Individualism, Oxford 1992, S. VII.

56 Parsons, T., The structure of social action, New York 1968, S. 3; zuerst 1937. Zu ähnlichen Thesen vgl. Perrin, R.G., a. a. O., S. 1339. Dahrendorf (Pfade aus Utopia, München 1967, S. 230) bezeichnet Spencer einerseits als zu Recht von Parsons totgesagt, andererseits (S. 264) sieht er sich zum Seufzer genötigt: „Ach, wäre Spencer doch tot!"

57 Parsons, T., a. a. O. (1961), S. V f.

58 Vgl. ebenda, S. VII.

59 Parsons, T., Evolutionary universals in society, in: American Sociological Review, 29, 1964, 339–357; deutsch in: Zapf, Wolfgang (Hrsg.), Theorien sozialen Wandels, 4. Aufl., Königstein/Ts. 1979.

60 Parsons, T., Gesellschaften. Evolutionäre und komparative Perspektiven, Frankfurt a. M. 1975; zuerst 1966.

61 Ebenda, S. 10.

62 Schelsky (a. a. O., S. 252) formuliert treffend, Parsons selbst sei als „Beweis der dauerhaften Auswirkungen der Theorie Spencers anzusehen."

63 Z. B. Kofler, L., Zur Geschichte der bürgerlichen Gesellschaft, Neuwied 1971, S. 636. Es ist m.E. nicht gerechtfertigt, wenn etwa Jürgen Ritsert beim als Repräsentanten der „bürgerlichen Warentauschgesellschaft" etikettierten Spencer bemängelt, das friedliche industrielle System erhalte eine „utopische Weihe, in die zum Beispiel konsequent als ontologisches Moment eingeht, daß es selbstherrlich entscheidende Unternehmer und unselbständige ‚Unternommene' (Brecht) gibt"; Ritsert, J., Organismusanalogie und politische Ökonomie: Zum Gesellschaftsbegriff bei Herbert Spencer, in: Soziale Welt, 17, 1966.

64 Ludwig von Bertalanffy, einer der Begründer der Systemtheorie, war von Hause aus Biologe. Der Einfluß der Biologie auf die moderne amerikanische Soziologie erfolgte insbesondere durch den in Harvard lehrenden Biochemiker Lawrence J. Henderson (1878–1942), zu dessen Schülern u. a. Talcott Parsons, Robert K. Merton und George C. Homans gehörten. Zu den systemtheoretischen Überlegungen von Henderson vgl. Barber, B. (Hrsg.), L. J. Henderson on the social system: selected writings, Chicago, Ill., 1970.

65 Spencer, H., Gesellschaft als System kosmischer Gleichgewichte, in: Tjaden, K.H. (Hrsg.), Soziale Systeme, Neuwied 1971, S. 69.

66 Spencer, H., Einleitung in das Studium der Sociologie, Bd. II, a. a. O., S. 174.

67 Spencer, H., Grundlagen der Philosophie, Stuttgart 1875; zitiert nach dem Auszug in: Tjaden, K. H. (Hrsg.), a. a. O., S. 61.

68 Vgl. Dahme, H. J., Frauen und Geschlechterfrage bei Herbert Spencer und Georg Simmel. Ein Kapitel aus der Soziologie der Frauen, in: Kölner Zeitschrift für Soziologie und Sozialpsychologie, 38, 1986; Paxton, N. L., George Eliot and Herbert Spencer. Feminism, evolutionism, and the reconstruction of gender, Princeton, N. J. 1991.

Maurizio Bach

Vilfredo Pareto
(1848–1923)

1. Biographie und historischer Kontext

Vilfredo Pareto wurde am 15. Juli 1848 in Paris geboren. Er stammt aus einem laizistischen bildungsbürgerlichen Familienmilieu. Sein Vater, der *Marchese* Raffaele Pareto, Ingenieur und Professor aus Genua, verbringt als Anhänger der nationalrevolutionären Einigungsbewegung Italiens, dem *Risorgimento*, mehrere Jahre im französischen Exil. Die Familie kehrt nach Gründung des italienischen Nationalstaates nach Italien zurück. Pareto erhält an der Universität Turin eine mathematisch-naturwissenschaftliche Ausbildung, die er 1870 abschließt. Während seiner Studienzeit herrscht in Turin, der ersten Hauptstadt des neugegründeten Königreichs, ein vom Geist des Darwinismus und Positivismus durchdrungenes intellektuelles Klima. Der junge Pareto studiert u.a. die Gesellschaftslehren Auguste Comtes, John Stuart Mills und Herbert Spencers.

Sein Berufsweg führt ihn zunächst für zwei Jahrzehnte in die Wirtschaft, in der er leitende Funktionen übernimmt. In Florenz, wo er seit 1873 lebt, tritt er öffentlich als Vertreter eines radikalen ökonomischen und politischen Liberalismus in Erscheinung. Er fordert für Italien die Einführung eines Repräsentativsystems nach britischem Muster, das sich auf die Besitz- und Bildungsklassen des Landes stützen soll. Jede Form von sozialer Demokratie lehnt er ab. Seine schärfsten Polemiken aber richten sich gegen die protektionistische Wirtschaftspolitik der italienischen Regierung. Pareto versucht mehrere Male vergeblich, ein Parlamentsmandat zu erringen; fortan beschränkt sich sein politisches Wirken hauptsächlich auf publizistische Aktivitäten.

Das Engagement in der Freihandelsbewegung weckt das Interesse des jungen Ingenieurs an der Wirtschaftswissenschaft, besonders an ihrer mathematischen Richtung. Er vertieft sich in die Theorien der neuen ökonomischen Schulen, die seit den 1870er Jahren mit der Einführung des Grenznutzenprinzips das wirtschaftswissenschaftliche Denken in neue Bahnen lenken. Im Jahre 1893 erhält Pareto einen Ruf auf den Lehrstuhl für Nationalökonomie an der Universität Lausanne und tritt dort die Nachfolge des französischen Begründers der neuen mathematischen Ökonomie, Léon Walras, an.

Die unerwartete Ernennung zum Professor bedeutet eine einschneidende Wende in Paretos intellektueller Biographie. Nach seiner Übersiedlung in die Schweiz zieht er sich aus dem praktischen Leben zurück und widmet seine Arbeitskraft fortan ausschließlich der akademischen Lehre sowie der wirtschafts- und sozialwissenschaftlichen Theoriebildung. Er beginnt, sich mit methodischen und materialen Fragen der soziologischen Theoriebildung zu beschäftigen. Seit 1897 hält er Vorlesungen über politische Ideologien und Sozialtheorien, in denen er sich kritisch mit den Ideen des Sozialismus, Marxismus und Positivismus sowie mit dem Sozialdarwinismus auseinandersetzt. Damit übernimmt er eine Vorreiterrolle bei der Institutionalisierung der Soziologie als akademischem Lehrfach in der Eidgenossenschaft.

Obgleich Pareto mehr als zwei Jahrzehnte seines Lebens außerhalb Italiens zubringt, bleiben die Gesellschaft und das Regierungssystem des Heimatlandes seines Vaters, deren Entwicklungen er in zahllosen Artikeln kommentiert, für ihn stets die wichtigsten Bezugspunkte seines politischen Interesses. In den Jahren vor seiner Emigration standen für ihn vor allem die Entwicklungsprobleme und -krisen der postunitarischen Konsolidierungsphase Italiens im Vordergrund. Im politischen System etabliert sich die Trägergruppe der „nationalen Revolution", das norditalienische Bürgertum, als neue politische Klasse, die mit ihren liberalen und antiklerikalen Wertvorstellungen aber nur eine kleine Minderheit des Landes repräsentiert. Erst die am Ende des Jahrhunderts in einer Massenstreikbewegung massiv aufbegehrende organisierte Arbeiterschaft konfrontiert die regierende Klasse mit aufstrebenden Gegeneliten aus dem sozialistischen Lager.

Das Verhältnis des „Marx der Bourgeoisie", wie Pareto auf seiten der Linken genannt wurde, zum Sozialismus ist zwiespältig: Die ökonomische Lehre des Marxismus ist für ihn wissenschaftlich durch die neuen Werttheorien der Grenznutzenschulen überholt. Ihn faszinieren aber der politische Idealismus, die moralische Gesinnung und vor allem die Leidenschaft für die *res publica*, die er bei vielen sozialistischen Führern beobachtet. Doch richtet sich Paretos Aufmerksamkeit zu dieser Zeit vor allem auf ein soziales Phänomen, dem er eine Bedeutung von größter Tragweite für die wissenschaftliche Analyse politischer Prozesse zuschreibt: Er merkt, wie sich um die Jahrhundertwende im Zuge der Organisations- und Mobilisierungserfolge der Arbeiterbewegung und im offenkundigen Widerspruch zu ihren radikaldemokratischen Postulaten eine „Aristokratie" des Parteibeamtentums und der Funktionärsintellektuellen herausbildet, die den einfachen Parteimitgliedern als privilegierte Machtgruppe gegenübertritt. In diesem Prozeß der Oligarchisierung demokratischer Organisationen glaubt Pareto, ein allgemeingültiges soziologisches Gesetz entdeckt zu haben: die Elitenherrschaft.

Paretos politisches Denken steht aber auch noch im Bann der Erfahrung des Ersten Weltkrieges und seiner erschütternden politisch-sozialen Nachwehen, die im Italien der frühen zwanziger Jahre den Aufstieg des Faschismus und die Machtergreifung Mussolinis zur Folge haben. Im Falle des Faschismus ist ebenfalls von einer ambivalenten Haltung Paretos zu sprechen. Zweifellos konnten bestimmte Aspekte seiner politischen Doktrin, die deutlich Züge eines antidemokratischen „Elitismus" trägt, zur Legitimation der Machteroberung Mussolinis genutzt werden. Anfangs bringt Pareto dem Führer des Faschismus wegen seines politischen Charismas sogar ein gewisses Wohlwollen entgegen. In seinen letzten öffentlichen Stellungnahmen wenige Monate nach dem „Marsch auf Rom" (im Oktober 1922) überwiegt indes schon eine deutliche Skepsis gegenüber der auf Beseitigung der parlamentarischen Demokratie angelegten Politik des späteren „Duce". Der einstige Sympathisant wird so am Ende seines Lebens zu einem der prominentesten Kritiker des faschistischen Regimes aus dem liberal-konservativen Lager. Die weitere Entwicklung des Faschismus zur totalitären Führerdiktatur erlebt Pareto nicht mehr. Im Alter von 75 Jahren stirbt er am 19. August 1923 in Céligny am Genfer See.

2. Theoretische Grundlagen der Allgemeinen Soziologie

Das wissenschaftliche Lebenswerk Vilfredo Paretos teilt sich auf in seine frühen theoretischen Arbeiten zur politischen Ökonomie und in seine Schriften zur Soziologie mit dem 1916 erschienenen *Traktat über Allgemeine Soziologie*[1] als Hauptwerk. Paretos Interesse an der Nationalökonomie richtet sich vornehmlich auf die Weiterentwicklung und Vervollkommnung der theoretischen Ökonomie in der Tradition der Neoklassik, weshalb seine besondere Aufmerksamkeit der mathematischen Ökonomie gilt. Mit bahnbrechenden Beiträgen zur Wahlakttheorie und zur Wohlfahrtsökonomie (PARETO-Optimum) erlangt er schon früh internationalen Ruhm. Doch Pareto stellt von vornherein die Diskussion theoretischer Probleme der Ökonomie in einen breiteren sozialwissenschaftlichen Zusammenhang. In seinem Frühwerk thematisiert er in kritischer Auseinandersetzung mit marxistischen Theorien Fragen der sozialen Ungleichheit, die durch Einkommensdifferenzierungen begründet sind. Diese Arbeiten legen den Grundstein für Paretos ökonomische Soziologie, in der er institutionelle Aspekte des ökonomischen Prozesses (Monopole und Korporationen) untersucht.

Im Verlauf einer intensiven propädeutischen Reflexion über methodische Grundprobleme der sozialwissenschaftlichen Erkenntnis, die etwa 1897 einsetzt, gewinnt er allmählich Abstand von dem positivistischen und szientistischen Wissenschaftsverständnis, das seine Frühschriften durchzieht. Es gelingt ihm freilich nicht, sich vollständig davon zu lösen; auch in seinem soziologischen Spätwerk orientiert sich Pareto erkenntnistheoretisch noch am Mechanizismus und „Modellplatonismus" der zeitgenössischen Naturwissenschaften und der theoretischen Ökonomie. Unter dem Einfluß der Schriften Ernst Machs und Henri Poincarés entwickelt er die Grundpositionen seines methodischen Selbstverständnisses. Demnach sei die Soziologie in erster Linie eine Erfahrungswissenschaft, die soziale „Tatsachen" mit dem Ziel erforsche, empirisch überprüfbare Aussagen über gesellschaftliche Gesetzmäßigkeiten zu formulieren.

Seinen wichtigsten Beitrag zur soziologischen Methodenfrage leistet Pareto indes mit dem einzigartigen Versuch einer *handlungs-*

theoretischen Begründung der soziologischen Erkenntnis. Seine Konzeption basiert auf einer methodischen Kritik zweier Grundannahmen der herkömmlichen positivistischen Sozialwissenschaft: Zum einen hält er es für wissenschaftlich überholt und damit für unvertretbar, von sozialen Phänomenen in Termini von ‚Ganzheiten', Kollektivgebilden oder historischen „Kräften" als eigenständigen Handlungssubjekten, wie z.B. von „dem Staat", „den Verbänden", „der Nation" oder „der Rasse" zu sprechen. Seinem methodischen Verständnis nach kommen nur sichtbare Handlungen einzelner als empirisch faßbare Tatsachen und damit als Objekte einer erfahrungswissenschaftlich ausgerichteten soziologischen Forschung in Frage. Alle Kollektivtatsachen, wie etwa Märkte, Institutionen, Kriege oder sonstige Regelmäßigkeiten des gesellschaftlichen Lebens, sind hingegen als gewollte (oder auch nicht gewollte) Wirkungen individueller Handlungen zu erklären. Damit vertritt Pareto das in der theoretischen Ökonomie seiner Zeit weitgehend anerkannte Postulat des ‚methodologischen Individualismus'.

Die zweite Stoßrichtung von Paretos methodologischer Kritik zielt auf ein grundlegenderes Problem und berührt den erkenntnistheoretischen Nerv des positivistischen wie des ökonomisch-utilitaristischen Wissenschaftsverständnisses gleichermaßen: Das Prinzip der *Rationalität* menschlichen Handelns, das bis dahin nicht hinterfragte Paradigma von Theoriebildungen beider Richtungen, sei im Rahmen einer streng erfahrungswissenschaftlichen Soziologie nur bedingt aufrechtzuerhalten. Gewiß ließen sich im Wirtschaftsleben zumeist Verhaltensregelmäßigkeiten der Akteure auf rationale Entscheidungen im Sinne einer zweckgerichteten Mittel-Nutzen-Kalkulation zurückführen; hier gelten das Prinzip der Nutzenmaximierung und die Prämissen des *homo oeconomicus* weitgehend uneingeschränkt. Doch verallgemeinern dürfe man diese Rationalitätsannahme keineswegs, wie in der vom Rationalismus der Aufklärung und des Positivismus durchdrungenen Sozialwissenschaft des 19. Jahrhunderts üblich. Die Erfahrung lehre, daß gesellschaftliche Kernbereiche oft nicht von Logik und Vernunft, von zweckorientiertem Kalkül und rationaler Entscheidung, sondern eher von „Gefühlen" bestimmt würden. Das gelte in besonderem Maße für elementare Prozesse der Gemeinschaftsbildung, namentlich für das religiöse, aber auch für das politische Leben. An diese Beobachtung knüpft die systematische Grundfrage von Paretos Allgemeiner Soziologie an: Gesellschaftlich relevante Gefühls- und Handlungsmuster werden als eigenständige Verhaltenstypen aufgefaßt, als „nicht-logisches Handeln". Paretos materiales Forschungsprogramm zielt dementsprechend darauf, die gesellschaftliche Bedeutung und Funktion von „Gefühlen" in historisch-vergleichender Perspektive einer soziologischen Untersuchung zu unterziehen.

Im Mittelpunkt steht der Begriff des „nicht-logischen Handelns", d.h. emotional bestimmtes Gesellschaftshandeln im weitesten Sinne. Darunter fallen all jene Handlungslogiken, die sich nicht mit dem Rationalitätstypus des zweckentsprechenden Handelns, wie es für die Wissenschaft, die Technik, das strategische Kalkül und den Utilitarismus typisch ist, decken. Der Begriff des nicht-logischen Handelns ist in diesem Sinne als Abweichung von der Logik des erfolgsorientierten Handelns konzipiert. Das heißt, daß er Handlungsstrukturen umfaßt, für die kennzeichnend ist, daß sich die Mittelwahl der Akteure objektiv als *nicht* zweckadäquat erweist, wenngleich die Handelnden selbst subjektiv von der Rationalität ihres Tuns überzeugt sein mögen. Eine solche Handlungslogik liegt typischerweise bei magischen Praktiken vor, für Pareto der reine Typus des „nicht-logischen Handelns". Magisches Handeln erscheint ihm deshalb als paradigmatisch, weil sich dessen logische Struktur in vielen gesellschaftlichen Handlungsbereichen nachweisen läßt, in religiösen Kulten und Glaubenssystemen ebenso wie in manchen politischen Wirkungszusammenhängen. Ein anderer für die soziologische Betrachtung bedeutsamer Handlungstyp ist das Gewohnheitshandeln. Hinzu kommt noch die für die Soziologie zentrale soziale Kategorie von praktischen Entscheidungen und Aktionen, deren Folgen – aus welchen Gründen auch immer – nicht voraussehbar oder in ihrer Tragweite nicht überschaubar sind, mithin der Fall von nicht-intendierten Wirkungen absichtsvollen Tuns.

Die Rationalität des „nicht-logischen Handelns" wird so in Paretos Theorieaufbau zum zentralen Ausgangs- und Bezugspunkt einer soziologischen Gesetzeswissenschaft, die auf einem handlungstheoretischen Fundament ruht. Die skizzierte Typologie ermöglicht es, den allgemeinen Gegenstandsbereich der Soziologie Paretos einzugrenzen, denn dazu gehört in erster Linie alles menschliche Handeln, soweit es nicht rational im Sinne des Zweckrationalismus ist.

Paretos soziologisches Forschungsprogramm erschöpft sich jedoch nicht in der skizzierten formalen Klassifikation, sondern ist hauptsächlich der materialen Erforschung der „Logik" der „Gefühle" gewidmet. Diese Konzeption basiert auf einer Rezeption der seinerzeit verfügbaren ethnologischen Studien (Frazer, Tylor), die ein Verständnis von rituellen Handlungen und „Gefühlen" entwickelt hatten, in dem kognitive Elemente einen herausragenden Platz einnehmen, d. h. Sinnbezüge der Handelnden als konstitutiv für den jeweiligen Handlungsablauf angesehen werden. So interpretiert er die elementaren Formen des Ritus (etwa ekstatische Tänze oder Kulthandlungen) nicht mechanizistisch als nur reflexartige Affekthandlungen, sondern sieht in ihnen vielmehr spontane „Verbindungen von Akt und Vorstellungen", die im Handlungsverlauf selbst, d. h. vornehmlich assoziativ wirksam werden, ohne freilich damit auch reflexiv für die Akteure immer verfügbar sein zu müssen. Auf diese Weise gelangt Pareto im *Traktat* zu einer begrifflichen Differenzierung zwischen einer *präreflexiven* und einer *reflexiven* Handlungsebene. Den präreflexiven Handlungselementen mißt er jedoch – neben den freilich nie zu vernachlässigenden materiellen und ideellen Interessen – eine essentiellere Bedeutung für das Handeln der Menschen und für die Existenz von Gesellschaft zu als den reflexiven. Auch im kollektiven Leben spielten spezifische soziale Verhaltensmuster, die den Handelnden meist nicht bewußt würden, sondern spontan wirkten, eine weitaus größere Rolle für die Integration und den Bestand von sozialen Gebilden als zweckrationale Organisation und rationalistische Diskurse. Pareto wollte diesen elementaren nicht-rationalen Mechanismen der Kollektivbildung auf den Grund gehen, denn er erkannte darin gleichsam die ordnungsstiftenden „Gefühlsstrukturen" von Gesellschaften. Er wählt dazu einen für den methodologischen Positivismus unüblichen interpretativen Zugang, indem er bestimmte Ideengebilde auf Typen der zugrundeliegenden kollektiven Vorstellungs- und Diskursmuster hin untersucht.

Damit vollzieht Pareto in seiner Methode eine Art hermeneutische Wendung. Zu den für dieses Verfahren geeigneten Textgenres rechnet er politische Theorien und Soziallehren, die einen exemplarischen Charakter als literarische Zeugnisse von soziokulturellen Entwicklungen besitzen und außerdem eine gewisse Popularität genießen. Dieses Verfahren zielt ab auf die Differenzierung zweier Grundaspekte, die in seinen Augen „theoretische" Diskurse aufweisen: „einen konstanten, instinktiven, nicht-logischen Aspekt" auf der einen Seite und „einen deduktiven, auf Erklärung, Rechtfertigung und Begründung des ersten abzielenden Aspekt"[2] auf der anderen. Pareto glaubt, daß man auf dem Weg einer solchen Differenzierung von kontingenten und konstanten Diskurskomponenten bei den letzteren auf nicht weiter reduzierbare, daher konstitutive Sinnkategorien und Bedeutungsprinzipien stoßen würde. Soweit diese konstanten Diskurselemente kulturübergreifend nachweisbar sind, lassen sie auf universale soziomentale Strukturen schließen.

Ihren konkreten Ausdruck finden diese Sinnkristallisationen oder *constellations of consciousness* (Brigitte Berger) in mannigfaltigen konkreten Riten und Symbolen, z.B. im Totemglauben, in Heiligenanbetungen und Heldenverehrungen, Begräbnis- und Initiationsriten, Askesepraktiken oder Purifikatonszeremonien. Pareto widmet der Analyse solcher Riten im *Traktat* umfassende kulturgeschichtliche und kulturvergleichende Einzelstudien. Seine These ist, daß diese kulturellen Kristallisationen im Verlauf der Geschichte vielfältigen Wandlungen unterliegen. Ein ursprünglich magisch-religiöser Bedeutungskern bleibe aber auch dann noch erhalten, wenn er im Zuge der Säkularisierung mit religionsfremden Sinnstrukturen gleichsam aufgeladen werde. Pareto bezeichnet diese Kategorien des präreflexiven Handelns gemäß dem hermeneutischen Reduktionsverfahren als „*Residuen*". Die Residuen sind *nicht* mit konkreten Gefühlen oder Instinkten gleichzusetzen. Es handelt sich dabei statt dessen um abstrakte Konzepte oder Prinzipien, mit deren Hilfe lediglich äußere Manifestationen von kollektiven Gefühlen typologisch erfaßt werden sollen.

Pareto klassifiziert insgesamt etwa 50 Residuen und ordnet sie folgenden sechs Hauptklassen zu:

    I. „Kombination heterogener Elemente";
    II. „Persistenz von sozialen Verbindungen";
   III. „Externalisierung innerer Erlebnisse";
   IV. „Sozialität und Disziplin";
    V. „Individuelle und kollektive Integrität";
   VI. „Sexualität".[3]

Die beiden ersten Klassen – „Kombination heterogener Elemente" und „Persistenz von sozialen Verbindungen" – umschreiben die soziomentalen Grundbedingungen der Zivilisation: Die Disposition zu schöpferischer Tätigkeit durch praktische Arbeit, magisch-religiöse Rituale und theoretische Phantasie. Diese anthropologischen Grundbedingungen menschlicher Gattungsexistenz werden durch Verhaltensmuster ergänzt, die die Dauerhaftigkeit von sozialen Beziehungen im Personenverband (Familie, Sippe, Loyalität, Pietät, Ehre) und die Überlieferung von Bräuchen und Sitten gewährleisten. Die dritte Klasse der Residuen – „Externalisierung innerer Erlebnisse" – bezeichnet die unerschöpfliche Imaginationskraft und Kreativität des Menschen bei der Hervorbringung sichtbarer Objekte und Zeremonien als über- und intersubjektive Vergegenständlichungen innerer Erlebnisse. Damit nimmt Pareto auf den unermeßlichen Kosmos der Symbolik Bezug, der sich in der großen Mannigfaltigkeit von sinnbildlichen Zeichen und Handlungen im Rahmen magischer und religiöser Kulte sowie politischer Rituale manifestiert.

Den Kräften, die sich direkt auf die Entstehung und den Zusammenhalt von Gemeinschaften und Verbänden richten, wird eine eigene Klasse von Residuen reserviert: „Sozialität und Disziplin". Darin finden sich Einzelresiduen wie „Imitation", „Konformismus", „Altruismus" und „Askese". Dies sind in seinen Augen Verhaltensdispositionen und -normen, ohne die ein geordnetes Gemeinschaftsleben nicht denkbar wäre. Zusätzlich werden soziale Gebilde durch das Residuum „individuelle und kollektive Integrität" stabilisiert, das im Falle eines drohenden Zerfalls der Gemeinschaft, eines Angriffs oder einer erfolgten Verletzung der individuellen oder kollektiven Einheit und Identität regelmäßig soziale Mechanismen freisetzt, die je nachdem die Sanktionierung abweichenden Verhaltens oder eine Wiederherstellung versehrter Integrität und Identität (z. B. durch Blutrache oder Bestrafung) ermöglichen.

Im Mittelpunkt des letzten Residuums der „Sexualität" stehen soziokulturelle Spielarten der gesellschaftlichen Konstruktion von Geschlechterverhältnissen, wie sie sich beispielsweise in der katholischen Sexualmoral, in Vorstellungen über Prostitution, religiös motivierter Sexualabstinenz oder in den antiken Phalluskulten niederschlagen. Pareto betont, daß die Relevanz der Sexualität für die soziologische Erkenntnis nicht im Triebleben zu suchen sei. Vielmehr interessieren in diesem Zusammenhang die historisch jeweils dominierenden sexualmoralischen Diskurse, insbesondere die ihnen zugrundeliegenden kulturellen Deutungsmuster.

Paretos Soziologie der Emotionen versteht sich demzufolge weder als eine biologistische Trieb- oder Instinktlehre noch als naturalistische Erklärung sozialer Tatsachen, wie ihm vielfach unterstellt wurde. Demgegenüber ist zusammenfassend hervorzuheben, daß Pareto mit den Residuen eine Konzeptualisierung von *konstanten vorreflexiven soziomentalen Sinnstrukturen und Deutungsmustern* anstrebte. Diesen, dem „theoretischen" Bewußtsein vorgelagerten Mustern kommt in seinen Augen eine konstitutive Rolle bei spontanen gesellschaftlichen Ordnungsbildungen zu. Pareto wollte jene vorreflexiven und prärationalen Verhaltens- und Sinnkerne als eigenständige soziokulturelle Mechanismen des gesellschaftlichen Handelns in das Zentrum der soziologischen Theoriebildung rücken.[4]

Die Residuen sind als solche jedoch empirisch nicht greifbar. Als elementare Sinnstrukturen des sozialen Handelns lassen sie sich nur über das genannte hermeneutische Verfahren erschließen, bei dem wiederkehrende und universale Sinnkerne von religiösen, ethisch-moralischen, politischen und sozialtheoretischen Lehren und Diskursen gleichsam freigelegt werden. Ideen und Theorien bilden deshalb den privilegierten empirischen Gegenstand von Paretos soziologischer Analyse im *Traktat*, der unter diesem Gesichtspunkt als ein früher Beitrag zur modernen Wissenssoziologie angesehen werden kann.

Ideen und Theorien mißt Pareto darüber hinaus aber auch eine eigenständige Bedeutung im Sozialsystem bei, wenngleich sie im Hinblick auf ihre gesellschaftliche Prägekraft nach seiner Überzeugung mit den Residuen nicht vergleichbar sind, sondern nur geistige und vor allem sprachliche Ausdrucksformen, gleichsam *Camouflagen* historisch-sozialer Kräftekonstellationen darstellen.

Die Ähnlichkeit dieser Konzeption idealler Faktoren mit der Marxschen Ideologienlehre ist rein vordergründig. Pareto wollte seine Konzeption der gesellschaftlichen Funktion von Ideen und Theorien stets als radikale Kritik und zugleich als soziologischen Gegenentwurf zur Theorie des historischen Materialismus verstanden wissen. Deshalb verwendet er auch an keiner Stelle den

Terminus „Ideologie", sondern ersetzt ihn durch die Wortschöpfungen *Derivate* und *Derivationen*.

Die Derivate umfassen mehr oder weniger rationalisierte und in Texten vergegenständlichte Ideen, Wertvorstellungen und Diskurse im weitesten Sinne, mithin theologische und philosophische Systeme, Moral- und Rechtslehren, politische und soziale Doktrinen, einschließlich der Wissenschaft, Literatur und Kunst. Mit dem Begriff Derivationen bezeichnet Pareto hingegen objektiv unbegründete, zweifelhafte und logisch inkonsistente Ideen und Theorien. Sie zeichnen sich dadurch aus, daß sie Kollektive zu überzeugen vermögen und dadurch soziales Handeln maßgeblich beeinflussen. Sozialphilosophische wie sozialethische, vor allem aber historische und politische „Erzählungen" werden nach Paretos Überzeugung fast ausschließlich von letzteren, also von Derivationen beherrscht. „Nationalismus", „Demokratie", „Sozialismus", „Solidarismus", „Faschismus" – die großen Kampftheorien und Ideale seiner Zeit, lieferten ihm reichlich Anschauungsmaterial für seine Theorie der Derivationen. Doch Ideologiekritik ist ebensowenig sein bevorzugtes Metier wie philologische Textexegese; ihn interessieren statt dessen vornehmlich die gesellschaftlichen Mechanismen der Entstehung und Wirkung von Derivationen.

Ausgangspunkt ist wiederum der Handlungsbegriff. Demzufolge bilden die Derivationen das diskursiv-reflexive Pendant zu den spontan-assoziativen Residuen. Wie diese sind auch die Derivationen in der Handlungsstruktur selbst angelegt. Nicht-rationales Handeln wird durch Derivationen mit einer „Glanzschicht der Logik" überzogen, wie Pareto feststellt, und dadurch meist im nachhinein erklärt oder gerechtfertigt. Das ist ihm zufolge Ausdruck des menschlichen Bedürfnisses, Handlungen so „logisch" wie möglich erscheinen zu lassen, auch und besonders dann, wenn nicht-logische oder arationale Verhaltensweisen im Spiel sind, was für ihn ein konstitutives Merkmal der meisten gesellschaftlichen Handlungszusammenhänge ist. In ihrem Bemühen, logische Stimmigkeit und Rationalität in diesem Sinne zu erzielen oder zu suggerieren, machen sich die Akteure vielfach pseudologische Argumentationen zunutze, meist unter Rückgriff auf höchst heterogene Derivate. Die Derivationen konstituieren somit die Sphäre der Trugschlüsse und Illusionen, des Glaubens, der Vorurteile und

Fehlurteile, der Pareto zufolge das menschliche Denken und Handeln verhaftet bleibt.

Doch wie gewinnen Derivationen Bedeutsamkeit für das Handeln? Durch welche Mechanismen entfalten sie in der Praxis ihre mobilisierenden Kräfte, etwa als Leitideen sozialer und politischer Bewegungen oder Institutionen? Hier kommen nun erneut Emotionen ins Spiel. Denn die Überzeugungskraft der Derivationen, die schließlich nicht auf einen objektiven Wahrheitsgehalt oder auf logische Schlüssigkeit der Argumente zurückzuführen ist, sei vor allem dem Aufreizen und Aufstacheln von „Gefühlen" geschuldet. Pareto bemerkt dazu im *Traktat*, daß die Derivationen „die Sprache darstellen, vermittels der man bis zu den Emotionen der Menschen vordringen kann".[5] Und diese Sprache der Derivationen (auch „Logik der Gefühle") entfalte sich zweifellos am effektvollsten und bezwingendsten in der Rhetorik, insbesondere in ihrer politischen Spielart, in der *arte oratoria*.

Die Redekunst ist primär wirkungsorientiert; sie zielt auf Überzeugung des Publikums, wie die Philosophen seit der Antike lehren. Im Gegensatz zu dieser Tradition verkürzt Pareto das Phänomen der Rhetorik jedoch auf den Aspekt der Täuschung und Überredung, auch der Verführung, Irreführung und Demagogie. Er stellt damit die Manipulation der kollektiven Meinungsbildung als eigenständigen Mechanismus der sozialen Steuerung in den Mittelpunkt seiner Überlegungen zur Rhetorik. Dabei müsse man keineswegs Hinterlist unterstellen, denn der beste Prophet sei doch stets der, der von seiner Mission vollkommen überzeugt sei. In jedem Falle stehen aber nicht der sachliche Gehalt oder die logische Folgerichtigkeit der jeweils ins Feld geführten Argumente im Vordergrund von Paretos Ideologienlehre, sondern die rhetorischen Kunstgriffe und typischen Stilfiguren vornehmlich der politischen Diskurse.

Der systematische Kern der Derivationentheorie ruht somit auf einer soziologischen Argumentations- und Rhetoriktheorie. Analog zur Typologie der Residuen werden Muster oder Modi der persuasiven Kommunikation unterschieden und klassifiziert, wie sie besonders bei der politischen Rede, der Propaganda, in der öffentlichen Auseinandersetzung zur Wirksamkeit gelangen. Die spezifische soziologische Problemstellung von Paretos Argumentations- bzw. Rhetoriktheorie ergibt sich dabei aus einer Analyse der Muster der nicht-rationalen persuasiven Kommunikation. Das bedeutet, daß Paretos Ansatz der Rhetorikanalyse primär auf die Voraussetzungen und Folgen der sozialen Mobilisierungskraft von Derivationen ausgerichtet ist. Weshalb unter soziologischen Gesichtspunkten „Sophismen ..., die von einer großen Zahl von Menschen übernommen werden, ... von größtem Interesse (sind). Die Logik untersucht, warum ein Argument nicht stichhaltig ist, die Soziologie, warum es breite Zustimmung findet."[6]

Pareto unterscheidet vier rhetorische Grundmuster, die die eigentlichen Derivationen begründen: erstens reine rhetorische Feststellungen und unbegründete Behauptungen; zweitens personen-, institutionen- oder traditionsbezogene Autoritäts-Rhetoriken; drittens Appelle an Gefühle und abstrakte Prinzipien, wozu die Beschwörung eines universalen Konsenses, die Gemeinwohl-Rhetorik und jede Form metaphysischer Beweiskonstruktionen gehören; schließlich viertens das reine Spiel mit Worten oder verbalen Beweisen auf der Grundlage metaphorischer oder sophistischer Aussagen. Mit einer detaillierten Analyse dieser gängigen Überzeugungsstrategien legt Pareto die Grundlagen für eine eigene Theorie der persuasiven sozialen Kommunikation. Im Grunde geht es ihm dabei um die Frage, wie politische Führer und Demagogen andere (und sich selbst) dazu bringen können, an objektiv unbegründete, zweifelhafte und falsche Ideen zu glauben und gemäß ihren Imperativen praktisch zu handeln.

Die Derivationen sind somit stets auf bestimmte Adressaten bezogen, sei es auf ein konkretes Publikum, die Öffentlichkeit im engeren oder weiteren Sinn oder auf mehr oder weniger geschlossene Gefolgschaften. Sie gewinnen daher ihre meinungsbildende und mobilisierende Schlagkraft als konstitutive Elemente der politischen Praxis. Derivationen gehören zum Arsenal des politischen Kampfes, und es sind für Pareto die politischen Eliten, die sich der Rhetorik im Widerstreit der Interessen und Gesinnungen strategisch am häufigsten und wirkungsvollsten bedienen. Die politischen Führungsgruppen erscheinen in dieser Sicht als Routiniers der politischen Rhetorik. Sie sind damit – im Verbund mit den Intellektuellen – die unentbehrlichen sozialen Trägergruppen der politischen Kommunikation und dies sowohl als regierende Machteliten, zu deren Hauptgeschäft die staatspolitische Legitimations-Rhetorik gehört, als auch als etwaige Gegeneliten, deren meist gesinnungsethisch motivierte Rhetorik des Konflikts auch nur eine unerläßliche Stütze des Machtstrebens der Herausforderer ist.

Diese Auffassung von der Funktion von Führungsgruppen und ihrer Rhetorik in der politischen Arena schließt in jedem Fall einen rationalen Diskurs über öffentliche Angelegenheiten aus. Allenthalben kaschieren und rationalisieren die politischen Eliten mit Hilfe von Derivationen die profaneren Strategien und Finessen ihres eigentlichen Machtstrebens. Diese beruhen letzten Endes immer auf List und Gewalt, wie Pareto betont. Das ist im übrigen Ausdruck der für ihn unumstößlichen Tatsache, daß jede Gesellschaft, gleich welche Staatsverfassung und welches politische Regime sie hervorbringt, immer zwischen Eliten und Nichteliten aufteilt. Selbst die ihrem Selbstverständnis nach am radikalsten demokratisch gesinnten neuen Parteien seiner Zeit, die sozialistischen, entgingen nicht dem Schicksal aller Massenverbände: Sie unterlagen gleichfalls der Spaltung der Mitglieder in einerseits Amtsträger und eine zentrale Führungsgruppe, die allmählich zu einer neuen politischen Oligarchie heranwuchs, und andererseits das einfache Parteivolk, dessen Möglichkeiten der demokratischen Mitbestimmung zusehends beschnitten wurden. Die Überzeugung, daß die auf dem allgemeinen Wahlrecht basierende Volksrepräsentation nichts als oberflächlicher Schein sei, hinter dem sich immer eine „kleine regierende Klasse" verberge, die sich „teils mittels Gewalt, teils aufgrund von Zustimmung seitens der regierten Klasse, die stets zahlenmäßig viel umfangreicher sei, ihre Macht behauptet",[7] teilt Pareto mit Gaetano Mosca und Robert Michels, den beiden anderen Hauptvertretern der italienischen Schule der Elitentheorie.

Doch wenn Paretos Politikverständnis auch unbestreitbar von einer skeptischen, bisweilen gar feindseligen Haltung gegenüber dem Geist und den Institutionen der repräsentativen Demokratie durchdrungen sein mag, so ist seine auf dem Elitentheorem fußende politische Soziologie damit nicht zugleich auch für eine systematische und empirische Analyse der Demokratie disqualifiziert. Im Gegenteil: Paretos politische Soziologie geht auf die Erkenntnis zurück, daß moderne strukturelle Differenzierungen und vielfältige Ungleichartigkeiten im Hinblick auf materielle Interessenlagen und ideelle Orientierungen der sozialen Gruppen letztlich nur durch eine erfolgreiche Vermittlung von Interessen-

und Wertkonflikten in einem gewissen Gleichgewicht gehalten werden können.

Diese Aufgabe leisten für Pareto im wesentlichen die politischen Macht- und Funktionseliten. Diese werden somit auch als unerläßliche Akteursgruppen für eine konsensorientierte Integration insbesondere von pluralistischen Gesellschaften angesehen. Die erfolgreiche Erfüllung dieser durch das politische System vermittelten gesellschaftlichen Integrationsfunktion setzt in Paretos Augen allerdings einen beständigen „Kreislauf der Eliten" voraus, bei dem ein periodischer, im Idealfall gewaltfreier Austausch von regierenden Machtgruppen durch geeignetere oder erfolgreichere Gegeneliten den sozialen Wandel begleitet. Nur damit sei der Gefahr einer Monopolisierung von Herrschaftsfunktionen und -positionen durch die jeweils herrschenden Eliten und der Tendenz besonders zur ständischen oder gerontokratischen Verknöcherung entgegenzuwirken. Daß ein friedlicher und geregelter Elitenaustausch freilich nicht als Regelfall anzusehen ist, lehrt die Geschichte, für Pareto ein „Friedhof von Eliten". Grundsätzlich werden die aus den Elitenkämpfen hervorgehenden politischen Regime von den jeweils dominierenden Residuen-Figurationen und Derivationen-Rhetoriken bestimmt, die die herrschenden Gruppen der politischen Klasse verkörpern bzw. derer sie sich zum Machterhalt bedienen. Die politischen Führungsgruppen sind damit die wichtigsten historischen Akteure, und Paretos Geschichtsbetrachtung konzentriert sich folgerichtig auf die historische Analyse der vielfältigen gesellschaftlichen Prozesse, die die Elitenzirkulation beeinflussen.

Die im *Traktat* entwickelte Elitentheorie erweist sich mithin als ein facettenreicher konzeptioneller Entwurf, der sich nicht auf eine abstrakte historische Formel oder eine deskriptive schichtensoziologische Strukturkategorie reduzieren läßt. Vielmehr entfaltet Pareto damit zugleich die begrifflichen Grundlagen für eine systematische Verknüpfung der handlungstheoretischen Grundannahmen mit einer soziologischen Ordnungstheorie, die eine Konflikttheorie zum Kern hat und von daher besonders für die Makroanalyse pluralistischer Gesellschaften der Moderne fruchtbar gemacht werden kann.

In dieser theoretischen Perspektive ist nun der Begriff des „sozialen Systems" von herausragender Bedeutung, den Pareto als makrosoziologischen Ordnungsbegriff konzipiert. Das „soziale Gleichgewicht" einer gegebenen Ordnung wird dabei als Resultat zahlloser Wechselwirkungen von vielfältigen Bestimmungsfaktoren oder Variablen definiert. Dazu sind unter anderen die Beschaffenheit des Bodens, die klimatischen, vegetativen und geologischen Umweltbedingungen als externe, kollektive Gefühls- und Interessenlagen, Wissens- und Kulturformen der Menschen sowie militärische, ökonomische, politische und andere Machtverhältnisse als die hauptsächlichen internen Variablen zu zählen. Das soziale System ist permanenten Wandlungsprozessen unterworfen, sein Gleichgewicht insofern ein dynamisches, jeweils nur ein Momentergebnis interdependenter Determinationskräfte. Pareto beschränkt sich im *Traktat über Allgemeine Soziologie* darauf, vier Variablenkomplexe exemplarisch in ihren Wechselbeziehungen zu betrachten: die Interessen, die Residuen, die Derivationen und die „soziale Heterogenität und Zirkulation der Eliten".

Mit dem Systembegriff ist ferner eine scharfsinnige Kritik geläufiger Gemeinwohl-Vorstellungen verknüpft: Die Annahme der Gegebenheit allgemeiner gesellschaftlicher Interessen, von denen ein Nutzenmaximum als *bonum comune* der Gesamtgesellschaft ableitbar sei, kann in Paretos Augen einer empirischen soziologischen Betrachtung nicht standhalten. Er bezweifelt, daß für gesellschaftliche Kollektivnutzenerwägungen dieser Art das aus der Ökonomie bekannte Optimumtheorem eine tragfähige theoretische Grundlage bieten könne. Vor allem in Anbetracht der großen Differenziertheit an Gruppeninteressen und kollektiven Wertvorstellungen im sozialen System („soziale Heterogenität") sei ein Nutzenvergleich auf rationaler Basis zwecklos.

Das bedeutet, daß letztlich Kollektivgüter stets nur als gruppenspezifische, durch partikularistische, oft gegensätzliche Interessenlagen bestimmte Optima konzipiert werden können, so beispielsweise die Interessen der Nation, einer Berufsgruppe oder von politischen Parteien. An diesem Gedanken ist bemerkenswert, daß Pareto ein universales Wohlfahrtskriterium als Bezugspunkt gesellschaftlicher Ordnung grundsätzlich ausschließt. Daraus folgert er, daß eine auf *rationalen* Gemeinwohlmaximen basierende Lösung der unvermeidbaren Verteilungs- und Wertkonflikte in keiner Gesellschaft zu erwarten ist. Wohlfahrtsentscheidungen basieren letztlich immer auf Wertentscheidungen, die je nach faktischer Machtlage von den zumeist nationalen Gruppeneliten und in der Regel im Interesse einer gruppenegoistischen kollektiven Nutzenmaximierung[8] ausgehandelt und dann abhängigen Gruppen oder „der Allgemeinheit" aufgezwungen, mithin paktiert oder oktroyiert werden. Daraus zieht Pareto die Konsequenz, daß „öffentliche Wohlfahrt" einer Derivation gleichkomme. Es handelt sich dabei in seinen Augen sogar um einen klassischen Topos der politischen Legitimations-Rhetorik, mit dessen Hilfe vornehmlich die Machtoligarchien von ökonomischen und politischen Interessengruppen ihre stets partikularistischen Entscheidungen unter Verwendung der rhetorischen Figur des „Allgemeinen Wohls" zu rechtfertigen trachten, um damit gesellschaftlichen Konsens zu mobilisieren. Auch unter diesem Blickwinkel der gesellschaftlichen Optimumproblematik kommt den Eliten somit eine zentrale gesellschaftliche Vermittlungs- und Integrationsfunktion im sozialen Kampf um Gemeinwohldefinitionen und ihre rhetorische Legitimation zu.

Nicht zuletzt wegen der herausragenden Stellung, die Pareto den politischen Eliten im sozialen System zuschreibt, erscheint es gerechtfertigt von einem Primat des Politischen in seiner Allgemeinen Soziologie zu sprechen.

3. Zur Rezeption

Paretos soziologisches Werk hat ein diskontinuierliches Rezeptionsschicksal erfahren.[9] Nachdem der *Traktat über Allgemeine Soziologie* unmittelbar nach seinem Erscheinen in Italien keinen nennenswerten Einfluß auf den in diesem Land in einem dogmatischen Positivismus erstarrten sozialwissenschaftlichen Diskurs gewinnen konnte, löste seine Übersetzung ins Englische[10] Mitte der dreißiger Jahre in den USA eine regelrechte ‚Pareto-Welle' aus. Hier gelangten Paretos Ideen vor allem an der Harvard University zu einem ersten Durchbruch, wo sich um den einflußreichen Physiologen und Philosophen Lawrence Henderson eine Pareto-Studiengruppe bildete, die viele Jahre intensiv das Werk des Italieners diskutierte. Aus diesem Kreis ging u. a. die bahnbrechende theoretische Rekonstruktion der Sozialtheorie Paretos von Talcott Parsons *The Structure of Social Action* hervor.[11] Parsons stellte darin Paretos *Traktat* den großen Entwürfen Max Webers und Emile Durkheims gegenüber und verlieh ihm damit den kanonischen Status eines „Klassikers" der Soziologie.[12]

Literatur

1. Werkausgaben

Pareto, Vilfredo, 1964–1989, Oeuvres complètes. 30 Bde., hrsg. von Giovanni Busino. Genf.

Pareto, Vilfredo, 1988, Trattato di sociologia generale, textkritische Edition, hrsg. von Giovanni Busino. 4 Bde. Turin.

Paretos System der Allgemeinen Soziologie, 1962. Einleitung, Übersetzung und Anmerkungen von G. Eisermann. Stuttgart.

Pareto, Vilfredo, 1975, Ausgewählte Schriften. Herausgegeben und eingeleitet von Carlo Mongardini. Berlin.

Pareto, Vilfredo, 1966, Sociological Writings. Selected and introduced by S. E. Finer. New York/Washington/London.

Pareto, Vilfredo, 1998, Logik und Typus. Beiträge zur soziologischen Handlungstheorie. Herausgegeben und mit einer Einleitung von Maurizio Bach. Konstanz (im Erscheinen).

Bibliographien

Pareto, Vilfredo, 1975, Jubilé du Professeur V. Pareto 1917 avec une bibliographie des écrits de et sur Vilfredo Pareto par Piet Tommissen et Giovanni Busino. Genf.

Busino, G., 1988, Nota Bibliografica. In: Pareto, V.: Trattato di sociologia generale. Edizione critica a cura di Giovanni Busino. Bd. I. Turin. S. LXXI–CLXXXVI.

2. Biographien

Bousquet, G.-H., 1928, Vilfredo Pareto, sa vie et son oeuvre. Paris.

Bousquet, G.-H., 1960, Pareto (1848–1923). Le savant et l'homme. Lausanne-Paris.

Busino, G., 1989, L'Italia di Vilfredo Pareto. Economia e società in un carteggio del 1873–1923. Mailand.

3. Monographien

Aron, R., 1967, Les étapes de la pensée sociologique. Montesquieu, Comte, Marx, Tocqueville, Durkheim, Pareto, Weber. Paris.

Belohradsky, V., 1973, Ragionamento. Azione. Società. Sociologia della conoscenza in Vilfredo Pareto. Mailand.

Bobbio, N., 1971, Saggi sulla scienza politica in Italia. Bari.

Eisermann, G., 1987, Vilfredo Pareto. Ein Klassiker der Soziologie. Tübingen.

Eisermann, G., 1989, Max Weber und Vilfredo Pareto. Dialog und Konfronta-
tion. Tübingen.
Fiorot, D., 1975, Vilfredo Pareto. Contributo alla storia della scienza politica.
Mailand.
Freund, J., 1874, Vilfredo Pareto. La théorie de l'équilibre. Paris.
Hübner, P., 1967, Herrschende Klasse und Elite. Eine Strukturanalyse der Ge-
sellschaftstheorien Moscas und Paretos. Berlin.
Mongardini, C., 1990, Profili storici per la sociologia contemporanea. Rom.
Rutigliano, E. (Hg.), 1994, La ragione e i sentimenti. Vilfredo Pareto e la
sociologia. Mailand.
Valade, B., 1990, Pareto – La naissance d'une autre sociologie. Paris.

Anmerkungen

1 Pareto, V., Trattato die sociologia generale, textkritische Edition, hrsg. von
   Giovanni Busino, 4 Bde. Turin 1988.
2 Ebd., § 845.
3 Vgl. ebd., § 888.
4 Dieser Versuch weist beträchtliche begriffliche wie systematische Unstimmigkeiten auf. Eine der offensichtlichsten Schwächen des Residuenansatzes
   ist, daß Pareto über keinerlei Interaktionstheorie verfügt.
5 Pareto, V., Trattato, a. a. O., § 1403.
6 Ebd., § 1411.
7 Ebd., § 2244.
8 Pareto vertritt ein pluralistisches Elitenkonzept, das die innere Heterogenität der Führungsgruppen betont.
9 Vgl. Busino, G., Gli studi su Vilfredo Pareto oggi. Dall'agiografia alla critica (1923–1973). Rom 1974.
10 Pareto, V., The Mind and Society. A Treatise on General Sociology.
   Translated by Andrew Bongiorno and Arthur Livingston with the advice
   and active cooperation of James Harvey Rogers. Edited by Arthur Livingston. 2 Bde. New York 1935.
11 Parsons, Talcott, The Structure of Social Action. New York 1937.
12 In der zweiten Nachkriegszeit fanden Paretos theoretische Schriften nur
   noch vereinzelt kongeniale Interpreten. Maßstäbe setzten Noberto Bobbio
   und Dino Fiorot in Italien, Raymond Aron und Julien Freund in Frankreich sowie Gottfried Eisermann in Deutschland.

Cornelius Bickel

Ferdinand Tönnies
(1855–1936)

1. Leben

Tönnies' Lebensspanne (1855–1936) verbindet das 19. mit dem 20. Jahrhundert. Die Grundlagen seines Denkens sind im letzten Drittel des 19. Jahrhunderts gelegt worden. Der Höhepunkt seiner öffentlichen Wirkung lag in den zwanziger Jahren des neuen Jahrhunderts. Tönnies, der am 26. Juli 1855 in Oldenswort geboren wurde, ist der einzige Soziologe seiner Generation, der vom Lande stammt. Sein Vater war vermögender Großbauer auf der Halbinsel Eiderstedt in der Nähe von Husum, wohin die Familie später übersiedelte. Diese Herkunft hat Tönnies während seiner aus politischen Gründen im Kaiserreich blockierten Karriere materielle Unabhängigkeit und psychische Standfestigkeit verliehen. Tönnies war kein *Bourgeois*, als den Max Weber[1] sich nicht ohne Selbstironie bezeichnet hatte.

Nach einem Studium der Klassischen Philologie beginnt Tönnies Privatstudien zur Philosophie des Thomas Hobbes. Daneben beschäftigt er sich mit politischer Ökonomie, Rechtsgeschichte und Ethnologie. Aus diesem Gedankenreservoir entwickelt sich im Laufe der achtziger Jahre das Theorem des Gegensatzes von „Gemeinschaft" und „Gesellschaft" als ideengeschichtliche Synthese und als begriffliche Konstruktion, die den Gedankenkern des 1887 erscheinenden Jugend- und Hauptwerks gleichen Titels bildet. Dieses Buch findet erst 1912 unter dem Einfluß der Jugendbewegung in der zweiten Auflage größere Beachtung. Bereits 1881 hat er sich an der Kieler Universität mit seinen Hobbes-Studien[2] habilitiert. Er hält Vorlesungen als Privatdozent der Philosophie.

In den neunziger Jahren zieht Tönnies' mit seiner Familie nach Hamburg und gleich darauf in das damals preußische Altona. Es sind die einzigen Jahre, in denen Tönnies in einer der großen Städte Deutschlands lebt. In dieser Zeit beteiligt er sich als wissenschaftlicher Beobachter am Hafenarbeiterstreik von 1896/97. In großen Sozialreportagen weist er die Berechtigung der Arbeiterforderungen nach[3]. Tönnies' politisches Engagement, das hier einen weithin sichtbaren Ausdruck bekommt, hält sein ganzes Leben hindurch an.

Seine Verwurzelung in der westeuropäischen Tradition der Aufklärung und sein praktischer Einsatz für Sozialreformen bringen ihn in ein Verhältnis aktiver Solidarität mit der Arbeiterbewegung. Der SPD schließt er sich jedoch erst in einem symbolisch-demonstrativen Schritt 1930 in der Endphase der Weimarer Republik an. Tönnies hat sich in vielen wichtigen politischen Fragen vom Kaiserreich bis zum Ende der Weimarer Republik für seine Ziele eingesetzt: für die Durchsetzung sozialpolitischer Institutionen, für die freie Entfaltung der Gewerkschaften, für gemeinwirtschaftliche Ziele, für die Weimarer Republik und von Anfang an gegen den Nationalsozialismus.

Die wissenschaftliche Seite seines Werkes wird von der intensiven publizistischen Aktivität jedoch nicht beeinträchtigt. Gerade in den Hamburger Jahren widmet er sich psychologischen, anthropologischen und sprachtheoretischen Folgerungen aus seinem Hauptwerk. Sie werden in seinem Buch zur Sprachphilosophie[4] dargestellt. Der Konventionalismus der modernen Kunstsprachen wird hier gegen die nicht instrumental beherrschbaren Entwicklungsprozesse natürlicher Sprachen und Symbole gesetzt. Ferner wird die Terminologie der Psychologie erkenntniskritisch im Hinblick auf die verwendeten Metaphern untersucht. Seine Hobbes-Studien finden in der Hobbes-Biographie von 1896 ihren repräsentativen Ausdruck. Seine Orientierung in der zeitgenössischen Philosophie wird in seiner Nietzsche-Kritik von 1897 deutlich. Er kritisiert darin Nietzsches sozialwissenschaftliche Ahnungslosigkeit, hält aber an seiner Hochschätzung des literarischen Ranges von Nietzsche fest.

Die Hamburger Zeit wird abgelöst von den Jahrzehnten bis zum Ende des Ersten Weltkrieges in Eutin in der Holsteinischen Schweiz. Von dort aus erfüllt Tönnies seine Lehrverpflichtungen in Kiel. 1913 endlich erhält er eine Professur für „wirtschaftliche Staatswissenschaften" an der Kieler Universität. Die Blockade seiner akademischen Laufbahn, die durch seine Unterstützung der Arbeiterbewegung und durch seine Kritik an Kultur und politischer Verfassung des Wilhelminischen Obrigkeitsstaates verursacht wurde, wird damit erst am Vorabend des Ersten Weltkrieges beendet.

Bereits in den ersten Jahren des neuen Jahrhunderts hat Tönnies die Arbeit an Begründung und Systematik der Soziologie als Einzelwissenschaft aufgenommen. Von dem Dresdner Vortrag über *Das Wesen der Soziologie* (1907)[5] führt eine kontinuierliche Gedankenlinie bis zum resümierenden Spätwerk, der *Einführung in die Soziologie* von 1931. Aus dem kategorialen Rahmen, der mit der Unterscheidung von „reiner" (begriffskonstruktiver), „angewandter" (historischer) und „beschreibender" (empirischer) Soziologie gegeben ist, gewinnt Tönnies die Grundlagen für seine wissenschaftliche Arbeit in den zwanziger Jahren. Sein umfangreiches Buch über die öffentliche Meinung von 1922 geht aus von einer funktionalen Analogie von öffentlicher Meinung in der modernen Gesellschaft und von Religion in den traditionalen Gemeinschaften und beschäftigt sich mit den verschiedenen Aggregatzuständen der öffentlichen Meinung. In seinen historischen Untersuchungen, die in dem früh, 1907, begonnenen und spät, 1935, notdürftig zum Druck fertiggemachten *Geist der Neuzeit* gipfeln, versucht Tönnies die Anwendbarkeit der Grundbegriffe „Gemeinschaft" und „Gesellschaft" auf die historische Realität zu zeigen. Seine ideengeschichtlichen Studien verbinden sich in den Schriften über die Soziale Frage von 1907, über Marx von 1921 und über das Eigentum von 1926 mit seinen sozialpolitischen und gesellschaftskritischen Gesichtspunkten, die auf die Herstellung einer Republik zielen. Sie soll ihre staatliche Souveränität in der Lösung der sozialen Frage bewähren.

In den zwanziger Jahren erreicht Tönnies' öffentliche Wirksamkeit ihren Höhepunkt. Als Emeritus, unterstützt vom preußischen Kultusminister Carl Heinrich Becker, baute er die Soziologie als Lehrfach an der Kieler Universität auf. Darüber hinaus übernahm er immer stärker die Rolle eines Repräsentanten der Soziologie in Deutschland. Bis 1933 gehörte er dem Präsidium der Deutschen Gesellschaft für Soziologie an. Aufgrund seines publizistischen Kampfes gegen den Nationalsozialismus wurde er im Zuge der Selbstauflösung der DGS 1933 aus seinem Amt gedrängt[6]. Seine Pension wurde nach 1933 auf das Existenzminimum gekürzt. Möglichkeiten zum Publizieren hatte er kaum noch. Am 11. April 1936 starb er in seinem nach dem Ersten Weltkrieg bezogenen Kieler Haus.

2. Werk

Tönnies reagiert mit seinem Werk wie die anderen Klassiker seiner Generation auf das Zurückweichen und den Wandel traditionaler Lebensformen im Laufe der sich durchsetzenden Industrialisierung und Modernisierung. Er möchte in diesem Zusammenhang die begrifflichen Mittel bereitstellen, um „Gemeinschaft" auf demselben Niveau wissenschaftlich darstellen zu können, wie es bereits seiner Ansicht nach mit der „Gesellschaft" in einem ersten erfolgreichen Versuch geschehen ist, nämlich durch die rationale Naturrechtslehre der Aufklärungszeit. Gemeinschaften scheinen aber, da sie nicht planmäßig gemacht, sondern historisch gewachsen sind, der wissenschaftlichen Analyse verschlossen zu sein.

Tönnies geht nun von der These aus, daß beide sozialen Typen auf Willensbeziehungen von Individuen beruhen. Wille ist für Tönnies immer vernünftiger Wille[7]. In beiden Fällen stehen Vernunft und Wille ebenso wie Individuum und allgemeine Sphäre in einem verschiedenen Verhältnis zueinander. „Gesellschaft" beruht auf den zweckrationalen Willensakten der Subjekte, auf einem Zusammenwollen des eigenen Vorteils wegen. Die Ratio kommandiert den Willen gleichsam von außen. Diesen Typus des Willens nennt Tönnies „Kürwillen". „Gemeinschaft" dagegen beruht darauf, daß die Betroffenen, der Idee nach, die umgreifende Lebensform gleichsam um ihrer selbst willen, als Selbstzweck auffassen. Die Ratio ist im Willen integriert. Diese Willensform nennt Tönnies „Wesenwillen". Menschen, die in Gemeinschafen leben, betrachten ihre soziale Umwelt so, als ob sie ein Eigenleben hätte, etwas Unverfügbares wäre. Für die soziologische Betrachtung möchte Tönnies aber die Einsicht zur Geltung bringen, daß in Wahrheit auch „Gemeinschaft", nicht anders als „Gesellschaft", auf individuellen Willensakten wechselseitiger Bejahung beruht, wenn auch aus unterschiedlichen Motiven. Die gesamte soziale Wirklichkeit geht demnach auf die Willens- und Bewußtseinsakte der Beteiligten zurück. Tönnies' Willenstheorie hat einerseits eine rechtstheoretische Komponente, orientiert an der Vorstellung vom Recht als Komplex von Willensbeziehungen. Andererseits ist sie in starkem Maße von seiner Schopenhauer-Rezeption[8] beeinflußt worden, wobei er den metaphysischen Kontext auszublenden versucht. Ferner kombiniert Tönnies in diesem Zusammenhang Baruch de Spinoza und Charles Darwin, indem er die Wirksamkeit von gewachsenen und im Laufe der Evolution sedimentierten Willenstendenzen (*conatus*)[9] nachzeichnet.

Tönnies hat seine soziologischen Grundbegriffe sowohl aus der Rezeption wie auch aus der Kritik der modernen Naturrechtslehre gewonnen. Das moderne Naturrecht schien ihm die gedankliche Essenz und damit der Selbstkommentar der neuzeitlichen Gesellschaft zu sein. Thomas Hobbes war ihm in diesem Zusammenhang, abgesehen von seiner ideengeschichtlichen Bedeutung, auch als wissenschaftstheoretischer Bezugspunkt wichtig. Hobbes' Ansicht, daß Begriffe Instrumente seien, und der damit verbundene Operationalismus und Konstruktivismus blieben für Tönnies stets maßgebend.

Angesichts dieser Voraussetzungen befand sich Tönnies von vornherein in einem zustimmenden Verhältnis zu den neueren Strömungen einer „wissenschaftlichen", am Positivismus orientierten Philosophie. Nicht weniger wichtig als die positiven Anleihen bei Hobbes war aber die Einsicht, daß die Aufklärungsphilosophie und damit auch die späteren Strömungen des Rationalismus der historischen Dimension gegenüber blind waren. Der Historismus andererseits hat Tönnies' Einschätzung zufolge wohl das Spezifische der historischen Realität erkannt, ist ihr aber begrifflich nicht gewachsen. Tönnies will beide Erkenntnispositionen in ein Verhältnis der Ergänzung bringen[10]. Aus der Theorie der beiden Willensformen kann er wie aus einer Metatheorie sowohl die planvoll gemachten wie auch die geschichtlich gewachsenen sozialen Phänomene ableiten. Damit wollte er die Konfrontation des vorwiegend in Westeuropa entwickelten Positivismus mit dem besonders in Deutschland reich entfalteten Historismus aufheben. Aus diesem wissenschaftstheoretischen Programm entstehen für Tönnies auch politische Konsequenzen, wie die Zurückweisung von historischen Begründungsversuchen für einen verfassungspolitischen Sonderweg des Wilhelminischen Obrigkeitsstaates. Aus der Willenstheorie ergeben sich für Tönnies methodologische Konsequenzen wie die Prozessualisierung der sozialen Wirklichkeit als eines Geflechtes von Willensakten oder der methodologische Individualismus als Gegenmittel gegen dogmatische Formen einer Überhöhung der kollektiven Sphäre.

Mit seinem Versuch einer Synthese der sozialphilosophischen Tradition will Tönnies nachweisen, daß die Früheren, wie Claude Henri de Saint Simon oder Auguste Comte, immer schon der Sache nach vom Gegensatz Gemeinschaft – Gesellschaft gesprochen haben. Wenn Tönnies auch den Anspruch hat, mit seinem Grundtheorem sozusagen das Hintergrundproblem der gesamten sozialphilosophischen Tradition seit der frühen Neuzeit formuliert zu haben, so sind für ihn einige Autoren doch von ganz besonderer Bedeutung. Marx' Kritik der politischen Ökonomie hat tiefe Spuren in Tönnies' Darstellung der modernen „Gesellschaft" hinterlassen. Tönnies hat stets die große sozialwissenschaftliche Bedeutung von Marx hervorgehoben[11]. Der englische Rechtshistoriker Henry Sumner Maine[12], der den Gegensatz von *status* und *contract* in rechtsvergleichenden Studien verfolgt, diente Tönnies als Beleg für die ethnologische und rechtshistorische Anwendbarkeit seiner Gemeinschafts-Gesellschafts-Dichotomie. Otto von Gierkes monumentales Werk über die Geschichte der Genossenschaftsgedankens[13] wurde von Tönnies als Darstellung der wichtigsten sozialen Erscheinungsform des Gemeinschaftsprinzips aufgefaßt. Aus dem Studium von Rudolf von Iherings *Zweck im Recht*[14] fühlt sich Tönnies in seiner Ansicht bestärkt, daß die Zweckkategorie nicht ausreicht für die Erkenntnis der historisch-kulturellen Welt.

Der Gemeinschaftsbegriff erfüllt in Tönnies' Theorie eine kritische Funktion. Er ist ein Oppositionsbegriff gegen eine vom liberalen Fortschrittsgedanken getragene Auffassung der „Gesellschaft". Aufgrund seiner exzentrischen Position gegenüber der „Gesellschaft" bildet er die Grundlage für Tönnies' kritische Analyse der Gegenwart. Positive Möglichkeiten lassen sich nur durch Analogiebildung zu früheren, historisch inzwischen stark zurückgedrängten Formen finden. Tönnies sah in den Genossenschaften eine besonders aussichtsreiche Reformbewegung, die seiner Ansicht nach allerdings an der immer radikaleren Durchsetzung des gesellschaftlichen Interessenkampfes nichts Grundsätzliches ändern konnte.

Durch den Gegentypus der Gemeinschaft und der mit ihr verbundenen Formen der Weltauffassung kann Tönnies die Wandelbarkeit möglicher Bewußtseinsstellungen zur Welt hervorheben. Er hat damit zugleich die Voraussetzungen für eine Historische Anthropologie geschaffen. Der Gemeinschaftsbegriff ist aber kein

Gegenbegriff zur Aufklärung. Er soll die Sache der Ratio stärken, indem der Gegentypus zur instrumentalen Rationalität in einen umfassenden Vernunftbegriff aufgenommen wird.

Tönnies verwendet zur Kontrastierung von Gemeinschaft und Gesellschaft den Gegensatz „real – fiktiv" in einer an die Realismus-Nominalismus-Problematik erinnernden Weise[15]. Real im Sinne einer Verwurzelung in der anschaulich-leibhaften Sphäre ist nur die Gemeinschaft. Die Gesellschaft dagegen ist „fiktiv", da sie auf Abstraktionsleistungen und Gedankenkonstruktionen beruht, was Tönnies besonders an den verschiedenen Verwendungsweisen der Tauschkategorie in der modernen Gesellschaft darzustellen versucht.

In *Gemeinschaft und Gesellschaft* ist das Tönnies'sche Gesamtwerk in allen wichtigen Grundzügen bereits enthalten. Was in den Jahrzehnten der weiteren Werkgeschichte dazukommt, ist Systematisierung, Ausgestaltung und Anwendung der Grundgedanken. Im Rahmen seines seit 1907 entwickelten Systems der Soziologie beginnt nun die begriffliche Aufschlüsselung und Anwendung des Grundtheorems auf die Teilbereiche der Soziologie. Erkenntnisgegenstand der Soziologie sind demnach die „sozialen Wesenheiten", die gewollten sozialen Verbindungen, die Tönnies nach wachsendem Organisationsgrad in „Verhältnisse", „Samtschaften" (wie z.B. das Volk) und Verbände (mit dem Staat als höchster Entwicklungsform) unterteilt. Die Anerkennung dieser Verbindungen als geltende impliziert auch die Anerkennung von Werten und Normen, womit weitere Erkenntnisbereiche der Soziologie bezeichnet wären[16]. Die naturrechtliche Unterscheidung von *status civilis* und *status naturalis* deutet sich wie im Schattenriß hinter Tönnies' These an, daß Konflikt und Verneinung nicht in den kategorialen Rahmen der reinen Soziologie passen.

Neben den begrifflichen Arbeiten wird die Anwendung der Grundbegriffe auf die Geschichte versucht. In diesem Bereich gelingt es Tönnies nicht, das eigene umfassende Programm auszufüllen. Abgesehen von der Untersuchung über die Öffentliche Meinung, die einem speziellen Thema auch in historischer Absicht gewidmet ist, läßt Tönnies zwei Bücher zur soziologischen Betrachtung der Geschichte erscheinen: 1926 eine Sammlung von Abhandlungen unter dem Titel *Fortschritt und soziale Entwicklung* und 1935, jahrzehntelange Vorstudien zusammenfassend, den *Geist der Neuzeit*. In diesen Untersuchungen werden die Gemeinschaft-Gesellschaft-Kategorien zur Charakterisierung ganzer Epochen verwendet. Die europäische Geschichte setzt Tönnies als Einheit aus Mittelalter und Neuzeit[17], die durch den Entwicklungsgang von Gemeinschaft zu Gesellschaft charakterisiert wird, gegen die Antike, die ihrerseits eine spezifische Folge von Gemeinschaft zu Gesellschaft aufweist. Griechische *Polis* und spätrömisches Reich sind dabei die paradigmatischen Ausdrucksformen beider Entwicklungsstadien. Die Grundtendenz der europäisch-nordamerikanischen Geschichte sieht Tönnies – unter Verwendung des Paradigmas von Evolution und Involution – in der Freisetzung von Individualismus aus traditionaler Gebundenheit und seiner neuerlichen Beschränkung und Nivellierung in den großen Kollektivgebilden der Bürokratie und Großindustrie. Diese Entwicklung zeichnet er nach, sofern sie sich „in, aus oder neben"[18] der Gemeinschaft entfaltet hat.

Tönnies empirische Forschungen[19], die er schon seit den neunziger Jahren betreibt, gelten besonders den klassischen Phänomenen sozialer Anomie: Selbstmord und Kriminalität.

Mit der Konzentration auf Anwendung und Ausbau des „Systems" der Soziologie treten Tönnies' philosophische Interessen, wie sie in seinen erkenntnistheoretischen und ideengeschichtlichen Untersuchungen Ausdruck gefunden haben, zurück.

3. Wirkung

Tönnies' Gemeinschafts-Gesellschafts-Problematik brachte ihn mit zentralen Problembereichen der damaligen wissenschaftlichen und politischen Diskussion in Verbindung. Die formale Soziologie war ebenso wie die historische betroffen. Auf politischer Ebene ließen sich Tönnies' Grundbegriffe auf die Soziale Frage ebenso wie auf die verfassungstheoretische Problematik des republikanischen, auf dem Polisgedanken beruhenden Staates beziehen. Trotz der zentralen Stellung seines Grundtheorems in der intellektuellen Situation seit der Jahrhundertwende und trotz seiner repräsentativen Stellung[20] in der deutschen Soziologie der zwanziger Jahre hat Tönnies, anders als Durkheim in Frankreich, keine wissenschaftliche Schule gebildet.

International war Tönnies bereits präsent, noch bevor seine breitere Rezeption in Deutschland eingesetzt hatte. Seine umfangreiche Rezensionstätigkeit hatte dabei mitgewirkt.[21] Mit der Chicagoer Schule verband ihn das Interesse an einer sozialpsychologischen Grundlegung der Soziologie. Im Hinblick auf Frankreich fühlte er sich Gabriel Tarde aufgrund seiner sozialpsychologischen Interessen geistig näher als Emile Durkheim, mit dem er über wechselseitige Rezensionen in literarische Verbindung kam.[22] Für Tönnies waren stets auch die Kontakte zu den kleineren Nachbarnationen wichtig. Mit Harald Höffding, dem um die Jahrhundertwende bedeutendsten dänischen Philosophen stand Tönnies 43 Jahre lang bis zu Höffdings Tod im Briefwechsel.[23] Kulturtheoretische Probleme wie die Frage nach dem schöpferischen Potential moderner Gesellschaften und nach der Bedeutung der Religion in der Moderne gehören zu den Themen dieser Korrespondenz.

Mit seinen deutschen Zeitgenossen Max Weber und Georg Simmel verband ihn das Bewußtsein von der Ambivalenz der Moderne. Tönnies' kritischer Monismus bildet aber eine Gegenposition zu Webers und Simmels transzendentalphilosophischer Begründung der kulturwissenschaftlichen Erkenntnis, die vom südwestdeutschen Neukantianismus getragen wird. Tönnies' philosophische Orientierung an der Aufklärungsphilosophie hat ihm Immunität verliehen gegenüber den wechselnden Strömungen des kulturtheoretischen und des politischen Irrationalismus um die Jahrhundertwende. Andererseits blieben ihm dadurch die in dieser Zeit besonders intensiv sich entfaltenden lebensphilosophischen ebenso wie die phänomenologischen Strömungen in den Kulturwissenschaften fremd.[24]

Tönnies' Theorie der Rationalität richtet sich gegen die Verabsolutierung der instrumentalen Rationalität. Sie eröffnet Einsichten in die Dialektik der Vernunft. In der modernen Gesellschaft droht Tönnies zufolge das Band zwischen Ratio und Leben zu zerreißen. Der amerikanische Kommunitarismus steht der Tönnies'schen Problematik nahe[25], ohne doch das begriffliche Niveau, das Tönnies in seinen Abgrenzungen von Gemeinschaft, Pseudogemeinschaft und Gesellschaft zum Ausdruck bringt, immer erreichen zu können.

Diese begrifflichen Differenzierungen spielten in der deutschen Soziologie in den zwanziger Jahren eine wichtige Rolle. Max

Weber brachte den prozessualen Charakter von Tönnies' Grundbegriffen, der von Tönnies selbst bereits gesehen worden ist, begrifflich noch stärker zum Ausdruck. Er unterscheidet „Vergemeinschaftung", die auf dem Bewußtsein affektueller und traditionaler Zusammengehörigkeit beruht, und „Vergesellschaftung", die durch zweckrationalen Ausgleich von Interessen charakterisiert ist[26]. Da Weber nicht wie Tönnies seine soziologischen Begriffe aus einer psychologisch-anthropologischen Grundlagentheorie deduziert, ist er in der Gruppierung der Strukturmerkmale beweglicher als dieser. Das zeigt sich z. B. an der Aufdeckung der Paradoxie, daß „Vergemeinschaftung" sich auch aus „Vergesellschaftung" ergeben kann[27].

Tönnies' Grundbegriffe boten in den zwanziger Jahren Anlaß für weitere Formen der Ergänzung und Variierung. Hermann Schmalenbach fügte dem Gemeinschaftsbegriff den charismatisch bestimmten „Bund" als weitere Kategorie hinzu[28]. Der Bezug zum Charisma-Begriff Max Webers, der in Tönnies' Willenstheorie in auffälliger Weise fehlte, war damit hergestellt. Alfred Vierkandts phänomenologische Differenzierungen der Gemeinschaftsproblematik[29] von der Gruppe über die rein persönliche Gemeinschaft (Ehe, Freundschaft), die abstrakte Gruppe (Stamm oder Nation) zur unpersönlichen Gemeinschaft (Nation) löst sich von den systematischen Zusammenhängen, die Tönnies aufgebaut hat. Die deduktive Beziehung zwischen psychologischen und soziologischen Begriffen, die Tönnies in seinem System mit großer intellektueller Energie aufrechterhalten hat, geht bei Vierkandt wie in der gesamten Soziologie der zwanziger Jahre verloren.

Damit war der Tönnies-Rezeption in der modernen Soziologie vorgearbeitet worden. Talcott Parsons hat seine *pattern variables*[30], Schemata grundsätzlich möglicher Handlungsorientierungen, von Tönnies angeregt, um den Gemeinschaft-Gesellschaft-Gegensatz aufgebaut. Es handelt sich immer um den Gegensatz einer ganzheitlich expressiven und einer analytisch-zweckrationalen Orientierung. Auch Parsons' Konzeption zeichnet sich durch die freie Beweglichkeit und Kombinierbarkeit dieser Begriffe aus. Wenn in der gegenwärtigen Soziologie mit zunehmender Tendenz die soziale Bedeutung von nicht-zweckrationalen Integrationsfaktoren beachtet wird, dann ist der Bezug zu Tönnies gegeben: so im Sinne einer wissenschaftsgeschichtlichen Erinnerung bei Shmuel

Noah Eisenstadt in seinen Untersuchungen zur Patronage und zur sozialethischen Selbstbindung in der modernen Gesellschaft[31]; so im Sinne einer Bezugnahme durch Abgrenzung bei Ulrich Beck und Anthony Giddens, die sich mit dem Begriff der „reflexiven Gemeinschaft"[32] vom Gemeinschaftsbegriff der zwanziger Jahre abheben wollen.

Mit ihren Überlegungen, die auch die Rolle des Vertrauens in der modernen Gesellschaft berühren, stehen sie dem amerikanischen Kommunitarismus nahe, der sich aber primär im Rahmen einer an Gerechtigkeitsfragen interessierten politischen Theorie bewegt. Die heutige Neigung, Gemeinschaft und Gesellschaft in ein variables Mischungsverhältnis zu bringen, hat ihren paradigmatischen Ausdruck in dem Terminus *societal community*[33] gefunden, der in Parsons' Systemtheorie die Wertgemeinschaft der modernen bürgerlichen Gesellschaft ausdrücken soll. Tönnies hätte diese Betrachtungsweise nicht ohne weiteres akzeptieren können. Sein Hauptinteresse galt der kategorialen Abgrenzung und der historischen Folge von Gemeinschaft und Gesellschaft. Die Suche nach funktionalen Äquivalenten, die an Stelle von „echten" Gemeinschaften im Sinne seiner Theorie das in der Moderne fortdauernde Gemeinschaftsbedürfnis erfüllen könnten, blieb bei ihm im Hintergrund.

Literatur

1. Soziologische Hauptwerke

Tönnies-Gesamtausgabe (TG) in 24 Bänden. 1998 ff. Berlin (hrsg. von L. Clausen, A. Deichsel, C. Bickel, R. Fechner, C. Schlüter-Knauer). Als erster Band ist Bd. 22 erschienen: 1932–1936. Geist der Neuzeit, Schriften, Rezensionen. Hrsg. v. L. Clausen. Berlin 1998.

Tönnies, Ferdinand, 1887, Gemeinschaft und Gesellschaft. Abhandlung des Communismus und des Socialismus als empirischer Culturformen. Leipzig. Seit der 2. Aufl. Berlin 1912 mit geändertem Untertitel: Grundbegriffe der reinen Soziologie. 8 Auflagen bis 1935. Völliger Neudruck: 3. Aufl. Darmstadt 1991 (Danach zitiert).

Tönnies, Ferdinand, 1896, Thomas Hobbes. Leben und Lehre. Stuttgart, Nachdruck der 3. Aufl. Von 1925 mit einer Einleitung von K. H. Ilting. Stuttgart 1965, 4. Aufl. 1971.

Tönnies, Ferdinand, 1906, Der Nietzsche-Kultus. Eine Kritik. Leipzig. Neu hrsg. von G. Rudolph. Leipzig u. Berlin 1990.

Tönnies, Ferdinand, 1906, Philosophische Terminologie in psychologischsoziologischer Ansicht. Leipzig (zuerst englisch in: Mind 8 (1899), S. 289–332 u. 467–491; Mind 9 (1900), S. 46–61).

Tönnies, Ferdinand, 1907, Die Entwicklung der sozialen Frage. Berlin. 4. Aufl.: Die Entwicklung der sozialen Frage bis zum Weltkriege. Berlin/Leipzig 1926. Nachdruck mit einem Nachwort von C. Bickel. Berlin 1989.

Tönnies, Ferdinand, 1909, Die Sitte. Frankfurt a. M.

Tönnies, Ferdinand, 1921, Marx. Leben und Werk. Jena.

Tönnies, Ferdinand, 1922, Kritik der öffentlichen Meinung. Berlin/Aalen 1981.

Tönnies, Ferdinand, 1922, Selbstdarstellung. In: R. Schmidt (Hrsg.): Die Philosophie der Gegenwart in Selbstdarstellungen. Bd. 3. Leipzig, S. 199–234.

Tönnies, Ferdinand, 1925, Soziologische Studien und Kritiken. Jena. Erste Sammlung 1925. Zweite Sammlung 1926. Dritte Sammlung 1929.

Tönnies, Ferdinand, 1926, Das Eigentum. Wien/Leipzig.

Tönnies, Ferdinand, 1926, Fortschritt und soziale Entwicklung. Geschichtsphilosophische Ansichten. Karlsruhe.

Tönnies, Ferdinand, 1927, Der Selbstmord in Schleswig-Holstein. Eine statistisch-soziologische Studie. Breslau.

Tönnies, Ferdinand, 1931, Einführung in die Soziologie. Stuttgart. Nachdruck mit einer Einleitung von R. Heberle. Stuttgart 1965, 3. Aufl. 1981.

Tönnies, Ferdinand, 1935, Geist der Neuzeit. Leipzig. Und in Bd. 22 der Tönnies-Gesamtausgabe (TG): 1932 – 1936. Geist der Neuzeit. Schriften. Rezensionen (hrsg. von L. Clausen). Berlin 1998, S. 3–223.

Klose. O./Fischer, I./Jacoby, E. G. (Hrsg.), 1961, Ferdinand Tönnies – Friedrich Paulsen. Briefwechsel 1876–1908. Kiel.

Jacoby, E. G. (Hrsg.), 1971, Ferdinand Tönnies. Studien zur Philosophie und Gesellschaftslehre im 17. Jahrhundert. Stuttgart.

Cahnman, W./R. Heberle (Hrsg.). 1971, Ferdinand Tönnies. On Sociology: Pure, Applied and Empirical. Selected Writings. Chicago/London.

Cahnman, W. (Hrsg.), 1973, Ferdinand Tönnies. A New Evaluation. Leiden.

Tönnies, Ferdinand, 1980, Die Tatsache des Wollens (von 1899) Aus dem Nachlaß hrsg. u. eingel. von J. Zander. Berlin.

Bickel, C./R. Fechner (Hrsg.), 1989, Ferdinand Tönnies – Harald Höffding. Briefwechsel 1888–1931. Berlin.

2. Bibliographien

Fechner, R., 1992, Ferdinand Tönnies. Werkverzeichnis. Berlin.

Fechner, R., 1986, Sekundärbibliographie zum Werk von Ferdinand Tönnies. 2. Aufl. Hamburg.

3. Biographien

Jacoby, E. G., 1971, Die moderne Gesellschaft im sozialwissenschaftlichen Denken von Ferdinand Tönnies. Stuttgart.

4. Monographien

Bellebaum, A., 1966, Das soziologische System von Ferdinand Tönnies unter besonderer Berücksichtigung seiner soziographischen Untersuchungen. Meisenheim.

Bellebaum, A. 1976, Ferdinand Tönnies. In: D. Kaesler (Hg.) Klassiker des soziologischen Denkens, Bd. 1, S. 232–267. München.

Bickel, C., 1991, Ferdinand Tönnies. Soziologie als skeptische Aufklärung zwischen Historismus und Rationalismus. Opladen.

Blüm, N., 1967, Willenslehre und Soziallehre bei Ferdinand Tönnies. Phil. Diss. Bonn.

Clausen, L./C. Schlüter (Hrsg.), 1990, Hundert Jahre „Gemeinschaft und Gesellschaft". Ferdinand Tönnies in der internationalen Diskussion. Opladen.

Deichsel, A., 1987, Von Tönnies her gedacht. Soziologische Skizzen. Hamburg.

König, R. 1955, Die Begriffe Gemeinschaft und Gesellschaft bei Ferdinand Tönnies. In: Kölner Zeitschrift für Soziologie und Sozialpsychologie 7, S. 348–420. Erneut in ders. 1987, Soziologie in Deutschland. Begründer, Verfechter, Verächter. München, S. 122–197.

Merz-Benz, P.-U., 1995, Tiefsinn und Scharfsinn. Ferdinand Tönnies' begriffliche Konstitution der Sozialwelt. Frankfurt a. M.

Mitzman, A., 1973, Sociology and Estrangement. Three Sociologists of Imperial Germany. (Tönnies, Sombart, Michels.) New York.

Pappenheim, F. 1959, The Alienation of Modern Man. An Interpretation based on Marx and Tönnies. New York.

Rudolph, G., 1995, Die philosophisch-soziologischen Grundpositionen von Ferdinand Tönnies. Hamburg.

Schlüter, C./Clausen, L. (Hrsg.), 1990, Renaissance der Gemeinschaft. Berlin.

Anmerkungen

1 Mommsen, W., Max Weber und die deutsche Politik 1890–1920, 2. Aufl. Tübingen 1974, S. 133.

2 Tönnies, F., Studien zur Philosophie a.a.O.

3 Tönnies, F., Der Hamburger Strike von 1896/97, in: Archiv für Soziale Gesetzgebung und Statistik 10 (1897), S. 673–720.

4 Tönnies, F., Philosophische Terminologie, a. a. O.

5 Tönnies, F., Das Wesen der Soziologie (1907), in: Soziologische Studien und Kritiken, a. a. O., Bd. I., S. 350–368.

6 Vgl. Jacoby, E.G., Die moderne Gesellschaft, a. a. O., S. 249 ff.; Klingemann, C., Soziologie im Dritten Reich, Baden Baden 1996, S. 11–33.

7 Tönnies, F., Gemeinschaft und Gesellschaft, a. a. O., 2. Buch, S. 73–147; ders., Die Tatsache des Wollens, a. a. O.

8 Zander, J., Sozialgeschichte des Willens. Arthur Schopenhauer und die Anfänge der deutschen Soziologie im Werk von Ferdinand Tönnies, in: Schopenhauer-Jahrbuch 19 (1988), S. 583–592.

9 Tönnies, F., Gemeinschaft und Gesellschaft, a. a. O., S. 77 u. 104.

10 Vorrede zur 1. Aufl. (1887) von Gemeinschaft und Gesellschaft, a. a. O., S. XXII; Tönnies, F., Selbstdarstellung, a. a. O., S. 211.

11 Gemeinschaft und Gesellschaft, a. a. O., S. XXIII; Tönnies, F., Marx, a. a. O.

12 Maine, H., Ancient Law. Its Connection with the Early History of Society and Its Relation to Modern Ideas, London 1876, übersetzt u. eingel. von H. Dahle, Baden Baden 1998.

13 Gierke, O., Das deutsche Genossenschaftsrecht, 4 Bde., Berlin 1868–1913.
14 Ihering, R., Der Zweck im Recht, 2 Bde., Leipzig 1877–1883.
15 Tönnies, F., Gemeinschaft und Gesellschaft, a. a. O., S. 34 ff., 150; ders., Philosophische Terminologie, a.a.O., S. 39 ff. u. 45; Soziologische Studien, a. a. O., Bd. I, S. 65 f.
16 Tönnies, F., Einführung in die Soziologie, a. a. O.
17 Tönnies, F., Geist der Neuzeit, a. a. O., S. 4 ff. u. 8.
18 Tönnies, F., Fortschritt, a. a. O., S. 8 u. 10 f.
19 Vgl. Bellebaum, A., Das soziologische System von Ferdinand Tönnies, a. a. O.
20 Kaesler, D., Die frühe deutsche Soziologie 1909–1934 und ihre Entstehungs-Milieus. Eine wissenschaftssoziologische Untersuchung, Opladen 1984, S. 294 ff.
21 Vgl. z. B. Neuere Soziologische Literatur (Berichte von 1891–1898), in: Soziologische Studien, a. a. O., Bd. III, S. 132–337.
22 Revue Philosophique 27 (1889), S. 416–422. Übersetzt in: Schultheiss, F./ A. Gipper (Hrsg.), Emile Durkheim. Über Deutschland. Texte aus den Jahren 1887–1915, Konstanz 1995, S. 217–226. Vgl. auch Tönnies' Kommentare zu Durkheim: W. Cahnman, Tönnies and Durkheim. An Exchange of Reviews, in: ders. (Hrsg.), Ferdinand Tönnies. A New Evaluation, a. a. O., S. 239–257.
23 Tönnies – Höffding Briefwechsel, a. a. O.
24 Plessner, H., Nachwort zu Tönnies, in: Kölner Zeitschrift für Soziologie und Sozialpsychologie 7 (1955), S. 241–348.
25 Vgl. Rehberg, S., Gemeinschaft und Gesellschaft – Tönnies und wir, in: Brumlik, M./Brunkhorst, H. (Hrsg.), Gemeinschaft und Gerechtigkeit. Frankfurt a. M. 1991, S. 19–49.
26 Weber, M., Wirtschaft und Gesellschaft. 1. Halbbd., Köln 1956, § 9, S. 29–31.
27 Ebd., S. 311 f.
28 Schmalenbach, H., Die soziologische Kategorie des Bundes, in: Dioskuren 1 (1922), S. 35–105.
29 Vierkandt, A., Gesellschaftslehre. Stuttgart 1923, völlig umgearb. Aufl. Stuttgart 1928.
30 Parsons, T., The Social System, Glencoe 1951, S. 51–58; ders., Some Afterthoughts on Gemeinschaft and Gesellschaft, in: Cahnman, W. (Hrsg.), Ferdinand Tönnies, a. a. O. S. 151–159; ders., The Structure of Social Action. A Study in Social Theory with Special Reference to a Group of Recent European Writers, Glencoe 1937, S. 686–694.
31 Eisenstadt, S. N., Patrons, Clients and Friends. Interpersonal Relations and the Structure of Trust in Sociology, Cambridge 1984.
32 Giddens, A., Konsequenzen der Moderne, Frankfurt a. M. 1995, S. 146 ff.
33 Parsons, T., Das System moderner Gesellschaften, Köln 1972, Kap. 6; ders., Die amerikanische Universität. Ein Beitrag zur Soziologie der Erkenntnis, Frankfurt a. M. 1990, S. 271 ff.

Birgitta Nedelmann

Georg Simmel
(1858–1918)*

1. Das Leben Simmels im Berliner Milieu

Berlin prägt Georg Simmel in vielfacher Hinsicht: Er wird am 1. März 1858 in einem Eckhaus an der Kreuzung Leipziger- und Friedrichstraße geboren, womit er, wie sich sein einziger Sohn Hans erinnert, „nicht ‚noch mehr' in Berlin zuständig" sein konnte (H. Simmel o.J., 6). Simmel wächst im Stadtteil Westend auf und verbringt hier den größten Teil seines Lebens. Im Jahre 1876 nimmt er an der Königl. Friedrich-Wilhelms-Universität zu Berlin das Studium der Geschichte, Völkerpsychologie, Philosophie und Kunstgeschichte auf, das er 1881 mit der Promotion abschließt. Er habilitiert im Jahre 1885 und nimmt unmittelbar danach seine Lehrtätigkeit auf, zunächst als Privatdozent, ab 1901 als außerordentlicher Professor. Weder als Privatdozent noch als Extraordinarius bezieht Simmel ein reguläres Gehalt, sondern lediglich Hörgelder, so daß seine finanziellen Verhältnisse zunehmend beengt werden. Im Alter von 56 Jahren verläßt Simmel Berlin, um einem Ruf an die Universität Straßburg zu folgen. Er wirkt dort vier Jahre lang von 1914 bis 1918 als Ordinarius für Philosophie. Am 26. September 1918, noch vor Ende des Ersten Weltkrieges, stirbt Simmel in Straßburg.

Das Berliner Milieu der Jahrhundertwende beeinflußt Simmels Denken, seinen Lebensstil und sein öffentliches Engagement maßgeblich. Nicht nur ist die „Großstadt" einer seiner bevorzugten soziologischen Untersuchungsgegenstände, sondern Berlin wirkt auf ihn auch durch seine bildungsbürgerlichen Kreise, politischen Gruppierungen und Zeitgeistströmungen. Im Jahre 1890 ehelicht er Gertrud Kinel, die unter dem Pseudonym Marie-Luise Enckendorff literarische und philosophische Arbeiten publiziert. Sie stellt freundschaftliche Beziehungen u. a. zu den Familien Sabine und Reinhold Lepsius sowie Marianne und Max Weber her, die, zumindest was die letzteren betrifft, noch über den Tod der Ehemänner hinaus anhalten.[1] Die Simmels nehmen an verschiedenen geselligen Runden teil, und insbesondere Georg engagiert sich in mehr oder minder fest gefügten Arbeitskreisen, wie etwa dem literarischen Zirkel der „Zwang-" oder „Zügellosen" (H. Simmel o. J., S. 18; Köhnke 1996, S. 80–91) und dem George-Kreis, zu dessen Hauptfigur er jedoch auf kritische Distanz geht.[2] Diese verschiedenen Kontakte überschneiden sich mit Universitätskreisen, so daß einige Freunde auch in ihrer offiziellen Funktion als Opponenten bei der Verteidigung von Dissertationen, als Gutachter oder Befürworter von Stellenbewerbungen auftreten. Ab 1890 zieht sich Simmel weitgehend aus dem geselligen Leben Berlins zurück. In seiner Wohnung findet das sogenannte „Privatissimum" statt, eine zwanglose Form der akademischen Veranstaltung, deren Teilnehmer Simmel persönlich auswählt.

Aber nicht nur Weltoffenheit, sondern auch Antisemitismus kennzeichnet das akademische und politische Milieu Berlins im ausgehenden neunzehnten Jahrhundert. Letzterer spielt in Simmels Leben und in seiner wissenschaftlichen Laufbahn eine nachhaltige, wenn auch keineswegs eindeutige Rolle (vgl. Köhnke 1996, S. 122–149). „Ob Prof. Simmel getauft ist oder nicht, weiß ich nicht, habe es auch nicht erfragen wollen", schreibt der Berliner Historiker Dietrich Schäfer 1908 in seinem berüchtigten Gutachten über Simmel. „Er ist aber Israelit durch und durch, in seiner äußeren Erscheinung, in seinem Auftreten und seiner Geistesart" (zit. nach Landmann 1958, S. 26). Simmels jüdische Herkunft ist belegbar. Er ist das siebte Kind des Kaufmanns Edward Simmel und seiner Frau Flora, geborene Bodstein, die beide jüdische Vorfahren haben. Jüdischer Konfession ist Georg Simmel nicht. Bereits sein Vater tritt 1830 zum katholischen Glauben über, seine Mutter wird als junges Mädchen protestantisch getauft. Auch ihr Sohn Georg wird protestantisch getauft, er tritt jedoch später aus der Kirche aus (H. Simmel o. J., S. 70). Dennoch wird Simmel von seiner Außenwelt als „Jude" wahrgenommen, was höchst ambivalente Folgen hat. Einerseits wird er mit höchstem Lob bedacht und als besonders origineller und scharfsinniger Denker bezeichnet. Zeitzeugen rühmen seine rhetorische Brillanz, was auch der große Zulauf zu seinen Vorlesungen und Vorträgen bestätigt. Andererseits wird er mit vernichtender Kritik bedacht und sein Denkstil als angeblich „zersetzend", „negierend" und „relativistisch" verunglimpft. Diese zwiespältige Einschätzung hat ihre Entsprechung in der Ambivalenz, in der Simmel selbst dem Antisemitismus gegenübersteht. Einerseits überschätzt er dessen negativen Einfluß auf seine akademische Laufbahn, so zumindest bei der Besetzung des Extraordinariats im Jahre 1898, als Simmel zugunsten von Max Dessoir zurückgesetzt wird (vgl. Köhnke 1996, S. 361–375). Andererseits enthält sich Simmel selbst nicht Äußerungen, die antisemitisch gedeutet werden können (vgl. Simmels Brief an Heinrich Rickert vom 17. 6. 1906 in Köhnke 1996, S. 144–146). Antisemitismus ist jedoch sehr wohl im Spiel, als die Berufung Simmels auf das Ordinariat für Philosophie in Heidelberg im Jahre 1908 scheitert. Das erwähnte Gutachten Schäfers (vgl. Landmann 1958, S. 26–27; Köhnke 1996, S. 141–144) dokumentiert die negativen und positiven Vorurteile gegenüber Simmel, die gerade in ihrer Kombination miteinander ihre vernichtende Wirkung nicht verfehlen und Simmel noch über seinen Tod hinaus verfolgen. 1933 verbrennen die Nationalsozialisten Simmels Bücher, sein Nachlaß wird von der Gestapo beschlagnahmt und gilt bis heute als verschollen. Sein Sohn Hans wird nach Dachau deportiert und stirbt in den USA an den Folgen seiner Gefangenschaft im Konzentrationslager.

2. Simmels akademische Laufbahn

Simmels akademische Karriere verläuft alles andere als glatt. Seine im Dezember 1880 eingereichte Dissertation *Psychologisch-ethnographische Studien über die Anfänge der Musik* wird abgelehnt. Statt dieser wird seine Arbeit über Kant (*Das Wesen der Materie nach Kant's Physischer Monadologie*), die bereits mit einem Preis ausgezeichnet worden war, angenommen, mit der er ein Jahr später (1881) an der Universität Berlin promoviert (GSG 1, S. 9–41). Die Philosophie Kants ist auch Gegenstand seiner Habilitationsschrift; den Habilitations- (oder Probe-) Vortrag besteht Simmel jedoch erst nach dem zweiten Versuch im Jahre 1885, ein Jahr nach dem Scheitern des ersten Probevortrages (Köhnke 1996, S. 112). Im gleichen Jahr nimmt er seine Vorlesungstätigkeit als Privatdozent an der Universität Berlin auf. Bis zum Jahr 1901 verharrt Simmel in dieser unbesoldeten, mit keinerlei Prüfungsrechten ausgestatteten Position. Zwar teilt er das Schicksal des

„ewigen Privatdocenten" (Simmel 1896, zit. nach Köhnke 1996, FN 58, S. 364) mit einer Reihe anderer prominenter Gelehrter, jedoch lindert dieser Umstand nicht die schmerzliche Erfahrung, die in der „Halbheit" (ebenda) dieser Position angelegt ist. Simmel legt hierüber 1896 in seinem „Privatdozentenaufsatz" (ebenda) ein ebenso scharfsinniges wie bewegendes Zeugnis ab. Einen bereits im Jahre 1893 an ihn ergangenen Ruf an eine amerikanische Universität – an welche, haben Simmelforscher nicht ermitteln können – lehnt er mit dem Argument ab, er könne sich nicht vorstellen, in einer fremden Sprache zu lehren. Der erste Antrag der philosophischen Fakultät der Königl. Friedrich-Wilhelms-Universität, Simmel 1898 zum Extraordinarius zu befördern, wird abgelehnt. Erst 1900 wird dem zweiten Antrag stattgegeben, und Simmel kann sich „a. o.", außerordentlicher Professor, nennen – jedoch erst, nachdem er in einer schriftlichen Erklärung auf jegliche Gehaltsansprüche verzichtet (Rammstedt 1992, S. 887; Köhnke 1996, S. 377 f.). Dreizehn Jahre lang bleibt Simmel in dieser Position. In diese Zeit fällt eine weitere, vielleicht die tiefste Enttäuschung, die Simmel zugefügt wird, die fehlgeschlagene Berufung auf den Lehrstuhl für Philosophie in Heidelberg im Jahre 1908. Auch der zweite Versuch, Simmel im Jahre 1915 an die Universität Heidelberg zu berufen, schlägt fehl, obwohl sich auch dieses Mal Max Weber für ihn einsetzt. Simmels vierjährige Tätigkeit als Ordinarius in Straßburg ist durch die Kriegswirren beeinträchtigt, so daß er nicht in den Genuß einer unbeschwerten Ausübung der schließlich erreichten Position kommt.

3. Wissenschaftliche Einflüsse

Simmel leistet wesentliche Beiträge u. a. zur Philosophie, Geschichtswissenschaft, Kunstgeschichte und Ethnologie. In erster Linie jedoch gilt er als Pionier und Klassiker der Soziologie. Zusammen mit Max Weber, Werner Sombart und Ferdinand Tönnies begründet er die Soziologie als eigenständige, empirische Wissenschaft und fördert ihre Institutionalisierung innerhalb der Deutschen Gesellschaft für Soziologie. Die Eigenständigkeit der Soziologie beansprucht Simmel nicht mit dem Argument, sie besitze einen exklusiven Forschungsgegenstand, etwa „die Gesellschaft", sondern damit, daß die Soziologie eine für sie typische, mit keiner anderen Wissenschaft geteilte analytische Perspektive verfolgt. Von dieser aus zerlegt sie zunächst bestimmte Untersuchungsgegenstände und faßt sie dann „nach einem nur ihr eigenen Begriff wieder zusammen" (Simmel 1917 A, S. 14 f.). Diese nur der Soziologie eigene Betrachtungsweise leitet Simmel aus der Tatsache ab, daß der Mensch „in Wechselwirkung mit andern Menschen lebt" (Simmel 1917 A, S. 16). Jene *empirische* Einsicht in die *Wechselwirkung* wird für Simmel gleichzeitig zu der die Soziologie auszeichnenden „neuen *Betrachtungs*weise", zu der ihr eigenen *analytischen* Perspektive. Entsprechend lautet seine soziologische Fragestellung: „*Was geschieht mit den Menschen, nach welchen Regeln bewegen sie sich*, nicht insofern sie die Ganzheit ihrer erfaßbaren Einzelexistenzen entfalten, sondern *sofern sie vermöge ihrer Wechselwirkung Gruppen bilden und durch diese Gruppenexistenz bestimmt werden?*" (Simmel 1917 A, S. 15 Hervorhebung B. N.).

In dieser Deutlichkeit formuliert Simmel die Fragestellung der Soziologie erst im Jahre 1917, ein Jahr vor seinem Tod. Sie ist in seinem Aufsatz „Das Gebiet der Soziologie", mit dem er die *Grundfragen der Soziologie* (die sogenannte *Kleine Soziologie*) einleitet, ausgeführt. Die Entfaltung dieser soziologischen Position gelingt Simmel erst über mehrere Jahrzehnte, in denen er unterschiedliche wissenschaftliche und persönliche Einflüsse verarbeitet und weiterführt. Die vier wichtigsten sind (1) die Völkerpsychologie von Moritz Lazarus und Heymann Steinthal, (2) die Evolutionstheorie Herbert Spencers, (3) der Neukantianismus und (4) der Positivismus Wilhelm Diltheys.

(1) Der Einfluß der Völkerpsychologie, namentlich von Simmels akademischem Lehrer Moritz Lazarus, wirkt sich auf die Bildung zentraler soziologischer Begriffe aus, die zur Charakterisierung der Simmelschen Soziologie unverzichtbar sind, wie „Ausbildung der Individualität", „Ausdehnung der Gruppe", „Kreuzung sozialer Kreise", „Überindividualität". Auf Lazarus' Einfluß geht auch zurück, was als Simmels erste und durchgängige soziologische Problemformulierung bezeichnet werden kann, nämlich die Frage nach der Ausbildung der Individualität und ihrer Beziehung zu dem „Ganzen". Der von Lazarus geprägte Begriff der „Verdichtung" regt Simmel dazu an, von Prozessen der „Objektivierung" kultureller Gebilde zu sprechen.

(2) Die evolutionstheoretische Denkfigur Spencers der „fortschreitenden sozialen Differenzierung" revidiert Simmel in entscheidenden Punkten. Weder geht er von der Vorstellung einer geradlinigen gesellschaftlichen Entwicklung aus, noch teilt er die Auffassung der Evolutionstheoretiker, wonach sich allgemeine Gesetze über die gesellschaftliche Entwicklung aufstellen ließen. In seiner Arbeit über die *Probleme der Geschichtsphilosophie* (1892, zweite Aufl. 1905; GSG 2) vertieft er seine Kritik an Spencer und setzt sich erneut kritisch mit Immanuel Kants Philosophie auseinander.

(3) Der Einfluß Kants und des Neukantianismus läßt sich in drei Punkten zusammenfassen: (1) Im Anschluß an Kant stellt Simmel die Frage nach den Bedingungen, unter denen Gesellschaft möglich ist. Er beantwortet sie mit den inzwischen klassisch gewordenen soziologischen *Apriori*. Das *erste* Apriori besagt, daß Individuen nur unter der Voraussetzung miteinander in Beziehung treten können, daß sie „den Anderen in irgendeinem Maße verallgemeinert" (als Typ, als Mitglied einer Gruppe oder Klassenangehörigen) sehen (GSG 11, S. 47). Das *zweite* Apriori betrifft die sogenannte Doppelstellung des Individuums in der Gesellschaft; danach ist es gleichzeitig Teil wie auch Nicht-Teil der Gesellschaft. Die wechselseitige Beeinflussung und Bedingtheit dieser beiden Komponenten prägen ganz bestimmte soziale Typen nach dem Anteil ihrer Teilhabe an der Gesellschaft und bestimmen ganz allgemein die Art des gesellschaftlichen Lebens (GSG 11, S. 51). Das *dritte* Apriori gilt der Frage nach der Beziehung zwischen Individuum und Gesellschaft, Teil und übergeordnetem Ganzen. „Gesellschaften" können nur unter der Voraussetzung als Einheiten gebildet werden, daß jedes einzelne Individuum darin seinen Platz und so eine funktionale Beziehung zur Gesamtheit findet. (2) Der zweite wichtige Aspekt, den Simmel Kant entnimmt, ist die analytische Trennung zwischen „Form" und „Inhalt", wobei er gleichzeitig von der empirischen Annahme ausgeht, daß sich Form und Inhalt wechselseitig bedingen. (3) Der dritte Beitrag der *Probleme der Geschichtsphilosophie* für die Soziologie besteht in Simmels Herausarbeitung des Begriffs der Wechselwirkung. Dieser nimmt in seinem Werk zwei unterschiedliche Bedeutungen an. Er ist zum einen ein Begriff zur Analyse der dynamischen Beziehung zwischen Individuen und

anderen angebbaren sozialen Einheiten, also ein *Relationsbegriff*; zum anderen verwendet Simmel ihn als *heuristisches Prinzip*, dem zufolge soziale Phänomene nach ihrer Relation zueinander und Funktion füreinander oder für übergeordnete Einheiten zu untersuchen seien. Wechselwirkung zum methodischen Prinzip zu erheben, hat Simmel den Vorwurf des „Relativismus" eingetragen. Heute ist indes klar, daß gerade das hartnäckige Bestehen Simmels darauf, den Wechselwirkungsbegriff zu heuristischen Zwecken zu nutzen, das Verständnis von der Soziologie als einer Wissenschaft der menschlichen *Inter*aktion geschärft hat.

(4) Der Einfluß von Wilhelm Dilthey auf Simmels Soziologie läßt sich eher *negativ* bestimmen, was sowohl für die persönlichen wie für die wissenschaftlichen Beziehungen zutrifft. In kritisch-antagonistischer Haltung gegen Dilthey lehnt er dessen Vorstellung von der „Einheitlichkeit des Individuums" als irrationalen Glaubenssatz ab. Er weist die Annahme von der Existenz einheitlicher Gebilde (seien es Individuen, Gruppen oder Gesellschaften) als metaphysisch zurück. Weder die Gesellschaft noch das Individuum seien konkrete Einheiten, und weder die eine noch das andere könne zum Ausgangspunkt der Soziologie herangezogen werden. Als solcher könne nur die Tatsache der Wechselwirkung zwischen angebbaren, analytisch konstruierten Einheiten dienen. Wie sein Zeitgenosse Max Weber wendet sich Simmel damit ganz entschieden gegen jede Art der „mystischen Hypostasierung" und Essentialisierung von Gesellschaft, sondern begreift sie als ein „dynamisches Geschehen", durch das ein „mehr oder minder" an Vergesellschaftung entstehe (Simmel 1917 A, S. 16).

4. Das soziologische Programm Simmels

Der im Jahre 1894 publizierte, in mehrere Sprachen übersetzte programmatische Aufsatz *Das Problem der Sociologie* (GSG 5, S. 52–61) enthält die erste *positive* Ausformulierung von Simmels Verständnis der Soziologie und ist zweifellos ein Meilenstein in der Entwicklung dieser Disziplin. Simmel definiert hier die Soziologie als Wissenschaft von den Prozessen und Formen der Wechselwirkung. Individuen geraten in den soziologischen Blick insofern, als sie diese Wechselwirkungen einerseits schaffen und andererseits von diesen betroffen sind. Die im zweiten Apriori angesprochene Doppelstellung des Individuums schlägt sich forschungsprogrammatisch als doppeltes Interesse der Soziologie an der Analyse des Individuums nieder: zum einen als *Schöpfer* von Wechselwirkungen, womit sie die aktive Seite des Individuums, sein „soziologisches Tun" thematisiert; zum anderen als *Betroffener* von Wechselwirkungsprozessen und -formen, womit sie seine passive Seite, sein Erleben oder ‚Leiden' zum Gegenstand erhebt. Berücksichtigt man ferner Simmels Unterscheidung zwischen Inhalt und Form sowie den Begriff der Vergesellschaftung, läßt sich ein Analyseschema erstellen, das sich aus den Begriffen (1) *Wechselwirkung*, (2) *Form*, (3) *Tun* und (4) *Leiden*, (5) *Inhalt* sowie (6) *Vergesellschaftung* zusammensetzt.

(1) Das zentrale Konzept der *Wechselwirkung* enthält mindestens drei forschungsstrategische Aufforderungen. *Erstens* beinhaltet es die Aufforderung, die wechselseitigen *Relationen* zwischen Individuen, Gruppen oder anderen analytischen Einheiten zu untersuchen. *Zweitens* fordert der Begriff der Wechselwirkung zu einer bestimmten Art kausaler Erklärung auf, die über das übliche Ursache-Folge-Schema hinausgeht und prinzipiell auch die Möglichkeit *zirkulärer Kausalität* in Erwägung zieht. Unter Zuhilfenahme der Metapher des Kreises erklärt Simmel, daß zwei Elemente sich wechselseitig derart stimulieren können, daß „eine immanente Grenzenlosigkeit, der des Kreises vergleichbar", vorliegt (GSG 6, S. 121). *Drittens* verweist der Begriff der Wechselwirkung auf ein *dynamisches Prinzip*. Wie Simmel in seiner unvollendeten Selbstdarstellung schreibt, zielt er darauf ab, „alles Substantielle(n), Absolute(n), Ewige(n) in den Fluß der Dinge" aufzulösen, um von der „historischen Wandelbarkeit", von der „lebendige(n) Wechselwirksamkeit von Elementen" (Simmel 1958, S. 9) auszugehen. Wenn Simmel den Wechselwirkungsbegriff zu einem „schlechthin umfassenden metaphysischen Prinzip" (ebenda) erklärt, so hat man darunter zu verstehen, daß er der Sammelbegriff für die Untersuchung der Relationalität, Reziprozität und Dynamik sozialer Vorgänge ist.

(2) Die Bildung sozialer *Formen* ist nach Simmel eine notwendige Voraussetzung zur Realisierung menschlicher Bedürfnisse, Interessen, Wünsche, Gefühle (kurz: Inhalte). Das von ihm mit

der *Soziologie* (der sogenannten *Großen Soziologie)* verfolgte Ziel ist es, „Untersuchungen über die Formen der Vergesellschaftung" anzustellen, wie der Untertitel lautet. Als Beispiele für derartige Formen untersucht er etwa die Über- und Unterordnung (Kapitel III), den Streit (Kapitel IV) und das Geheimnis (Kapitel V). An einer Systematisierung oder gar erschöpfenden Erfassung sämtlicher historisch vorkommender sozialer Formen liegt Simmel ausdrücklich nichts. Diesbezügliche Versuche, wie die von Leopold von Wiese (1876–1969) entwickelte Beziehungslehre, gehen völlig an Simmels Absichten vorbei. Die Heterogenität der Beispiele, die Simmel mit dem Formbegriff anspricht, hat Simmelforscher schon immer dazu angeregt, die unterschiedlichen Bedeutungen herauszuarbeiten, die Simmel diesem Begriff beigibt (vgl. Levine (1971, xxiv–xxvii).

(3) *Tun* und (4) *Leiden* (oder Erleben) sind zwei Aspekte von Wechselwirkung, mit denen Individuen in ihrer Doppeleigenschaft als Schöpfer und Betroffene von Wechselwirkungen in das soziologische Blickfeld geraten. Während für die Soziologie allgemein typisch ist, sich auf die Analyse sozialer Aktivitäten zu beschränken, besteht die Originalität des Simmelschen Beitrages darin, daß er auch danach fragt, was mit den Menschen geschieht, „sofern sie vermöge ihrer Wechselwirkung Gruppen bilden und durch diese Gruppenexistenz bestimmt werden" (Simmel 1917 A, S. 15). In seinen konkreten soziologischen Untersuchungen geht er der Frage nach, welche Effekte Individuen von den durch sie geschaffenen Formen empfangen und wie sie diese mit der „Innenseite" ihrer Existenz „erleben". Seinem Werk lassen sich höchst unterschiedliche Arten des Erlebens entnehmen, wie ästhetisches, emotionales, kognitives, normativ/ethisches, erotisches Erleben. Die Berücksichtigung dieser doppelten Seite individueller Wechselwirkung, der Aktivität *und* der Passivität, gestattet es Simmel, die reziproken Vorgänge der Externalisierung von Handlungsmotiven durch Bildung von Formen der Vergesellschaftung *und* der Internalisierung der von diesen auf das Individuum ausgehenden Effekte auf die „Innenseite" der Individualität systematisch zu berücksichtigen. Dem soziologischen Blick Simmels erschließt sich die Befindlichkeit des Individuums als *soziales* Produkt, mit dem es wiederum verändernd auf die es umgebenden Formen zurückwirkt.

(5) „*Inhalte*", Triebe, Interessen, Zwecke, Neigungen, psychische Zuständlichkeiten bilden die „Materie der Vergesellschaftung" (GSG 11, 18). Ohne Formen können sich diese Inhalte nicht realisieren, und ohne Inhalte können Formen nicht überdauern. Obwohl sie wechselseitig aufeinander angewiesen sind, gibt es keine fixe Beziehung zwischen ihnen. Vielmehr kann ein und dieselbe Form (etwa Konkurrenz) ganz unterschiedliche Inhalte (wie Eifersucht, wirtschaftliche Profitsucht, akademisches Leistungsstreben oder Parteienwettbewerb) sozial realisieren, wie umgekehrt ein und derselbe Inhalt (etwa Liebe) in höchst unterschiedlichen Formen verwirklicht werden kann (in der Ehe, Partnerschaft oder Prostitution). Inhalte können die Bildung von Formen veranlassen, es handelt sich dann um *primäre* Inhalte. Um *sekundäre* Inhalte handelt es sich, wenn diese von bestimmten gegebenen Formen erst erzeugt werden, wie etwa der Konkurrenztrieb durch ein Vielparteiensystem oder die Liebe durch die Institution der Ehe. Wenn Simmel Gefühle wie Scham, Liebe, Neid, Eifersucht untersucht, wird er deshalb nicht zum Psychologen (auch wenn er selbst diesen Begriff in Ermangelung eines präziseren soziologischen Konzeptes selbst mißbräuchlich benutzt), sondern zum Emotionssoziologen.[3]

(6) Nach Simmel „sollte man nicht von Gesellschaft, sondern von *Vergesellschaftung* sprechen" (Simmel 1917 A, S. 13 f.), denn Gesellschaft ist ein Ablauf, in dem „die Einzelnen vermöge gegenseitig ausgeübter Beeinflussung und Bestimmung verknüpft sind" (Simmel 1917 A, S. 13). Diese „Dynamik des Wirkens und Leidens" (Simmel 1917 A, S. 14) ist ein gradueller Vorgang, in dem „mehr oder minder" Gesellschaft geschaffen wird. Gesellschaft ist „keine Substanz, nichts für sich Konkretes, sondern ein *Geschehen*..." (Simmel 1917 A, S. 14). Mit dieser dynamischen und relationistischen Wendung des Gesellschaftsbegriffs drückt Simmel aus, daß es ihm nicht auf die Bildung globaler *Gesellschafts*theorien, sondern – um den Untertitel seiner *Soziologie* in Erinnerung zu rufen – auf die Untersuchung (ausgewählter) Formen der *Vergesellschaftung* ankommt.

5. Die Dimensionen der soziologischen Untersuchungen Simmels

Dieses den Simmelschen Arbeiten zugrundeliegende Analyseschema erlaubt es ihm, eine *konstante* soziologische Perspektive zu verfolgen. Dank dieser analytischen Konstanz kann er sich einer Fülle höchst unterschiedlicher empirischer Untersuchungsobjekte zuwenden, ohne seine soziologische Fragestellung aus den Augen zu verlieren. Ab Mitte der neunziger Jahre bis 1908 schrieb er 45 Aufsätze über höchst verschiedene Themen. Wie sein Sohn Hans festhält, war Simmel daran interessiert zu zeigen, „welche vielseitigen, neuen Gesichtspunkte man einem schon bekannten Dinge abgewinnen kann, *das* interessierte ihn, und darin entwickelte er seine Meisterschaft" (H. Simmel o.J., S. 31). Das sich erst nach wiederholter Lektüre seiner Arbeiten erschließende Geheimnis seiner Meisterschaft besteht darin, daß Simmel sein jeweiliges empirisches Untersuchungsobjekt hinsichtlich ganz bestimmter Strukturprinzipien oder *Dimensionen* analysiert, die er zwar nicht (immer) explizit einführt, aber dennoch systematisch beachtet. An der folgenden Zusammenstellung dieser Analysedimensionen ist zu beachten, daß es Simmel wiederum nicht darum geht, eine Systematisierung derartiger Dimensionen zu einem in sich geschlossenen Theoriegebäude zu erstellen. Dennoch macht gerade Simmels Vorgehen, diese Dimensionen immer wieder zu untersuchen, eine *Systematik* aus, die ihm vielfach in Abrede gestellt wird. Es lassen sich mindestens vier derartige Analysedimensionen unterscheiden: (1) Die Zahl, (2) der Raum, (3) die Zeit, (4) der Dualismus; jede einzelne enthält verschiedene Unterdimensionen:[4]

(1) Die Frage nach der *Anzahl* von Individuen, die miteinander wechselwirken, erlaubt es Simmel zunächst, sein empirisches Material zu gliedern. Darüber hinaus gestattet diese Dimension es ihm, Hypothesen über die Variation sozialer Formen in Abhängigkeit von der Anzahl der an ihnen Beteiligten zu formulieren. Er richtet hierbei insbesondere die Aufmerksamkeit auf die unterschiedliche Dynamik, die sich in *Dyaden* (wie intimen Beziehungen, Bekanntschaften, Freundschaften), *Triaden* (wie Beziehungen zwischen Eltern und Kind) und in solchen Konstellationen erge-

ben, an denen *drei und mehr* Personen beteiligt sind. Dabei kommt Simmel das Verdienst zu, die soziologische Bedeutung der Dreizahl erkannt zu haben. In Triaden entfalten sich typischerweise Widersprüche und damit auch Spannungen, die eine ganz spezifische Dynamik und Emotionalität zwischen den involvierten Personen erzeugen. Der Dritte wird – wie immer er sich sozial als Typ manifestiert – zum eigentlichen Träger *sozialer Qualitäten,* denn er vereint in *einer* Rolle die widersprüchlichen Funktionen, zu trennen *und gleichzeitig* zu verbinden. In seinen mikrosoziologischen Analysen untersucht Simmel faktisch ablaufende oder vorgestellte Prozesse der numerischen Umbildung von Akteurskonstellationen, wie der Transformation der Ehe in eine Familie, der Freundschaft in eine Gruppe oder umgekehrt, der Rückbildung von Dreier- in Zweier- oder Einerkonstellationen. Wenn Simmel von der Drei- und Mehrzahl spricht, so formuliert er damit die Erkenntnis, daß die sozialen Merkmale von Gruppenbeziehungen dann qualitativ umschlagen, wenn mehr als drei Personen an ihnen beteiligt sind.

(2) Die Frage danach, welche *räumlichen* Eigenschaften die Art der Wechselwirkung zwischen Individuen bestimmen, verfolgt Simmel im Hinblick auf mindestens drei Unterdimensionen.[5] Erstens fragt er nach der räumlichen Nähe bzw. Distanz zwischen Personen und deren Einfluß auf die Art der Wechselwirkung. Zweitens geht er dem Problem nach, welche Auswirkung die Tatsache hat, ob Individuen an einen bestimmten Ort fixiert oder ob sie mobil sind; in diesem Zusammenhang entwickelt er die Typen des „Wanderers" und des „Fremden". Drittens fragt er nach dem Einfluß räumlicher Grenzen auf die Art von Wechselwirkungen. Grenzziehungsprobleme erkennt Simmel nicht nur im rein räumlichen, sondern auch im übertragenen Sinne insofern, als in bestimmten Formen der Wechselwirkung (etwa der Bekanntschaft) die Grenzen der Diskretion und des Taktes nicht überschritten werden *dürfen*, in anderen (etwa der Liebe) überwunden werden *müssen*, um die Qualität der Intimität zu schaffen.

(3) Die Dimension der *Zeit* verwendet Simmel hauptsächlich in drei unterschiedlichen Bedeutungen. Mit den Begriffen des „Nebeneinander" und „Nacheinander" (Simmel 1917 A, 17) untersucht er soziale Phänomene erstens im Hinblick auf ihre *synchrone* und *diachrone* Entwicklung. Zweitens fragt er nach dem *Tempo*

einer Entwicklung unter der Annahme, daß sich Formen der Vergesellschaftung unter den Bedingungen der Beschleunigung bzw. Verlangsamung ihrer Entwicklungsgeschwindigkeit ganz unterschiedlich entwickeln. So etwa polarisieren sich Dreierbeziehungen typischerweise in sogenannten ‚erregten Zeiten' zu Zweierkonstellationen, während ‚ruhigere Zeiten' die Bildung von Drei- und Mehrkonstellationen begünstigen. Fragen nach der *Kontinuität* bzw. *Diskontinuität* einer Entwicklung lassen sich als eine dritte Unterdimension ermitteln, der Simmel im Hinblick auf die Dimension der Zeit systematisch nachgeht. Er bezeichnet diesen Aspekt oft auch als die *Rhythmik* einer Entwicklung. In der *Philosophie des Geldes* spricht er beispielsweise von dem „rhythmisch-symmetrischen" Lebensführungsstil im Gegensatz zum „individualistisch-spontanen" Lebensführungsstil, der für die moderne Geldwirtschaft charakteristisch sei.[6]

(4) Die vierte Dimension des *Dualismus* verläuft quer zu den bisher genannten Dimensionen insofern, als sie ein durchgängiges Struktur- und Denkprinzip der Simmelschen Soziologie darstellt. Nach Simmel besteht die spezifisch *soziale* Qualität von Wechselwirkungsformen darin, daß gegensätzliche Kräfte gleichzeitig wirksam werden und eine spezifische Spannung und Dynamik erzeugen. In seinem Bemühen, diese spezifische soziale Qualität in den verschiedenen Vergesellschaftungsformen aufzudecken, spürt Simmel systematisch positive Tendenzen und Gegentendenzen auf und zeigt, in welcher Weise sie miteinander in Beziehung stehen. Dabei lassen sich der *Widerspruch*, die *Ambivalenz* und der *Kontrast* als derartige Beziehungsmodi von Dualismen unterscheiden. Widersprüche sind dann in einem sozialen Gebilde angelegt, wenn A und Nicht-A (etwa Freiheit und Zwang) in sozialen Formen (z. B. Herrschaftsverhältnissen) strukturell angelegt sind. Von Ambivalenz spricht Simmel dann, wenn A und Nicht-A *gleichzeitig* in ein und demselben Handlungsakt oder in ein und derselben sozialen Einheit gegeben sind. Beispiele hierfür liegen etwa dann vor, wenn gegensätzliche Botschaften (Ja *und* Nein) in ein und derselben Geste zum Ausdruck gebracht werden, wie etwa die Kokette mit einem Blick *gleichzeitig* Attraktion *und* Aversion kommuniziert. Der reziproke Austausch von Ambivalenzen ist eine der subtilsten Formen der Wechselwirkung, auf die Simmel die soziologische Aufmerksamkeit lenkt. Autoren wie Merton

DIMENSIONEN

1. ZAHL
1.1 Dyade
1.2 Triade
1.3 Drei- und Mehrzahl

2. RAUM
2.1 Nähe – Distanz
2.2 seßhaft – mobil
2.3 enge – weite Grenzen

3. ZEIT
3.1 Nacheinander – Nebeneinander
3.2 Tempo
3.3 Rhythmus

4. DUALISMUS
4.1 Widerspuch
4.2 Ambivalenz
4.3 Kontrast

ANALYSESCHEMA

(1) WECHSELWIRKUNG

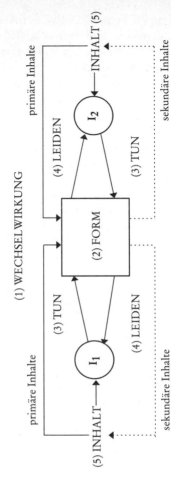

(6) PROZESS DER VERGESELLSCHAFTUNG

(1976), Levine (1985) und Sellerberg (1994)[7] haben diesen Beitrag aufgegriffen und je unterschiedlich weiterentwickelt. Der *Kontrast* ist auch unter der Bezeichnung der *figure-ground-Methode*[8] in die Simmelinterpretation eingegangen. Sie bezieht sich auf Simmels Verfahren, Vordergrund- mit Hintergrunderscheinungen zu kontrastieren, das er vor allem in seinen kunstsoziologischen Untersuchungen anwendet. Analog zu der in der Malerei angewandten Technik des *Chiaroscuro* stellt Simmel die hellen Seiten einer sozialen Erscheinung ihren dunklen Seiten gegenüber. So kontrastiert er etwa in der Liebe die Intimität mit der Trivialität, die Einzigartigkeit des Kunsterlebnisses mit der Banalität des alltäglichen Kunstkonsums.

6. Die soziologischen Hauptwerke

Die Kombination dieses analytischen Bezugsrahmens mit den hier vorgestellten vier Haupt- und ihren jeweiligen Unterdimensionen führt zu einem höchst komplexen soziologischen Forschungsprogramm, das Simmel in der *Großen Soziologie* an ausgewählten Beispielen exemplarisch vorführt. Dieses im Jahre 1908 erschienene Werk gehört noch heute zu den ungehobenen Schätzen der klassischen soziologischen Literatur.[9]

Im Jahre 1900 erscheint die weitaus bekanntere *Philosophie des Geldes*, an der Simmel in den Jahren 1897 bis 1900 arbeitet (vgl. u. a. Poggi 1993). Das Geld interessiert ihn als das „reinste" Symbol der modernen Gesellschaft, als generalisiertes Interaktionsmedium. Mit dieser Betrachtungsweise schließt Simmel ausdrücklich die Untersuchung der Entstehung der modernen Geldwirtschaft und des modernen Kapitalismus als Wirtschaftsordnung aus. Er gliedert sein Werk in zwei Hauptteile, den sogenannten analytischen und den synthetischen Teil. Forschungstechnisch ausgedrückt, untersucht er im analytischen Teil das Geld als abhängige, im synthetischen Teil als unabhängige Variable. Im ersten Teil fragt er nach den Voraussetzungen und Bedingungen, die den Sinn und die praktische Stellung des Geldes beeinflussen. Zu diesen Voraussetzungen gehören die Einstellungen der Individuen, die sozialen Beziehungen und die logische Struktur der Werte (vgl. Simmels Vorrede, GSG 6, S. 10). Der zweite Teil stellt den für die Soziologie wichtigeren dar. Hier geht es um die Frage, wie das Geld den modernen Lebensstil und die moderne Kultur beeinflußt. Der Lebensstil wird dabei näher durch die Dimensionen der Rhythmik, des Tempos und der Distanz bestimmt.

Die Einseitigkeit marxistischer Entfremdungstheorien überwindet Simmel durch die sich erst heute allmählich durchsetzende Erkenntnis, wonach die moderne Gesellschaft von gegenläufigen Doppelprozessen durchzogen wird, die ihrerseits höchst widersprüchliche und nicht immer miteinander versöhnbare Effekte für den modernen Menschen erzeugen: Geld wirkt lokal *und* global, es ebnet soziale Unterschiede ein *und* schafft die positive Voraussetzung zur Distinktion; es lockert traditionale Bindungen *und* knüpft gleichzeitig neue; es bewirkt die Quantifizierung aller Lebensbezüge *und* setzt gleichzeitig ganz neue Lebensqualitäten frei. Entsprechend zwiespältig verhält sich nach Simmel auch der moderne Mensch in moralischen Fragen, indem er typischerweise unentschlossen zwischen den Polen der Sinnerfüllung und Sinnentleerung hin- und herpendelt, ohne einen definitiven ethischen Standpunkt beziehen zu können. Nach Simmels Erkenntnis kann gerade die Schwierigkeit, wenn nicht Unmöglichkeit, diese Widersprüche miteinander zu versöhnen, als schöpferische Triebkraft wirksam werden, die sich höchst unterschiedlich manifestiert, als Reisemanie, als Konkurrenzjagd, als hektischer Wechsel der Mode, Gefühle und Partner.

Die von Simmel zusammengestellte, im Jahre 1911 erscheinende Aufsatzsammlung *Philosophische Kultur* ist ein wichtiger Baustein seiner aus unterschiedlichen Teilen bestehenden Kulturtheorien. Vor allem zwei Beiträge verdienen es, hervorgehoben zu werden, „Der Begriff und die Tragödie der Kultur" und „Weibliche Kultur". Als aktiver Verfechter der damaligen Frauenemanzipationsbewegung hält Simmel 1901 einen Vortrag zur „Weiblichen Kultur" vor der Sozialwissenschaftlichen Studentenvereinigung Berlins (Köhnke 1996, 459–473). In dieser geschlechtssoziologischen Analyse riskiert Simmel damals die erst später in der feministischen Literatur diskutierte Position, wonach die weibliche Kultur im Vergleich zur männlichen qualitativ andersartig sei, sich jedoch in ihrer Sonderqualität aufgrund der Dominanz männlicher Standards in allen sozialen Bereichen nicht behaupten könne.

In dem oft zitierten, jedoch vielfach mißverstandenen Aufsatz „Die Tragödie der Kultur" spricht Simmel ein aktuelles Kulturproblem an. Seine Unterscheidungen zwischen „subjektiver" und „objektiver" Kultur, zwischen „Form" und „Leben" gestatten ihm, neben der Diagnose der „Tragödie der Kultur" mindestens noch zwei weitere Kulturprobleme zu identifizieren, die „Kulturnot" und den „übertriebenen Subjektivismus".[10] Das zuletzt genannte Problem manifestiert sich etwa dann, wenn der sich zwanghaft um Individualisierung bemühende moderne Mensch sich den verallgemeinernden Formgesetzen stilisierter Kunstgewerbeobjekte entzieht und in einem mißverstandenen Subjektivismus meint, noch den trivialsten Alltagsgegenstand (wie das Glas, den Aschenbecher, den Stuhl) wie ein einmaliges Kunstobjekt behandeln und sich damit umgeben zu müssen (GSG 8, 374–384). Von „Kulturnot" spricht Simmel dann, wenn sich die modernen Individuen gegen *jede* Form auflehnen und dem Irrglauben anhängen, sie könnten ihre schöpferischen Kräfte außerhalb jeglicher gesellschaftlicher Institutionen realisieren. Die zunehmende Kluft zwischen leblosen kulturellen Formen einerseits und ungeformtem Leben andererseits sieht Simmel als ein akutes Problem seiner Zeit an, das sich krisenhaft zu einer umfassenden Kulturnot zuspitze. Als „Tragödie der Kultur" bezeichnet Simmel schließlich die *notwendig* eintretende Destruktion sowohl der objektiven als auch der subjektiven Kultur, da sich beide gar nicht anders entwickeln könnten, als sich gegenseitig zu blockieren und zu paralysieren.

Diese verschiedenen kulturtheoretischen Erkenntnisse eskalieren gemäß Simmels Einschätzung zu einer Krise Europas, insbesondere Deutschlands. Er wird dafür empfänglich, den Krieg als Katharsis zu propagieren, denn nur dieser könne die von ihm diagnostizierten Pathologien der modernen Kultur kurieren. In *Der Krieg und die geistigen Entscheidungen* (Simmel 1917 B) spricht nicht mehr der distanzierte, alle widersprüchlichen Seiten eines Phänomens in Erwägung ziehende Soziologe Simmel, sondern ein neuer Simmel, der pathetisch dem Krieg das Wort redet, in ihm die Möglichkeit zur Überwindung des „Mammonismus" erkennt und seinen Sehnsüchten nach dem „neuen Menschen" freien Lauf läßt. *Daß* sich Simmel für den Krieg ausspricht, ist für heutige Leser schon schwer genug zu verstehen; aber *wie* er sich dafür ausspricht, gehört zweifellos zu seinen problematischsten Seiten, die

die Simmelforschung bislang entweder vehement kritisiert oder vollkommen tabuisiert hat.[11] Wie Michael Landmann berichtet, kommt Simmel „1917 von seinem Irrtum zurück" (Landmann 1958, S. 13). Während der Kriegsjahre entstehen Vorstudien zu seiner Schrift *Rembrandt* (Simmel 1916) und weitere kunstphilosophische Arbeiten sowie die *Grundfragen der Soziologie* (Simmel 1917 A).

7. Die Rezeption der Simmelschen Soziologie

Historische Sonderbedingungen, die mit der nationalsozialistischen Vergangenheit zusammenhängen, haben nicht nur zur Verbrennung der Bücher Simmels und zum Verlust seines Nachlasses geführt, sondern auch zur jahrzehntelangen Unterbrechung der deutschen Simmelforschung, die sich noch heute nachteilig auswirkt. Erst zu Beginn der achtziger Jahre kommt eine systematisch betriebene Simmelforschung in der Bundesrepublik in Gang, als namentlich Otthein Rammstedt die Impulse von Michael Landmann aufgreift und das editorische Unternehmen der Georg Simmel Gesamtausgabe (GSG 1989 ff.) mit seinen Mitarbeitern (u. a. Hans-Jürgen Dahme, Rüdiger Kramme, Volker Krech) initiiert. Mit seinem gediegenen wissenschafts- und werkgeschichtlichen Archivarbeiten hat Klaus Christian Köhnke (1996) die Grundlage für das Wissen über „den jungen Simmel" gelegt. Vor der Initiierung dieser Unternehmungen fand das Simmelsche Werk zwar Beachtung in der bundesrepublikanischen Nachkriegssoziologie (so etwa durch Friedrich Tenbruck;[12] Peter-Ernst Schnabel [1974]). Die Simmelsche Soziologie gehört jedoch (noch immer) nicht zum vorgeschriebenen Studienpensum eines examinierten Soziologen. Die gut fünfzigjährige Verspätung, mit der Simmels Werk in der bundesrepublikanischen Soziologie rezipiert wird, ist nicht zuletzt auch auf das ambivalente Urteil zurückzuführen, das dem Simmelschen Werk von Anfang bis heute anhaftet.

Diese ambivalente Aufnahme seines Werkes äußert sich in vielfältiger Weise. In der Öffentlichkeit des Wilhelminischen Preußen erfährt es aufgrund seiner progressiven politischen Standpunkte sowohl begeisterten Zuspruch wie schärfsten Widerstand. Damals wie heute ist die Bezeichnung „Soziologie" nur schwer von dem Verdacht der „Halbwissenschaft" zu lösen; dieser ist für einen großen Teil des Bildungsbürgertums aber gerade attraktiv. Das vermeintlich Halbwissenschaftliche, das insbesondere auch Simmel-Enthusiasten aus seiner Soziologie herauszulesen vermögen – sein „Impressionismus", sein „Essayismus", seine Originalität, seine bizarre Themenstellung – zieht noch heute eine Schar von Bewunderern an, die jedoch Simmels wissenschaftlichem Renommee eher schaden.

Simmels Soziologie findet heute weltweit Beachtung. So haben sich etwa in Japan Yoshio Atoji (1984; 1986), in Rußland Leonid Ionin, in Dänemark Nils Gunder Hansen (1991), in Schweden Ann-Mari Sellerberg (1994) um die Verbreitung seiner Erkenntnisse bemüht. In Großbritannien trug David Frisby (1981, 1989) maßgeblich zum Aufleben der Simmelforschung bei; in Italien wurde die Simmelrezeption insbesondere durch die auf die Initiative Alessandro Cavallis zurückgehende Übersetzung der *Philosophie des Geldes* (1984) und der *Soziologie* (1989) gefördert. Eine besonders bemerkenswerte Rolle für die Aufnahme der Simmelschen Soziologie in die internationale Wissenschaftsgemeinschaft spielt die nordamerikanische Soziologie. Bereits zu Simmels Lebzeiten genießt seine Soziologie dort starke Beachtung, und sie ist seitdem kontinuierlicher Gegenstand kritisch-konstruktiven Interesses von Vertretern unterschiedlicher soziologischer Richtungen.[13] „Brückenbauer" wie Albion Small, Robert E. Park und Lester Ward sorgen dafür, daß seine Arbeiten übersetzt und in den ersten Nummern des „American Journal of Sociology" publiziert werden. Die Simmelsche Soziologie wird dadurch zu einem festen Bestandteil der sogenannten *Chicago School*. Die übersetzerische Leistung Kurt H. Wolffs, Lewis Cosers Weiterentwicklung der Simmelschen Konfliktsoziologie sowie Peter M. Blaus, Theodore Abels und Theodore Caplows Beiträge zur Austauschtheorie tragen in je spezifischer Weise zur Begründung einer kontinuierlichen amerikanischen Simmeltradition bei. Donald N. Levine kommt das Verdienst eines kreativen Vermittlers zwischen den nordamerikanischen und europäischen Simmelforschern zu, der sich immer wieder darum bemüht, die Selektivität der amerikanischen Simmelrezeption konstruktiv zu überwinden. Eine (post)moderne Richtung der Simmelinterpretation, die originelle, zuweilen jedoch höchst idiosynkratische Auslegungen fördert, ist in den Vereinigten Staaten mit den eigenwilligen Arbeiten von Deena und Michael A. Weinstein (1993) vertreten, hat aber auch in Europa zahlereiche Anhänger.

Die (post)moderne Interpretationswelle, die Simmel seit den neunziger Jahren erfaßt hat, beschleunigt und vergrößert zwar seine Popularisierung, vertieft aber nicht unbedingt das Verständnis seines soziologischen Programms. Zum gegenwärtigen Zeitpunkt hat die systematische Bearbeitung der Simmelschen Soziologie erst begonnen. Insofern gilt es heute vor allem, Simmel weniger vor seinen Kritikern als vor seinen einseitigen Bewunderern in Schutz zu nehmen. Zu der letzteren Kategorie gehören nicht nur (post)moderne Interpreten, sondern auch diejenigen, die ihn irrtümlich als „Formalsoziologen" auslegen.

Das in diesem Beitrag herausgearbeitete Analyseschema, das den Simmelschen soziologischen Untersuchungen entnommen werden kann, und die von ihm dabei benutzten Dimensionen stellen in ihrer Kombination ein ebenso reizvolles wie ambitioniertes soziologisches Programm dar, das noch lange nicht hinreichend systematisch berücksichtigt und empirisch erforscht wurde. Ausgewählte Gegenstände der empirischen Wirklichkeit in den scharfen soziologischen Blick zu nehmen, ist eine Grundfähigkeit, die jede professionelle Soziologie zu vermitteln hat. Hierin ist Simmel ein einmaliger Lehrmeister, dessen Rolle um so bedeutsamer wird, je mehr sich die heutige professionelle Soziologie ihrer Grundvoraussetzungen und -kompetenzen rückversichern muß, will sie nicht zwischen „halbwissenschaftlicher" Zeitgeistreflexion und durchbürokratisierter Auftragsforschung als eigenständige Disziplin zerrieben werden.[14]

Literatur

1. Werkausgaben

Rammstedt, Otthein (Hrsg.), 1989 ff., Georg Simmel Gesamtausgabe. (GSG). Frankfurt a. M. Es liegen bis heute (2000) folgende Bände vor: 1, 2, 3, 4, 5, 6, 7, 8, 9, 10, 11, 14.
Weitere im Text erwähnte Arbeiten Simmels:
Simmel, Georg, 1911, Philosophische Kultur. Gesammelte Essays. 2. Aufl. 1919. Leipzig.
Simmel, Georg, 1916, Rembrandt. Ein kunstphilosophischer Versuch. Leipzig.
Simmel, Georg, 1917 A, Grundfragen der Soziologie. (Individuum und Gesellschaft). 3. Aufl. 1970. Berlin.

Simmel, Georg, 1917 B, Der Krieg und die geistigen Entscheidungen: Reden und Aufsätze. München/Leipzig.

2. *Biographien*

Gassen, K./Landmann, M., Hrsg., 1958, Buch des Dankes. Briefe, Erinnerungen, Bibliographie. Berlin.

Landmann, M., 1958, Bausteine zur Biographie. In: Gassen/Landmann, Hrsg., a. a. O. S. 11–33.

Simmel, Georg, 1958, Anfang einer unvollendeten Selbstdarstellung. In: Gassen/Landmann, Hrsg. a. a. O. S. 9–10.

Simmel, H., o. J., Erinnerungen (1941–1943). Typoskript.

Susmann, M./Landmann, M., Hrsg., 1957, Georg Simmel: Brücke und Tür. Essays des Philosophen zur Geschichte, Religion, Kunst und Gesellschaft. Stuttgart.

3. *Bibliographien*

Dahme, H.-J., 1981, Soziologie als exakte Wissenschaft. Georg Simmels Ansatz und seine Bedeutung in der gegenwärtigen Soziologie. Teil II: Simmel Soziologie im Grundriß. Stuttgart, S. 510–533 (enthält auch die Sekundärliteratur bis zum Jahre 1980).

Gassen, K., 1958, Georg Simmel-Bibliographie. In: Gassen/Landmann, Hrsg. a. a. O. S. 309–365.

Köhnke, K. Ch., 1996, Der junge Simmel in Theoriebeziehungen und sozialen Bewegungen. Frankfurt a. M., S. 515–522. (enthält die aktualisierte Bibliographie der Simmelschen Schriften von 1879–1893).

4. *Monographien*

Atoji, Y., 1994, Sociology at the Turn of the Century. On G. Simmel in Comparison with F. Tönnies, M. Weber and E. Durkheim. Tokyo.

Atoji, Y., 1986, Georg Simmel's Sociological Horizons. Tokyo.

Dahme, H.-J., 1981, Soziologie als exakte Wissenschaft. Georg Simmels Ansatz und seine Bedeutung in der gegenwärtigen Soziologie. Teil I: Simmel im Urteil der Soziologie. Teil II: Simmels Soziologie im Grundriß. Stuttgart.

Frisby, D., 1981, Sociological Impressionism. A Reassessment of Georg Simmel's Social Theory. 2. Aufl. 1992. London/New York.

Frisby, D., 1989, Fragmente der Moderne. Georg Simmel – Siegfried Kracauer – Walter Benjamin. Rheda-Wiedenbrück.

Frisby, D., Hrsg., 1994, Georg Simmel. Critical Assessments. 3 Bde. London/New York.

Hansen, N. G., 1991, Georg Simmel – Sociologi og livsfilosofi. Kopenhagen.

Kintzelé, J. und P. Schneider, Hrsg., 1993, Georg Simmels Philosophie des Geldes. Frankfurt a. M.

Köhnke, K. Ch., 1996, Der junge Simmel in Theoriebeziehungen und sozialen Bewegungen. Frankfurt a. M.

Levine, D. N., Hrsg., 1971, Georg Simmel on Individuality and Social Forms. Chicago.

Levine, D. N., 1985, The Flight from Ambiguity: Essays in Social and Cultural Theory. Chicago.

Mandich, G., 1996, Georg Simmel. Sociologia dello spazio. Cagliari.

Merton, R. K., 1976, Sociological Ambivalence and Other Essays. New York.

Poggi, G., 1993, Money and the Modern Mind. Georg Simmel's Philosophy of Money. Berkeley/Los Angeles/London.

Ray, L., 1991, Formal Sociology. The Sociology of Georg Simmel. Aldershot/Brookfield.

Rhea, B., Hrsg., 1981, The Future of the Sociological Classics. London.

Schnabel, P.-E., 1974, Die soziologische Gesamtkonzeption Georg Simmels. Stuttgart.

Sellerberg, A.-M., 1994, A Blend of Contradictions: Georg Simmel in Theory and Practice. New Brunswick, NJ.

Theory, Culture & Society, 1991, Special Issue. Vol. 8. No. 3. London.

Watier, P., Hrsg., 1986, Georg Simmel, la sociologie et l'expérience du monde moderne. Paris.

Weinstein, D. und M. A. Weinstein, 1993, Postmodern(ized) Simmel. London/New York.

Wolff, K. H., Hrsg., 1959, Georg Simmel. 1858–1918. A Collection of Essays, with Translations, and a Bibliography. Columbus.

Anmerkungen

* Dieser Beitrag stellt eine wesentlich gekürzte Fassung einer Originalvorlage dar.

1 vgl. Wobbe, Th., Wahlverwandtschaften. Die Soziologie und die Frauen auf dem Weg zur Wissenschaft. Frankfurt a. M. 1997, S. 29–100.

2 vgl. Breuer, St., Ästhetischer Fundamentalismus. Darmstadt 1995, S. 169–183.

3 Nedelmann, B., „Psychologismus" oder Soziologie der Emotionen? Max Webers Kritik an der Soziologie Georg Simmels. In: Rammstedt, O., Hrsg., Simmel und die frühen Soziologen. Nähe und Distanz zu Durkheim, Tönnies und Max Weber. Frankfurt a. M. 1988, S. 11–35.

4 vgl. Nedelmann, B., Strukturprinzipien der soziologischen Denkweise Georg Simmels. In: Kölner Zeitschrift für Soziologie und Sozialpsychologie, Jg. 32, Heft 3, 1980, S. 559–573; sowie Levine, D. N., Simmel Reappraised: Old Images, New Scholarship. In: Camic, Ch., Hrsg., Reclaiming the Sociological Classics. London 1997, S. 173–207.

5 vgl. Mandich, G., Georg Simmel. Sociologia dello spazio. Cagliari 1996.

6 vgl. Nedelmann, B., Geld und Lebensstil. Georg Simmel – ein „Entfremdungstheoretiker"?. In: Kintzelé/Schneider, Hrsg. 1993, S. 398–418; sowie diess., Geld und Lebensstil II. Rhythmisch-symmetrische und individualistisch-spontane Lebensführung. In: Annali di sociologia. 8. 1992–II. Trento, 1994, S. 89–101.

7 vgl. auch Nedelmann, B., L'ambivalenza come principio di socializzazione. In: Rassegna italiana di sociologia, a. XXXIII, No. 2, 1992, S. 233–255.

8 vgl. Lipman, M., Some Aspects of Simmel's Conception of the Individual.

In: Wolff, Hrsg. 1959, S. 119–138; sowie Davis, M. S., Georg Simmel and the Aesthetics of Social Reality. In: Social Forces. Vol. 51, No. 3, 1973, S. 320–329.

9 vgl. Rammstedt, O., Georg Simmel. In: Soziologie. Special Edition, 1994, 3, S. 103–113.

10 Nedelmann, B., Individualization, Exaggeration, and Paralysation: Simmel's Three Problems of Culture. In: Theory, Culture & Society, Vol. 8, No. 3, 1991, S. 169–193.

11 Graf, F. W., „Geht hin und zeichnet die Kriegsanleihe!" Ein Aufruf Georg Simmels aus dem Herbst 1917. In: Simmel Newsletter, Vol. 5, No. 2, 1995, S. 135–138; sowie Rammstedt, O./Popp, M., Aufklärung und Propaganda: Zum Konflikt zwischen Georg Simmel und Friedrich Gundolf. In: Simmel Newsletter, Vol. 5, No 2. 1995, S. 139–155.

12 Tenbruck, F., Georg Simmel (1858–1918). In: Kölner Zeitschrift für Soziologie und Sozialpsychologie, 10. Jg., 1958, S. 587–614.

13 Levine, D. N./Carter, E. B./Miller Gorman, E., Simmel's Influence on American Sociology. In: American Journal of Sociology, Vol. 81, 1976, S. 1112–32; sowie Jaworski 1997.

14 vgl. Nedelmann, B., The Continuing Relevance of Georg Simmel: Staking out anew the Field of Sociology. In: Ritzer, G./Smart, B., Hrsg.: Handbook of Social Theory. London (im Druck).

Hans-Peter Müller

Emile Durkheim
(1858–1917)

1. Einleitung

In Deutschland hat Emile Durkheim stets im Schatten von Karl Marx und Max Weber gestanden. Zu Unrecht, kann man doch bei keinem anderen Klassiker besser lernen, was soziologisches Denken heißt. Im anglo-amerikanischen Raum werden die Studenten stets mit Durkheim in die Stärken und Schwächen unseres Faches eingeweiht, nicht mit den beiden deutschen Meisterdenkern.

René König (1976) hat von einem „unbekannten Durkheim" gesprochen. Angesichts der Vorurteile in Deutschland könnte man auch von einem „verkannten Durkheim" sprechen: Sein angeblicher Soziologismus und Anti-Individualismus führe dazu, daß die Gesellschaft alles, das Individuum dagegen nichts sei; sein Szientismus und Empirismus verleite dazu, die Soziologie auf sicht- und beobachtbare Phänomene und Fakten zu beschränken, alles andere dagegen aus dem sozialwissenschaftlichen Sinnhorizont zu verbannen; sein Moralismus und Konservatismus wolle nichts anderes als den modernen Menschen zu gängeln. Unter diesem populären Durkheim-Bild der *mainstream*-Soziologie bleiben seine zentralen Fragen verborgen: Wie müßte eine dynamische und gerechte Gesellschaft aussehen, die soziale Ordnung und individuelle Freiheit ermöglicht, die soziale Solidarität und moralische Autonomie eröffnet? Was kann die Soziologie – verstanden als eine rationale, positive und empirische Wissenschaft – zu diesem Projekt einer modernen Gesellschaft beitragen? Wie müßten die Konturen einer individualistischen Moral aussehen, die soziale Kooperation (Joas 1992) in einer demokratischen Zivilgesellschaft ermöglicht? Diese Fragen stehen im Zusammenhang mit den drei Zielen, die Durkheim zeit seines Lebens unbeirrt und mit nicht nachlassendem Eifer verfolgte: 1. Die Einrichtung der Soziologie als Fachdisziplin an Frankreichs Universitäten: Das erforderte die Bestimmung ihres Gegenstandsbereichs und ihrer Methode sowie die Durchführung paradigmatischer

Studien. 2. Eine Diagnose der modernen Gesellschaft, welche die historisch-empirische Analyse ihres Zustandes mit einer theoretischen Erklärung ihrer Struktur- und Entwicklungsprinzipien sowie einer normativen Beurteilung zu verknüpfen hatte. 3. Die Entwicklung einer neuen Moral, die zeitgemäß sein und der seit 1789 unversöhnlich gespaltenen französischen Nation zu neuer Solidarität verhelfen sollte.

2. Leben und zeitgenössischer sozialer und politischer Kontext

Das Verhältnis von Autor und Werk ist komplex und kompliziert. Das gilt generell, trifft aber auf „Klassiker" noch mehr zu, denn allzu groß, ja unwiderstehlich ist die Versuchung, über den Rückgriff auf die Person einen interpretativen Mehrwert aus dem Werk herauszupressen. Häufig ist die Person interessanter als das Werk; für Durkheim gilt der umgekehrte Fall, in dem der Autor hinter seinem Werk verschwindet: die Persönlichkeit ist das Werk. So sind die äußeren Lebensdaten rasch erzählt (Davy 1919, 1920; Lukes 1973).

Am 15. April 1858 im lothringischen Epinal geboren, gilt es schon früh als ausgemacht, daß der kleine Emile in die Fußstapfen seines Vaters treten und auch einmal Rabbiner werden soll. Er erlebt eine strenge, etwas freudlose Jugend und wird, wie alle begabten Kinder in Frankreich, zum Studium nach Paris entsandt. Er besucht das berühmte Gymnasium *Louis-le-Grand* und fällt bei der Aufnahmeprüfung zur *Ecole Normale Supérieure* gleich zweimal durch; eine traumatische Erfahrung, die ihm zeit seines Lebens das Gefühl geben wird, nicht genug gearbeitet zu haben – ein wirksamer Leistungsantrieb zu rastlosem, lebenslangem Schaffen. Im dritten Anlauf schließlich in die Reihen der *Normaliens* aufgenommen, hängt Durkheim schon bald der Spitzname „Metaphysiker" an, weil er zu artistischer Argumentationskunst greift, um im diskursiven Wettstreit ja zu obsiegen. Aber er ist bei all seiner intellektuellen Leidenschaft kühl und unpersönlich, zurückhaltend und in sich gekehrt; er hat nur wenige Freunde, darunter Jean Jaurès, den späteren Sozialistenführer.

Nach dem Abschluß des Studiums durchläuft er die üblichen

Jahre als Lehrer in der Provinz, bis er 1885/86 ein Stipendium für Deutschland bekommt. In Berlin und Leipzig studiert er die Kathedersozialisten Gustav Schmoller und Adolf Wagner, die Rechtslehren von Rudolf von Ihering und Albert Post, den Organizismus von Albert Schäffle und die Psychologie von Wilhelm Wundt. Zurückgekehrt verfaßt er zwei Artikel über seine intellektuellen und universitären Erfahrungen in Deutschland (Durkheim 1995), die ihn rasch bekannt machen und ihm im Jahre 1887 zu einer Position an der Universität Bordeaux verhelfen: Der *chargé de cours* für Sozialwissenschaft und Pädagogik sollte die erste Dozentur für Soziologie an einer französischen Universität sein.

Im gleichen Jahr heiratet er Louise Dreyfus (nicht verwandt mit Hauptmann Dreyfus), mit der er zwei Kinder, Marie und André hat, die ihm die Haus- und Erziehungsarbeit abnimmt und die auch in ihrer „Freizeit" seine Manuskripte abschreibt, korrigiert und die Artikel für die soziologische Zeitschrift redigiert.

Durkheim verfaßt in der Zeit in Bordeaux drei seiner großen Werke: *Über soziale Arbeitsteilung* (1893), *Die Regeln der soziologischen Methode* (1895) und den *Selbstmord* (1897); er baut ferner eine Schule auf, seine *équipe durkheimienne*, und gründet eine Zeitschrift, die *Année Sociologique*, deren zwölf Jahrgänge unter Durkheims Anleitung noch heute lesenswert sind.

1902 wird er an die Sorbonne berufen; hier entwickelt er einen immensen akademischen und politischen Aktionsradius, was zwangsläufig die wissenschaftliche Produktivität einschränkt. Dennoch erfahren seine Grundideen in dieser Zeit eine weitere Durchdringung und Verfeinerung, und er publiziert sein Standardwerk über *Die elementaren Formen des religiösen Lebens* (1912).

Der Erste Weltkrieg ist ein tiefer Einschnitt, der nicht nur die akademische Arbeit unterbricht; die Durkheim-Schule entrichtet auch einen hohen Blutzoll: Viele ihrer jungen Talente fallen, darunter auch Durkheims Sohn André 1916. Von diesem Schlag sollte er sich nicht erholen. Am 15. November 1917 stirbt Emile Durkheim: Ein Leben im Zeichen der Wissenschaft, ein Leben im Dienste der Soziologie.

Sein Werk, in Ton und Diktion streng wissenschaftlich, ja zuweilen dogmatisch anmutend, bleibt freilich in seiner Mission unverständlich, wenn man es nicht auf den historischen Kontext bezieht (König 1975; Müller 1983): Die tiefe soziale Krise, die Frankreich durchläuft, ist Durkheims Auffassung nach epochaler und nationaler Natur. Epochal, weil Frankreich zwar die „Große Revolution" geschafft hatte, aber zwischen 1789 und 1870/71 trotz acht politischer Regime – darunter drei Monarchien, zwei Kaiserreiche und zwei Republiken mit insgesamt vierzehn Verfassungen – den Werten von Freiheit, Gleichheit und Brüderlichkeit keine stabile politische Heimstatt bieten konnte. National, weil die Kriegsniederlage 1871 dem französischen Rationalismus und Fortschrittsglauben einen tiefen Stoß versetzt hatte; weil sich die „soziale Frage" in Gestalt von drückender sozialer Ungleichheit bemerkbar machte; weil das Erziehungssystem schließlich mit dem traditionell konservativen Einfluß der katholischen Kirche nicht mit einer modernen Gesellschaft zu vereinbaren war und statt dessen den Aufbau eines demokratischen Bewußtseins, die Schaffung eines solidarischen Zusammenhalts und die Entwicklung einer säkularen, individualistischen Moral behinderte. Durkheim versprach sich und seinen Zeitgenossen Abhilfe durch die Soziologie als Real- und Moralwissenschaft: Der Kosmos sozialen Zusammenlebens würde sich besser verstehen und die anhaltende Krise müßte sich klarer durchschauen lassen.

3. Werk und wissenschaftliche Rolle

3.1. Methodische Grundlagen der Soziologie

Dieser präeminenten Rolle kann die Soziologie indes nur durch einen klargeschnittenen Gegenstand und eine verbindliche Methode gerecht werden. Bereits in seiner ersten lateinischen Dissertation über Montesquieu von 1892 studiert Durkheim (1953, dt. 1981) die methodischen Grundlagen der Sozialwissenschaft und preist den Autor des *Geistes der Gesetze* für seine bahnbrechenden Einsichten in die Gesetzmäßigkeiten sozialen Lebens, seine Typisierung von Gesellschaften und seine vergleichende Methode, mit der man sie studieren kann. In den *Regeln der soziologischen Methode* von 1895, dem methodischen Manifest der Durkheim-Schule, greift er auf diese Erkenntnisse zurück und definiert Soziologie als „Wissenschaft von den Institutionen, deren Entstehung und Wirkungsart" (1976: 100). Anders als Montesquieu will Durkheim den Gegenstand der Soziologie jedoch nicht nur auf politische Einrichtungen beschränkt sehen, sondern faßt darunter allgemein und viel weiter alle sozialen Faktoren, Strömungen und kollektiven Vorstellungen – kurzum alle sozialen Tatbestände, sofern sie dem Einzelnen äußerlich sind, auf ihn sozialen Druck ausüben, in der Gesellschaft allgemein auftreten und ein von jedem einzelnen unabhängiges Eigenleben führen. Wer dieses soziale Leben verstehen will, muß sich um eine Beschreibung, Erklärung und Beurteilung von sozialen Phänomenen bemühen.

Dazu gilt es, sich in einem ersten Schritt aller vorgefaßten Ideen und Vorurteile zu entledigen, soziale Phänomene in ihrer Eigenart und anhand ihrer äußeren Merkmale gleichsam wie Dinge zu beschreiben. Soziale Tatbestände sind *äußerlich*, da sie dem Menschen nicht angeboren sind, sondern anerzogen werden müssen; sie sind *zwanghaft*, weil sie auf den Willen jeden Individuums einen moralischen Druck ausüben; sie sind *allgemein* und nicht universal, weil sie weder der Natur der Menschheit noch der Natur des Menschen innewohnen; sie sind *unabhängig*, da sie weder im Verhalten von einzelnen Individuen aufgehen noch sich in ihrer und durch ihre Praxis erschöpfen.

Durkheim illustriert dies an drei Institutionen: Der Sprache, die Verständigung ermöglicht, dem Geld, das zum Austausch dient, und den Produktionsmethoden, die zur Aufrechterhaltung der Wettbewerbsfähigkeit notwendig sind. Darüber hinaus erwähnt er ökologische Faktoren wie Handels- und Verkehrswege, aber auch außergewöhnliche Situationen wie kollektive Massenhysterien. Auch wenn diese Beispiele auf sehr unterschiedliche Medien der Interaktion verweisen, sind sie allesamt Phänomene sozialer Natur. Das „Soziale" ist also mehr als die Summe individueller Handlungen; Gesellschaft ist mehr als ein Aggregat von Individuen wie in der individualistischen Denktradition von Thomas Hobbes bis Herbert Spencer.

Nirgendwo kommt die kollektive Natur des Sozialen so deutlich zum Ausdruck wie im Begriff der Gesellschaft, die Durkheim nach dem Prinzip der schöpferischen Synthese als Realität *sui generis*, als *Emergenz* begreift. Ganz im Geiste von Auguste Comte faßt Durkheim das Soziale als eigenständigen Bereich der Realität, der sich weder auf physische, biologische oder gar psychische Faktoren zurückführen läßt. Diese epistemologische Annahme kehrt in seiner Erklärungsstrategie wieder. Der erste methodologische Grundsatz lautet folglich, daß sich Soziales nur durch Soziales erklären läßt. Wo immer wir auf eine organische oder psychologische Erklärung stoßen, können wir laut Durkheim sicher sein, daß sie falsch ist. Gesellschaften lassen sich daher weder in Abhängigkeit von ihrem Klima bestimmen, wie das Montesquieu noch versucht hatte; noch können sie nach der Vorstellung der Ökonomen ihren Sinn und Zweck aus der individuellen Nutzenmaximierung der beteiligten Akteure gewinnen. Beide Vorstellungen sind „ideologisch", entstammen also den *idola* der beobachtenden Wissenschaftler und nicht der Natur der Sache, der Gesellschaft, ihrem Strukturprinzip und gegenwärtigen Entwicklungsstand.

Um diese adäquat erfassen zu können, schlägt Durkheim eine Klassifikation von Gesellschaftstypen vor, die nach dem Strukturschema „einfach-komplex" gebaut ist und mit der evolutionären Vorstellung arbeitet, daß die Gesellschaftsgeschichte gleich dem Bild eines Baumes mit gemeinsamem Stamm und vielfältigen, aber rekonstruierbaren Verästelungen zu verstehen sei. Ausgangspunkt ist die einfache Gesellschaft, die Durkheim als Horde oder Clan bezeichnet. Von dort aus kann man sodann die Stufenleiter sozialer Typen rekonstruieren, wenn man annimmt, daß „höhere" Gesellschaften nach dem Prinzip begrenzter Strukturvariationen, durch Rekombination der Elemente und der Art ihrer Zusammensetzung zustande kommen.

Bietet diese Klassifikation von Gesellschaften einen theoretischen Rahmen zur Ordnung des Materials, so verlangt die *Erklärung* eines Phänomens die gesonderte Analyse seiner Funktionalität und Kausalität: Der sachliche Begründungszusammenhang – wie hängt ein Phänomen mit dem anderen zusammen – muß also stets von dem genetischen Entstehungszusammenhang – wie ist ein Phänomen entstanden – getrennt untersucht werden. Das gelingt am besten durch die historisch-komparative Methode, einen gleichsam indirekt experimentellen Zugang zur Realität: Zum einen kann man diachron, also *historisch*-vergleichend, zum anderen synchron, also historisch-*vergleichend* verfahren.

Ein Phänomen zu *verstehen*, heißt indes nicht nur, eine adäquate Beschreibung und Erklärung vorzulegen, sondern auch eine *Beurteilung* vorzunehmen: Ist ein Phänomen normal oder pathologisch? Durkheim schlägt die allgemeine Verbreitung als Normalitätskriterium vor; d. h. zunächst wird die durchschnittliche Häufigkeit durch Beobachtung konstatiert; sodann wird die historische Bedingungskonstellation für deren Allgemeinheit eruiert; schließlich wird durch einen Vergleich von Vergangenheit und Gegenwart festgestellt, ob diese ursprünglichen Bedingungen noch gegeben sind oder nicht: wenn ja, ist das fragliche Phänomen normal, wenn nicht, ist es pathologisch. Durkheim verdeutlicht dies am Beispiel des Verbrechens: Die Existenz von Verbrechen ist normal, notwendig und zuweilen sogar nützlich, wie im Falle moralischer Innovationen, die von der herrschenden Gesellschaft verurteilt werden. Pathologisch ist nicht das Verbrechen an sich, sondern eine bestimmte Kriminalitätsrate, etwa ein plötzlicher Anstieg oder eine starke Variation. Durch longitudinale Beobachtungsreihen und vergleichende Analysen in und zwischen Gesellschaften, so Durkheims Hoffnung, sollte es möglich sein, einen legitimen Schwankungsbereich der Kriminalitätsrate ausfindig zu machen.

3.2. Die Analyse der modernen Gesellschaft

Ein methodisches Manifest aber ist eine Sache, theoretische und empirische Analysen, welche die Fruchtbarkeit des Ansatzes demonstrieren, eine andere. Durkheim setzt daher in seiner zweiten, französischen Dissertation *Über soziale Arbeitsteilung* von 1893, in der er (dt. 1988) eine „Studie zur Organisation höherer Gesellschaften" vorlegt – wie der Untertitel der ersten Auflage verhieß –, das methodologische Programm in eine konkrete Untersuchung um. Struktur und Dynamik der modernen Gesellschaft über die Arbeitsteilung zu konzeptualisieren, hieß an eine seinerzeit etablierte Diskussion anzuknüpfen (Müller/Schmid 1988). Durkheims Strategie, dem Neuling Soziologie Sichtbarkeit und Geltung zu verschaffen, wird hier wie in der Selbstmordstudie deutlich: Man nehme ein anerkanntes Problem, präge es soziologisch um und werfe durch die eigene analytische Perspektive neues Licht auf alte Fragen. Statt also, wie in der schottischen Tradition von Adam Smith, Adam Ferguson und John Millar üblich, die ertragreiche Beziehung von Arbeitsteilung und Wohlstand herauszuarbeiten, oder, wie in der deutschen Tradition von Karl Marx und

Friedrich Engels bis zu Gustav Schmoller gang und gäbe, das Verhältnis von Arbeitsteilung, Klassenbildung und Ausbeutung zu monieren, postuliert Durkheim soziale Differenzierung als Strukturprinzip moderner Gesellschaft, das nicht nur in der Wirtschaft, sondern in allen Lebensbereichen Einzug gehalten hat. Ohne sich weiter um die Formen der Arbeitsteilung zu kümmern, fragt er, der französischen Tradition folgend, zum einen nach dem Verhältnis von Differenzierung und Integration, zum anderen nach der Beziehung von Differenzierung und Individualisierung.

Ihn interessiert also an der Arbeitsteilung erstens das reibungslose Zusammenspiel von Institutionen und ihrer Interdependenz (Systemintegration) und zweitens die Integration des einzelnen in die Gesellschaft (Sozialintegration) – als zeitgemäße Version der Vereinbarkeit von sozialer Ordnung und individueller Freiheit (Lockwood 1992). „Wie geht es zu, daß das Individuum, obgleich es immer autonomer wird, immer mehr von der Gesellschaft abhängt? Wie kann es zu gleicher Zeit persönlicher und solidarischer sein?" (Durkheim 1988, S. 82) Die Antwort auf beide Fragen lautet: durch die Arbeitsteilung. In der Argumentation folgt Durkheim strikt seiner Programmatik: Im ersten Teil beschreibt er die funktionale Wirkungsweise, im zweiten Teil unterbreitet er eine kausal-genetische Erklärungsskizze und im dritten Teil beurteilt er die anomalen Folgen der Arbeitsteilung. Ihre solidaritätsstiftenden Effekte sucht er nach seiner Klassifikation von Gesellschaften durch die Gegenüberstellung von archaischer und moderner Gesellschaft zu erfassen.

Archaische Gesellschaften bestehen aus kleinen, segmentär differenzierten Einheiten, in denen ein starkes Kollektivbewußtsein eine Solidarität aus Ähnlichkeiten oder *„mechanische Solidarität"* erzeugt, die den Einzelnen *direkt* in die Gemeinschaft integriert. „Die Solidarität, die aus den Ähnlichkeiten entsteht, erreicht ihr *Maximum*, wenn das Kollektivbewußtsein unser ganzes Bewußtsein genau deckt und in allen Punkten mit ihm übereinstimmt: aber in diesem Augenblick ist unsere Individualität gleich Null." (Durkheim 1988, S. 181 f.; im Original kursiv) Das Kollektivbewußtsein ist daher um so mächtiger, je einfacher die soziale Struktur, je religiöser die Kultur und je geringer die Individualisierung in einer Gesellschaft sind. Moderne Gesellschaften hingegen bestehen aus großen, funktional differenzierten Lebensbereichen, in denen Arbeitsteilung ein Netz von Interdependenzen schafft. „*Organische Solidarität*" als Solidarität aus funktionalen Unterschieden bindet den einzelnen *indirekt* an die Gesellschaft, indem sie ihn in seinen beruflichen Tätigkeitsbereich integriert. Differenzierung und Spezialisierung prämieren differente Fähigkeiten, welche die Ausbildung einer individuellen Persönlichkeit fördern. Je individueller die Gesellschaftsmitglieder indes werden, desto weniger können sie noch durch ein einheitliches Kollektivbewußtsein integriert werden. Vielmehr differenziert sich auch das Kollektivbewußtsein in eine Fülle funktionsspezifischer Normkodizes aus, die gleichwohl ihren moralischen Charakter behalten. Der Funktionsdifferenzierung folgt also die Moraldifferenzierung auf dem Fuße. In Durkheims Augen beweist das den direkten Zusammenhang zwischen Arbeitsteilung, Solidarität und Moral. „Mit einem Wort: Dadurch, daß die Arbeitsteilung zur Hauptquelle der sozialen Solidarität wird, wird sie gleichzeitig zur Basis der moralischen Ordnung." (1988, S. 471)

In seiner kausal-genetischen Erklärungsskizze weist er alle Versuche der Ökonomen als verfehlt zurück, die Entstehung von Arbeitsteilung durch ihren Nutzen – größere Produktivität, höhere Zivilisation oder den Zuwachs von Glück – zu erklären. Vielmehr sind die Ursachen im sozialen Milieu zu suchen: In sozialökologischen Faktoren wie Bevölkerungswachstum und –konzentration, Urbanisierung und dem Ausbau von Verkehrs- und Kommunikationswegen. Wie muß man sich diesen Prozeß vorstellen? Wachsendes Volumen und zunehmende materielle und moralische Dichte, wie Durkheim die sozialökologischen Faktoren kurzerhand nennt, führen zu einem verschärften Überlebenskampf. Um nicht in den Hobbesschen Kampf aller gegen alle zu verfallen, geht ein Druck zur Teilung der Funktionen und zur Spezialisierung der Berufe aus; die daraus folgende soziale Interdependenz schafft jene sozialen Bande, die als organische Solidarität die Integration moderner Gesellschaften leisten. Allerdings muß der Kampf ums Überleben nicht immer in benevolente Differenzierung einmünden, sondern kann auch zu verschärftem Wettbewerb und Konflikt führen.

Durkheim unterscheidet drei nicht gelingende, anomale Formen der Arbeitsteilung, die für den Zusammenhang von Differenzierung und organischer Solidarität sehr aufschlußreich sind:

Die *anomische* Arbeitsteilung entsteht, wenn neue Organe und Funktionen sich rasch entwickelt haben, ohne daß sich Regeln der Kooperation und soziale Bande etabliert haben. Normalerweise bilden sich Funktionen, Regeln und Bande spontan über Habitualisierung und allmähliche institutionelle Verfestigung. Nur rapider sozialer Wandel reißt die Kluft der Anomie auf. Nicht um die Abwesenheit jeglicher Regeln, sondern um die Ungerechtigkeit der bestehenden Regeln geht es bei der *erzwungenen* Arbeitsteilung. Klassenkämpfe und ungerechte Verträge, räsonniert Durkheim ganz ähnlich wie Karl Marx, sind Ausdruck der traditionellen Überkommenheit der gesellschaftlichen Verfassung, die mit dem avancierten Moralbewußtsein nicht mehr Schritt halten kann. Die dritte anomale Form bezieht sich auf mangelhafte innerorganisatorische Arbeitsteilung.

Welche der Formen kennzeichnet die gegenwärtige Gesellschaft? Anomie heißt Durkheims Diagnose der aktuellen Krise, nicht Zwang und Ausbeutung wie bei Karl Marx. Mit der Zeit, so die optimistische Auffassung, werden sich die notwendigen Regeln herausbilden, welche die Arbeitsteilung zur Quelle organischer Solidarität und sozialer Integration machen. Trotz der großangelegten, kühnen Studie bleiben am Ende die genauen Zusammenhänge undeutlich. Drei Probleme vermag Durkheim nicht zu lösen, die ihn weiter beschäftigen werden. 1. Das Schicksal des Kollektivbewußtseins: Löst es sich im Zuge der sozialen Differenzierung auf oder durchläuft es nur einen Gestaltwandel vom traditionellen Kollektivismus zum modernen Individualismus? 2. Die Natur der organischen Solidarität: Wie muß man sich eine Solidarität aus Unterschieden vorstellen? 3. Die Träger der organischen Solidarität: *Wer* verwirklicht eigentlich *wie* diese moderne Solidarität?

Durkheims Studie über den *Selbstmord* von 1897 setzt den Diskurs über Charakter und Zustand der modernen Gesellschaft empirisch fort. Zwar spricht er nur noch von Kollektivvorstellungen, nicht mehr vom Kollektivbewußtsein oder mechanischer und organischer Solidarität. Doch geht es ihm auch hier wieder um ein mustergültiges Exempel seiner Soziologie: Selbstmord gilt als die private und individuelle Entscheidung schlechthin; gelingt der Nachweis seiner gesellschaftlichen Bedingtheit, ist das ein weiterer Beweis für die Existenz des Sozialen und für die Notwendigkeit der Soziologie als Wissenschaft. Erneut hält er sich streng an seine Programmatik: Im ersten Teil setzt er sich mit alternativen Ansätzen auseinander, die nicht-sozialer Natur sind; im zweiten Teil unterbreitet er seine eigene Erklärung; im dritten Teil zieht er die praktischen Schlußfolgerungen.

Durkheim definiert Selbstmord als „jeden Todesfall, der direkt oder indirekt auf eine Handlung oder Unterlassung zurückzuführen ist, die vom Opfer selbst begangen wurde, wobei es das Ergebnis seines Verhaltens im voraus kannte." (1973a, S. 72; im Original kursiv) Diese Definition hat den Vorzug, auf Selbstmord*motive* zu verzichten und dadurch den Anschluß an das Datenmaterial der Selbstmordstatistiken offenzuhalten. Zugleich wird deutlich, daß ihn nicht der einzelne Selbstmord, sondern Selbstmordraten als Indikatoren für Kollektivzustände und als Phänomen *sui generis* interessieren. Er setzt die soziale Selbstmordrate als abhängige Variable und untersucht ihre Schwankungen in Abhängigkeit vom gesellschaftlichen Kontext.

Im ersten Schritt prüft er den Einfluß von nicht-sozialen Faktoren wie Geistesgestörtheit, Rasse, Klima, Temperatur, Nachahmung etc. und hält den Zusammenhang zwischen der Selbstmordrate und diesen Faktoren für insignifikant. Als Alternative präsentiert er im zweiten Schritt eine ätiologische Typologie sozialer Phänomene, welche Selbstmordtypen nach ihren Ursachen klassifiziert und auf ihre Wirkungen zu schließen erlauben soll. Er unterscheidet Egoismus, Altruismus, Anomie und Fatalismus. Dabei handelt es sich um zwei Gegensatzpaare. Egoismus und Altruismus beziehen sich auf den *Inhalt* von Regeln: Die individualistische Orientierung kann in „exzessiven Individualismus" einmünden; die kollektivistische Orientierung kann zu exzessivem Kollektivismus degenerieren. Anomie und Fatalismus verweisen auf Regel*zustände*: Der Abwesenheit von Regeln im Falle der Anomie entspricht die Überreglementierung im Falle des Fatalismus.

Den *egoistischen* Selbstmord diskutiert Durkheim anhand von Religion, Ehe und Familie sowie politischen Krisen. Die höhere Selbstmordhäufigkeit von Protestanten gegenüber Katholiken kann nicht in der dogmatischen Einschätzung liegen – beide Religionen perhorreszieren Selbstmord. Die Antwort für die Unterschiede findet Durkheim in dem unterschiedlichen Anspruch der

Lehre und der sozialen Organisation der Gläubigen. Der „religiöse Individualismus" begünstigt einen „Geist der freien Prüfung" und legt den Protestanten einen Weg zu Gott ohne Vermittlung der Kirche nahe. Der Katholizismus sucht das Gewissen der Gläubigen lückenlos zu kontrollieren und unterwirft sie einer „Hierarchie von Autoritäten". Die geringere Integration der protestantischen Kirche und der höhere Bildungsgrad der „wissensdurstigen" Protestanten gegenüber den „gutgläubigen" Katholiken sind laut Durkheim für die höhere Selbstmordrate der Protestanten verantwortlich. Und was ist mit den Juden, die geringe Selbstmordneigung und hohe Bildung aufweisen? Ihr höheres Bildungsniveau führt Durkheim auf den Minoritätenstatus zurück, der aber gleichzeitig kohäsionsfördernde Vergemeinschaftung zur Folge hat. Wenn Religion also die beste Prophylaxe gegen Selbstmord ist, dann nicht wegen der Heilslehre, sondern aufgrund der moralischen Gemeinschaft der Gläubigen.

Mutatis mutandis gilt das auch für die Familie: Ihr Kohäsionsgrad steigt proportional mit ihrer moralischen Dichte, denn Verheiratete sind weniger selbstmordanfällig als Unverheiratete, Geschiedene und Verwitwete, eine Familie mit Kindern weniger als ein kinderloses Ehepaar. Auch Revolutionen und Kriege stärken die soziale Integration, wie Durkheim im Ersten Weltkrieg empirisch erneut bestätigt bekam. Es gibt indes einen Schwellenwert, jenseits dessen die Überintegration *altruistischen* Selbstmord begünstigen kann, den Durkheim in primitiven Gesellschaften und in den Armeen moderner Gesellschaften am Werke sieht. Da es sich hierbei um ein traditionelles Relikt handelt, spielt dieser Typ für die moderne Gesellschaft keine weitere Rolle.

Die *Anomie* diskutiert Durkheim anhand von Konjunkturzyklen. Zu seiner Überraschung findet er eine erhöhte Selbstmordrate nicht nur bei wirtschaftlichen Zusammenbrüchen, sondern auch bei plötzlichem Wohlstand. Er führt dieses Phänomen eines sozialen Absturzes wie einer *„crise heureuse"* auf desorientierende Prozesse *sozialer Deklassierung* und *sozialer Reklassifizierung* zurück, bei denen die Individuen ihre Maßstäbe verlieren und in Anomie versinken. Wirtschaftlicher Fortschritt, Wohlstand und Materialismus sind die neuen Götzen der Ökonomie, weshalb mit der entfesselten Wirtschaft und ihrem Primatanspruch ein konstanter Krisenherd entstanden ist. Es wundert am Ende nicht, daß

Durkheim die empirische Entwicklung der Selbstmordraten von Egoismus und Anomie als *pathologische* Entwicklung deutet. Aber wie ist der moralischen Krise beizukommen?

3.3. Die Analyse der modernen Kultur und der archaischen Religion

In den Jahren 1897/98 hätte Durkheims Werk nach der methodischen, theoretischen und empirischen Grundlegung zwei prinzipielle Richtungen einschlagen können. Zum einen hätte er die am Ende des Selbstmord-Werkes angekündigte Studie über das Berufsverbandswesen vornehmen, die Träger organischer Solidarität spezifizieren und seine Vorstellungen zu einer dynamischen und gerechten Sozialordnung, zum Zusammenspiel von Ökonomie und Politik, Wirtschaft, Berufsgruppen und Staat im Rahmen einer demokratischen Zivilgesellschaft entwickeln können. Das hätte nicht nur seine Ideen zur Reorganisation europäischer Gesellschaften präzisiert, sondern seinen gemäßigten, reformerischen und nicht revolutionären, friedlichen und nicht gewaltsamen, kollektiven und nicht klassenbezogenen Sozialismus expliziert, wie er verschiedentlich, vor allem in seinen Vorlesungen zum Sozialismus (Durkheim 1928), anklingt. Diesen Weg schlägt Durkheim nicht ein, auch wenn er eine Skizze der Berufsgruppenidee in einem weiteren Vorwort zur zweiten Auflage der *Arbeitsteilung* vorstellt und zumindest die Konturen seiner zusammenhängenden Vorstellungen zu diesem Problemkomplex in seinen Vorlesungen zur *Physik der Sitten und des Rechts* (Durkheim 1991; Müller 1991) andeutet.

Statt dessen nimmt sein Weg eine andere Richtung, über deren Beschreibung sich die Durkheim-Exegeten noch heute streiten. Vielleicht könnte man von einer *kulturellen* *Wende* sprechen (Alexander 1988): Statt der Strukturreform der modernen Gesellschaft untersucht Durkheim Struktur und Entwicklung von Wertsystemen. Mit der Hinwendung zur Kultur im allgemeinen, der Religion im besonderen scheint er zwei Ziele im Auge gehabt zu haben. Erstens wollte er ein analytisch tieferes und empirisch gehaltvolleres Verständnis von Religion entwickeln. So wie er in der einfachsten Gesellschaft, der Horde, die Keimzelle für alle höheren Strukturtypen von Gesellschaften erblickte, so hoffte er in der primitiven Religion den Schlüssel für alle Formen der Religiosität, inklusive säkularer Spielarten, zu finden. Zudem darf man nicht vergessen, daß die Begeisterung Durkheims für die Arbeiten von Religionswissenschaftlern wie Sir James G. Frazer und William Robertson Smith nicht zuletzt aus deren empirischem Material herrührte, das eine solide Basis für seinen theoretischen Anlauf abzugeben versprach. Das Ergebnis dieser Anstrengung ist in den *Elementaren Formen des religiösen Lebens* (1912) nachzulesen. Zweitens, und das wird häufig vergessen, wollte er auf dieser Grundlage die moderne Kultur genauer untersuchen: zum einen anhand der Umstellung vom moralischen Kollektivismus auf den Individualismus; zum anderen durch ein detaillierteres Studium des Moral- und Normenkomplexes, als es die *Physik der Sitten und des Rechts* geleistet hatte. Das sollte sein letztes und größtes Werk mit dem schlichten Titel *Die Moral* werden, das aufgrund seines frühen Todes ungeschrieben blieb. Das Fragment und seine lang gehegten Pläne lassen die Interpretation zu, daß daraus in der Tat eine Moralökologie moderner Gesellschaften resultiert hätte.

Vielleicht hilft nochmals ein Blick auf seine Konzeption des Sozialen, um den Stellenwert der Religion zu begreifen und das Ausmaß der Umorientierung[1] zu ermessen. In der Frühphase versteht Durkheim das *Soziale* über strukturelle Faktoren wie Volumen, Dichte und das Arrangement von Elementen. In seinen Schriften zur Moral und Erziehung (Durkheim 1972; 1984), vollends aber in *Soziologie und Philosophie* (Durkheim 1967) betont er das moralische Erstrebenswertsein und die mentale Repräsentation des Sozialen. Nicht so sehr der strukturelle Zwang, der sich als externer Druck in der Opportunitätsstruktur der Handelnden bemerkbar macht, sondern die moralische Autorität von Normen und die symbolischen Klassifikationen und Kategorien, welche die Gelegenheitsstruktur der Handelnden selbst konstitutiv mitprägen, stehen im Mittelpunkt seines Interesses.

In den *Elementaren Formen* sucht Durkheim deshalb eine Analyse und Erklärung der einfachsten Religion vorzunehmen. Mit der Konzentration auf die „Infrastruktur" von Religion, also auf die Grundvorstellungen und rituellen Handlungen, hofft Durkheim Grundzustände für „die religiöse Mentalität im allgemeinen" aufspüren zu können. (1981, S. 23) Außerdem sind Religionen als Kosmologien Denksysteme, in denen sich der Ursprung der Begriffe, die Kategorien des Urteilsvermögens und die Fähigkeit zur logischen und sozialen Klassifikation überhaupt untersuchen lassen.

Mit diesem Untersuchungsdesign glaubt Durkheim im Totemismus der australischen Ureinwohner fündig geworden zu sein und die primitivste Religion mit allen ihren Elementen – dem Dualismus von heilig und profan, den Begriffen der Seele, des Geistes, der mythischen Persönlichkeit, der natürlichen und übernatürlichen Gottheit, dem negativen Kult mit seinen asketischen Riten, den Opfer- und Gedächtnisriten und den Nachahmungs-, Gedenk- und Sühneriten – in einer Art Schlüsselexperiment aufgedeckt zu haben. In der religiösen Erfahrung drückt sich die Tiefendimension sozialen Lebens aus, es ist etwas Ewiges, Natürliches und Menschliches darin enthalten: das Bedürfnis nach Gemeinschaft, Sinn, Idealisierung und Transzendenz. Andererseits enthält auch die primitivste Religion schon eine Kosmologie und Begriffe als kollektive Repräsentationen. Durkheim glaubt auch hier gezeigt zu haben, daß sich die Entstehung begrifflicher Ordnung der Gesellschaftsform verdankt, und daß die Klassifikation der Dinge nur die Klassifikation von Menschen reproduziert.

Wie muß man diese kühne These verstehen? Durkheim unterscheidet zwei Seiten von Wahrheitsansprüchen, die kollektive Seite, mithin die Verbindung zwischen denkenden Menschen, und die objektive Seite, den Zusammenhang mit der Natur der Dinge. Die begriffliche Evolution, also den weiten Weg von den australischen Ureinwohnern zum modernen wissenschaftlichen Menschen, stellt sich Durkheim wie folgt vor: „Der Begriff, der ursprünglich für wahr gehalten wurde, weil er kollektiv ist, neigt dazu, nur unter der Bedingung kollektiv zu werden, daß er für wahr gehalten wird. Wir verlangen seine Richtigkeit, ehe wir ihm unser Vertrauen schenken." (1981, S. 585) Folglich sind auch Kategorien ein Werk der Kollektivität, was ihren Ursprung angeht, und Ausdruck von sozialen Phänomenen, was ihren Inhalt anbetrifft: Die Gattung verweist auf die menschliche Gruppe, die Zeit auf den Rhythmus des sozialen Lebens, der Raum auf den gesellschaftlichen Raum bzw. das Territorium und die Kausalität auf die kollektive Kraft, das *mana*. „Es ist also nicht weiter erstaunlich, wenn die soziale Zeit, der soziale Raum, die soziale Klasse und die kollektive Kausalität den entsprechenden Kategorien zugrunde liegen, da die verschiedenen Relationen vom menschlichen Bewußtsein zunächst in ihren sozialen Formen mit einiger Klarheit erfaßt worden sind." (Durkheim 1981, S. 593) Die Evolution des Denkens ist auch in diesem Fall angedeutet: „Anscheinend löst sich somit das Band, das zunächst das Denken an bestimmte kollektive Individualitäten gebunden hatte, immer mehr; das logische Denken wird folglich immer unpersönlicher, während es sich universalisiert." (Durkheim 1981, S. 594) Durkheim ist zuversichtlich, mit dieser soziologischen Erkenntnistheorie die Kluft zwischen Sensualismus (John Locke, David Hume) und Apriorismus (Immanuel Kant) überwunden zu haben.

Schließlich kommt Durkheim auf die moralische Krise zurück und konstatiert zeitdiagnostisch eine Übergangsphase moralischer Mediokrität. „Mit einem Wort: die alten Götter werden alt und andere sind noch nicht geboren [...] Nur aus dem Leben selbst kann ein lebendiger Kult entstehen und nicht aus einer toten Vergangenheit. Aber dieser Zustand der Unsicherheit und der verwirrenden Unruhe kann nicht ewig dauern. Ein Tag wird kommen, an dem unsere Gesellschaften aufs neue Stunden der schöpferischen Erregung kennen werden, in deren Verlauf neue Ideen auftauchen und neue Formen erscheinen werden, die eine Zeitlang als Führer der Menschheit dienen werden." (Durkheim 1981, S. 572)

4. Wirkung auf das zeitgenössische soziologische Denken und auf die gegenwärtige internationale Soziologie

Emile Durkheim scheint eher eine heimliche, wenn nicht vollends unheimliche Wirkung gehabt zu haben. Wenn er der Soziologe *kat exochen* (Nisbet 1965, 1970) ist, stehen wir heute als professionelle Soziologen zwar alle auf seinen Schultern, ohne es indes zu wissen, geschweige denn würdigen zu können. Sein Einfluß wird unsichtbar, weil gleichbedeutend mit dem kleinen Einmaleins soziologischen Denkens. Seine Doktrinen sind in den Kanon sozialwissenschaftlicher Selbstverständlichkeiten ein- und darin aufgegangen. Wer moderne Gesellschaften als funktional differenziert beschreibt, wird Niklas Luhmann zitieren, nicht Durkheim. Wer vom Ordnungsproblem anfängt, wird gleich Thomas

Hobbes oder, falls zeitgemäß, John Rawls heranziehen. Wer die Frage von Freiheit und Bindung, Selbstverwirklichung und Gemeinwohl aufgreift, wird entweder bei Robert N. Bellah, bei Amitai Etzioni oder bei Alasdair MacIntyre anfragen. Wer vom „Kult des Individuums" und der Individualisierung anfängt, tippt auf Ulrich Beck, nicht auf Durkheim. In gewisser Weise ist das der normale Gang der Wissenschaft: Die Begriffe und Erkenntnisse werden eingeholt, überholt, und ihr Urheber fällt der Vergessenheit anheim. Aber einem Klassiker – dem sollte ein solches Schicksal doch nicht widerfahren?

Scheinbar doch. Im Kontext der französischen Tradition ist Durkheims Einfluß nun wirklich nicht zu übersehen. Was wären Claude Lévi-Strauss, Michel Foucault oder auch Pierre Bourdieu ohne Durkheim? Freilich fällt das nur denen auf, die wirklich mit der französischen Soziologie vertraut sind. Auch dies ist ein geheimes Wissen. In Frankreich ist es stillschweigend üblich, Durkheim nicht zu zitieren. Wenn man schon auf Ideen und Argumente der *„Durkheimiens"* zurückgreifen muß, zitiert man lieber den genialen Marcel Mauss als den gestrengen Meister. Man mag Durkheim nicht in Frankreich, man hat ihn noch nie gemocht. Auguste Comtes Denkmal thront vor der Sorbonne – und Durkheim? Bis heute hat man sich in Frankreich nicht einmal dazu durchringen können, ihm eine historisch-kritische Gesamtausgabe angedeihen zu lassen, womit die beiden deutschen Meisterdenker Karl Marx und Max Weber, neuerdings auch Georg Simmel, wie selbstverständlich aufwarten können. Auch Marcel Mauss hatte sich mit der Edition von Durkheims Schriften lange Zeit gelassen, so daß schließlich den Nazis ein Gutteil seiner Manuskripte in die Hände fallen konnte – ein unwiederbringlicher Verlust.

So fällt das Fazit zwiespältig und vielleicht sogar paradox aus, wenn man seine Wirkung gegenüber dem eigenen Wollen betrachtet. Der Mann, der laut René König nichts anderes sein wollte als Soziologe, hat zwar in Frankreich eine Schule begründet, die noch bis in die dreißiger Jahre eine orthodoxe, wenn auch etwas verstaubte Eminenz darstellte. Seinen größten Einfluß hat er aber zweifellos nicht in der eigenen Disziplin, sondern in den Nachbarfächern gehabt. In der Linguistik hat Ferdinand de Saussure die Bedeutung von Durkheim nie geleugnet. In der französischen

Geschichtswissenschaft, vor allem der *Annales*-Schule, hat die Anlehnung an Durkheim nie zu einer solchen Trennung von der Soziologie geführt wie in Deutschland. In der Psychologie und mikrosozialen Moralforschung hat Jean Piaget seine Bewunderung für Durkheim nie verleugnet, und noch in Lawrence Kohlbergs Forschungen kehren Durkheimsche Figuren wieder. Seine größten Triumphe dürfte Durkheim indes in der Anthropologie und Ethnologie gefeiert haben. Alfred Reginald Radcliffe-Brown und Bronislaw Malinowski fühlten sich als Durkheims Erben. Die Generation von Edward Evan Evans-Pritchard, Edmund R. Leach und Rodney Needham hat zwar Durkheims Vorstellungen – etwa zur primitiven Klassifikation – in Grund und Boden gestampft, an seiner überragenden Bedeutung als theoretischer Anreger jedoch niemals einen Zweifel gelassen. Claude Lévi-Strauss (1945, 1962) hat Durkheims Totemismusvorstellung zu Recht widerlegt; aber hätte er (1978) seine Vorstellung von Tiefen- und Oberflächenstrukturen ohne die *Elementaren Formen* entwickeln können? Mary Douglas ist Ethnologin, die sich – ungewöhnlich genug – als Durkheimianerin bekennt und mit ihrer *grid-group*-Theorie die Typologie von Selbstmordarten kongenial weiterentwickelt hat.

Und in der Soziologie? Der Funktionalismus von Talcott Parsons und Robert K. Merton verdankt Durkheim wichtige Anregungen; gerade Talcott Parsons hat mit Durkheims Ideen vielversprechend weitergearbeitet und ist immer wieder in den unterschiedlichsten Kontexten auf ihn zurückgekommen. Mit der Aufkündigung des „orthodoxen Konsensus" (A. Giddens) und dem Niedergang des Funktionalismus breitete sich auch der Vorhang über Durkheim, sieht man von Erving Goffmans Anleihen an dessen Ideen ab. Erst in jüngster Zeit, im Zuge einer wiedererstarkenden Kultursoziologie (Alexander 1988), gewinnt Durkheim erneut an Profil. Ein Klassiker verdient das, denn wir lesen ihn nicht wegen seiner zeitgebundenen und rasch veraltenden Problemlösungen, sondern wegen des unerschöpflichen Anregungsreichtums seiner Ideen, Einsichten und Argumente. Durkheim ist ein so begnadeter Denker, weil er Grundprobleme mit entwaffnender Einfachheit mit einigen Federstrichen und ohne jegliche modische Begriffsbombastik vorführen und zum Weiterdenken regelrecht verführen kann – eben ein „verkannter Soziologe" hinter der orthodoxen Fassade seiner historischen Mission und schulbildenden Rolle.

Literatur

1. Werkausgaben

Durkheim, E., 1928, Le Socialisme. Sa definition, ses débuts, la doctrine saint-simonienne. Paris.

Durkheim, E., 1953, Montesquieu et Rousseau, précurseurs de la sociologie. Paris (zuerst: 1892); dt. (auszugsweise): Thèse von 1892. Montesquieus Beitrag zur Gründung der Soziologie. In: Heisterberg, L., Hrsg., Emile Durkheim, Frühe Schriften zur Begründung der Sozialwissenschaft. Darmstadt/Neuwied 1981, S. 85–128.

Durkheim, E., 1967, Soziologie und Philosophie. Mit einer Einleitung von Th. W. Adorno. Frankfurt a. M. (zuerst: Paris 1925, Sociologie et philosophie, Vorwort von C. Bouglé, Neuausgabe).

Durkheim, E., 1970, La science sociale et l'action. Hrsg. und eingel. von J. C. Filloux. Paris.

Durkheim, E., 1972, Erziehung und Gesellschaft. Hrsg. und eingel. von R. Krisam. Düsseldorf (zuerst: Paris 1922, Education et sociologie).

Durkheim, E., 1973 a, Der Selbstmord. 1. Aufl. Neuwied/Berlin (zuerst: Paris 1897, Le Suicide. Etude de sociologie).

Durkheim, E., 1973 b, On Morality and Society. Hrsg. und eingel. von R. N. Bellah. Chicago.

Durkheim, E., 1975 a, „La science positive de la morale en Allemagne" (zuerst: Paris 1887). In: Karady, V., Hrsg., Emile Durkheim, Textes, Bd. 1. Paris. S. 267–343.

Durkheim, E., 1975 b, „La philosophie dans les universités Allemandes" (zuerst Paris 1887). In: Karady, V., Hrsg., Emile Durkheim, Textes, Bd. 3. Paris, S. 437–486.

Durkheim, E., 1976, Die Regeln der soziologischen Methode. Hrsg. und eingel. von R. König. 4. revidierte Aufl. Neuwied/Berlin (zuerst: Paris 1895, Les règles de la méthode sociologique).

Durkheim, E., 1979, Essays on Morals and Education. Hrsg. und eingel. von W. S. F. Pickering. London/Boston.

Durkheim, E., 1981, Die elementaren Formen des religiösen Lebens. Frankfurt a. M. (zuerst: Paris 1912, Les formes élémentaires de la vie réligieuse).

Durkheim, E., 1984, Erziehung, Moral und Gesellschaft. Frankfurt a. M. (zuerst: Paris 1925, L'Education morale).

Durkheim, E., 1986, „Der Individualismus und die Intellektuellen." In: Bertram, H., Hrsg., Gesellschaftlicher Zwang und moralische Autonomie. Frankfurt a. M., S. 54–70 (zuerst: 1898, „L'individualisme et les intellectuels." In: Revue bleue, 4e série, vol. 10, S. 7–13; wiederabgedruckt in Durkheim, E.: La science sociale et l'action. Hrsg. und eingel. von J. C. Filloux. Paris 1970, S. 236–244).

Durkheim, E., 1987, Schriften zur Soziologie der Erkenntnis. Hrsg. und mit einem Nachwort von H. Joas. Frankfurt a. M.

Durkheim, E., 1988, Über soziale Arbeitsteilung. Studie über die Organisation höherer Gesellschaften. 2. Aufl. Frankfurt a. M. (zuerst: Paris 1893, De la division du travail social).

Durkheim, E., 1991, Physik der Sitten und des Rechts. Vorlesungen zur Soziologie der Moral. Hrsg. und mit einem Nachwort von H.-P. Müller. Frankfurt a. M. (zuerst: Paris 1950, Leçons de Sociologie. Physique des moeurs et du droit, mit einem Vorwort von H. N. Kubali und einer Einleitung von G. Davy).

Durkheim, E., 1995, Über Deutschland. Hrsg. und eingel. von F. Schultheis und A. Gipper. Konstanz.

2. Biographien

Lukes S., 1973, Emile Durkheim. His Life and Work. A Historical and Critical Study. Harmondsworth.

3. Monographien

Alexander, J. C., 1982, Theoretical Logic in Sociology, Bd. 2: The Antinomies of Classical Thought: Marx and Durkheim. London/Melbourne/Henley.

Alexander, J. C., Hrsg. 1988, Durkheimian Sociology. Cultural Studies. Cambridge.

Aron, R., 1971, Hauptströmungen des soziologischen Denkens, Bd. 2, Köln.

Bellah, R. N., 1973, „Introduction." In: Bellah, R. N., Hrsg., Emile Durkheim, On Morality and Society. Chicago, S. IX–LV.

Besnard, P., Hrsg., 1983, The sociological domain. The Durkheimians and the founding of French sociology. Cambridge.

Clark, T. N., 1973, Prophets and Patrons. The French University and the Emergence of the Social Sciences. Cambridge.

Davy, G., 1919, „Emile Durkheim: l'homme." In: Revue de métaphysique et de morale 26, S. 181–198.

Davy, G., 1920, „Emile Durkheim: l'œuvre." In: Revue de métaphysique et de morale 27, S. 71–112.

Fenton, S., 1984, Durkheim and Modern Sociology. Cambridge.

Filloux, J.-C., 1970, „Introduction." In: Durkheim, E.: La science sociale et l'action. Paris, S. 5–68.

Giddens, A., 1977, „Durkheim's political sociology." In: Giddens, A.: Studies in Social and Political Theory. London, S. 235–272.

Giddens, A., 1978, Durkheim. Hassocks.

Joas, H., 1992, Die Kreativität des Handelns. Frankfurt a. M.

König, R., 1975, Kritik der historisch-existentialistischen Soziologie. Ein Beitrag zur Begründung einer objektiven Soziologie. München.

König, R., 1976, „Emile Durkheim. Der Soziologe als Moralist." In: Kaesler, D., Hrsg., Klassiker des soziologischen Denkens, Bd. 1. München, S. 312–364.

König, R., 1978, Emile Durkheim zur Diskussion. München/Wien.

Lacroix, B., 1981, Durkheim et le politique. Paris/Montreal.

Lévi-Strauss, C., 1945, „French Sociology." In: Gurvitch, G./Moore, W. E., Hrsg., Twentieth Century Sociology. New York, S. 503–537.

Lévi-Strauss, C., 1962, Le Totèmisme aujourd'hui. Paris.

Lévi-Strauss, C., 1978, Strukturale Anthropologie, Bd. 1. Frankfurt a.M.

Lockwood, D., 1992, Solidarity and Schism. Oxford.

Mauss, M., 1969, Œuvres. Cohésion sociale et divisions de la Sociologie. Bd. 3. Hrsg. von V. Karady. Paris.

Müller, H.-P., 1983, Wertkrise und Gesellschaftsreform. Emile Durkheims Schriften zur Politik. Stuttgart.

Müller, H.-P., 1986, „Gesellschaft, Moral und Individualismus. Emile Durkheims Moraltheorie." In: Bertram, H., Hrsg., Gesellschaftlicher Zwang und moralische Autonomie. Frankfurt a. M., S. 71–105.

Müller, H.-P., 1988, „Social Structure and Civil Religion. Legitimation Crisis in a Later Durkheimian Perspective." In: Alexander, J. C., Hrsg., Durkheimian Sociology. Cambridge, S. 129–158.

Müller, H.-P./Schmid, M., 1988, „Arbeitsteilung, Solidarität und Moral." Nachwort zu Durkheim, E.: Über soziale Arbeitsteilung. Studie über die Organisation höherer Gesellschaften. Frankfurt a. M., S. 481–521.

Nisbet, R. A., 1965, Emile Durkheim. Englewood Cliffs.

Nisbet, R. A., 1970, The Sociological Tradition. New York.

Tiryakian, E. A., 1978, „Emile Durkheim." In: Bottomore, T./Nisbet R. A., Hrsg., A History of Sociological Analysis. New York, S. 187–236.

Traugott, M., 1978, „Introduction." In: Durkheim, E.: On Institutional Analysis. Hrsg. v. M. Traugott. Chicago/London, S. 1–39.

Turner, S., Hrsg., 1993, Emile Durkheim: Sociologist and Moralist. London/New York.

Wallwork, E., 1972, Durkheim, Morality and Milieu. Cambridge.

Wallwork, E., 1985, „Durkheim's Early Sociology of Religion." In: Sociological Analysis 46, S. 201–218.

Anmerkungen

1 Die *Kulturwende* ist auf zweierlei Weise gedeutet worden: Radikal als Bruch, so daß von der Entwicklung vom positivistischen zum voluntaristischen Durkheim (Parsons 1968), vom materialistischen zum idealistischen Durkheim (Alexander 1982), vom strukturellen zum kulturellen Durkheim die Rede war; gemäßigt als eine graduelle Umorientierung, welche zugleich die Kontinuität in der Problemstellung (die Ordnungsfrage), im thematischen Bezug (soziale Bindungen und Solidarität), im analytischen Fokus (die Moral) und im Strukturbild moderner Gesellschaft (funktionale Differenzierung) nicht vernachlässigt. (Fenton 1984; Giddens 1977, 1978; Müller 1983). Es ist nicht so, daß Durkheim plötzlich die Religion entdeckt und sie als allmächtigen Erklärungsfaktor etabliert hätte. Wie Ernest Wallwork (1972, 1985) gezeigt hat, spielt sie schon in der *Arbeitsteilung* eine wichtige Rolle: Religion ist am Anfang alles – Moral, Recht, Tradition und Gemeinschaft; und im *Selbstmord* fungiert sie als wichtiger Erklärungsfaktor.

Hans Joas

George Herbert Mead
(1863–1931)

1. Leben und zeitgenössischer Kontext

George Herbert Mead entstammt einem protestantischen Pfarr-
haus Neuenglands. Er wurde am 27. Februar 1863 als Sohn eines
kongregationalistischen Pfarrers in South Hadley, Massachusetts,
geboren. Kindheit und Jugend verbrachte er im Umkreis des
Oberlin College, Ohio, wohin sein Vater 1869 als Professor für
Homiletik berufen worden war und in das der Sohn selbst als
Student eintrat. Meads Ausbildung fällt in eine Zeit, in der na-
turwissenschaftliche Inhalte sich einen größeren Platz im religiös
dominierten Unterricht amerikanischer Colleges verschaffen konnten, dabei aber in Konflikt mit dogmatischen Welterklärungs-
ansprüchen der Religion gerieten. Zum generationstypischen
Schlüsselerlebnis wurde die Auseinandersetzung mit der Darwin-
schen Evolutionslehre als dem zwingenden Nachweis des bloß
mythologischen Charakters der christlichen Schöpfungslehre. Der
junge Mead zog daraus aber nicht wie manche Zeitgenossen sozi-
aldarwinistische oder deterministische Konsequenzen. Seine Frage war vielmehr, wie die moralischen Werte eines sozial engagierten, amerikanisch-protestantischen Christentums ohne überholte
theologische Dogmatik und jenseits der Enge puritanischer Lebensführung bewahrt werden könnten. Nach Abschluß der Col-
lege-Ausbildung 1883 betätigte sich Mead vier Jahre lang in wechselnden Berufen; 1887 entschloß er sich trotz aller ökonomischen
Risiken zur Aufnahme eines Philosophiestudiums an der Harvard
University. Sein wichtigster Lehrer dort war der christliche Neu-
hegelianer Josiah Royce, einer der besten Kenner der klassischen
deutschen Philosophie in den USA. Er vermittelte ihm die
Grundzüge einer Geschichtsphilosophie, die das Reich Gottes als
geschichtliche Verwirklichung einer Gemeinschaft aller Menschen
durch umfassende Verständigung interpretierte. Trotz seiner lebenslangen Bewunderung für diesen akademischen Lehrer emp-
fand Mead bald eine Philosophie als ungenügend, die Distanz zu

den Wissenschaften und sozialen Problemen der Zeit hielt; sie erschien ihm als aufgepfropftes Produkt europäischer Kultur und nicht als authentische Interpretation amerikanischen Lebens oder Richtschnur des Handelns unter den Bedingungen seiner – amerikanischen – Gegenwart.

1888 beschloß Mead, das Studienfach zu wechseln. Er entschied sich für die (physiologische) Psychologie, weil diese die empirische Klärung philosophischer Probleme und größere geistige Unabhängigkeit versprach. 1888–1891 studierte Mead in Deutschland, zuerst ein Semester in Leipzig (u.a. bei Wilhelm Wundt), dann in Berlin (u.a. bei Friedrich Paulsen und Wilhelm Dilthey). Er interessierte sich unter anderem für die Psychologie der frühen moralischen Entwicklung des Kindes und – im Rahmen eines Dissertationsplans – für eine über Kant hinausgehende Erforschung von Raumwahrnehmung und Raumkonstitution. Außerakademisch beeindruckten ihn die Sozialdemokratie und die effiziente kommunale Verwaltung in Deutschland.

1891 folgte Mead einem Angebot, an der *University of Michigan* in Ann Arbor Psychologie zu lehren, und verließ Deutschland voller Pläne in philosophisch-psychologischer und sozialreformerischer Hinsicht. 1894 wechselte er, von John Dewey gebeten, an die neugegründete *University of Chicago,* wo er bis zu seinem Lebensende 1931 blieb.

Die neue Universität verfolgte die ehrgeizige doppelte Zielsetzung, Forschung und Lehre – nach deutschem Vorbild – enger miteinander zu verknüpfen, zugleich aber beide stark auf praktische Aufgaben, vornehmlich auf kommunaler Ebene, auszurichten. Chicago war in dieser Zeit eine der am schnellsten wachsenden Metropolen der Industrialisierung, deren Bevölkerung zum größten Teil aus Einwanderern der ersten Generation, meist ungelernten oder angelernten Arbeitskräften, bestand. Mead wurde in Chicago Teil eines interdisziplinären Netzwerks bedeutender Wissenschaftler, die sich vor allem während der *„Progressive Era"* vor dem Ersten Weltkrieg in einer Fülle von sozialreformerischen Projekten betätigten (z.B. in dem *social settlement „Hull House"* der späteren Friedensnobelpreisträgerin Jane Addams). Auch den Weltkrieg begleitete Mead mit politischen und publizistischen Aktivitäten – zugunsten Präsident Wilsons und des amerikanischen Kriegseintritts. Kernbereich seiner wissenschaftlichen Tätigkeit bis zum Krieg war die Erarbeitung einer anthropologischen Kommunikationstheorie und einer darauf fußenden Sozialpsychologie, die Meads klassischen Rang in der Geschichte von Soziologie und Sozialpsychologie begründen.

Nach dem Weltkrieg wandte er sich stärker wissenschaftstheoretischen und naturphilosophischen Themen zu; die politisch-sozialreformerische Tätigkeit trat in den 20er Jahren weitgehend zurück. Mead starb am 26. April 1931, verbittert über eine hochschulpolitische Kontroverse, aufgrund derer er sich sogar zum Verlassen seines Wirkungsortes entschlossen hatte.

George Herbert Mead hat als Klassiker der Soziologie, als der er heute unbestritten und mit Recht gilt, eine eigenartige Stellung. Er hat zu Lebzeiten nicht ein einziges Buch veröffentlicht und war deshalb zum Zeitpunkt seines Todes über den Kreis seiner Studenten und unmittelbaren Kollegen hinaus kaum bekannt; er hat das Fach Soziologie nie gelehrt, sondern blieb lebenslang in den Gebieten der Philosophie und Psychologie tätig. Seine Wirkung ging zunächst fast ausschließlich von dem Kurs über Sozialpsychologie aus, den er jahrzehntelang in Chicago abhielt. Dieser Kurs präsentierte den klassisch gewordenen Ansatz seines Denkens und wurde zum festen Bestandteil der soziologischen Ausbildung in Chicago, und damit in der lange Zeit einflußreichsten Ausbildungsstätte der amerikanischen Soziologie. Die sukzessive Veröffentlichung von Meads Werken aus dem Nachlaß und die Kompilation studentischer Vorlesungsnachschriften zu Büchern verbreiteten dann posthum seinen Ruhm, dessen Wachstum auch heute noch anhält.

2. Das Werk

Mead geht bei seiner Begründung der Sozialpsychologie nicht vom Verhalten des einzelnen Organismus aus, sondern von einer kooperierenden Gruppe spezifisch menschlicher Organismen. Nicht eine „Robinsonade", nicht das Ausgehen vom einsamen Handelnden, der soziale Beziehungen erst eingehen und gemeinsam verbindliche Werte erst konstituieren muß, steht für Mead am Anfang, sondern der *„social act"*, eine komplexe Gruppenaktivität.

Gruppen menschlicher Organismen unterliegen Bedingungen, die sich von denen vormenschlicher Stufen prinzipiell unterscheiden. Im Gegensatz etwa zu Insektenstaaten wird ein System strikter Arbeitsteilung nicht mehr durch physiologische Differenzierung garantiert. Nicht einmal das für Wirbeltiergesellschaften geltende Prinzip einer Regelung des Gruppenlebens durch instinkthaft starre Verhaltensformen, die lediglich durch die Erlangung eines Status in einer einlinigen Dominanzhierarchie modifiziert werden, ist bei den organischen Voraussetzungen der menschlichen Gattung möglich. Für menschliche Gesellschaften besteht vielmehr das Problem, wie individuelles, aber nicht naturhaft festgelegtes Verhalten ausdifferenziert und über wechselseitige Verhaltenserwartungen zu einer Gruppenaktivität integriert werden kann. Mead versucht, mit einer anthropologischen Theorie des Ursprungs spezifisch menschlicher Kommunikation den Mechanismus freizulegen, der dies ermöglicht. Kommunikation rückt damit zunächst in den Mittelpunkt der Analyse, doch wäre es ein Mißverständnis, Meads Gesellschaftsbegriff deshalb eine Verengung auf Kommunikationsprozesse vorzuwerfen. „Der Mechanismus der menschlichen Gesellschaft", so heißt es bei ihm in aller Deutlichkeit, „besteht darin, daß leibliche Individuen sich durch Manipulation mit physischen Dingen bei ihren kooperativen Handlungen gegenseitig unterstützen oder stören."[1]

Darwins Analyse des Ausdrucksverhaltens von Tieren und Wundts Begriff der Gebärde sind die wesentlichen Anstöße für Meads eigene Konzeption. Er teilt mit diesen die Vorstellung, die „Gebärde" oder „Geste" sei ein „synkopierter Akt", die Anfangsphase einer Handlung, die zur Regelung der Sozialbeziehungen verwendet werden könne. Dies ist dann möglich, wenn ein Tier bereits auf diese Anfangsphase der Handlung des anderen Tieres so reagiert, wie es auf die gesamte Handlung reagieren würde: wenn etwa bereits das Zähnefletschen eines Hundes als Einleitung eines Angriffs vom anderen Hund mit einer Flucht oder ebenfalls mit Zähnefletschen „beantwortet" wird. Spielt sich eine solche Beziehung ein, dann kann die Frühphase der Handlung zum „Zeichen" für die Gesamthandlung werden und diese ersetzen. Mead widerspricht allerdings Darwin, der hinter den Gebärden Ausdrucksabsichten vermutet: das Tier wolle nichts ausdrücken, vielmehr sei die Handlung lediglich unkontrollierbare Abfuhr von Triebenergie. Mead teilt aber auch nicht Wundts Konzept, der sich vorstellte, daß Verständigung über die Nachahmung von Gebärden verlaufe; dieselbe Emotion, die im einen Tier sich in der Gebärde ausdrücke, werde im anderen Tier durch die Nachahmung dieser Gebärde ausgelöst. Der schwache Punkt dieses Konzepts ist die Unterstellung, Nachahmung sei ein triebhafter und einfacher Mechanismus, der zur Erklärung unproblematisch herangezogen werden könne. Für Mead ist es eher umgekehrt: Nachahmung selbst ist eine schwierige Leistung, die der Erklärung bedarf. Wie kommt es aber dann zu einer Verständigung über Gesten, die für die beiden an der Kommunikation Beteiligten denselben Bedeutungsgehalt haben?

Damit eine Gebärde für beide Kommunikationspartner dieselbe Bedeutung hat, ist es nötig, daß der Hervorbringer einer Gebärde in sich eben die Reaktion auslösen kann, die er im Partner hervorrufen wird. Dann ist in ihm die Reaktion des Partners repräsentiert. Die Gebärde muß also vom Hervorbringer selbst wahrgenommen werden können. Dies ist beim Menschen vor allem bei einer Art von Gebärden der Fall, die zudem besonders situationsunabhängig und differenziert hervorgebracht werden kann: der Lautgebärde. Das bedeutet nicht, wie häufig behauptet wird, daß Mead die stimmliche Geste[2] überbetone: er spricht ihr nicht größere Häufigkeit, wohl aber die größte Eignung zur Selbstwahrnehmbarkeit zu. Stimmliche Gesten sind eine notwendige, aber nicht hinreichende Voraussetzung für die gattungsgeschichtliche Entstehung des Selbstbewußtseins; andernfalls wäre etwa auch den Vögeln dieser Weg offen gewesen.

Entscheidend für Mead sind zusätzlich die für den Menschen typische Reaktionsunsicherheit und die durch das Nervensystem ermöglichte Reaktionsverzögerung. Diese führen dazu, daß nicht einfach gleichzeitig mit der Reaktion des Partners eine virtuelle Reaktion des Hervorbringers auf seine eigene Geste stattfindet, sondern daß die eigene virtuelle Reaktion *vorangeht*. Sie wird ebenfalls in ihrer Anfangsphase registriert und kann durch andere Reaktionen gehemmt werden, noch bevor sie ihren Ausdruck im Verhalten findet. Damit ist eine *antizipatorische* Repräsentation des Verhaltens des Anderen möglich. Die selbst wahrnehmbare Geste führt nicht zur Entstehung von Zeichen als Ersatzreizen, sondern zur Durchbrechung der Reiz-Reaktions-Schematik des

Verhaltens überhaupt und zur Konstitution „signifikanter Symbole". Das eigene Verhalten ist an potentiellen Reaktionen von Partnern ausrichtbar geworden. Damit ist eine gezielte Verbindung von Handlungen möglich. Das Handeln ist an Verhaltenserwartungen orientiert; da der Partner prinzipiell über dieselbe Fähigkeit verfügt, ist ein gemeinsam verbindliches Muster wechselseitiger Verhaltenserwartungen Voraussetzung kollektiven Handelns.

Diese anthropologische Analyse, die Mead zu einem Vergleich menschlicher und tierischer Sozialität ausweitet, liefert nun die wesentlichen Begriffe seiner Sozialpsychologie. Der Begriff der „Rolle" bezeichnet eben das Muster der Verhaltenserwartung; *„taking the role of the other"* ist die Antizipation des Verhaltens des Anderen, nicht etwa die Einnahme seiner Stellung in einem organisierten sozialen Zusammenhang. Diese innerliche Repräsentation des Verhaltens des Anderen führt dazu, daß sich im Einzelnen verschiedene Instanzen herausbilden. Der Einzelne macht dann sein eigenes Verhalten in ähnlicher Weise zum Objekt seiner Betrachtung wie das seiner Partner, er sieht sich selbst aus der Perspektive des Anderen. Neben die Dimension der Triebimpulse tritt also eine Instanz zu deren Bewertung, die aus den Erwartungen der Reaktionen auf die Äußerung dieser Impulse hin besteht.

Mead spricht von „*I*" und „*me*". Der Begriff „*I*" (Ich) bezeichnet in der philosophischen Tradition das Prinzip von Kreativität und Spontaneität, gleichzeitig aber auch für Mead biologisch die Triebausstattung des Menschen. Das wird oft als widersprüchlich empfunden, da mit „Trieb" ein dumpfer Naturzwang assoziiert wird. Mead dagegen denkt den Menschen als mit einem „konstitutionellen Antriebsüberschuß" (Arnold Gehlen) ausgestattet, der über alle Befriedigbarkeit hinaus sich in Phantasien Raum schafft und von Normierungen nur kanalisiert werden kann. „*Me*" bezeichnet meine Vorstellung von dem Bild, das der andere von mir hat, bzw. auf primitiverer Stufe meine Verinnerlichung seiner Erwartungen an mich. Das „*me*" als Niederschlag einer Bezugsperson in mir ist Bewertungsinstanz für die Strukturierung der spontanen Impulse und Element eines entstehenden Selbstbilds. Trete ich dann mehreren für mich bedeutsamen Bezugspersonen gegenüber, so gewinne ich mehrere unterschiedliche „*me*"s, welche zu einem einheitlichen Selbstbild synthetisiert werden müssen, soll konsistentes Verhalten möglich sein. Gelingt diese Synthetisierung, dann entsteht das „*self*", d. h. Ich-Identität als einheitliche und doch auf die Verständigung mit stufenweise immer mehr Partnern hin offene und flexible Selbstbewertung und Handlungsorientierung; zugleich entwickelt sich eine stabile, ihrer Bedürfnisse sichere Persönlichkeitsstruktur. Meads Modell ist anders als das Freuds an einem Dialog von Triebimpulsen und gesellschaftlichen Erwartungen orientiert; kulturnotwendige Repression und anarchische Triebbefriedigung bilden für ihn keine ausweglose Alternative, sondern er sieht die Möglichkeit offener Auseinandersetzungen, in denen die gesellschaftlichen Normen kommunikativer Änderung und die Triebimpulse freiwilliger, weil befriedigender Umorientierung zugänglich sind.

Meads Persönlichkeitstheorie geht über in eine für Gattung und Individuum gültige Entwicklungslogik der Identitätsbildung. Zentral sind die mit „*play*" und „*game*" bezeichneten Arten des kindlichen Spiels. „*Play*" ist die spielerische Interaktion des Kindes mit einem imaginären Partner, wobei das Kind beide Teile mimt. In dieser Spielform übt sich die Fähigkeit zur Verhaltensantizipation: das Verhalten des Anderen wird direkt repräsentiert und durch das eigene Komplementärverhalten ergänzt. Diese Stufe erreicht das Kind, wenn es zur Interaktion mit beliebigen einzelnen Bezugspersonen und zur Einnahme der Perspektive des Anderen fähig wird; wenn also nicht mehr nur die triebmäßig hochbesetzte Bezugsperson zählt. An diese Stufe schließt sich die Fähigkeit zum „*game*" an, zur Teilnahme an Gruppenspielen. Dazu genügt nicht mehr die Antizipation des Verhaltens eines einzelnen Partners; jetzt muß das Verhalten aller anderen Partner zur Richtschnur des Handelns werden können. Diese Anderen sind dabei keineswegs unzusammenhängende Teile, sondern Funktionsinhaber in arbeitsteilig zielgerichteten Gruppen. Der Handelnde muß sich an einem für alle Handelnden gültigen Ziel orientieren, das Mead, auf seine psychischen Grundlagen zielend, den „generalisierten Anderen" („*generalized other*") nennt. Die Verhaltenserwartungen dieses generalisierten Anderen sind zum Beispiel die Spielregeln, im allgemeinen die Normen und Werte einer Gruppe. Die Orientierung an einem bestimmten „generalisierten Anderen" stellt freilich dieselbe Beschränktheit wie die Orientierung an einem bestimmten konkreten Anderen auf neuer Stufe wieder her.

Das darin steckende Problem einer Orientierung an immer umfassenderen generalisierten Anderen wird dann der Leitgedanke von Meads Ethik.

Lassen sich die in *Geist, Identität und Gesellschaft* veröffentlichten Vorlesungen zur Einführung in die Sozialpsychologie und die große Aufsatzserie zwischen 1908 und 1912, in der deren Grundgedanken erstmalig entwickelt werden, als Beantwortung der Frage, wie Kooperation von Individuen und Individuierung möglich seien, auffassen, so setzt die wesentlich weniger bekannte Sammlung nachgelassener Manuskripte Meads, die *Philosophy of the Act*, in wichtigen Teilen noch fundamentaler an. Es geht Mead um das Problem, wie instrumentales Handeln selbst möglich ist.[3] Mead fragt insbesondere nach der Entstehung der wesentlichen Voraussetzungen zielgerichteter Manipulation mit Dingen: der Konstitution permanenter Objekte. Er entwickelt eine Theorie der Bedingtheit der Konstitution des *„physical thing"* in der Rollenübernahmefähigkeit als wichtigem Versuch, die Entwicklung kommunikativer und instrumentaler Fähigkeiten sozialisationstheoretisch zu verknüpfen.

Mead geht aus von einem vierphasigen Handlungsmodell. Handlung besteht demnach aus den Stadien des Handlungsimpulses, der Wahrnehmung, der Manipulation und der bedürfnisbefriedigenden Handlungsvollendung (*„consummation"*). In diesem Zusammenhang hervorzuheben und für den Menschen charakteristisch ist die dritte Phase, die der Manipulation. Ihre Zwischenschaltung und Verselbständigung drückt für Mead die Instinktreduziertheit des Menschen aus und bietet den Anknüpfungspunkt für die Entstehung des Denkens. Bei den Tieren sind die Kontakterfahrungen total in die Aktivitäten zur Bedürfnisbefriedigung integriert; selbst beim Affen ist die Fortbewegungsfunktion der Hand noch stärker als ihre fühlende Aufgabe; erst beim Menschen entwickelt sich die Hand zu einem Organ, das auf vom direkten Bedürfnis abgekoppelte Manipulationshandlungen spezialisiert ist. Hand *und* Sprache sind für Mead die beiden Wurzeln der Menschwerdung. Neben der durch die Freistellung der Hand ermöglichten Differenzierung und Speicherung von Kontakterfahrungen verfügt der Mensch über mehrere Distanzrezeptoren (wie Auge und Ohr) und das Gehirn als deren innerem Apparat. Lösen zunächst die Eindrücke der Distanzsinne nur Reaktionen in Körperbewegungen aus, so ermöglichen dann die Verzögerung der Reaktion durch die Distanz des Wahrgenommenen und die Selbständigkeit der Sphäre der Kontakterfahrungen ein wechselseitiges Verhältnis: Auge und Hand kontrollieren sich, sie kooperieren. Intelligente Wahrnehmung und die Konstitution von Objekten liegt dort vor, so behauptet Mead, wo die Leistungen der Distanzsinne bewußt auf Kontakterfahrungen bezogen werden. Dies wird, so Mead weiter, aber erst dann möglich, wenn zuerst die Fähigkeit zur Rollenübernahme entwickelt ist und auf nicht-soziale Objekte transferiert werden kann. Wie ist das zu verstehen?

Ein Ding wird nur dann als Ding wahrgenommen, wenn wir ihm ein Inneres unterstellen, das Druck auf uns ausübt, sobald wir es berühren. Dieses Innere, das Druck auszuüben imstande ist, kann nie durch Zergliederung ermittelt werden, denn diese führt nur zu immer neuen Oberflächen. Es muß immer unterstellt werden. Ich unterstelle es nach dem Schema von Druck und Gegendruck, welches ich bei der Selbstwahrnehmung eines von mir auf mich ausgeübten Drucks, etwa dem Spiel der beiden Hände, erfahre. Diese Erfahrung kann ich auf Dinge übertragen, indem ich in mir einen meinem Druck gleich großen, aber entgegengesetzt gerichteten Druck als vom Objekt ausgehend repräsentiere. Mead nennt dies die Übernahme der Rolle des Dings. Gelingt mir dies ebenfalls antizipatorisch, dann kann ich dadurch mit Dingen kontrolliert umgehen und im manipulativen Handeln Erfahrungen sammeln. Zusammengedacht mit der Kooperation von Auge und Hand bedeutet dies, daß bereits die Distanzsinne im Organismus die der Manipulation angemessene Reaktion der Widerstandsempfindung auslösen können und tatsächlich auch auslösen. Das entfernte Objekt wird dann als antizipierter Kontaktwert wahrgenommen: wir *sehen* einem Ding seine Schwere, Härte, Wärme an.

Nun darf freilich gerade in Meads Zusammenhang keine bewußte Selbstwahrnehmung des von mir auf mich ausgeübten Drucks als primär angesetzt werden. Es handelt sich um eine Selbstwahrnehmung, die der Wahrnehmung der von mir erzeugten Laute analog ist. Damit diese auf Objekte übertragen werden und ein Gegendruck antizipiert werden kann, muß – so argumentiert Mead – die Grundform der Rollenübernahmefähigkeit bereits erworben worden sein. Nur Interaktionserfahrung läßt mir mein Gegenüber als Handelndes („Drückendes") erscheinen.

Wenn dies zutrifft, dann ist soziale Erfahrung Voraussetzung dafür, daß das Chaos sinnlicher Wahrnehmung zu „Dingen" synthetisiert werden kann. Mead erklärt damit auch, warum anfangs, d. h. im frühkindlichen und primitivkulturellen Bewußtsein, alle Dinge als belebte Partner nach dem Interaktionsschema wahrgenommen werden und erst später sich das soziale vom physischen Objekt differenziert. Die Konstitution permanenter Objekte wiederum ist Voraussetzung dafür, daß der Organismus sich von den anderen Objekten abgrenzt und als einheitlicher Körper selbstreflexiv ausbildet. Ich-Identität formt sich damit in einem einheitlichen Prozeß mit der Herausbildung der „Dinge" für den Handelnden.

Mead versucht also die soziale Konstitution von Dingen zu denken, ohne einem sprachphilosophisch verengten Bedeutungsbegriff anheimzufallen; er übernimmt es, die Bahnen der Entfaltung kommunikativer und instrumentaler Fähigkeiten zu verknüpfen und skizziert damit die Lösung des in anderen großen Konzeptionen instrumentalen Handelns, etwa bei Arnold Gehlen oder Jean Piaget, ungelösten Problems.

Mead entwickelt ansatzweise eine andere Formulierung derselben Konzeption in seinen um den Begriff der „Perspektive" sich ordnenden Arbeiten, die sich an die philosophischen Diskussionen über die Relativitätstheorie anschließen. Für ihn ist mit der Relativitätstheorie endgültig die Vorstellung überwunden, Perspektiven seien etwas bloß Subjektives. Sie sind vielmehr als subjektive selbst objektiv vorhanden. „Der Begriff der Perspektive als etwas in der Natur Gegebenes ist in gewissem Sinn ein unerwartetes Geschenk der kompliziertesten Physik an die Philosophie. Perspektiven sind weder Verzerrungen von irgendwelchen vollkommenen Strukturen noch Selektionen des Bewußtseins aus einer Gegenstandsmenge, deren Realität in einer Welt der Dinge an sich zu suchen ist."[4] Mead stellt sich dann die Frage, wie es möglich wird, daß der Mensch nicht seiner eigenen leibzentrierten Perspektive verfallen bleibt, sondern zwei oder mehrere Einstellungen *gleichzeitig* haben kann. Das Problem ist vor allem – und damit entgeht Mead relativistischen Konsequenzen aus dem Pragmatismus – wie der Mensch zur Universalität in der Erfassung des Gegenstands fähig wird. Mead begründet die Fähigkeit zum Perspektivenwechsel aus der Rollenübernahme, der Fähigkeit, sich in die Perspektive Anderer zu versetzen. In der Rollenübernahme sind zwei Perspektiven gleichzeitig in mir repräsentiert, die ich in ein vielseitigeres Bild des Gegenstands integrieren muß, ähnlich wie verschiedene „me"s synthetisiert werden müssen. Durch Versetzung in Andere und schließlich den generalisierten Anderen komme ich zu einem umfassenden Bild des Gegenstands, letztlich einer Rekonstruktion des Strukturzusammenhangs, der mich selbst und meine Perspektive enthält. Nicht nur die Konstitution der Dinge, auch die steigende Sachgemäßheit ihrer Erfassung sind dann an die Entwicklung der Identität gebunden. Deren Schädigung bedroht auch den freien Umgang mit den Dingen.

Meads Ethik und Moralpsychologie sind in seinem handlungstheoretischen und sozialpsychologischen Ansatz ebenso begründet, wie sie umgekehrt den einzelwissenschaftlichen Teilen von Meads Werk einen Wertrahmen vorgeben. Mead entwickelt den Ansatz seiner Ethik aus einer wechselseitigen Kritik der utilitaristischen und der Kantschen Ethik. Weder die bloße Orientierung am Ergebnis der Handlung noch an der Gesinnung des Handelnden allein sind für Mead eine befriedigende Lösung. Es geht ihm vielmehr gerade darum, sowohl das Fehlen der Frage nach den Motiven in der utilitaristischen Ethik wie die ungenügende Verknüpfung der Gesinnung mit den Zielen der Handlung und ihrem objektiven Erfolg bei Kant zu überwinden. Den Weg dazu findet er in einer Kritik der gemeinsamen psychologischen Basis beider Ethiken. Mead deutet die Trennung von Motiv und Objekt des Wollens als Folge des empiristischen Erfahrungsbegriffs und fügt hinzu, daß dieser auch untergründig Kants Begriff der Neigung charakterisiere. „Wir legen die Scheuklappen des Utilitaristen und Kantianers ab, wenn wir erkennen, daß das Verlangen auf das Objekt und nicht auf die Lust gerichtet ist. Sowohl Kant als auch die Utilitaristen sind im Grunde hedonistisch, da sie annehmen, unsere Neigungen seien auf unsere eigenen subjektiven Zustände gerichtet – auf die Lust, die sich aus der Befriedigung ergibt. Wenn das das Ziel ist, dann sind natürlich alle unsere Motive subjektiv. Aus der Sicht Kants sind sie schlecht, aus der des Utilitaristen sind sie für alle Handlungen gleich und somit neutral. Nach der modernen Auffassung ist aber das Motiv wertvoller, wenn das Objekt selbst wertvoller ist."[5] Mead führt seine Theorie der sozialen Konstitution der Objekte in die Ethik ein; er will damit über

Kants Begründung der Universalität aus der *Form* des Willens hinaus.

Der Zugang zu Meads Ethik ist von der heutigen Diskussion aus nicht leicht, da sein Ansatz den ganzen Zusammenhang in eigener Weise angeht. Er entzieht sich zunächst den Aporien der Diskussion über die Ableitbarkeit des Sollens vom Sein, indem er den Begriff des Werts in origineller Weise an den der Handlung anbindet. Er verknüpft den Wert eines Objekts mit der Bedürfnisbefriedigungsphase der Handlung; der Wert wird als Verpflichtung oder Wunsch erlebt. Was Mead zeigen will ist, daß sich die im Begriff des Werts ausgesprochene Relation nicht auf ein subjektives Werten oder auf eine objektive Wertqualität als solche einschränken läßt, daß sie sich vielmehr aus einer Beziehung von Subjekt und Objekt ergibt, die allerdings nicht als Erkenntnisbeziehung aufgefaßt werden darf. Die Wertbeziehung ist damit eine objektiv existierende Beziehung von Subjekt und Objekt, die sich von der Struktur der Wahrnehmung primärer oder sekundärer Qualitäten nicht durch ein höheres Maß an subjektiver Willkür unterscheidet, sondern lediglich durch ihren Bezug auf die Bedürfnisbefriedigungs- und nicht die Manipulations- oder Wahrnehmungsphase. Der Objektivitätsanspruch der (auf Wahrnehmung und Manipulation) bezogenen wissenschaftlichen Erkenntnis gilt deshalb für Mead selbstverständlich auch für das moralische Handeln. Das bedeutet nicht, daß Mead Ethik auf eine Wissenschaft unter anderen reduziert. Wissenschaft untersucht für ihn die Relationen von Zielen und Mitteln, Ethik die Relation der Ziele selbst.

Meads Ausgangspunkt ist der Gedanke, daß es weder eine sichere biologische Wurzel für moralisches Verhalten gibt noch ein festes Wertsystem, an dem sich Handeln immer orientieren könne. Biologisch determiniertes (auch moralähnliches Fürsorgeverhalten) oder normativ festgelegtes Verhalten liegen vor der eigentlich moralischen Situation, die dann entsteht, wenn verschiedene Motive und Werte der Handelnden in Konflikt geraten und im Licht antizipierter Resultate bewertet werden müssen. Im Mittelpunkt seiner Ethik steht die Analyse der moralischen Situation.

Die moralische Situation ist nach Mead, zugespitzt formuliert, eine Persönlichkeitskrise. Sie stellt die Persönlichkeit vor einen Konflikt bestimmter eigener Werte mit anderen eigenen Werten oder den Werten von Partnern, des generalisierten Anderen oder mit eigenen Impulsen. Dieser Konflikt legt das Handeln lahm; das unerwartete Problem führt der Tendenz nach zu einer Desintegration der alten Identität. Diese kann nur eigentätig überwunden werden, in schöpferischer und dabei immer riskanter Weise. Meads Ethik will deshalb auch nicht Regeln des moralischen Verhaltens vorschreiben, sondern die Situation der Notwendigkeit von *„moral discoveries"* (moralischen Entdeckungen) erläutern. Erwartungen und Impulse müssen umstrukturiert werden, damit die Reintegration der Identität und damit der Entwurf einer situationsangemessenen moralischen Strategie möglich wird. Gelingt dies, dann erreicht die Identität eine höhere Stufe, denn in ihr Verhalten ist jetzt die Berücksichtigung weiterer Interessen eingegangen.

Mead versucht, Stufen der Identitätsbildung als Stufen der moralischen Entwicklung und zugleich als Stufen der Entwicklung von Gesellschaft zur Herrschaftsfreiheit zu beschreiben. Der Orientierung an einem konkreten Anderen folgt die Orientierung an organisierten Anderen, an einer Gruppe. Über diese und über Konflikte zwischen verschiedenen generalisierten Anderen hinaus gehe die Orientierung an immer umfassenderen und zugleich vollkommeneren sozialen Einheiten und schließlich an einer universalistischen Perspektive, einem Ideal umfassender Entfaltung der Menschengattung. Zu dieser universalistischen Perspektive kommen wir durch den Versuch, alle auftauchenden Werte zu verstehen, doch diese nicht urteilsfrei-relativistisch nebeneinanderzustellen, sondern ihr jeweiliges Recht zu ermitteln und sie unter dem Aspekt der Dienlichkeit für die Herstellung einer universalen Kommunikations- und Kooperationsgemeinschaft zu bewerten. Umfassende Verständigung mit den Partnern in der moralischen Situation und rationales Verhalten als Orientierung an der Bedeutung für die Realisierung der idealen Gemeinschaft sind dann zwei Regeln der Lösung moralischer Situationen. Diese Perspektive hebt uns aus jeder konkreten Gemeinschaft heraus und führt dazu, alle gültigen Standards auf ihre Legitimität hin schonungslos zu befragen. In jeder moralischen Entscheidung steckt der Bezug auf eine bessere Gesellschaft.[6]

Der moralische Wert einer bestimmten Gesellschaft erweist sich daran, inwiefern in ihr ein vernünftiges Einigungsverfahren der

Gesellschaftsmitglieder und die Offenheit aller Institutionen für kommunikative Änderungen gegeben sind. Mead nennt eine solche Gesellschaft „Demokratie". Demokratie ist für ihn die institutionalisierte Revolution. Die Individuen gewinnen ihre Identität in ihr nicht durch Identifikation mit der Gruppe, der Gesellschaft als solcher im Kampf gegen innere oder äußere Feinde. Mead hat in mehreren Analysen einerseits die herrschaftsstabilisierenden und sozialintegrierenden Funktionen strafender Justiz, andererseits den Patriotismus als ethisches und psychologisches Problem untersucht. Beides erkennt er als funktionale Notwendigkeit einer Gesellschaft, in der nicht alle ihre Bedürfnisse öffentlich einbringen können und die deshalb der künstlichen Einheitlichkeit bedarf. Er übersieht dabei nicht, daß nationaler Patriotismus in der Überwindung partikularistischer Gruppenorientierungen fortschrittliche Wirkungen haben kann. Die Herstellung einer universalen Gemeinschaft hat für Mead durchaus nicht einfach den Charakter moralischer Forderung; er sieht ihre materiellen Grundlagen und spricht davon, daß sie erst dort realisierbar wird, wo ein tatsächlicher Handlungszusammenhang aller Menschen sich entwickelt: über den Weltmarkt.

Meads Geschichtsphilosophie geht nicht von einem gläubigen Vertrauen in die Vernünftigkeit der Evolution aus, wohl aber von einer emphatischen Vorstellung der Veränderbarkeit aller Institutionen, kreativer Individualität und prinzipieller Unbegrenztheit der Geschichte und der Möglichkeiten geschichtlichen Fortschritts. Er lehnt mit Verve nicht nur alle deterministischen Konzeptionen ab, in denen die Chancen menschlichen Handelns eliminiert werden, sondern ebenfalls die teleologischen, die ein festes Ziel der Geschichte als zu realisierende Utopie unterstellen. Für ihn fallen Hegels und Marx' Geschichtsphilosophie ebenfalls unter diesen Typus.

Beispielhaft für Meads Geschichtsphilosophie ist die Dynamik des wissenschaftlichen Fortschritts, auf die er immer wieder zurückkommt und zu der er wissenschaftstheoretisch wichtige Einsichten vorträgt.[7] Wissenschaftlicher Fortschritt ist für seine Geschichtsphilosophie deshalb zentral, weil er die Möglichkeit bietet, die Nicht-Prognostizierbarkeit der Zukunft logisch zu beweisen. Mead versucht zu zeigen, daß ein neues wissenschaftliches Paradigma sich aus dem alten prinzipiell nicht voraussagen lassen kann, sein Auftreten also zwar notwendig im Sinne einer Problemlösung, nicht aber im Sinne einer Kausalkette ist. Damit es zustande kommt, sind der individuelle Denker und seine kreativen Leistungen nötig. Nicht solipsistische Sinnesdaten sind sein Ausgangspunkt, sondern ein Konflikt seiner Erfahrung mit der in seiner Vorurteilsstruktur niedergelegten gesellschaftlich gültigen Weltdeutung. Er muß, will er auf seine Erfahrung nicht verzichten, zu ihrer Erklärung eine nicht bloß individuelle, sondern eine mit universalem Geltungsanspruch auftretende Hypothese erzeugen, welche freilich selbst wieder intersubjektiv zu werden hat. Sie muß kollektiv akzeptiert werden, ihren Erfolg im kollektiven Handeln beweisen.

Es geht Mead darum, die Konstitution der wissenschaftlichen Erfahrung in der alltäglichen freizulegen, gerade um die Wissenschaft weder irrationalistisch außer Kraft zu setzen noch szientistisch mit ihr die Dimension ästhetischen und wertenden Realitätsbezugs und eine gegenstandsangemessene Verwissenschaftlichung der Sozialwissenschaften zu verschütten. Dieses Problem gewinnt für Mead zusätzliche Aktualität aus den Tendenzen, die sich in der philosophischen Verarbeitung der Relativitätstheorie als wichtigster Entwicklung der Naturwissenschaft zeigen. Er beobachtet, wie die Relativitätstheorie einerseits relativistisch interpretiert wird und damit seine Grundorientierung auf vernünftige Einigung provoziert, wie sie andererseits in Gedanken an einen vierdimensionalen Raum-Zeit-Bezugsrahmen, die „Minkowskische Welt", die Idee einer Welt an sich, die einem unendlichen Bewußtsein statisch durchschaubar wäre, erneut hervorbringt und damit naturphilosophisch seine antideterministische Ausrichtung auf Veränderung der Welt und kollektive Konstitution des Weltbilds unterläuft. Dies erscheint ihm um so unhaltbarer, als in seinen Augen gerade die Relativitätstheorie die Chance böte, zur von der Wissenschaft selbst gezeitigten Bestätigung des pragmatistischen Wissenschaftsbegriffs zu werden und eine „dialektische" Konzeption der Nichteliminierbarkeit des Subjekts aus dem Forschungsprozeß zu liefern: Alfred North Whiteheads Interpretationen werden für Mead zum wichtigsten Punkt der Auseinandersetzung. Er billigt diesem die produktiven Ansätze zu, will aber dessen idealistische Konsequenzen umgehen. Es ist nicht möglich, diese durch Meads Tod unfertig gebliebene Auseinandersetzung hier angemessen darzustellen und zu interpretieren. Es sei nur darauf hingewiesen, daß Mead den Begriff der Perspektive bei Whitehead als die große Chance betrachtet, einen neuen Objektivitätsbegriff durch die Objektivierung des betrachtenden Subjekts zu erreichen; daß Meads lebenslanges Interesse an Aristoteles und anderen nicht-mechanistischen Theorien der Natur in die Rehabilitation qualitativer, nicht-quantifizierender Naturerfahrung mündet; daß seine Diskussion des Zeitbegriffs in der wissenschaftstheoretischen Diskussion ansetzt, aber zur Entwicklung eines rekonstruktiven Begriffs von Geschichte und Biographie weiterführt. Meads Spätwerk ähnelt in vielen Motiven dem Edmund Husserls, ohne dessen transzendentalphilosophische Ausrichtung zu teilen; es ähnelt dem Whiteheads, ohne sich dessen Kosmologie und Ideenlehre zu eigen zu machen.

3. Wirkung auf zeitgenössisches soziologisches Denken und auf die gegenwärtige internationale Soziologie

Meads Wirkung zu Lebzeiten erstreckte sich fast ausschließlich auf seine Studenten und einige Kollegen des Chicagoer Milieus sowie seinen Freund, den führenden pragmatistischen Philosophen John Dewey. Sie ist im einzelnen schwer zu rekonstruieren, da sich innerhalb dieses Milieus die Einflußbahnen der pragmatistischen Philosophie, der funktionalistischen Psychologie, der institutionalistischen Ökonomie, der empirischen Soziologie und der progressiven Sozialreform unentwirrbar verbanden.[8] In philosophiegeschichtlicher Hinsicht liegt Meads hauptsächliches Verdienst darin, eine pragmatistische Analyse sozialer Interaktion und individueller Selbstreflexion entwickelt zu haben. Mit eben dieser Leistung konnte er im Zeitalter der klassischen soziologischen Theorie dieser einen Ausweg bahnen aus unfruchtbaren Gegensätzen, wie dem von Individualismus und Kollektivismus. Die Einsicht in die Einheit von Individuation und Sozialisation bestimmt Meads Ort in der Geschichte der Soziologie.

Nach Meads Tod ist die Schule des „Symbolischen Interaktionismus" ausschlaggebend für seine soziologische Wirkungsgeschichte. Herbert Blumer, ein Student Meads, wurde zum Gründer und organisatorischen Mittelpunkt einer reichhaltigen soziologischen Forschungstradition in den USA, die sich theoretisch und methodologisch gegen die Dominanz der behavioristischen Psychologie, quantitativer Verfahren der empirischen Sozialforschung und vom Handeln der Gesellschaftsmitglieder abstrahierender Gesellschaftstheorien wandte. Diese Schule betonte dagegen die Offenheit gesellschaftlicher Strukturen, die kreativen Leistungen der Handelnden und die Notwendigkeit eines interpretativen Zugangs zu sozialwissenschaftlichen Daten. Für diese Schule wurde Mead zum Ahnherrn und Klassiker. Sein Werk wurde dabei allerdings nur fragmentarisch herangezogen und oft auch beträchtlich umgedeutet. In die dominante soziologische Theorie der Nachkriegszeit, die Theorie von Talcott Parsons, ging Meads Werk nur als eine der Konzeptionen ein, die den auch bei Durkheim, Freud und Cooley angelegten Gedanken der Verinnerlichung von Normen auszuarbeiten erlaubt; unter der Bezeichnung „Rollentheorie" wurde diese Konzeption aber äußerst einflußreich in vielen Teilgebieten der Soziologie. In den späten sechziger und frühen siebziger Jahren nahm die internationale Aufmerksamkeit auf den Symbolischen Interaktionismus und damit auch auf das Werk Meads stark zu.

In Deutschland hatte zuerst Arnold Gehlen Mead hohen Rang zugesprochen, freilich ohne sich mit dessen intersubjektivistischem Ansatz wirklich auseinanderzusetzen. Jürgen Habermas hatte zunächst bereits mehrfach auf die semiotische Überlegenheit von Meads Kommunikationstheorie und die Fruchtbarkeit Meads für sozialisationstheoretische Forschung hingewiesen, bevor er in seinem Hauptwerk, der *„Theorie des kommunikativen Handelns"* von 1981, ausführlich auf Mead einging und diesen zu einem der wichtigsten Inspiratoren des Paradigmenwechsels „von der Zwecktätigkeit zum kommunikativen Handeln" erklärte. Spätestens damit war Mead nicht mehr nur Ahnherr eines einzelnen soziologischen Ansatzes, sondern wurde zum Klassiker des Faches insgesamt.[9] Dafür spricht auch, daß sich Vertreter verschiedener konkurrierender Ansätze jetzt gründlich mit seinem Werk auseinandersetzten.[10] Die in Philosophie und öffentlichem Leben sich abspielende Renaissance des Pragmatismus hat allerdings bisher die Aufmerksamkeit eher auf Dewey als auf Mead gerichtet. In eigenen Arbeiten der letzten Jahre habe ich versucht, das Potential Meads und des amerikanischen Pragmatismus insgesamt für eine Revision der soziologischen Handlungstheorie, der Theorie von Normen und Werten und der Gesellschaftstheorie bzw. Makrosoziologie[11] auszuloten. Weit über den engeren Bereich qualitativ verfahrender mikrosoziologischer Forschung hinaus, für die der Symbolische Interaktionismus Mead vornehmlich in Anspruch genommen hatte, beweist sich m.E. damit das innovative Potential der pragmatistischen Sozialtheorie Meads.

Literatur

1. Werkausgaben

a) im Original:

Eine Ausgabe der gesammelten Schriften G. H. Meads existiert bis heute nicht. Die wichtigsten Buchpublikationen sind:

Mead, G. H. 1932, The Philosophy of the Present. Hrsg. von Arthur Murphy. La Salle. Ill.

Mead, G. H. 1934, Mind, Self, and Society. Hrsg. von Charles Morris. Chicago.

Mead, G. H. 1936, Movements of Thought in the Nineteenth Century. Hrsg. von Merrit Moore. Chicago.

Mead, G. H. 1938, The Philosophy of the Act. Hrsg. von Charles Morris u.a. Chicago.

Mead, G. H. 1964, Selected Writings. Hrsg. von Andrew Reck. Indianapolis.

Alle diese Ausgaben wurden nach der angegebenen Erstveröffentlichung immer wieder aufgelegt.

b) in deutscher Übersetzung:

Mead, G. H. 1968, Geist, Identität und Gesellschaft. Frankfurt a.M.

Mead, G. H. 1980 bzw. 1983, Gesammelte Aufsätze. Hrsg. von Hans Joas. 2 Bde. Frankfurt a.M.

2. Bibliographien

Umfassende Bibliographien der Primär- und Sekundärliteratur finden sich in den Monographien von Joas und Cook (siehe 3.)

3. Biographien/Monographien/Sammelwerke

Aboulafia, Mitchell, 1986, The Mediating Self: Mead, Sartre, and Self-Determination. New Haven, Conn.

Cook, Gary Allan, 1993, G. H. Mead. The Making of a Social Pragmatist. Urbana, Ill.

Joas, Hans, 1980, Praktische Intersubjektivität. Die Entwicklung des Werkes von George Herbert Mead. 3. Aufl. 2000. Frankfurt a.M.

Joas, Hans, Hrsg., 1985, Das Problem der Intersubjektivität. Neuere Beiträge zum Werk George Herbert Meads. Frankfurt/Main.

Miller, David L., 1973, G. H. Mead. Self, Language, and the World. Austin, Tex.

Wenzel, Harald, 1990, G. H. Mead zur Einführung. Hamburg.

Anmerkungen

1 George Herbert Mead, Die objektive Realität der Perspektiven, in: ders., Gesammelte Aufsätze, Bd. 2, Frankfurt a. M. 1983, S. 211–224, hier S. 218.

2 Wundts Begriff der „Lautgebärde" wurde von Mead als „vocal gesture" ins Englische übersetzt; der deutsche Übersetzer von Mead (1968) machte daraus, weil er den Zusammenhang nicht erkannte, „stimmliche Geste". Diese Formulierung hat sich seither in Deutschland durchaus eingebürgert. Ich verwende abwechselnd „Lautgebärde" und „stimmliche Geste".

3 Vgl. dazu auch George Herbert Mead, Das physische Ding, in: ders., Gesammelte Aufsätze, Bd. 2, a. a. O., S. 225–243; Hans Joas, Praktische Intersubjektivität, Frankfurt a. M. 1989[2], S. 143–163.

4 George Herbert Mead, Die objektive Realität der Perspektiven, a. a. O., S. 213.

5 George Herbert Mead, Geist, Identität und Gesellschaft, Frankfurt a. M. 1968, S. 435.

6 Vgl. George Herbert Mead, Die Philanthropie unter dem Gesichtspunkt der Ethik, in: ders., Gesammelte Aufsätze, Bd. 1, Frankfurt a. M. 1980, S. 399–416. Vgl. zur Weiterentwicklung dieser Werttheorie Hans Joas, Die Entstehung der Werte, Frankfurt a. M. 1997.

7 Vgl. z. B. George Herbert Mead, Wissenschaftliche Methode und individueller Denker, in: ders., Gesammelte Aufsätze, Bd. 2, a. a. O., S. 296–336.

8 Hans Joas, Von der Philosophie des Pragmatismus zu einer pragmatistischen Handlungstheorie, in: ders., Pragmatismus und Gesellschaftstheorie, Frankfurt a. M. 1992, S. 23–65.

9 Jürgen Habermas, Theorie des kommunikativen Handelns, Bd. 2, Frankfurt a. M. 1981.

10 Z. B. Jeffrey Alexander, Twenty Lectures. Sociological Theory after 1945, New York 1987, S. 195–214; Randall Collins, Toward a Neo-Meadian Sociology of Mind, in: Symbolic Interaction 12, 1989, S. 1–32.

11 Vgl. v. a. Hans Joas, Die Kreativität des Handelns, Frankfurt a. M. 1996[2].

Dirk Kaesler

Max Weber
(1864–1920)

Max Weber war kein Soziologe im heutigen Verständnis dieser wissenschaftlichen Disziplin. Weder sein Konzept von „Sozialökonomik" noch sein Entwurf einer „Verstehenden Soziologie" wurden konsensfähige Programme der modernen Fachsoziologie. Sein Selbstverständnis als das eines universalgebildeten Gelehrten, der sich politisch beratend und publizistisch kommentierend engagiert, wird heute von vielen als anachronistisch belächelt. Sein Verständnis von Wissenschaft und Universität als den letzten, schon zu seiner Zeit massiv bedrohten, Revieren bürgerlicher Freiheiten und individueller Selbsterziehung wird heute leicht als Relikt vergangener Zeiten verächtlich gemacht.

Dessen ungeachtet, gibt es viele Stichworte, die mit dem Namen Max Weber assoziiert werden und die zum heutigen Kernbestand der internationalen Soziologie zählen. Besonders für eines dieser Stichworte kann Max Weber den geradezu sakrosankten Platz eines internationalen Säulenheiligen der Soziologie für sich reklamieren: das der *„Rationalisierung"*. Damit wird jener große ideengeschichtliche Zusammenhang angesprochen, mit dem Webers Vision der Moderne chiffriert zu werden pflegt. Das Konzept der zunächst okzidentalen, dann universalen „Rationalisierung", für das Max Weber heute so bekannt geworden ist, stand allerdings keineswegs als Leitthema über dem größten Teil seines Werkes.

1. Wer von Max Webers „Theorie der Rationalisierung" reden will, darf vom Kapitalismus nicht schweigen

Um den äußeren und inneren Weg des heutigen soziologischen Klassikers Max Weber, der zum Markenzeichen einer ihm zugeschriebenen „Theorie der Rationalisierung" gemacht wurde, zu verstehen, muß man ihn sowohl biographisch als auch werkgeschichtlich in den großen Figurationszusammenhang der kapitalistischen Weltwirtschaft im Verlauf des 19. Jahrhunderts einbetten. Diese Figuration war die Schöpfung eben jener kosmopolitischen Bourgeoisie, der Max Weber selbst entstammte.

Karl Emil *Maximilian* Weber wurde am 21. April 1864 im thüringischen Erfurt in die vermeintlich heile Welt seiner großbürgerlichen Gesellschaftsschicht geboren, in eine Welt des ökonomischen, politischen, gesellschaftlichen, kulturellen und technologischen Aufstiegs. Als er 56 Jahre später in München am 14. Juni 1920 starb, lagen die äußere Macht und die innere Ordnung des von ihm so überaus geliebten Vaterlandes in Trümmern, von dem er noch im Januar 1919 sagte: „zur Wiederaufrichtung Deutschlands in seiner alten Herrlichkeit würde ich mich gewiß mit jeder Macht der Erde und auch mit dem leibhaftigen Teufel verbinden" (vgl. Mommsen 1974, S. 536)

Mit einer Kombination aus erheblichem materiellen Reichtum, erlesener abendländischer Bildung und kosmopolitischen gesellschaftlichen Beziehungen konnte Max Weber es schwerlich besser getroffen haben. Eingebettet in ein weitverzweigtes familiales Umfeld, entstammte der Erstgeborene einer der reichsten deutsch-englischen Kaufmannseliten des 19. Jahrhunderts. Sein Großvater väterlicherseits war ein weitdenkender Textilunternehmer mit internationalen Handelsbeziehungen. Sein Großvater mütterlicherseits entstammte einer der erfolgreichsten deutsch-englischen Handelsfamilien. Sein Vater gehörte als langjähriger Abgeordneter der Nationalliberalen Partei im Preußischen Abgeordnetenhaus und als langjähriges Mitglied des Deutschen Reichstags zu den erfolgreicheren Berufspolitikern des Wilhelminischen Deutschland. Seine Mutter konnte als Dame der guten europäischen Gesellschaft und als vermögende Erbin mit großem Selbstbewußtsein auftreten, wo immer sie sich bewegte.

Trotz vielfältiger familialer Verflechtungen in die kosmopolitische europäische Bourgeoisie prägte sich der Habitus Max Webers nach den Vorgaben des sozialen Feldes des Berliner Großbürgertums um die Wende vom 19. zum 20. Jahrhundert. Zu dessen unausgesprochenen Selbstverständlichkeiten gehörten der lutherisch gefärbte Glaube an die staatliche Autorität der preußisch dominierten Monarchie, der ungezwungene gesellschaftliche Verkehr mit dem jüdischen Besitz- und Bildungsbürgertum der Reichshauptstadt, der Glaube an die Bestimmung der Rechtspflege als zentraler Aufgabe des Staates, der in der Allianz mit dem staatlich gepflegten Protestantismus Sittlichkeit und Sicherheit garantierte. Sich selbst scharfsichtig analysierend, wußte Weber sehr genau um seine Verortung im System der Lebensstile mit ihren spezifischen Denk-, Wahrnehmungs- und Beurteilungsschemata: „Ich bin ein Mitglied der bürgerlichen Klassen, fühle mich als solches und bin erzogen in ihren Anschauungen und Idealen." (MWG I, Bd. 4.2 , S. 568)

Dem verinnerlichten kulturellen Kapital der vereinigten Clans der Familien Weber, Fallenstein, Jolly, Souchay und Benecke konnten die Etappen der formalen Erziehung Max Webers in einer Charlottenburger Privatschule und dem dortigen städtischen Gymnasium nichts wesentliches hinzufügen. Auch das konventionelle Universitätsstudium der Jurisprudenz, Nationalökonomie, Agrargeschichte, Philosophie und Theologie an den Universitäten Heidelberg (1882/83), Berlin (1884/85) und Göttingen (1885/86), sowie die Examina als Jurist (1886) und die dazugehörige Promotion (1889) und Habilitation (1891) lassen den jungen Referendar, Doktoranden und Privatdozenten Max Weber als Prototyp seiner sozialen Herkunft und des dadurch erzeugten Habitus erscheinen. Auch seine Zugehörigkeit zur studentischen „Burschenschaft Allemania zu Heidelberg" und die freiwillige Ausbildung zum Reserveoffizier gehören zum Reservoir des standardisierten Lebenslaufs eines jungen Mannes aus „gutem Hause". Abgesichert im Binnenmilieu des exklusiven gesellschaftlichen Umgangs innerhalb der weitläufigen Verwandtschaft mit ihren Honoratioren, Unternehmern, Bankiers, Professoren und den dazugehörigen Gattinnen, spielten sich selbst Max Webers zaghafte Gefühlsbeziehungen fast ausschließlich im Kreis der erweiterten Großfamilie ab.

Stellt der umfassende gesellschaftliche Kontext der kapitalistisch werdenden Gesellschaft des Deutschen Reiches seit dessen Gründung 1871 den biographischen Lebensraum dar, in dem der Erstgeborene geprägt wird, so bildet die wissenschaftliche Auseinandersetzung Max Webers mit den *Folgen des Kapitalismus* das durchgehende Leitmotiv seines Universitätsstudiums und der folgenden Phasen von Promotion, Habilitation, Privatdozentur (1892) und lückenlos anschließender erster Professur (1893).

Sich zu Beginn des Wilhelminischen Kaiserreichs wissenschaftlich mit den Auswirkungen des Kapitalismus auseinanderzusetzen war für einen Studenten der Staatswissenschaften nicht sonderlich originell. Der Kapitalismus war die prägende Erscheinungsform des sich industrialisierenden Wilhelminischen Deutschlands in jener „Gründerzeit", an der Webers unmittelbare männliche Vorfahren erheblichen Anteil hatten und gegen dessen Verwerfungen in Form der „Sozialen Frage" seine weiblichen Vorfahren ihr philanthropisch linderndes Werk zu verrichten suchten.

Der Frage nach den Auswirkungen des Kapitalismus in unterschiedlichen historischen Phasen, in der Antike, im Mittelalter und im zeitgenössischen Wilhelminischen Deutschland, wissenschaftlich nachzugehen, beeindruckt heute als staunenswürdige Interessenbreite, gehörte jedoch zu jener Zeit zum konventionellen Spektrum staatswissenschaftlicher Fragestellungen. Es war dies das beherrschende Thema der nationalökonomischen Klassiker wie Adam Smith, David Ricardo und Karl Marx gewesen, es war das Leitthema der akademischen Lehrer Max Webers (Karl Knies, August Meitzen, Levin Goldschmidt), es war das alles überragende Vorzeichen der Aktivitäten des „Vereins für Socialpolitik", es war exakt jenes Thema, das die Kollegen und Freunde aus seiner Generation behandelten, wie Werner Sombart, Ernst Troeltsch und Friedrich Naumann. Als originell könnte man allenfalls Max Webers Art der Behandlung dieses zeitgemäßen Themas bewerten. So etwa, wenn er als Spezialist für die Geschichte der Spätantike, des modernen Handelsrechts und der zeitgenössischen Staatsrechtslehre den Untergang des Römischen Reichs als Folge agrarkapitalistischer Mißwirtschaft zu erklären sucht, wenn es ihm durchgängig um eine Vermittlung von Römischem Recht und Deutschem Recht zu tun ist oder wenn er seine massive politische Kritik am vom Kapitalismus verursachten Verhalten der aristokratischen Großgrundbesitzer im ostelbischen Deutschland vorträgt.

Diese persönlichen Akzente im konventionellen Themenbereich zeigten sich insbesondere bei seinem Engagement im „Verein für Socialpolitik", für den er im Rahmen der *Landarbeiter-Enquête* die Ergebnisse aus den ostelbischen Gebieten auszuwerten hatte; sie zeigten sich in seiner Habilitationsschrift über *Die römische Agrargeschichte* und in seinem intensiven Engagement im Milieu des reformerischen „Evangelisch-Sozialen Kongresses". Diese Akzente, die dem jungen Max Weber eine Reputation als

Agrarexperte mit nationalistischem Pathos verschafften, scheinen zweckdienlich geworden zu sein, dem 29jährigen für Römisches Recht und Handelsrecht habilitierten Juristen eine Berufung auf einen renommierten Lehrstuhl für Nationalökonomie und Finanzwissenschaft an der Universität Freiburg zu sichern. Mit seiner Antrittsrede *Der Nationalstaat und die Volkswirtschaftspolitik* vom Mai 1895 erregte er nicht nur weit über die akademische Öffentlichkeit hinaus Aufsehen, sondern sie schob ihn gleichzeitig auch in das Rampenlicht der großen politischen Kontroversen seiner Zeit.

Webers zunehmendes praktisch-politisches Engagement war zweifellos auch für seinen nächsten Karriereschritt hilfreich: die Berufung zum Nachfolger seines eigenen Lehrers, Karl Knies, auf dessen Lehrstuhl für Nationalökonomie und Finanzwissenschaft an der Universität Heidelberg im Jahr 1896.

Bekannt ist die biographische Quittung für diesen steilen Weg, den Max Weber selbst für einen notwendigen und erfolgreichen hielt: Die auf rastlose Selbstausbeutung angelegte Antriebsmaschine des vom äußeren Erfolg verwöhnten politischen Gelehrten Max Weber setzte aus und versagte ihm den routinehaften Dienst. Eine alptraumartige Odyssee durch Phasen völliger Erschöpfung, tiefer Depressionen und monatelanger Aufenthalte in psychiatrischen Sanatorien fesselte ihn während der Jahre 1897 bis etwa 1904.

2. Wer vom Kapitalismus reden will, darf vom Protestantismus nicht schweigen

Ab etwa 1901 nimmt Weber seine wissenschaftliche Arbeit wieder auf, anfänglich während längerer Aufenthalte im von ihm geliebten Italien. Angestoßen durch die lebensweltliche Erfahrung des italienischen Katholizismus und durch die Wiederaufnahme systematischer wissenschaftlicher Lektüre, beschäftigt ihn zunehmend die Frage nach Geschichte, Verfassung und Wirtschaft der christlichen Klöster.

Im Oktober 1903, mit 39 Jahren, scheidet Max Weber aus Gesundheitsgründen endgültig aus dem universitären Lehramt: er wird Heidelberger Honorarprofessor mit Lehrauftrag ohne Promotionsrecht und ohne Mitspracherecht in seiner Fakultät. Fast bis zu seinem Lebensende lebt er als freischaffender Privatgelehrter, der seinen materiellen Unterhalt aus den Kapitalerträgen seiner Mutter und seiner Ehefrau bestreitet. Befreit von den ihn immer bedrückenden Amtspflichten des Lehrens und der Mitwirkung an der universitären Selbstverwaltung, konzentriert er sich nun ganz auf seine wissenschaftlichen Arbeiten.

In dieser Phase, in der sich Weber immer vehementer der Frage nach den *Ursprüngen des Kapitalismus* zuwendet, betrachtet er sein eigenes Forschen nicht als prinzipielle Alternative oder gar als Gegenentwurf zur auch für ihn wichtigen Antwort von Karl Marx. Ihm geht es um eine ergänzende Korrektur sowohl der zu seiner Zeit dominierenden, stärker „materialistischen", „ökonomischen" Erklärungen als auch der ausschließlich historistischen Erklärungen der Ursprünge des Kapitalismus. Akzentuiert richtet sich Webers Fragestellung auf die *ideellen Grundlagen der kapitalistischen Organisation* der ökonomischen und gesellschaftlichen Ordnung.

Gerade bei den Weberschen Studien zur Kulturbedeutung des Protestantismus und insbesondere dessen Bedeutung für die Gestaltung jener Wirtschaftsethik, die Weber als „Geist des Kapitalismus" bezeichnete, ist es immer wieder nötig, sich auf den soziologischen Kern des Arguments zu besinnen. In den Aufsätzen aus den Jahren 1904 bis 1906, bis heute seine populärsten Schriften, vertritt Weber das komplex hergeleitete und differenziert begründete Argument einer „Wahlverwandtschaft" zwischen bestimmten Versionen und lebenspraktischen Maximen des Protestantismus und dem okzidentalen, modernen und „rationalen Betriebskapitalismus". Im ideellen Humus des sektenartig organisierten Protestantismus und des Calvinismus glaubte Max Weber wesentliche Wurzeln dieses modernen Kapitalismus ausmachen zu können.

Unmittelbar nach ihrer Publikation erregten die Weberschen Arbeiten über den „Geist des Kapitalismus" großes Aufsehen und führten zu einer Kette von Aufsätzen, auf die er teilweise mit „Repliken" reagierte. Zentrales Monitum solcher Kritiken an Weber war insbesondere seine angebliche Überbewertung religiöser Ideen, man suchte ihn zu einem „Idealisten" und damit einem Opponenten „materialistischer" Positionen zu stilisieren.

Die famosen Aufsätze *Die protestantische Ethik und der ‚Geist'
des Kapitalismus* (1904/05), in denen er der Frage sowohl nach
den soziostrukturellen als auch nach den ideellen Ursprüngen des
modernen Kapitalismus nachging, waren bereits publiziert, als
Weber sich dem Erlebnis Amerika aussetzte, jener Kultur also, in
der der moderne, rationale Betriebskapitalismus seine bis dahin
größte Entfaltung zeigen konnte.

Im Herbst 1904 fährt Max Weber zum „International Congress
of Arts and Science", der anläßlich der Weltausstellung in St.
Louis durchgeführt wurde. Zusammen mit seiner Frau Marianne
und anfänglich auch mit dem gemeinsamen Freund, dem Theolo-
gen und Kulturtheoretiker Ernst Troeltsch, bereist er von August
bis Dezember einen erheblichen Teil der USA. Zu den starken
Eindrücken, die er auf dieser Fahrt für seine anschließenden Arbeiten gewann, gehörten insbesondere die unmittelbare Begegnung mit diversen protestantischen Sekten, die Wahrnehmung der
Organisationen der politischen „Maschinerie" und der Stellung
des amerikanischen Präsidenten, die direkte Auseinandersetzung
mit der US-amerikanischen Frauenbewegung, mit der „Rassen-
frage", mit der Bürokratisierung der privatwirtschaftlichen und
staatlichen Bereiche in den USA. Das Erlebnis Amerika wurde für
Max und Marianne Weber ein Ausflug in die Moderne, vor deren
Hintergrund manche Züge der zeitgenössischen Gesellschaft der
alten Welt beiden in grellerem Licht erschienen.

Als Max Weber, zusammen mit Edgar Jaffé und Werner Sombart, die Redaktion des *Archivs für Sozialwissenschaften und Sozialpolitik* im Jahr 1903 übernahm, das sich zur führenden deutschen sozialwissenschaftlichen Zeitschrift jener Zeit entwickelte,
verhalf ihm das zu einem bedeutsamen Sprachrohr seiner Vorstellungen. Ein Jahr später, im selben Jahr wie die Protestantismus-
Aufsätze, erscheint dort Webers berühmter Artikel über *Die ‚Objektivität' sozialwissenschaftlicher und sozialpolitischer Erkenntnis*.
Darin stellt er programmatisch seinen Ansatz eines sozial-ökonomischen Erkenntnisinteresses einer erfahrungswissenschaftlichen
„Wirklichkeitswissenschaft" vor: eine kritisch-rationale Wissen-
schaftsvariante skeptischen Zuschnitts, die sich gleichermaßen abgrenzt von einseitig „materialistischen", von naiv-positivistischen
und von metaphysischen Auffassungen. In dieser fulminanten
Skizze seiner angezielten „Pflege der ökonomischen Geschichts-

interpretation" sozialer Erscheinungen und Kulturvorgänge wurden erstmals explizit seine ausgearbeiteten Konzepte der „Wertfreiheit", der „Wertbeziehung" und des „Idealtypus" präsentiert.

3. Wer vom protestantisch geprägten Kapitalismus reden will, darf vom Prozeß der Rationalisierung nicht schweigen

Zuerst, als Folie für seine Interpretation der Ursprünge des von ihm in seinen Protestantismus-Studien angedeuteten Siegeszuges des okzidentalen, rationalen Betriebs-Kapitalismus, wendet sich Max Weber ab etwa 1911 bis 1914 den einflußreichsten außereuropäischen Weltreligionen zu, die er als die bedeutsamsten „Systeme der Lebensreglementierung" der Mehrheit der Menschen betrachtet. Er beginnt diese Studien als Vergleichsmaßstab für seine These von der entscheidenden Bedeutung der säkularisierten protestantischen Version des christlichen Glaubens für die Formation der ideellen Voraussetzungen des modernen okzidentalen Kapitalismus.

Im Zuge seiner intensiven und jahrelangen Beschäftigung mit den chinesischen Religionen (Konfuzianismus und Taoismus), den indischen Religionen (Hinduismus und Buddhismus) und dem Antiken Judentum verändert sich Webers ursprüngliche Fragestellung nach Auswirkungen und Ursprüngen des Kapitalismus. Methodisch geht er nach jenem Schema vor, dessen Brauchbarkeit er an seinen Protestantismus-Studien erprobt hatte: Auf die Darstellung der sozio-ökonomischen Konstellationen, in denen sich die jeweilige Weltreligion etablierte, folgt die Analyse der dominanten „Trägerschichten" der jeweiligen Orthodoxie und der jeweiligen Heterodoxien, die dann nach den jeweiligen Lebensorientierungen hin untersucht werden, wobei Weber besonderes Gewicht auf die Orientierungen des ökonomischen Handelns legt.

Was Weber selbst als Kontrolluntersuchung anfing, vom Motto geleitet: „Wo kein Protestantismus, kein Kapitalismus?", entwickelte sich zunehmend zur immer weiter ausufernden und letzten Endes unvollendeten Untersuchung der universalhistorischen Prozesse der *Rationalisierung aller Lebensbereiche in allen Kulturen und zu allen Zeiten.* Und das heißt für Weber vor allem die Rationalisierung der menschlichen Lebensführung.

Im Zuge seiner jahrzehntelangen Teilstudien über die Ursprünge und Wirkungen des Kapitalismus gelangt Weber allmählich zur Vorstellung einer universalhistorisch wirksamen, übergreifenden Entwicklung: der Rationalisierung. Bei seinen Untersuchungen über Voraussetzungen und „Kulturbedeutung" dieser Entwicklung verfolgt Weber deren Manifestationen – interkulturell und diachron – in allen nur denkbaren Ausschnitten gesellschaftlicher und historischer Wirklichkeit, wie Wirtschaft, Politik, Recht, Religion und Kultur. Rationalisierung, als das „Schicksal unserer Zeit", war dabei die gemeinsame Formel Webers für jene zahlreichen, und keineswegs immer identischen, Teilprozesse, die er abwechselnd „Bürokratisierung", „Industrialisierung", „Intellektualisierung", „Entwicklung des rationalen Betriebskapitalismus", „Spezialisierung", „Versachlichung", „Methodisierung", „Disziplinierung", „Entzauberung", „Säkularisierung" oder „Entmenschlichung" nannte.

Schon durch die Vielfalt dieser Bezeichnungen wird deutlich, daß Weber höchst heterogene Phänomene aus sehr divergenten Perspektiven unter die von ihm gewählte Kategorie „Rationalisierung" zu ordnen suchte, weswegen es als wenig sinnvoll erscheint, „das" Konzept „der" Rationalisierung bei Max Weber zu formulieren. Mit Ausnahme der berühmten *Vorbemerkung* (1920) zum ersten Band der *Gesammelten Aufsätze zur Religionssoziologie* (GAzRS I, S. 1–16) gibt es jedoch keinen Text Webers, in dem er selbst etwas derartiges systematisch zu fassen suchte.

Wesentlich plausibler erscheint es, Webers „Theorie" „der" „Rationalisierung" als ein eher ungewolltes, ihn selbst immer stärker beunruhigendes gedankliches Produkt seiner zahlreichen Einzelforschungen zu sehen. Dennoch läßt sich genug über die allgemeinen Grundzüge der Weberschen Vision von einem Prozeß der „Rationalisierung" sagen, der die ganze Menschheit zu erfassen droht. Auf der allgemeinsten Ebene heißt „Rationalisierung" für und bei Weber immer erst einmal Ordnung, Systematisierung. Eine unübersichtliche, chaotische Gruppe von Einheiten mit prinzipiell unendlich vielen Verbindungen untereinander wird geordnet nach Kriterien, die von Menschen gesetzt werden. Das Ergebnis solchen systematischen Ordnens führt zu jenem Prozeß, den Weber „Rationalisierung" nennt. Das Setzen einer solchen Ordnung kann dabei einmal durch die Handelnden selbst geschehen, zum anderen jedoch durch den analysierenden Wissenschaftler.

Im Laufe seiner zahlreichen Studien und Entwürfe wurde Max Weber zunehmend mehr davon überzeugt, daß dieser von ihm so genannte historische Prozeß der „Rationalisierung" als eines systematischen Ordnens einer sei, der aufs Ganze gesehen universal und unaufhaltsam sei. Als er die Ergebnisse seiner Lektüre und seines Nachdenkens in die großen Materialsammlungen der *Gesammelten Aufsätze zur Religionssoziologie* und von *Wirtschaft und Gesellschaft* zu integrieren suchte, glaubte er immer deutlicher, ein Zusammenströmen der verschiedensten Motive, Interessen, Ideen und Faktoren erkennen zu können, die erst zusammengenommen diesen universalen Prozeß der „Rationalisierung" als schicksalhaft, unausweichlich, unentrinnbar erscheinen lassen.

Entworfen hatte er die Hypothese der „Rationalisierung" zuerst für Bereiche, die ihm als eher geeignet für Ansätze von Systematisierung und Ordnung erschienen: für die Bereiche der Wirtschaft, des Rechts, der Technik, der Wissenschaft, der staatlichen Ordnung, d.h. für die „äußere Organisation" der Welt. Bei der Ausarbeitung seiner These von der Rationalisierung für eben diese Lebensbereiche befaßte sich Weber vor allem mit drei Fragestellungen, die im wesentlichen immer gleichartig blieben:

1. Warum hat nur das „Abendland", der „Okzident", eine spezifisch „rationale" Kultur von universalhistorischer Tragweite entwickelt? Warum gab es einen ähnlichen Rationalisierungsprozeß nicht auch im außereuropäischen Raum, besonders in Asien, wo doch weitaus ältere und differenziertere Kulturen als im Okzident existierten?

2. Warum entstanden gerade und nur im neuzeitlichen Westeuropa eine „rationale" Wissenschaft und Technik, ein „rationaler" Betriebskapitalismus, eine „rational"-bürokratische Organisation des Staates?

3. Welche Vorteile für die jeweilige Gesellschaft und einzelne Gruppen in ihr brachte diese „Rationalisierung", und welcher Preis wurde von der Gesellschaft, von sozialen Gruppen, und vom einzelnen Individuum für diese Entwicklung gefordert und gezahlt?

Gerade weil Weber davon überzeugt war, daß sich diese Entwicklung tatsächlich vollzog, wandte er sich zunehmend intensiver auch und gerade jenen Bereichen zu, die üblicherweise als eher „irrational" eingeordnet werden, wie Religion, Ethik, Kunst, Kultur, Sexualität. Es sind dies jene Bereiche, die die „innere Organisation" der Welt regeln. Sie gelten gemeinhin als diejenigen Ausschnitte menschlicher, sozialer und historischer Wirklichkeit, die sichere Domänen der überraschenden Ideen, des spontanen Einfalls, der übernatürlichen Wirkkräfte, des Geheimnisvollen, Unerklärlichen sind, kurz: des Irrationalen, Ungeordneten, Chaotischen.

Aber es passierte wiederum: Auch hier sieht und konstatiert Weber überall sozio-kulturell vermittelte Ordnungsvorgänge, die er unter „Rationalisierung" faßt. So untersucht er die spezifische „Rationalität" der abendländischen Musik, deren Notensystem, Harmonielehre, Instrumententechnik ihm den Beweis zu bieten scheinen für die allmähliche Auflösung mystischer und „irrationaler" Qualitäten in der Kunst bzw. der Kunstausübung und für deren Ersetzung durch „rationale" Muster. Er analysiert die unterschiedlichsten Religionen, Sekten und Heilsüberzeugungen quer durch die Zeiten und Kulturgebiete, und überall beobachtet er die vermeintlich eindeutigen Zeichen einer zunehmenden „Rationalisierung" der magischen Zauberei bis hin zu systematisch-rationalen Theologien und Kirchen. Rationalisierungsprozesse findet Weber hier sowohl in den Inhalten der Theologien als auch in ihrer Organisation, beispielsweise der Entwicklung von Sekten zu Kirchen. Sogar die historische Entwicklung des sexuellen Verhaltens der Menschen, dieser doch so vermeintlich individuellen und allein animalischen Triebfeder menschlichen Handelns, sieht er als Objekt gesellschaftlich bedingter Rationalisierungsprozesse.

Wohin Max Weber auch griff, überall sah er die unwiderlegbaren Indizien der großen welthistorischen Prozesse der Rationalisierung. Dabei stellt er die von ihm konstatierten und untersuchten Prozesse des Vordringens der Rationalisierung keineswegs als unilinear, gesetzmäßig ablaufende Entwicklungen dar. Sowohl seine wiederholten Feststellungen, daß historische Wirklichkeit sich nur als Mischungsverhältnis idealtypischer Konstruktionen analytisch beschreiben läßt, als auch die immer wiederkehrende

Betonung von gegenläufigen Entwicklungen, beispielsweise der Pendelbewegungen von „Ratio" und „Charisma" für den Bereich der Herrschaft, sollten genügen, aus Weber keinen Propagandisten blinder Fortschrittseuphorie zu machen.

4. Wer vom Prozeß der Rationalisierung reden will, darf von der Entmenschlichung durch die Bürokratie nicht schweigen

Jemand wie Max Weber, der die Frage nach den „Kosten" der von ihm rekonstruierten Rationalisierungs-Prozesse stellt und sie skeptisch-pessimistisch beantwortet, kann die von ihm untersuchte „Rationalisierung" aller menschlichen Lebensbereiche nicht allein als positiv und erstrebenswert schildern, um derart eine „Apologie des bürgerlichen Zeitalters" zu liefern. Seine tiefe Skepsis und seine Befürchtungen der „Irrationalitäten" der von ihm wahrgenommenen Entwicklungen ließen ihn gleichermaßen scharfsichtig die Effektivitätssteigerung erkennen als auch deren weitreichende „Entmenschlichung", „Versachlichung", „Verunpersönlichung", „Entseelung". Diese skeptisch ambivalente Sichtweise machen diesen Theoretiker der Rationalisierung des Irrationalen, der ebenso die Irrationalität der Rationalisierung betonte, über den Vorwurf erhaben, zum Apologeten der von ihm analysierten Entwicklungen geworden zu sein.

Illustrativ sei an seine Untersuchungen über den Rationalisierungseffekt der protestantischen Ethik erinnert: Kritisch ist Weber hier nicht den Motiven der Suche nach Heilsgewißheit jener protestantischen Gläubigen gegenüber, sondern hinsichtlich der Konsequenzen dieser Heilssuche, die im gnadenlosen und grenzenlosen Erwerbsstreben endeten.

Und so muß es als unverändert aktuelles Vermächtnis des soziologischen Klassikers Weber gelesen werden, wenn er seine berühmte Vision vom Drohen des „stahlharten Gehäuses" der Hörigkeit verkündet. Ausgangspunkt dieser Vision ist seine Analyse der Hauptwirkung der puritanischen Ethik bei der Herausbildung einer rationalen Lebensführung auf der Grundlage einer Berufsidee, die aus dem Geist der innerweltlichen Askese entstanden war. Und diese Idee war es, die nach Weber konstitutiver Bestandteil des modernen kapitalistischen Geistes und der modernen

Kultur wurde: „Denn indem die Askese aus den Mönchszellen heraus in das Berufsleben übertragen wurde und die innerweltliche Sittlichkeit zu beherrschen begann, half sie an ihrem Teile mit daran, jenen mächtigen Kosmos der modernen, an die technischen und ökonomischen Voraussetzungen mechanisch-maschineller Produktion gebundenen Wirtschaftsordnung erbauen, der heute den Lebensstil aller einzelnen, die in dies Triebwerk hineingeboren werden – nicht nur der direkt ökonomisch Erwerbstätigen –, mit überwältigendem Zwange bestimmt und vielleicht bestimmen wird, bis der letzte Zentner fossilen Brennstoffs verglüht ist. Nur wie ‚ein dünner Mantel, den man jederzeit abwerfen könnte‘, sollte nach Baxters Ansicht die Sorge um die äußeren Güter um die Schultern seiner Heiligen liegen. Aber aus dem Mantel ließ das Verhängnis ein stahlhartes Gehäuse werden. Indem die Askese die Welt umzubauen und in der Welt sich auszuwirken unternahm, gewannen die äußeren Güter dieser Welt zunehmende und schließlich unentrinnbare Macht über den Menschen, wie niemals zuvor in der Geschichte. Heute ist ihr Geist – ob endgültig, wer weiß es? – aus diesem Gehäuse entwichen. Der siegreiche Kapitalismus jedenfalls bedarf, seit er auf mechanischer Grundlage ruht, dieser Stütze nicht mehr. [...] Niemand weiß noch, wer künftig in jenem Gehäuse wohnen wird und ob am Ende dieser ungeheuren Entwicklung ganz neue Propheten oder eine mächtige Wiedergeburt alter Gedanken und Ideale stehen werden, *oder* aber – wenn keins von beiden – mechanisierte Versteinerung, mit einer Art von krampfhaftem Sich-wichtig-nehmen verbrämt. Dann allerdings könnte für die ‚letzten Menschen‘ dieser Kulturentwicklung das Wort Wahrheit werden: ‚Fachmenschen ohne Geist, Genußmenschen ohne Herz: dies Nichts bildet sich ein, eine nie vorher erreichte Stufe des Menschentums erstiegen zu haben.‘" (GAzRS Bd. I, S. 203 f.)

Wie überaus kritisch Max Weber den von ihm analysierten Prozessen der „Rationalisierung", gerade in den Erscheinungsformen der Bürokratisierung und der Etablierung bürokratischer „Ordnung", gegenüber stand, kann auch an seiner vehementen Kritik an seinen deutschen Zeitgenossen illustriert werden, die „nervös und feige werden, wenn diese Ordnung einen Augenblick wankt": „Daß die Welt nichts weiter als solche Ordnungsmenschen kennt – in dieser Entwicklung sind wir ohnedies begriffen, und die zentrale Frage ist also nicht, wie wir das noch weiter fördern und beschleunigen, sondern was wir dieser Maschinerie *entgegenzusetzen* haben, um einen Rest des Menschentums freizuhalten von dieser Parzellierung der Seele, von dieser Alleinherrschaft bureaukratischer Lebensideale." (GAzSS, S. 414)

Es war Max Webers Angst, ob angesichts des unaufhaltsamen Vormarsches der Bürokratisierung „überhaupt noch [...], irgendwelche Reste einer in irgendeinem Sinn ‚individualistischen' Bewegungsfreiheit zu retten" (MWG I, Bd. 15, S. 465 f.) sind und wie „Demokratie" in der Zukunft überhaupt noch möglich sein wird. Darin artikuliert sich Webers Sorge um den Zustand der Kultur im allgemeinen und insbesondere um die Chancen der Lebensführung freier Menschen. Und beides erfüllte ihn mit zunehmend pessimistischerem Skeptizismus.

5. Die Wirkung Max Webers zu Lebzeiten

Sollte mit den vorangegangenen Abschnitten über Webers Vision eines universalhistorischen Prozesses der „Rationalisierung" und seines möglichen, düsteren Endes der zentrale Kern des klassischen Beitrags Webers zum wissenschaftlichen Großunternehmen Soziologie herausgestellt werden, so wird nun der werkgeschichtliche Faden seiner wissenschaftlichen und persönlichen Entwicklung wiederaufgenommen.

Nachdem ihm der Tübinger Verleger Paul Siebeck die Aufgabe übertragen hatte, die Schriftführung des *Grundrisses der Sozialökonomik* zu übernehmen, wurde dieser in den Jahren ab 1909 die entscheidende Arena des Privatgelehrten Weber. Für die Abteilung III, unter dem Gesamttitel *Wirtschaft und Gesellschaft*, waren zwei Hauptteile geplant: I. *Die Wirtschaft und die gesellschaftlichen Ordnungen und Mächte* von Max Weber und II. *Entwicklungsgang der wirtschafts- und sozialpolitischen Systeme und Ideale* von Eugen von Philippovich. Marianne Weber übernahm im Jahr 1922 den Abteilungstitel für die posthume Veröffentlichung des Manuskript-Torsos für den geplanten Teilband und ordnete die hinterlassenen Entwürfe nach ihren eigenen Vorstellungen.

Aus einem alten Unbehagen an der wissenschaftspolitischen Ausrichtung des „Vereins für Socialpolitik" unternahm Weber ab

1908 organisatorische Schritte zur Gründung einer streng wissenschaftlich-empirisch arbeitenden Forschungsorganisation. Ihm schwebten sozialwissenschaftliche Pendants zu den naturwissenschaftlichen „Kaiser-Wilhelm-Instituten" vor, den institutionellen Vorläufern der heutigen Max-Planck-Institute. Am 3. Januar 1909 gehört er zu den Mitbegründern der „Deutschen Gesellschaft für Soziologie" (DGS) in Berlin, deren erster Vorstand gebildet wurde von Ferdinand Tönnies als Vorstand, Georg Simmel und Heinrich Herkner (bald ersetzt durch Werner Sombart) als Beisitzer und Max Weber als Rechner. Erst ab dieser Zeit bezeichnete Weber sich selbst als „Soziologen", und auch das nur gelegentlich. Bereits Ende des Jahres 1912 schied Weber wegen Meinungsverschiedenheiten in der Frage der „Werturteilsfreiheit" aus dem Vorstand der DGS wieder aus.

Von 1909 bis 1914 beteiligte er sich maßgeblich an jenen Debatten im „Verein für Socialpolitik", die unter der Bezeichnung „Werturteilsstreit" bekannt geworden sind. Der Grundgedanke und die zentrale Position Webers war dabei, es sei unmöglich bzw. abzulehnen, eine politische Haltung mit quasi-objektiven „wissenschaftlichen" Argumenten zu rechtfertigen.

Das Jahr 1917 markiert eine biographische Phase, in der Weber, angesichts der drohenden Reduzierung seiner materiellen Basis, an eine Rückkehr an die Universität denken mußte. In Wien wurde ihm die Nachfolge Eugen von Philippovichs angeboten, die Universitäten Göttingen, München und Heidelberg erwogen ebenfalls die Ruferteilung. Im Oktober reiste er nach Wien und übernahm während des Sommersemesters 1918 probeweise den Lehrstuhl für „Politische Ökonomie" an der Universität Wien und hielt Vorlesungen über „Wirtschaft und Gesellschaft" mit dem erläuternden Untertitel „Positive Kritik der materialistischen Geschichtsauffassung" und ein „Soziologisches Kolloquium". In diesem Zeitraum erschienen seine religionssoziologischen Arbeiten über Hinduismus und Buddhismus (1916–17) und über das Antike Judentum (1917–19).

Einladungen des „Freistudentischen Bundes" nach München folgend, hielt er seine beiden berühmten Reden *Wissenschaft als Beruf* (November 1917) und *Politik als Beruf* (Januar 1919). Im März 1919 nahm Weber den Ruf auf den Lehrstuhl von Lujo Brentano an der Universität München an, der für ihn in einen für

„Gesellschaftswissenschaft, Wirtschaftsgeschichte und Nationalökonomie" umgewidmet wurde.

Nur ein Jahr später, zu Beginn des Juni 1920 erkrankte Max
Weber an einer Lungenentzündung, ausgelöst durch die Spanische
Grippe, die die westliche Welt erfaßt hatte. Er starb am 14. Juni
1920 in München.

Als er dort eingeäschert und wenig später in Heidelberg beige-
setzt wurde, konnten sich nur wenige vorstellen, daß aus ihm
derjenige Soziologe werden würde, der achtzig Jahre später von
den in dieser Sammlung behandelten deutschen Klassikern der
Soziologie die international größte Bedeutung zugeschrieben bekommen sollte. Die heutige Bedeutung Max Webers steht erkennbar im Gegensatz zur nationalen und internationalen Rezeption und Wirkung Webers zu seinen Lebzeiten. Betrachtet man
die frühe Rezeption der Weberschen Schriften insgesamt, stellt
sich diese als außerordentlich selektiv dar. Sie konzentrierte sich
vor allem auf die Schriften zur *Protestantischen Ethik* und die ge-
druckten Fassungen der beiden Reden *Wissenschaft als Beruf* und
Politik als Beruf. Auch die Versuche Marianne Webers, einige der
verstreuten Texte in vier umfangreichen Sammelbänden, den *Gesammelten Politischen Schriften* (1921), den *Gesammelten Aufsätzen zur Wissenschaftslehre* (1922), den *Gesammelten Aufsätzen
zur Sozial- und Wirtschaftsgeschichte* (1924) und den *Gesammelten Aufsätzen zur Soziologie und Sozialpolitik* (1924), einem
breiteren Leserkreis zu vermitteln, änderten an der grundsätzlich
schwachen Rezeption und Wirkung der Weberschen Schriften in
der Zeit bis nach dem Zweiten Weltkrieg nicht viel. Von ganz
wenigen Ausnahmen abgesehen, fiel es einer stark nach Disziplinen segmentierten Wirkung anheim. Vor allem der Einfluß der
Weberschen Formulierung von Programm und Methode einer
erfahrungswissenschaftlichen, empirischen und verstehenden Soziologie gelangte nicht wesentlich über das Denken von Werner
Sombart, Georg Simmel und später Alfred Schütz hinaus. Die
aber waren in ihrer Zeit eher Außenseiter bei der akademischen
und professionellen Institutionalisierung der jungen Universi-
tätsdisziplin Soziologie in Deutschland (vgl. Kaesler 1984).

Auch die Wirkung Max Webers als akademischer Lehrer ist
insgesamt als eher unbedeutend einzuschätzen. Tatsache ist, daß
der kleine Kreis derjenigen, die bei ihm promovierten, keine nen-

nenswerte wissenschaftliche Bedeutung erlangte und daß kein
Schüler unter seiner direkten Patronage habilitierte. Eigentliche
Nachfolger hatte Max Weber nicht, und so kam es nicht zu einer
„Weber-Schule", die er selber begründet hätte.

6. Die Fabrikation Max Webers zum Klassiker
der Soziologie

Unmittelbar nach Ende des Zweiten Weltkriegs wurden in der
(west)deutschen Soziologie nicht so sehr die deutschen Soziolo-
gen der Weimarer Zeit gelesen, sondern zuerst die „modernen"
US-Amerikaner wie insbesondere Talcott Parsons und Robert K.
Merton. Der Anschluß an die „westliche Soziologie", die in den
Dienst der *„re-education"* gestellt werden sollte, wurde, mit einer
Betonung der empirischen Sozialforschung, als die zeitgemäße
Aufgabe betrachtet (vgl. Weyer 1984).

Erst der Heidelberger Soziologentag 1964, zum 100jährigen
Geburtstag Webers, verdeutlichte auch den deutschen Soziologen
den florierenden Stand der internationalen Weber-Forschung.
Prominente Repräsentanten der internationalen Soziologie versammelten sich zum Gedenken an den deutschen Stammvater:
Talcott Parsons (Harvard), Pietro Rossi (Turin), Raymond Aron
(Paris), Herbert Marcuse und Reinhard Bendix (beide aus Berke-
ley). Sie alle gedachten jenes Mannes, der ohne wesentliches Zu-
tun deutscher Soziologen zum unbestrittenen Klassiker der internationalen Soziologie geworden war (vgl. Stammer Hrsg. 1965).
Max Weber wurde allmählich, neben Karl Marx und Emile Durkheim, zu einer der Säulen der internationalen „Soziologischen
Dreifaltigkeit".

Für diese Entwicklung, die aus einem zu Beginn der 50er Jahre
fast vergessenen deutschen Sozialwissenschaftler jenen Groß-
Klassiker der internationalen Soziologie machte, war insbesondere Talcott Parsons verantwortlich. Dessen „Strukturfunktiona-
lismus" wurde in der internationalen Soziologie von etwa 1950
bis 1965 die dominierende theoretische Ausrichtung. Parsons er-
zeugte durch sein eigenes Werk, insbesondere durch die Verarbeitung Max Webers in seinem ersten Hauptwerk *The Structure of
Social Action* (Parsons 1937) und durch seine englischen Überset-

zungen der *Protestantischen Ethik* (1930) und von *Wirtschaft und Gesellschaft* (1947), die Aufmerksamkeit für Weber und die internationale Beschäftigung mit dem Denken des Deutschen.

Neben diesem Kontrast zwischen der relativen Wirkungslosigkeit Weber zu Lebzeiten und der eminenten internationalen Prominenz seit dem Zweiten Weltkrieg fällt weiterhin auf, daß die anhaltende Rezeption noch immer von einem hohen Grad an Selektivität gekennzeichnet ist. Das Werk Max Webers wird zumeist erst nach 1904, d. h. mit der *Protestantischen Ethik* und dem *Objektivitätsaufsatz*, als soziologisch bedeutsam zur Kenntnis genommen. Die Periodisierung und Sektoralisierung Max Webers in einen Juristen, Agrarhistoriker, Nationalökonomen, Religionswissenschaftler, Kulturhistoriker, Soziologen, Philosophen, Politiker, Sozialforscher, Wissenschaftstheoretiker usw. verleugnet bis heute die nachweisbaren Kontinuitäten und erschwert immer noch ein umfassendes Verständnis (als Versuch der Korrektur vgl. Kaesler 1998).

Nicht nur die genannten Folgen einer Periodisierung und Sektoralisierung und die einer Trennung von Untersuchungen und Methode sind das Ergebnis der hohen Selektivität der bisherigen Weber-Rezeption. Dazu trägt vielmehr auch die Zersplitterung des Gesamtwerks in „Lehrstücke" bei, durch die es jedoch zur heute quantitativ bedeutungsvollsten Wirkung des Klassikers Weber kommt.

7. Das Erbe des soziologischen „Klassikers" Max Weber

Geht man von den von uns entwickelten Kriterien für die Bestimmung eines „Klassikers" aus (vgl. oben S. 28ff.), so ergibt sich insgesamt ein durchaus ambivalentes Bild:

1. Die „Probe auf Zeit" hat Max Weber bestanden: Seine Arbeiten werden heute – fast 80 Jahre nach seinem Tod – gelesen und zitiert. Seit 1945 läßt sich eine allmählich anwachsende internationale Weber-Beschäftigung verzeichnen, die derzeit eine Hochkonjunktur zu erleben scheint.
2. Diese anhaltende und zunehmende Erwähnung der Arbeiten Max Webers und die ebenfalls verstärkte Auseinandersetzung mit Teilen seines Werks ist keine eigentliche „Renaissance". Die

zeitgenössische Rezeption und Wirkung Max Webers war ungleich weniger stark und kanonisiert als jene seit 1945.

3. Max Weber hat keine neue soziologische Theorie entwickelt. Er hat, im strengen wissenschaftstheoretischen Sinn, überhaupt keine soziologische Theorie geliefert. In dieser Hinsicht besteht seine Arbeit aus einer großen Vielzahl von Axiomen, Prämissen, Vermutungen, Thesen, Hypothesen und einigen Theoremen. Die fehlende Systematik, die vorhandenen Widersprüche und die unterschiedlichen Präzisionsstufen lassen und ließen das Gesamtwerk Max Webers zu einem riesigen „Steinbruch" werden, der in unterschiedlichster Weise ausgebeutet, bewahrt, bewundert und besichtigt werden konnte.

4. Max Weber hat keinen Problembereich entdeckt, der nicht auch schon vorher oder unabhängig von ihm gefunden worden war. Die Erforschung der Folgen und Ursachen des modernen Kapitalismus, die Verschränkung des sozialen Handelns einzelner Individuen mit gesellschaftlichen Ordnungen, die ideellen und normativen Voraussetzungen für materielle Gegebenheiten und Prozesse, die materiellen und gesellschaftlichen Voraussetzungen für normative Ordnungen etc. waren und sind wissenschaftliche Probleme, mit denen sich Soziologen vor Max Weber und – unabhängig von ihm – nach ihm beschäftigten.

5. Max Weber hat weder die Methode des „Verstehens" noch die des „idealtypischen Vorgehens" erfunden. Er hat diese beiden Forschungsinstrumente für die Soziologie seiner Zeit präzisiert und konzeptuell reflektiert, beide heuristischen Hilfsmittel sind jedoch in den seit Weber ablaufenden wissenschaftstheoretischen Diskussionen und Weiterentwicklungen stark verändert und ausdifferenziert worden, so daß die Aufsätze Webers zu diesen Methoden zwar unverändert anregende Texte sind, aber eher antiquarischen Wert haben, wenn man daneben systematische wissenschaftstheoretische Arbeiten legt, die vor allem von einem anderen (Selbst)Verständnis heutiger Naturwissenschaften ausgehen.

6. Retrospektiv läßt sich zwar feststellen, daß sich Max Webers Grundkonzeption von Soziologie als auf empirischer Sozialforschung basierend, die mit privaten und öffentlichen Mitteln finanziert und mit möglichster Distanz zu staatlicher Bürokratie und politischen Interessen durchgeführt werden sollte, durch-

gesetzt hat; ebenso wie seine Forderung nach theoretischem und methodischem Pluralismus und seine Vorstellungen von Struktur und Aufgabenstellung der „Deutschen Gesellschaft für Soziologie". Dennoch fällt es nicht leicht, dies als „Erbe" des soziologischen Klassikers Weber zu bezeichnen, da das fachkollektive Gedächtnis dies weniger als Erbe von Max Weber ansieht, sondern sehr viel eher für das Ergebnis des Siegeszugs eines (angeblich) US-amerikanisch geprägten Verständnisses von empirischer Sozialforschung hält.

7. Max Weber ist auch weiterhin ein „umkämpfter" Klassiker geblieben, sowohl innerhalb der Soziologie als auch zwischen den Disziplinen, insbesondere zwischen der Soziologie und ihren Nachbardisziplinen, der Geschichtswissenschaft, Philosophie und Politischen Wissenschaft.

Was bleibt also vom „Klassiker" Max Weber für die zukünftige Entwicklung der Soziologie? Ich selber sehe in Max Weber nicht so sehr denjenigen, der eine prinzipiell neue Sichtweise eingeführt hat, durch die neue Problemstellungen, neue Begriffe und neue Methoden geschaffen wurden, sondern jenen Soziologen, der nicht davon ausging, jemals zu einer umfassenden, erschöpfenden Antwort zu gelangen. Die spezifisch Webersche „Sichtweise", den spezifischen „Blick" Max Webers habe ich „Vermittlung" genannt (Kaesler 1998, S. 265 ff.).

Das spezifisch Soziologische liegt in seiner Vermittlung von „Individuum" und „Gesellschaft": Für Weber ist das eine ohne das andere nicht denkbar und erklärbar. Wir sehen im Werk Max Webers jene intermediäre und reflexive Vermittlung angelegt, die von einer gesellschaftlichen Konstruktion der Wirklichkeit ausgeht, in der das Individuum zum einen einer ihm gegenüberstehenden „objektiven" Wirklichkeit begegnet, die es zum anderen „subjektiv" verändern und mitbestimmen kann. Die „subjektive" Sinngebung ist keine Residualgröße gesellschaftlicher Wirklichkeit, sondern konstitutives Element für deren Entstehung und Veränderung. Damit wird die Erfassung sowohl der „subjektiven" Sinnsetzungen als auch der „objektiven" gesellschaftlichen Wirklichkeit zur eigentlichen Aufgabe einer Soziologie im Sinne Max Webers.

Nach dieser Interpretation gibt Weber die zentrale Gründerfigur ab für jene zahlreichen gegenwärtigen soziologischen Ansätze, die es sich zum erklärten Ziel gesetzt haben, in einer Verbindung von Mikro- und Makrosoziologie den einzigen Weg für eine fruchtbare Weiterentwicklung soziologischer Theorie und Empirie zu verfolgen. So verschieden solche individuellen Versuche auch sind, ich sehe in den gegenwärtig diskutierten, intermediären Theorieentwürfen von Norbert Elias, Pierre Bourdieu, Jürgen Habermas und Anthony Giddens den aktuellen und internationalen Beweis für die „Lebendigkeit" des soziologischen Klassikers Max Weber.

Diese „Lebendigkeit" liegt dabei nicht in der Perpetuierung einer prinzipiell unabschließbaren Interpretationsindustrie, sondern darin, daß die soziologische Sichtweise Webers zu immer neuen „Versuchen der Vermittlung" führt. Gerade die Möglichkeit und Notwendigkeit immer wieder neuer Lesarten und Interpretationen seines Gesamtwerkes sind es, die zur nicht abschließbaren Auseinandersetzung mit Werk und Methode Max Webers zwingen.

Bei aller historischen Bedingtheit seines Werks wird der „Klassiker" Max Weber somit zum hervorragenden „Prüfstein" für die Verortung der disziplinären Identität jedes Menschen, der sich dem Unternehmen Soziologie anschließen will. Die ernsthafte Auseinandersetzung mit dem Werk Webers führt dabei sowohl weg von einer engen, nur disziplinbezogenen Perspektive als auch von einer Forschungsperspektive, die allein von einem national bestimmten Diskurszusammenhang bestimmt ist. In dieser Hinsicht ist Max Weber ein „Klassiker" nicht der Soziologie allein und ganz sicher nicht einer der deutschen Soziologie allein.

Literatur

1. Werkausgaben

Im Herbst 1976 gründete sich der Hauptherausgeberkreis einer historisch-kritischen Gesamtausgabe der Schriften, Briefe und Vorlesungen Max Webers. Im Mai 1981 erschien ein Prospekt, der zur Subskription der auf über 30 Bände projektierten Ausgabe einlud. Seit dem Tod von Johannes Winckelmann (November 1985) verantworten Horst Baier, Rainer M. Lepsius, Wolfgang J. Mommsen und Wolfgang Schluchter die „Max Weber Gesamtausgabe (MWG)", die mit erheblichen Zuwendungen durch die Deutsche Forschungsgemeinschaft, die Werner-Reimers-Stiftung, die Bayerische Akademie der Wissenschaften und den Verlag Mohr-Siebeck erstellt wird. Mit Hilfe beträchtlicher Forschungsmittel und eines beachtlichen Aufwands an personellen und materiellen Anstrengungen an der Bayerischen Akademie der Wissenschaften in München und den Arbeitsstellen der Herausgeber sind in den vergangenen zwanzig Jahren 16 Bände erschienen.

Studierende und alle Leser, die den zuverlässigen Zugang allein zu den Texten Webers suchen, seien auf die unredigierten Nachdrucke der wichtigsten historischen Ausgaben von Webers Schriften in der Sammlung der UTB-Taschenbücher verwiesen:

Gesammelte Aufsätze zur Religionssoziologie (GAzRS), 3 Bde.
Gesammelte Politische Schriften (GPS)
Gesammelte Aufsätze zur Wissenschaftslehre (GAzW)
Gesammelte Aufsätze zur Sozial- und Wirtschaftsgeschichte (GAzSuW)
Gesammelte Aufsätze zur Soziologie und Sozialpolitik (GAzSuS)

Für „Wirtschaft und Gesellschaft" (WuG) bietet sich unverändert an:
Wirtschaft und Gesellschaft. Grundriss der verstehenden Soziologie. Studienausgabe. 5. Aufl. Tübingen 1980.

2. Bibliographien

Ein vollständiges Verzeichnis aller veröffentlichten Arbeiten Max Webers wurde zuerst 1979 erstellt und zuletzt publiziert in Dirk Kaesler „Max Weber. Eine Einführung in Leben, Werk und Wirkung" (Frankfurt a. M./New York, 2. Aufl. 1998, S. 268–292).

Nachdem dieses Verzeichnis zu Beginn der 80er Jahre auch zum Bezugspunkt für die „Max Weber-Gesamtausgabe" geworden war (vgl. W. Schluchter, Einführung in die Max Weber-Gesamtausgabe. Prospekt der MWG, Tübingen: Mohr-Siebeck 1981, S. 6.) wurde die frühere Numerierung nicht mehr verändert, neu hinzugekommene Titel erhielten den Zusatz in römischen Ziffern.

3. Biographien

Alternativlos bis heute ist die biographische Arbeit aus der Feder von Marianne Weber:

Weber, Marianne, Max Weber. Ein Lebensbild. Tübingen 1926, 3. Aufl., unveränd. Nachdr. d. 1. Aufl., ergänzt um Register und Verzeichnisse von Max Weber-Schäfer. Tübingen 1984.

Als verdienstvolles Kondensat dieser Quelle sei hingewiesen auf:

Fügen, H. N., 1985, Max Weber mit Selbstzeugnissen und Bilddokumenten dargestellt. Reinbek.

Allgemein zum Stand der Max Weber-Biographieforschung vgl.:

Kaesler, D., Der retuschierte Klassiker. Zum gegenwärtigen Forschungsstand der Biographie Max Webers, in: ders., Soziologie als Berufung. Bausteine einer selbstbewußten Soziologie. Opladen 1997, S. 63–79.

4. Monographien

Anter, A., 1994, Max Webers Theorie des modernen Staates. Herkunft, Struktur und Bedeutung. Berlin.

Braun, Chr., 1992, Max Webers „Musiksoziologie". Laaber.

Breuer, Stefan, 1991, Max Webers Herrschaftssoziologie. Frankfurt a. M./New York.

Hennis, W., 1987, Max Webers Fragestellung. Studien zur Biographie des Werks. Tübingen.

ders., 1996, Max Webers Wissenschaft vom Menschen. Neue Studien zur Biographie des Werks. Tübingen.

Kaesler, D., 1984, Die frühe deutsche Soziologie 1909 bis 1934 und ihre Entstehungs-Milieus. Eine wissenschaftssoziologische Untersuchung. Opladen.

ders., 1998, Max Weber. Eine Einführung in Leben, Werk und Wirkung. 2. Aufl. Frankfurt a. M./New York.

Mommsen, W.J., 1974, Max Weber und die deutsche Politik 1890–1920. 2. Aufl. Tübingen.

ders., 1974, Max Weber. Gesellschaft, Politik und Geschichte. Frankfurt a. M.

Nau, H. H., 1997, Eine „Wissenschaft vom Menschen". Max Weber und die Begründung der Sozialökonomik in der deutschsprachigen Ökonomie 1871 bis 1914. Berlin.

Parsons, T., 1937, The Structure of Social Action. A Study in Social Theory with Special Reference to a Group of Recent European Writers. New York.

Schluchter, W., 1979, Die Entwicklung des okzidentalen Rationalismus. Eine Analyse von Max Webers Gesellschaftsgeschichte. Tübingen.

ders., Hrsg. 1981, Max Webers Studie über das antike Judentum. Interpretation und Kritik. Frankfurt a. M.

ders., Hrsg. 1983, Max Webers Studie über Konfuzianismus und Taoismus. Interpretation und Kritik. Frankfurt a. M.

ders., Hrsg. 1984, Max Webers Studie über Hinduismus und Buddhismus. Interpretation und Kritik. Frankfurt a. M.

ders., Hrsg. 1985, Max Webers Sicht des antiken Christentums. Interpretation und Kritik. Frankfurt a. M.

ders., Hrsg. 1987, Max Webers Sicht des Islam. Interpretation und Kritik. Frankfurt a. M.

ders., Hrsg. 1988, Max Webers Sicht des okzidentalen Christentums. Interpretation und Kritik. Frankfurt a. M.

ders., 1988, Religion und Lebensführung. 2 Bde. Frankfurt a. M.

Seyfarth, C./Sprondel, W. M., Hrsg., 1973, Seminar: Religion und gesellschaftliche Entwicklung. Studien zur Protestantismus-Kapitalismus-These Max Webers. Frankfurt a. M.

Stammer, O., Hrsg., 1965, Max Weber und die Soziologie heute. Verhandlungen des 15. Deutschen Soziologentages. Tübingen.

Tenbruck, F., 1999, Das Werk Max Webers. Gesammelte Aufsätze zu Max Weber. Tübingen.

Wagner, G./Zipprian, H., Hrsg., 1994, Max Webers Wissenschaftslehre. Frankfurt a. M.

Weiß, J., 1975, Max Webers Grundlegung der Soziologie. Eine Einführung. München.

ders., Hrsg. 1989, Max Weber heute. Erträge und Probleme der Forschung. Frankfurt a. M.

Rolf Lindner

Robert E. Park
(1864–1944)

„It is by non-conforming, nonetheless, that the
individual develops his personality and society
ceases to be a mere mass of inert tradition"
(Robert E. Park)[1]

1. Ouvertüre

„Aus europäischer Sicht", schreibt Robert Park 1931 in seinem
Aufsatz „The Problem of Cultural Differences", „ist das hervor-
stechendste Merkmal des Lebens in Amerika, verglichen mit dem
in Europa, die außerordentliche Mobilität und Rastlosigkeit der
amerikanischen Bevölkerung".[2]

In den nachgelassenen Manuskripten von Robert Park tritt das
Thema „Mobilität" und „Rastlosigkeit" mit solcher Eindringlichkeit zutage, daß sich die Vermutung aufdrängt, es handele sich
hier um ein persönliches Leitmotiv. Hält man sich Parks Kurzbiographie vor Augen, dann fällt der Gebrauch von Begriffen und
Wendungen auf, die auf eine mobile Existenz mit transitorischem
Charakter verweisen.[3] Die Kindheit, die in „vagabondierenden
Bahnen" verläuft, die Charakterisierung seines Lebens zwischen
1887 und 1898 als „intellektuelle Vagabondage", der mehrfach
vorgetragene Wunsch nach einer Tätigkeit, die zugleich roman-
tisch und sinnvoll ist, all dies läßt auf eine durch innere Unruhe
angetriebene Suche nach existentiellen Möglichkeiten schließen,
die zugleich eine Abkehr von traditionellen Festgelegtheiten ist.
Diese Selbstbeschreibung gewinnt bei aller retrospektiven Stilisie-
rung (oder gerade wegen dieser) soziologisches Gewicht, bindet
doch Park generell weiterführende Erkenntnisse an Beweglichkeit
im realen wie übertragenen „geistigen" Sinne.

„Mobilität" ist für Park, ähnlich wie später für Karl Mannheim,
auch eine wissenssoziologische Kategorie.[4] Besonders deutlich
wird dies in einem Aufsatz, den er 1923 in der Zeitschrift *The
World Tomorrow* veröffentlichte, „The Mind of the Rover. Reflections upon the Relation between Mentality and Locomo-

tion".[5] In diesem kurzen Artikel geht Park der Frage nach, warum der *Hobo*, der amerikanische Wanderarbeiter, trotz seiner vielfältigen Erfahrungen, trotz seiner Kenntnisse von Menschen und Städten, vom Leben auf der Straße und in den Slums so wenig zu unserem Wissen von der Gesellschaft beigetragen habe. Der Grund liegt darin, so Park, daß für den *Hobo* die Beweglichkeit zum Selbstzweck geworden ist: „Rastlosigkeit und der Drang, der Routine des Alltagslebens zu entkommen, etwas, was bei anderen häufig den Beginn einer neuen Unternehmung markiert, erschöpft sich für ihn in rein expressiven Bewegungen".[6] Damit greift Park einen Gedanken seines Kollegen und Mentors William Isaac Thomas auf. Der nämlich sah den Vagabunden wie den Wissenschaftler gleichermaßen vom Wunsch nach neuer Erfahrung getrieben, aber wo der eine aufgrund seiner Instabilität scheitert, setzt der andere seine Erfahrungen erfolgreich um: „in die Form eines Gedichts, als Beitrag zur Wissenschaft usw.".[7] So wird der Erfahrungshunger zum Motor kulturellen Wandels.

2. Biographie

Am 14. Februar 1864 in Harveyville, Luzerne County (Pennsylvania) geboren, wächst Robert Park in Red Wing, Minnesota auf, wo sein Vater nach dem Bürgerkrieg als Getreidegroßhändler zu Vermögen kam. Kindheit und Jugend in diesem kleinen Ort am Ufer des Mississippi verliefen, will man Parks Schilderungen Glauben schenken, ganz nach dem Erzählmuster von Mark Twain; es scheint, als seien Tom Sawyer und Robert Park nicht nur fiktive Altersgenossen, sondern auch Wahlverwandte.

Nach Abschluß der *High School* geht Park 1882 zunächst an die *State University of Minnesota*, um Ingenieurwissenschaften zu studieren, wechselt aber bereits im darauffolgenden Jahr sowohl den Studienort wie das Studienfach. Er begibt sich nach Ann Arbor, Michigan, um nunmehr Philologie, Geschichte und Philosophie zu studieren. In Ann Arbor trifft Park auf den jungen John Dewey, bei dem er unter anderem „Geschichte der Philosophie", „Hegels Logik" und „Kants Kritik der reinen Vernunft" hört, aber auch Kurse über „Empirische Psychologie" belegt. Dewey „weckte und ermutigte in mir – wiewohl möglicherweise unbeabsichtigt –

eine intellektuelle Neugier für die Welt, für die es in der Tradition, in der ich erzogen worden war, keine Rechtfertigung und Erklärung gab", schreibt Park in seiner Kurzbiographie.[8]

Die intellektuelle Neugier für die Welt, die Dewey geweckt hatte, mündete im Journalismus. Nach Abschluß des B. A. arbeitete Park nahezu 12 Jahre, von 1887 bis 1898, als Reporter und Redakteur in Minneapolis, Detroit, Denver, New York und Chicago. Parks journalistische Phase fällt in die Hochzeit des *City Beat-Reporters*, in dem sein Biograph, Fred Matthews, zurecht einen informellen und intuitiven Soziologen sah.[9] Vor allem seine New Yorker Zeit, in der er als Polizeireporter am Mulberry Bend, dem Hauptquartier der Polizei, unter anderem Lincoln Steffens, den späteren Publizisten, sowie Steven Crane, den naturalistischen Autor, als Kollegen und Konkurrenten hatte, hat ihn sehr stark geprägt, auch im Hinblick auf seine letztlich doch kritische Einschätzung des zeitgenössischen Pressewesens. Daß Park daran gelegen war, eine neue Art von Journalismus mitzuentwickeln, zeigt eine kurze Episode aus dem Jahre 1893, als er an der Konzeption einer neuen, ,soziologischen' Tageszeitung mit dem Arbeitstitel „Thought News" mitwirkte, deren Konzeption von dem Journalisten Franklin Ford unter Mitarbeit von John Dewey stammte.

Das Projekt scheiterte, und Park kehrte in den Tagesjournalismus zurück, nahm aber schließlich 1898 in Harvard sein Studium wieder auf, unter anderem bei Hugo Münsterberg, Josiah Royce sowie William James. In diesem Studienjahr hält William James seinen berühmten Vortrag „On a Certain Blindness in Human Beings". Dieser Text, den er als ein Plädoyer für die Verstehensperspektive in der Wissenschaft begreift, wird für Park zu einer lebenslangen Referenz.[10] 1899 erwirbt Park seinen M.A.-Grad in Philosophie in Harvard und geht zur Fortsetzung seines Studiums nach Deutschland.

Im Wintersemester 1899/1900 hört Park an der Friedrich-Wilhelms-Universität in Berlin Friedrich Paulsen in Philosophie sowie die soziologischen Vorlesungen von Georg Simmel. Für ihn bildeten diese Vorlesungen die einzige systematische Unterweisung in die Soziologie, wie er später bekundete. Von Berlin wechselte Park im Sommersemester 1900 nach Straßburg, um bei Wilhelm Windelband zu studieren. In Straßburg hörte er auch bei dem Wirtschaftswissenschaftler Georg Knapp und bei dem Geographen Alfred Hettner, der ihm mit seinen „Geographischen Übungen" die Bedeutung der Geographie für die Soziologie vermittelte. Schließlich folgte Park Windelband nach Heidelberg, wo er 1903 mit einer Arbeit über „Masse und Publikum" zum Dr. phil. promovierte.[11] Zwar lehnt sich Park in dieser Arbeit noch an die Darstellung der Masse von Sighele und Le Bon an, entwickelt aber die zeitgenössische Diskussion dadurch weiter, daß er die Kategorie der Öffentlichkeit als eine durch Beratung und Diskussion bestimmte soziale Gruppierung einführt. Im Herbst 1903 kehrt Park in die Vereinigten Staaten zurück, wird für kurze Zeit Assistent für Philosophie in Harvard bei Hugo Münsterberg, wendet sich aber wiederum von der akademischen Welt ab, wird Sekretär der *Congo Reform Association* und ab 1905 Presseagent und *Ghostwriter* für den schwarzen Bürgerrechtler Booker T. Washington.[12] Im Rahmen dieser Tätigkeit organisiert Park im April 1912 eine internationale Konferenz „On the Negro", zu der er auch William I. Thomas als Vortragenden einlädt. Thomas reagiert auf diese Begegnung, wie seine kurz nach der Konferenz an Park geschriebenen Briefe zeigen, enthusiastisch.[13] Auf Thomas' Initiative wird Robert Park im Wintersemester 1913–14, im Alter von fast 50 Jahren, an das soziologische Institut der Universität Chicago geholt, um über „The Negro in America" zu lesen.[14]

Aber erst 1923 erhält er eine Professur, die er bis zu seiner Emeritierung im Jahre 1933 innehat. Die „goldene Zeit" der Chicagoer Soziologie, von 1920 bis 1932, ist nahezu deckungsgleich mit Parks Anwesenheit. In diesem Zeitraum wird das Chicagoer Institut zum führenden Soziologieinstitut in der Welt, und die empirisch orientierte Chicago-Soziologie gewinnt Schulcharakter. Zwischen 1936 und 1943 wirkt Park, mit Unterbrechungen, auf Einladung seines Schülers Charles S. Johnson als Soziologiedozent an der Fisk-Universität. Am 7. Februar 1944 stirbt Park in Nashville, Tennessee.

3. Geistes- und kulturgeschichtlicher Hintergrund

Die formativen Lebensjahre Parks, die er zwischen 1887 und 1898 als Reporter und Redakteur in verschiedenen amerikanischen

Großstädten zubrachte, bleiben in biographischen Darstellungen auffällig unterbelichtet. Daß offensichtlich gar kein oder nur wenig Interesse daran besteht zu erfahren, was es bedeutet, in den 1890er Jahren als Reporter tätig zu sein, und was Park in dieser Zeit konkret gemacht hat (ein Interesse, das ganz dem Parkschen Denken entsprochen hätte), ist im Grunde nur aus der Perspektive von Biographen zu verstehen, die befürchten, durch die Darstellung des Journalisten Park das Bild des Soziologen Park zu beeinträchtigen. Verstellt wird damit jedoch der Zugang zum Verständnis von Parks soziologischer Forschung und Lehre, die ohne Berücksichtigung des Journalismus als Erfahrungsraum nicht begriffen werden kann. Der Einfluß des Journalismus, der aus Park überhaupt erst den *amerikanischen* Soziologen par excellence werden läßt, kommt nicht allein und nicht einmal in erster Linie in den zweifellos vorhandenen thematischen und technischen Anregungen zur Geltung, die er aus diesem Metier gewonnen hat, sondern schlägt sich vor allem in der spezifischen Haltung nieder, die der Soziologe, Park zufolge, der Welt gegenüber einzunehmen hat.

„A moral man cannot be a sociologist", lautete Parks Credo. Nirgendwo wird der Einfluß der journalistischen Sphäre deutlicher als in den für den Park-Schüler Cottrell geradezu boshaften Attacken „on social workers and reformers and do-gooders."[15] Solche Angriffe entsprachen ganz und gar der prononcierten Anti-Reformer-Haltung der Journalisten der Jahrhundertwende. Die von Parks Studenten angemerkte aufbrausende Art und die unakademische Unverblümtheit, mit der er Studierenden mitteilte, daß ihre Ideen wertlos seien (wobei das schlimmste Verdikt „it's no news" lautete), sind ebenso als Elemente eines aus dem Journalismus übernommenen Rollenverhaltens zu verstehen wie der von Park des öfteren zur Schau gestellte Zynismus, insbesondere gegenüber den „damned do-gooders". Park nutzte die Attitüde des hartgesottenen Lokalredakteurs, um Studenten, die noch dem Ideal der evangelikalen Soziologie nachhingen, die Augen zu öffnen und auf die „gewisse Blindheit" (William James) aufmerksam zu machen, mit der sie durch die Welt gingen. Um die Soziologie zu einer Wissenschaft auf empirischer Grundlage zu machen, galt es vor allem, die Perspektive einer dem *social gospel* verpflichteten, normativ ausgerichteten Soziologie, der sog. „*Big C (Charity,*

Crime, Correction)-Sociology" zu überwinden, die das Bild der Soziologie in den Vereinigten Staaten bis zum Ersten Weltkrieg bestimmte und in der lokalen Konkurrenz des Chicagoer Soziologie Departements, der *School of Social Service Administration*, gegen die sich ein Großteil der Invektiven richtete, noch praktiziert wurde.

Park wies die Selbstgerechtigkeit, die einer solchen Perspektive innewohnte, schärfstens zurück, da sie gerade die „Blindheit" im Jamesschen Sinne verfestige, die „jeder von uns allzuleicht für die Bedeutung des Lebens anderer haben kann".[16] Bei Parks Konzeption einer empirisch verfahrenden, ‚verstehenden‘ Soziologie geht der „Pragmatismus als Hintergrundphilosophie"[17] eine spezifische Ligatur mit dem Journalismus als Erfahrungsraum ein. Parks Beharren auf Anschauungswissen als Basis jeder wirklichen Kenntnis (*„to see and to know life"*) rekurrierte nicht nur auf die von William James getroffene Unterscheidung von *„acquaintance with"* (Kennen) und *„knowledge about"* (Wissen), sondern tat dies auf eine der journalistischen Erfahrung entsprechende Weise. Denn die Wendung *„to see and to know life",* mit der sich die empirische Soziologie Chicagoer Provenienz treffend charakterisieren läßt, ist eine gegen Ende des neunzehnten Jahrhunderts gebräuchliche, auch von Park verwendete Begründungsformel für die Hinwendung zum Journalismus als Beruf. Die publizistische Sphäre dieser Zeit bildet ein Sammelbecken für kulturelle Dissidenten, die von dem Gefühl bestimmt sind, Erfahrungen nur aus zweiter Hand zu machen. Das gibt dieser Sphäre, die in auffälliger Anzahl Harvard-Absolventen anzieht, die Note eines gegenkulturellen Milieus, das den Erfahrungshunger jener stillt, die des reinen Bücherstudiums überdrüssig sind. Den wesentlichen Einfluß des journalistischen Milieus auf die Konzeption einer empirischen Soziologie haben wir in der Herausbildung einer anderen Einstellung den sozialen Welten gegenüber zu sehen, ist doch mit dem Interesse am „wirklichen Leben" (*„to see life"*) im Kern das Modell einer um ihrer selbst willen betriebenen soziologischen Feldforschung gegeben.

4. Das Werk

Die lakonische Feststellung von Everett C. Hughes, „Park left no *magnum opus*",[18] entspricht ganz dem Bild eines Mannes, der als der große Anreger gilt, der im wahrsten Sinne des Wortes Schule gemacht hat. Wie Herbert Blumer in seiner Korrespondenz mit Winifred Rorty (Raushenbush) hervorhebt, war Parks Einfluß auf die amerikanische Soziologie „weitaus größer durch seine Ausbildung und Anleitung von Doktoranden als durch die Lektüre seiner soziologischen Schriften".[19] „To introduce: that, in truth, is your function": vielleicht ist nirgendwo die eigentliche Bedeutung von Park, nämlich als Neuerer, besser auf den Begriff gebracht worden, als in dem anonymen Studentengedicht, das ihn als „writer of introductions" feiert.[20] Mit gutem Recht kann man behaupten, daß die *Chicago School of Sociology* selbst Parks *magnum opus* ist, teilen doch alle Chronisten die Auffassung, daß deren goldene Zeit mit Parks Weggang endet. Park war der *„moving spirit"* (Edward Shils) des Departments und der soziologischen Reihe der *University of Chicago Press*; das reichte bis zur redaktionellen Bearbeitung von Forschungsarbeiten und der Abänderung der Arbeitstitel der klassischen Studien. Ähnlich wie Lazarsfeld später als *„managerial scholar"* apostrophiert wurde, sah sich Park selber als *„captain of inquiry"*, der ein Forschungsteam anführt. Ich habe diese Rolle als die eines *city editor* im akademischen Milieu charakterisiert,[21] zu der nicht nur die Anleitung eines Stabes an Forschern („Reportern") und das Entwerfen und Verwerfen von Themen gehören, sondern auch die Vermittlung einer übergreifenden Perspektive analog zur „Linie" eines Blattes. Diese Leitlinie besteht bei Park im radikalen Bruch mit der Tradition, sowohl als Grundsatz soziologischen Denkens wie als gesellschaftliches Bewegungsprinzip. Gesellschaft ist „in ständigem Fluß" und kann, wie Park in einem Seminar vortrug, „als Tisch veranschaulicht werden, der nichts anderes ist als eine Gruppe von Atomen in Bewegung".[22] Dieses Bild mag von Simmel herrühren, der in seiner *„Soziologie"* von den „mikroskopisch-molekularen Vorgänge(n) innerhalb des Menschenmaterials", von den „Wechselwirkungen zwischen den Atomen der Gesellschaft" spricht,[23] aber Parks Denkweise war überhaupt durch Kategorien der Bewegung, des Übergangs, des Wechsels geprägt. *Movement, change, restlessness, mobility, fluctuation, locomotion, news*, die diesbezüglichen Begriffe sind in Parks Werk Legion. Zurecht heben Yves Schemeil[24] sowie Michael Makropoulos[25] die Bedeutung der „Krise" als Konzept wie als Metapher für Parks Soziologie hervor. Dieser Sichtweise von Krise haftet freilich nichts Negatives an, im Gegenteil: „Die Krise ist die Bedingung für die Emanzipation des Menschen".[26] Nirgendwo wird dies deutlicher als anhand der Gestalt des *„marginal man"*.

1. Mit dem Konzept des *marginal man*, des Randseiters, haben wir Parks bedeutendsten Einzelbeitrag zur Kultursoziologie vor uns, in seiner Wirkungsgeschichte sicherlich mit William F. Ogburns *„cultural lag"*-Theorem und mit dem „Thomas-Theorem" („Wenn Menschen Situationen als real definieren, sind sie real in ihren Konsequenzen") vergleichbar. Was zeichnet den *marginal man* aus? Allgemein handelt es sich dabei um einen Menschen, der sich am Rande bzw. im Grenzbereich zweier Kulturen befindet, der an zwei Kulturen teilhat, ohne einer wirklich anzugehören. Beim Entwurf des Konzepts zu seiner Zeit als Mitarbeiter Booker T. Washingtons hatte Park einen konkreten Typus vor Augen, den Mulatten, später aber bildet der Mischling nur noch einen Sonderfall des *cultural hybrid*. In seinem Aufsatz „Human Migration and The Marginal Man" (1928) stellt Park die marginale Persönlichkeit als Produkt eines Kulturkontakts dar, der auf Mobilitätsprozesse räumlicher, sozialer und kultureller Art zurückzuführen ist. Das Leben in der Schwebe evoziert zunächst eine psychische Krise, in der das Gefühl der Entwurzelung und Desorientierung dominiert. Aber die Verarbeitung der Krise eröffnet dem Randseiter eine Chance, die dem Verwurzelten nicht so leicht zufällt. „Unausweichlich", schreibt Park apodiktisch in der Einleitung zur Monographie seines Schülers Everett V. Stonequist, wird der Randseiter im Verhältnis zu seinem kulturellen Milieu „das Individuum mit dem weiteren Horizont, dem schärferen Intellekt, dem unvoreingenommenen und rationalen Standpunkt".[27] Park sieht im Randseiter letztlich einen neuen Persönlichkeitstypus, der, entlassen aus den traditionellen Bedingungen, zum Träger kulturellen Wandels und zur Verkörperung moderner Subjektivität wird. Im emanzipierten Juden, „dem ersten Weltbürger", nimmt der moderne Mensch erstmals Gestalt an. Das

Konzept hat seine Fruchtbarkeit bei der Analyse zahlreicher soziokultureller Phänomene erwiesen, gleichviel, ob es sich dabei um Prozesse räumlicher und sozialer Mobilität, um den Themenkreis Emigration, Flucht oder Verbannung oder um die Analyse von Rollenkonflikten handelt. Freilich ist dabei das Konzept, das in den 30er Jahren in der amerikanischen Bohème als (Selbst-) Ausdruck in Mode war,[28] auch verwässert worden.

2. Ähnlich wie Georg Simmel nimmt Park die Stadt als *pars pro toto* für die Gesellschaft, aber das heißt nicht, daß sie für ihn bloß ein Demonstrationsobjekt wäre. Park ist vielmehr ein Gesellschaftsanalytiker, der Stadtanalyse betreibt, und ein Stadtanalytiker, der Gesellschaftsanalyse betreibt. Die Großstadt bildet für den Soziologen ein natürliches Laboratorium, in dem menschliches Verhalten und soziale Prozesse *in situ* und *in the making* studiert werden können. Aber die Stadt kann als ein solches nur dienen, weil sie eine „Menschenwerkstatt" ist, die einen neuen Typus, den Städter („*city man*"), und, über den Prozeß der Arbeitsteilung, ganz neue „Varietäten" hervorbringt. In seinem Aufsatz „The City", den Everett C. Hughes zurecht als eine Art Antrittsvorlesung bezeichnet, unterbreitet Park 1915 Vorschläge zu einem umfassenden Untersuchungsprogramm menschlichen Verhaltens in der Großstadt.[29] Ob nun als gewaltiges Forschungsprogramm (John Madge), als definitive Darstellung des Departments (Henrika Kuklik) oder als Manifest der zukünftigen *Chicago School* bezeichnet (Colin Bell/Howard Newby), unisono sind sich die Soziologiehistoriker darüber einig, daß der Aufsatz einen Gründungstext der empirischen Soziologie darstellt. In vier Abschnitten handelt Park das Untersuchungsfeld Großstadt ab. In Abschnitt I geht es um die Analyse des Wechselspiels von physischer Struktur und kultureller Ordnung der Stadt. Bemerkenswert, weil in der soziologischen Literatur kaum verzeichnet ist, daß in der ersten Fassung dieses programmatischen Textes, der aus der Pflanzen- und Tierökologie übernommene Begriffsapparat, der später zum Kennzeichen der Chicagoer Stadtsoziologie wird, noch völlig fehlt, die gemeinten Prozesse der Verteilung und Konzentration der Bevölkerung nach beruflichen, ethnischen und persönlichen Kriterien aber gleichwohl thematisiert werden.[30] Es geht um die Analyse der Herausbildung, der „Naturgeschichte" segregierter Gebiete, dessen also, was später *„natural areas"* genannt

wird, sowie um die Analyse der Formierung einer auf diesem Fundament aufbauenden Kultur, die sich aus dem Charakter, den Ansichten und den Traditionen der jeweiligen Bewohner speist.

Als Sitz des Geschäftslebens und der Geldwirtschaft befördert die moderne Großstadt die Individualisierung und Spezialisierung ihrer Bewohner. Die wachsende Arbeitsteilung, das Aufkommen von Einrichtungen, die die Interdependenz der Individuen in der Marktökonomie regulieren (Berufsvereinigungen, Interessenverbände, Gewerkschaften) sowie die Krisensituationen, die aus der individuellen Mobilität erwachsen, sind Charakteristika der Großstadt, die in Abschnitt II thematisiert werden. Gerade an diesem Abschnitt sowie auch am folgenden wird deutlich, daß die Großstadt vor allem den Schauplatz bildet, an dem die Kräfte des sozialen Wandels und neue Formen der Vergesellschaftung zur Geltung gelangen.

So thematisiert Abschnitt III die Veränderungen in den Beziehungen und Gewohnheiten der Großstadtbevölkerung. Der generelle Charakter dieser Veränderungen wird durch die Ersetzung primärer (*„face-to-face"*) Beziehungen durch indirekte, sekundäre Beziehungen bestimmt. Park plädiert für die Untersuchung traditioneller Institutionen (Kirche, Schule, Familie) und traditioneller Formen der sittlichen Ordnung unter dem Aspekt ihres Wandels bzw. ihrer Auflösung, wobei diese vor allem durch politisch-legislative Maßnahmen ersetzt werden, etwa durch das Jugendgericht. Besonderes Augenmerk richtet Park in diesem Abschnitt schließlich auf die modernen Mechanismen der Konsensbildung, wie sie insbesondere in den Mitteln der Kommunikation (Nachrichten- und Pressewesen, Öffentlichkeitsarbeit) zutage treten.

Im Abschnitt IV wendet sich Park abschließend dem spezifisch Großstädtischen und dem „Naturell" des Großstädters zu. Thematisiert wird die persönliche Freiheit, die die Großstadt dem Individuum gewährt; die Chance, sich frei zu bewegen, anderen zu begegnen und gleichzeitig in unterschiedlichen Milieus Zuhause zu sein (die Segregation also nicht nur nach Interessen, sondern auch nach „Geschmäckern"); die Akzentuierung von Differenz und die Ausbildung der persönlichen Sonderheit (*„eccentricity"*), die in der Großstadt nicht nur toleriert, sondern prämiert wird.

Drei große Themenbereiche einer empirisch verfahrenden Stadtsoziologie sind es also, die in diesem *„blueprint"* (Martin Bulmer) der Chicago-Schule angeregt werden: die Großstadt als eine Konstellation räumlich verorteter sozialer Welten; die Herausbildung neuer, großstadtspezifischer Berufe und Persönlichkeitstypen, Mentalitäten und Verhaltensweisen; der Wandel der Institutionen mit den damit einhergehenden Problemen sozialer Kontrolle.

Vergleicht man die Vorschläge von Park mit den späteren Forschungsarbeiten am Institut,[31] dann erscheint Shils' Aussage, daß „The City" die Leitideen der amerikanischen Stadtsoziologie geliefert habe, eher noch untertrieben.[32] *In nuce* war in der „Antrittsvorlesung" von 1915 bereits all das enthalten, was später die kognitive Identität der *Chicago School of Sociology* kennzeichnet. Eine gute Handvoll der Studien sind zu Klassikern der empirischen Soziologie geworden: Nels Anderson, *The Hobo* (1923), Frederic M. Thrasher, *The Gang*, Louis Wirth, *The Ghetto* (1928), Harvey W. Zorbaugh, *The Gold Coast and the Slum* (1929), Clifford R. Shaw, *The Jack-Roller* (1930) und Paul J. Cressey, *The Taxi-Dance Hall* (1932). Es sind diese anschauungsgesättigten Studien, die im Zentrum des erneuerten Interesses an den Arbeiten der *Chicago School* stehen. Aber es gibt noch eine Reihe weiterer Arbeiten (wieder)zu entdecken, die sich der Inspiration von Robert Park verdanken.

3. Parks gesellschaftstheoretischer Entwurf kreist um die Unterscheidung zweier Ordnungen. In Analogie zur Pflanzen- und Tierökologie bezeichnet Park den gesellschaftlichen Unterbau, das Subsystem, als *„community"*, als sich räumlich ausformende, geographisch bestimmte Gemeinschaft, auf deren Fundament sich das Gebilde erhebt, das den eigentlichen Untersuchungsgegenstand der Soziologie ausmacht, nämlich die Gesellschaft im Sinne einer kulturellen Ordnung. Diese doppelte Konzeption von Gesellschaft als Gemeinschaft und Gesellschaft bzw. als symbiotisches Subsystem und kultureller Rahmen ist auf die von Herbert Spencer einerseits, Auguste Comte andererseits konzipierten elementaren Beziehungsformen zurückzuführen, die Gesellschaft überhaupt erst konstituieren: Gesellschaft als ein durch Arbeitsteilung bestimmbares System, das aufgrund der wachsenden Interdependenz kompetitive Kooperation notwendig macht, und Gesellschaft als spirituelle Ordnung, als ein System von „gemeinsamen sittlichen Vorstellungen" (Comte). Für Park sind zwei Formen der Interaktion konstitutiv für die Errichtung und Aufrechterhal-

tung der sozialen Ordnung bzw., übersetzt in eine andere Theoriesprache: des gesellschaftlichen Reproduktionsprozesses, nämlich Kommunikation und Konkurrenz. Während Konkurrenz das gesellschaftliche Individualisationsprinzip bildet, das die differenzierte Arbeitsteilung hervorbringt, wirkt Kommunikation als integrierendes und vergesellschaftendes Prinzip.[33] Wie Hans Joas zu Recht bemerkt, kommt eine theoretische Verbindung von Wirtschaft und Gesellschaft bei Park nicht zustande; statt dessen wird diese Kluft „mit evolutionistischen Annahmen über eine schrittweise Transformation des ungeplant-konkurrenzhaften Sektors der Gesellschaften in den demokratisch-selbstbestimmten zugedeckt".[34] Auf der anderen Seite macht das binäre Modell die Schlüsselrolle deutlich, die Park der Interaktionsform „Kommunikation" beimißt, und zwar nicht nur gesellschaftstheoretisch, sondern auch gesellschaftspolitisch, nämlich als vergesellschaftendes Prinzip und als Medium demokratischer Selbstverständigung: „Kommunikation bringt nicht nur aus individuellen und privaten Erfahrungen eine Erfahrung hervor, die gemeinsam und öffentlich ist, diese gemeinsame Erfahrung bildet zugleich die Grundlage für eine gemeinsame und öffentliche Existenz, an der jeder Einzelne mehr oder minder teilhat und deren Teil er selber ist".[35]

Park hat sich orientiert an John Deweys Diktum, daß Gesellschaft durch und in Kommunikation existiert, was wiederum die Existenz selbstbewußter Individuen voraussetzt. Dieses Sich-Seiner-Selbst-Bewußt-Sein schließt das Wissen um individuelle Unterschiede mit ein. Nicht die Gleichartigkeit der Gesellschaftsmitglieder ist die Bedingung gelungener Kommunikation, sondern gerade deren Verschiedenheit. Erst diese nämlich macht Kommunikation im Sinne von Verständigung nicht nur nötig, sondern auch möglich, weil nur Subjekte mit individuellen Erfahrungen sich etwas zu sagen haben: „Es ist die Verschiedenheit der individuellen Erfahrungen, die Kommunikation notwendig und Übereinstimmung möglich macht. Wenn wir stets in ähnlicher Weise auf Reize reagieren würden, gäbe es meiner Auffassung nach weder eine Notwendigkeit für Kommunikation noch eine Möglichkeit für abstraktes und reflexives Denken. Wissen wird dann nachgefragt, wenn es nötig wird, unterschiedliche Erfahrungen zu überprüfen und zu begründen, und sie auf eine Weise begrifflich zu fassen, die sie für uns alle nachvollziehbar machen".[36]

Die Aufgabe von Kommunikation geht hier weit über das hinaus, was man als Korrektur des biotischen Wildwuchses, der Auswüchse ungeplanter Konkurrenz bezeichnen kann. Sie wird zu einem Kulturideal, das überkommene Bindungen transzendiert, um zu einem gemeinsamen *universe of discourse* zu gelangen. Diese Gemeinsamkeit meint freilich nicht die Aufhebung der Verschiedenheit, erscheint diese doch als irreversibel. Durch Kommunikation werden vielmehr die individuellen Erfahrungen intelligibel gemacht und integriert, nicht aber aufgehoben. Zu diesem Ideal, das letztlich das Ideal des Weltbürgertums ist, beizutragen, ist Aufgabe der Soziologie im Verständnis von Robert Ezra Park.

5. Was bleibt vom Klassiker Park?

Robert Ezra Park hat wie kein zweiter zur Transformation der amerikanischen Soziologie in eine empirische Wissenschaft beigetragen. Diese Umgestaltung bezieht sich sowohl auf die praktische Soziologie, die vor Park durch die Meliorationsperspektive geprägt war, als auch auf die akademische Soziologie, der vor Park jeglicher Erfahrungshintergrund fehlte. In seinem Wunsch, *„to see and to know life"*, ähnelt Park anderen kulturellen Rebellen seiner Generation, die die Zwänge der amerikanischen Kleinstadtmoral hinter sich lassen wollten.[37] Sein Begriff der Erfahrung hat eine vitalistische Komponente, die das übliche technische Verständnis als eng und kleinkariert erscheinen läßt. „Parks Vorstellung war es, daß man sich den Wind um die Nase wehen läßt (Get your feet wet) ... Begib dich auf die Straßen, geh raus und lerne Dinge über das Leben", berichtet der Park-Schüler Walter C. Reckless.[38] Dinge über das Leben lernen heißt nicht nur, Erfahrungen zu machen, die in Erkenntnisse umzusetzen sind, sondern auch jene Voreingenommenheiten abzustreifen, die der wissenschaftlichen Erkenntnis im Wege stehen.

In diesem Programm ist *in nuce* der Übergang von der Präventions- zur Verstehensperspektive enthalten. Für Park ist Verstehen freilich keine bloße Operation, sondern Aufgabe, Methode *und* Ziel einer Soziologie, die sich als Organ der Verständigung begreift, als Mittler „eines intelligiblen Diskurses zwischen Menschen, die voneinander in ihren Interessen und Ansichten, in

Reichtum und Macht ganz verschieden und doch in einer Welt beheimatet sind", wie Clifford Geertz das *künftige* Programm ethnographischer Texte ganz im Parkschen Sinne umreißt.[39]

Park hat mit seinem Werk gewiß die Grundlagen der Stadtsoziologie gelegt (und zu Recht ist darauf aufmerksam gemacht worden, daß dies auch für eine Soziologie der Massenkommunikation gilt[40]), aber er ist kein Bindestrichsoziologe. Seine Soziologie bildet eine Synthese zweier für unvereinbar gehaltener ‚Disziplinen', Journalismus und Philosophie, eine Zusammensetzung, die die amerikanische Soziologie *sui generis* hervorgebracht hat: „Park verstand es, das philosophische und theoretische Interesse mit dem zu verbinden, was einige abschätzig als journalistisches Interesse bezeichnet haben. Es war stets das besondere Markenzeichen der amerikanischen Soziologie, Neugier über das, was sich in der Welt tut, mit einem stärkeren Interesse an Theorie zu verbinden. Park brachte diese beiden Interessen mehr als jeder andere vor und während seiner Zeit zusammen".[41]

Wie aktuell diese Synthese ist, zeigt die gegenwärtige Debatte über „Soziologie am Ende des Jahrhunderts", mit ihrem Plädoyer für einen Soziologen, „der wie ein Publizist agiert und schreibt"[42]. Park ist in dieser Hinsicht ein Prototyp, ist er doch zeit seines Lebens ein *„public intellectual"* geblieben, der mit einem Fuß in der Welt der Gelehrten, mit dem anderen im öffentlichen Leben stand.

Literatur

1. Soziologische Hauptwerke

Hughes, Everett C. u. a., Hrsg., 1950–1955, The Collected Papers of Robert Park. 3 Bde. Glencoe.

Turner, Ralph H., Hrsg., 1967, Robert Park on Social Control and Collective Behavior. Chicago.

Elsner Jr., Henry, Hrsg., 1972, The Crowd and the Public and other Essays. Chicago.

Park, Robert E., 1904, Masse und Publikum. Eine methodologische und soziologische Untersuchung. Bern.

Park, Robert, 1921, Introduction to the Science of Sociology (mit E. W. Burgess). Chicago.

Park, Robert E., 1921, Old World Traits Transplanted mit Herbert A. Miller. New York. (Es wird angenommen, daß der aufgrund eines Skandals desavouierte William I. Thomas der Hauptautor ist.)

Park, Robert E., 1922, The Immigrant Press and its Control. New York.
Park, Robert E., 1925, The City (mit E. W. Burgess und R. D. McKenzie). Chicago.
Park, Robert E., Hrsg., 1939, An Outline of the Principles of Sociology. New York.

2. Bibliographien

Cooper, Edna, 1945, Bibliography of Robert E. Park. In: Phylon, vol. 6, S. 372–383.
Raushenbush, Winifred, 1979, The Publications of Robert E. Park. In: Winifred Raushenbush, Robert E. Park. Durham, S. 195–198

3. Sekundärliteratur

Lal, Barbara Ballis, 1990, The Romance of Culture in an Urban Civilization. Robert E. Park on Race and Ethnic Relations in Cities. London/New York.
Lindner, Rolf, 1990, Die Entdeckung der Stadtkultur. Soziologie aus der Erfahrung der Reportage. Frankfurt a.M. (engl. The Reportage of Urban Culture. Robert Park and the Chicago School, Cambridge 1996).
Matthews, Fred F., 1977, Quest for an American Sociology: Robert E. Park and the Chicago School. Montreal.
Raushenbush, Winifred, 1979, Robert E. Park. Biography of a Sociologist. Durham.
Coser, Lewis A., 1977, Robert E. Park 1864–1944. In: ders., Masters of Sociological Thought. 2nd edition. New York, S. 357 –384.
Hughes, Everett C., 1971, Robert E. Park. In: ders., The Sociological Eye. Chicago/New York, S. 543–549
Hughes, Helen MacGill, 1980, Robert Ezra Park. The Philosopher – Newspaperman – Sociologist. In: R. K. Merton/W. Riley, Hrsg., Sociological Tradition from Generation to Generation. Norwood, S. 67–79.
Nelissen, N. J. M., 1973, Robert Ezra Park (1864–1944). Ein Beitrag zur Geschichte der Soziologie. In: KZfSS, Bd. 25, S. 515–529.
Shils, Edward, 1990, Robert E. Park 1864–1944. In: American Scholar, vol. 60, No. 1, S. 120–127

Anmerkungen

1 Park, R. E., Sociology. In: Gee, W., Hrsg., Research in the Social Sciences. New York 1929, S. 40.
2 Park, R. E., The Problem of Cultural Differences. In: Ders., Race and Culture (= The Collected Papers of Robert Ezra Park, vol. 1). Glencoe, Ill. 1950, S. 10.
3 Baker, P. J., Die Lebensgeschichten von W. I. Thomas und Robert E. Park. In: Lepenies, W., Hrsg., Geschichte der Soziologie, Bd. 1. Frankfurt a.M. 1981, S. 244–270.
4 Mannheim, K., Mensch und Gesellschaft im Zeitalter des Umbaus. Darmstadt 1958, S. 109. Mannheim bezieht sich in Anmerkung 1 explizit auf Park.

5 Park, R. E., The Mind of the Rover. Reflections upon the Relation between Mentality and Locomotion. In: The World Tomorrow, September 1923. Der Aufsatz erscheint 1925 geringfügig geändert unter dem Titel „The Mind of the Hobo" im Sammelband „The City".

6 Park, The Mind of the Rover, S. 269.

7 Thomas, W. I., The Person and His Wishes. In: Park, R. E./Burgess, E. W., Introduction to the Science of Sociology. Chicago 1924, S. 488–490.

8 Baker, Lebensgeschichten, S. 259.

9 Matthews, F., Quest for an American Sociology. Robert E. Park and the Chicago School. Montreal/London 1977.

10 „On a Certain Blindness" von William James ist der im Werk von Park am häufigsten erwähnte/zitierte Artikel.

11 Park, R. E., Masse und Publikum. Eine methodologische und soziologische Untersuchung. Bern 1904.

12 Park gilt u. a. als eigentlicher Autor des unter Washingtons Namen erschienenen Buchs „The Man Farthest Down. A Record of Observation and Study in Europe" (1912), einer Schilderung der Lebensumstände der europäischen Unterklasse in Form eines Reiseberichts.

13 Thomas an Park, am 6. 5. 1912: „It has been the greatest thing that ever happened to me to meet you". Robert E. Park Papers Addenda Box 2, Folder 7, Joseph Regenstein Library, Special Collections, University of Chicago.

14 In den ersten Jahren bilden vier biographisch mitgeprägte Veranstaltungen den Korpus von Parks Lehre: „The Negro", „The Crowd and the Public", „The Newspaper" and „The Survey" (später: „The City").

15 Leonard Cottrell im Gespräch mit James T. Carey. James T. Carey Interviews Folder 6, Joseph Regenstein Library, Special Collections, University of Chicago.

16 Park, R. E.: An Autobiographical Note. In: Ders: Race and Culture, a. a. O., S. VI.

17 Joas, H., Symbolischer Interaktionismus. Von der Philosophie des Pragmatismus zu einer soziologischen Forschungstradition. In: KZfSS, 40. Jg. (1988).

18 Hughes, E. C., Robert E. Park. In: Ders.: The Sociological Eye. Chicago/New York 1971, S. 548.

19 Herbert Blumer an Winifred Rorty, 11.4.1966. Robert Ezra Park Papers Addenda Box 6, Folder 6.

20 Studentengedicht zum 74. Geburtstag von R. E. Park. Robert Ezra Park Papers Addenda Box 2, Folder 9. (Abgedruckt in: Lindner, R., Die Entdeckung der Stadtkultur. Frankfurt a. M. 1990, S. 136–140).

21 Lindner, R., Die Entdeckung der Stadtkultur. Frankfurt a. M. 1990, S. 116–140.

22 Matthews, H., Quest for an American Sociology. Montreal/London 1977, S. 134.

23 Simmel, G., Soziologie. Untersuchungen über die Formen der Vergesellschaftung. Berlin 1983 (1908), S. 15.

24 Schemeil, I., D'une sociologie naturaliste à une sociologie politique: Robert Park. In: Revue française de la sociologie, vol. 24 (1983), S. 631–651.

25 Makropoulos, M., Der Mann auf der Grenze. Robert Ezra Park und die Chancen einer heterogenen Gesellschaft. In: Freibeuter 35 (1988), S. 8–22.

26 Schemeil, D'une sociologie naturaliste, S. 641.
27 Park, R. E., Introduction. In: Stonequist, E. V., The Marginal Man. New York 1937, S. XVII–XVIII.
28 Parry, A., Garrets and Pretenders. A History of Bohemianism in America. New York 1960, S. 366.
29 Park, R. E., The City: Suggestions for the Investigation of Human Behavior in the City Environment. In: AJS, vol. 20 (1915), S. 577–612.
30 Erst in der revidierten Fassung des Aufsatzes, die 1925 im Sammelwerk „The City" erscheint, setzt sich die ökologische Terminologie zwecks Etablierung der kognitiven Identität der Chicagoer Stadtsoziologie durch. Daß sich Park dessen bewußt war, zeigt ein Schreiben an Roderick D. McKenzie vom 17.1.1925: „I am planning a volume under the general title, 'The City: Suggestions for the Study of Human Behavior in the Urban Environment'. You will remember that paper. I would like to include in that book your paper on 'Human Ecology' and there may be one or two other papers that would fit in with our plans of publication ... I think of the book as being a sort of introduction to our studies in the city and if your paper is in it, it will serve to announce to the world that there is a new school of thought on urban sociology (sic!)". Robert Ezra Park Addenda Box 2, Folder 2.
31 Vgl. die Liste der Doktor- und Magisterarbeiten in Faris, R. E. L., Chicago Sociology 1920–1932. Chicago/London 1970, S. 135–150.
32 Shils, Edward, The Present State of American Sociology. Glencoe, Ill. 1948, S. 9.
33 Park, R. E., Reflections on Communication and Culture. In: AJS, vol. 44 (1938), S. 187–205 (auch in: Park 1950, S. 36–52); Symbiosis and Socialisation: A Frame of Reference for the Study of Society. In: AJS, vol. 45 (1939), S. 1–25 (auch in: Park 1952, 240–262); Physics and Society. In: Canadian Journal of Economics and Political Science, vol. 6 (1940), S. 135–152 (auch in: Park 1955, S. 301–321).
34 Joas, Symbolischer Interaktionismus. S. 434.
35 Park, R. E., Sociology and the Social Sciences. In: Park, R. E., Society (= The Collected Papers of Robert Ezra Park vol. III). Glencoe, Ill. 1955, S. 222.
36 Park, R. E., The Urban Community as a Spacial Pattern and a Moral Order. In: Burgess, E. W., Hrsg., The Urban Community. Chicago, Ill. 1926, S. 15.
37 Vidich, A. J./Lyman, St. H., American Sociology. Worldly Rejections of Religion and Their Directions. New Haven/London 1985, S. 195.
38 W. C. Reckless im Gespräch mit J. T. Carey. James T. Carey – Interviews Folder 1.
39 Geertz, C., Die künstlichen Wilden. Der Anthropologe als Schriftsteller. München/Wien 1990, S. 142.
40 Frazier, P. J./Gaziano, C., Robert Ezra Park's Theory of News, Public Opinion and Social Control (= Journalism Monographs No. 64). Austin, Texas 1979.
41 Hughes, E. C., Plan for a book about R. E. Park. September 1962. Robert Ezra Park Papers Addenda, Box 9, Folder 8.
42 Denzin, N. K., Sociology at the End of the Century. In: The Sociological Quarterly, vol. 37 (1996), S. 743–752.

Erhard Stölting

Robert Michels
(1876–1936)

1. Biographie

Robert Michels wurde am 9. Januar 1876 in Köln als Kind einer wohlhabenden eingesessenen Kaufmannsfamilie geboren. Das patrizische rheinische Herkunftsmilieu mag seine sich früh bildende Abneigung gegen das Bismarcksche Deutschland und dessen expansives Preußentum plausibel machen. Der gleiche Hintergrund und familiäre Bindungen nach Frankreich können auch seine Verbundenheit mit der Kultur des romanischen Europa erklären.

Mit neun Jahren besuchte Michels das Französische Gymnasium in Berlin, drei Jahre später das Gymnasium in Eisenach, das er vor dem Abitur verließ, um ein Jahr lang seinen Militärdienst in Weimar abzuleisten. Anschließend studierte er in Paris, München, Leipzig und Halle. Im Jahre 1900 promovierte er dort bei Johann Gustav Droysen und heiratete Gisela Lindner, die Tochter eines Halleschen Historikers.[1] Mit ihr ging er im gleichen Jahr nach Italien und schloß sich dort der Sozialistischen Partei an. Im Herbst 1901 kam er in der Hoffnung zurück, an der Universität Marburg Geschichte lehren zu können. Aber als Mitglied nun auch der deutschen Sozialdemokratie war ihm im kaiserlichen Deutschland eine akademische Karriere verschlossen, obwohl sich Max Weber öffentlich für ihn einsetzte. Die vereitelte akademische Laufbahn war ein Schlüsselerlebnis für Michels. Deutschland wurde für ihn zum negativen Kontrastbild des kultivierten und liberalen Italien, in dem der Sozialismus akademisch und gesellschaftlich nicht geächtet war. Michels' Entscheidung für den Sozialismus bedeutete auch einen radikalen Bruch mit seinem Herkunftsmilieu. Die Tatsache, daß er aus ideellen Gründen auf eine glänzende und sichere akademische Karriere in Deutschland verzichtet hatte, machte ihn – auch für sich selbst – zum lebenden Gegenbeweis gegen soziologische und historische Determinismen.

Michels engagierte sich in seiner Marburger Zeit bis 1907 aktiv im radikalem Flügel der Sozialdemokratie. Wie viele sozialistische Intellektuelle jener Zeit, die aus dem Bürgertum kamen, sah er die theoretische Begründung seiner Position im Neukantianismus und nicht im Marxismus, dessen materialistische Perspektive er von Anbeginn ablehnte.

Innerhalb der Partei blieb seine Position bzw. die seiner Marburger Gruppe erfolglos.[2] 1903 bis 1905 nahm Michels Lehraufträge in Brüssel und in Paris wahr, was ihm die Aufnahme intensiver persönlicher Beziehungen zur syndikalistischen Bewegung ermöglichte. Tatsächlich war schon seine Ablehnung der sozialdemokratischen Fixierung auf parlamentarische Strukturen und delegierende Organisationsformen syndikalistisch inspiriert gewesen. Nun nahm er Kontakte zu Hubert Lagardelle und Edouard Berth auf und schrieb in dessen Zeitschrift *Le Mouvement Socialiste*. Hier lernte er auch Georges Sorel kennen, dessen *Réflexions sur la violence* 1906 erschienen und zu einem Grundtext des revolutionären Syndikalismus wurden.

1907 habilitierte sich Michels bei Achille Loria in Turin. Seine Rückkehr nach Italien markierte auch eine persönliche Wende – seinen schrittweisen Ausstieg aus der aktiven Politik. Nachdem er 1907 dem Sozialistenkongreß in Stuttgart als italienischer Delegierter beigewohnt hatte, verließ er noch im gleichen Jahre die Sozialistische Partei Italiens und konzentrierte sich auf seine wissenschaftliche und journalistische Arbeit. Michels wurde zu einem primär akademischen Wissenschaftler. Besonders wichtig für ihn war nun der Kontakt zu Werner Sombart und Max Weber. 1913/14 gehörte er neben Weber, Sombart und Edgar Jaffé zu den Mitherausgebern des *Archivs für Sozialwissenschaft und Sozialpolitik*, der wichtigsten sozialwissenschaftlichen Zeitschrift im deutschen Sprachraum.

Die Eroberung Libyens im italienisch-osmanischen Krieg von 1911/12 hatte innenpolitische Rückwirkungen, die die politische Entwicklung von Michels beschleunigten. Der rechte Flügel der sozialistischen Partei, der den Krieg unterstützte, spaltete sich ab, während die reformistische Linke der anti-kolonialistischen Tradition des italienischen Sozialismus treu blieb. Erstmals tauchte in Italien nun auch eine radikale voluntaristische Linke auf, die den Antiparlamentarismus, den Antimilitarismus und die revolutionäre Gewalt predigte; ihr wortgewaltiger Anführer war Benito Mussolini. Michels sah sich in diesen Auseinandersetzungen, die in den Begriffen seiner politischen und intellektuellen Biographie geführt wurden, nicht nur als Beobachter sondern als Beteiligter. Er wurde nun zum italienischen Nationalisten und nahm 1913 die italienische Staatsbürgerschaft an. Als er 1915 öffentlich für den Kriegseintritt Italiens gegen Deutschland eintrat, zerbrach das bisher freundschaftliche Verhältnis zu Max Weber.

Im April 1914 erhielt Michels eine Professur für Nationalökonomie und Statistik an der Universität Basel, die er aus materiellen Gründen annahm, obwohl er Italien wieder verlassen mußte; die ehrenvolle außerordentliche Professur an der Universität Turin, an der er festhielt, brachte kein Geld. Seine Identifikation mit seiner italienischen Wahlheimat brach dadurch nicht ab. Michels erforschte und kommentierte auch weiterhin das politische und intellektuelle Leben Italiens. Besonders wichtig wurde nun seine auch persönlich enge Beziehung zu Vilfredo Pareto in Lausanne. Gleichwohl blieb er mit seinen wissenschaftlichen und journalistischen Arbeiten bis zu seinem Tode auch im deutschen Sprachraum präsent.

In schweizerischen Presseorganen hatte er als erster über die aufsteigende faschistische Bewegung in Italien Artikel geschrieben. Daß er sich 1922 dem *Partito Nazionale Fascista* Mussolinis anschloß, war nicht nur bei seiner Umwertung des Nationalen überhaupt, sondern auch bei seiner Nähe zu Georges Sorel und den lebensphilosophischen intellektuellen Milieus in Italien konsequent. Was Michels an Mussolini besonders faszinierte, waren der Radikalismus und der Begriff der „Bewegung", die ihrerseits als Selbstzweck erscheinen konnten. Unter „Faschismus" ist hier, wohlgemerkt, nur die italienische Bewegung zu verstehen, nicht der deutsche Nationalsozialismus, dem Michels ebenso fern stand wie die Mehrheit der italienischen Intellektuellen.

1926 nahm Michels einen Lehrauftrag an der Universität Rom wahr, den er in überarbeiteter Form 1927 als *Corso di sociologia politica* publizierte. Der *Corso* war eine Apotheose des faschistischen Staates und die Summe des Denkens seiner Spätzeit. 1927 lehrte Michels als Gastprofessor in den USA, u.a. an der *University of Chicago*. Nach seiner Rückkehr erhielt er auf Veranlassung Mussolinis den Ruf auf einen eigens für ihn eingerichteten

Lehrstuhl an der faschistischen Universität Perugia. Bis zu seinem Tode am 2. Mai 1936 in Rom wirkte Michels auch als Propagandist des faschistischen Italiens Mussolinis[3].

2. Das Werk

Die Wechselbeziehungen zwischen der Existenz als Intellektueller, dem politischem Engagement und der wissenschaftlichen Tätigkeit waren bei Robert Michels besonders eng, und sie wurden in seinem Werk immer wieder thematisiert. Dabei lassen sich unterschiedliche Phasen unterscheiden, die seiner politischen Entwicklung folgen: eine erste Phase des aktiven sozialistischen und syndikalistischen politischen Engagements bis etwa 1907, dann die Konzentration auf die wissenschaftliche Arbeit, die einen Wandel der wissenschaftlichen Form mit sich bringt und doch zugleich mit einem Wechsel seiner nationalen Selbstidentifikation und seinem Übergang zu nationalistischen Positionen einhergeht. Schließlich eine Identifikation mit dem italienischen Faschismus, die aber seine im engeren Sinne wissenschaftliche Produktion nicht beendet. Durch all seine politischen Wandlungsprozesse hindurch ist Michels ein produktiver Sozialwissenschaftler geblieben.

Ausgangspunkt seines Denkens war seine erste Entscheidung für den Sozialismus. Unter „Sozialismus" verstand er ein Ideal, das die Möglichkeit einer freien und selbstbewußten individuellen Existenz enthielt, in der nicht nur alle Quellen von Ausbeutung, sondern auch alle Ursachen von Unterdrückung, Erniedrigung und Demütigung beseitigt wären. Dieses Ideal schloß einen radikalen Pazifismus ebenso ein wie die Forderung nach einer Gleichstellung der Frauen, nach einer neuen Sexualmoral oder nach der Selbstbestimmung unterdrückter Nationen und Minderheiten. Erstens war „Nation" für Michels ein kulturelles und kein biologisches Faktum, nationale Selbstbestimmung daher immer ein durch Politik zu sicherndes kulturelles Ziel. Zweitens war die Zugehörigkeit zu einer Nation im Sinne von Hippolyte Taine immer auch ein Willensakt. Seine Entscheidung, Italiener zu werden, war in seinem Denken mithin als Möglichkeit angelegt gewesen.

Der Sozialismus war für Michels ein Ideal, das durch aktives Handeln in gesellschaftliche Wirklichkeit zu überführen war. Er war für ihn nicht, wie die Marxisten annahmen, Ausdruck von materiellen gesellschaftlichen Interessen, und seine Durchsetzung sollte von diesen unabhängig sein. Eine materialistische, eigennützige Orientierung, die seiner Auffassung nach dem marxistischen Materialismus entsprach, blieb immer an Variationen des Status quo gebunden. Nur Ideale konnten jenes selbstlose und opferbereite Handeln motivieren, das für grundsätzliche Veränderungen erforderlich war. Michels' politische Sicht entsprach seiner Biographie: Seine Entscheidung für den Sozialismus war auf keinen Fall durch materielle oder Klasseninteressen bestimmt.

Der „Materialismus", den Michels ablehnte, bedeutete für ihn nicht nur die Betonung der Abhängigkeit eines ideellen „Überbaus" von einer „Basis" materieller Interessen. Er war für ihn die Apologie der egoistischen sozialfeindlichen Antriebe des Menschen, die durch die bürgerliche Gesellschaft übermächtig geworden waren. Hinter der radikalen Opposition, die Michels innerhalb der deutschen Sozialdemokratie bis 1907 eingenommen hatte, steckte als Ziel die Überwindung des egoistischen Materialismus durch altruistischen Enthusiasmus. Es blieb bis in seine faschistische Zeit unter neuen Konstellationen erhalten.

Michels hatte innerhalb der deutschen Sozialdemokratie keine Chance sich durchzusetzen. Die Widerstände, auf die er traf, und seine Enttäuschungen präzisierten seine politische Position gegenüber der deutschen Arbeiterbewegung und gegenüber Deutschland. Sie führten ihn schließlich in die Distanz zum Sozialismus überhaupt. Generalisiert bildeten seine Enttäuschungen die Basis seines soziologischen Denkens.

Die Differenz von altruistischen, selbstlosen Entscheidungen einerseits und der Suche nach partikularen materiellen Vorteilen andererseits blieb für Michels grundlegend bei der Beschreibung und Bewertung der politischen und gesellschaftlichen Prozesse seiner Zeit. Sie prägte auch seine wissenschaftliche Beschäftigung mit den Mechanismen des politischen Lebens.

Die grundlegende Differenz der beiden Handlungstypen führte Michels zu zwei Konsequenzen, die sich in seinem Werk durchhielten: Erstens die Bedeutung, die er intellektuellen Entwicklungen zumaß. Sie waren für ihn nicht bloßer Reflex, sondern wirklicher Antrieb der historischen Entwicklung. Die politische und sozialwissenschaftliche Ideengeschichte hatte für Michels daher nie ein nur antiquarisches Interesse. Sie war für ihn bestimmender Teil der realen Geschichte und öffnete den Blick auf die strukturellen Möglichkeiten einer Zeit.[4] Dem Einfluß der ideellen Faktoren entsprach die gesellschaftliche und historische Bedeutung, die er den Intellektuellen beilegte. Denn sie gingen mit den Begriffen und Ideen, die Motive des Handelns wurden, als berufene Spezialisten um. Sie und ihre soziale Einbettung wurden mithin bei Michels nicht nur systematisch Gegenstand der soziologischen Reflexion; seine Arbeiten zur Geschichte der politischen Bewegungen in Europa erfaßten immer auch die soziale Position der Intellektuellen.

Die konstitutive Differenz ideell-altruistischer und materiell-egoistischer Handlungsantriebe können auch die systematische Bedeutung, die Michels psychologischen Faktoren zumaß, plausibel machen. Michels hatte immer die vorgestellten Subjekte des Handelns im Sinn, die in bestimmten Begriffen und Theorien reflektierten und deren zugleich kulturell geprägte oder biologisch verankerte Gefühle ihre Reflexion und Entscheidungen mitbestimmten. Michels blieb daher objektivistischen Verfahren gegenüber skeptisch, wie jenen der Moralstatistik.[5] Statistische Verfahren könnten die psychischen Antriebe der Menschen nur äußerlich und unvollkommen erfassen. In der Begrenztheit aber erkannte Michels stets auch die heuristische Fruchtbarkeit jener Ansätze, die er kritisierte. In allen seinen geistes- oder wissenschaftsgeschichtlichen Werken stellte er seine Gegenstände in ihrer immanenten Entwicklung bis zu jenem Punkte dar, an dem sie ihm kritikwürdig schienen. Bis dahin aber wurden sie als fruchtbar akzeptiert.

Allerdings öffnete sich Michels durch das Gewicht, das er psychologischen Faktoren und Erklärungen zumaß, dem Einfluß der Massenpsychologie des ausgehenden 19. Jahrhunderts von Gustave Le Bon, Gabriel Tarde und Scipio Sighele.[6] Schon in seinem Frühwerk war er bereit, sein politisches Ausgangsproblem in den Termini dieser Massenpsychologie, im Wechselspiel von Führern und Geführten, von herausragenden Individuen und reagierenden Massen zu reformulieren. Vor allem in seinen journalistischen oder polemischen Texten war er sogar bereit, wenig abgesicherte völkerpsychologische Betrachtungsweisen zu übernehmen, wie sie in der damaligen Zeit bis in die Journalistik hinein üblich waren – etwa Unterschiede zwischen einem deutschen, französischen oder italienischen Nationalcharakter heuristisch zur Erklärung nationaler Unterschiede zu verwenden oder Geschlechterpsychologie zu treiben.

Der Radikalismus von Michels Marburger Zeit verband sich mit Selbstzuordnungen, die aus der historischen Rückschau widersprüchlich erscheinen. Auf der einen Seite engagierte er sich in der antirassistischen, pazifistischen und kosmopolitischen *Gesellschaft für Ethische Kultur*, in der auch Ferdinand Tönnies aktiv war, andererseits vertrat er die Idee des nationalen Selbstbestimmungsrechts auch in der ausdrücklich rassistischen *Politisch-Anthropologischen Revue*. Aber deren Herausgeber Ludwig Woltmann war einst selbst ein ethisch-neukantianisch argumentierender radikaler Sozialist gewesen.[7]

Michels' Kritik an der deutschen sozialdemokratischen Bewegung folgte zunächst der Dichotomie von idealistischem und materialistischem Handeln. Die sozialdemokratischen Führer hätten eine große Organisation aufgebaut, die ihnen selbst Lohn, Brot und sozialen Aufstieg gegeben habe. Sie verbänden mit ihr ihre materielle Existenz und seien daher auf ihr Fortbestehen und ihre Stärke angewiesen. Zu einem revolutionären Handeln, das ihre Lebensgrundlage in Frage stellen könnte, seien sie nicht mehr bereit. Dieser konservative Egoismus werde durch radikale marxistische Phrasen überdeckt, die dazu dienten, im Proletariat um Mitglieder und Unterstützung zu werben und so die Macht und die materielle Lebensbasis der Führer zu stabilisieren. Auf diese Weise werde die natürliche altruistische Gesinnung der Massen umgelenkt, durch Täuschung stillgestellt. Das Proletariat werde zu reformistischem Denken und Unterwürfigkeit erzogen.

Seine Erfahrungen in der deutschen Sozialdemokratie verstärkten bei Michels auch die antideutschen Vorbehalte: Die deutschen Arbeiter seien materialistisch und damit zu revolutionärem Handeln nicht mehr in der Lage. Ihnen gegenüber idealisierte Michels das Proletariat der romanischen Länder, vor allem Italiens. Dort seien die Unterschichten gleichsam von Natur aus egalitär, demokratisch, tolerant und selbstlos, und damit zu revolutionärem schöpferischen Handeln fähig. Später sollte Michels diese Charakterisierung auf Nationalcharaktere hin verallgemeinern.

Zunächst aber suchte er eine syndikalistische Antwort und meinte sie bei Georges Sorel zu finden. Für Sorel war ein Ausgangsproblem die materialistische und unrevolutionäre Friedlichkeit der Massen gewesen. Sie zu überwinden und die Massen zum eigenen schöpferischen Handeln zu bringen, war das politische Ziel. Auch bei Sorel fand sich mithin die Dichotomie von materialistischem, egoistischem Handeln einerseits und idealistischem, opferbereitem und selbstlosem Handeln andererseits. Materialistische, egoistisch kalkulierende und kompromißbereite Orientierungen bedeuteten Stillstand und Dekadenz.

Indem Sorel seine Konzeption in den Begriffen von Vitalität und Dekadenz formulierte, ließ sie sich an lebensphilosophische Denkrichtungen der Zeit, etwa jene Friedrich Nietzsches oder Henri Bergsons, anschließen. Die Rede vom Primat der Bewegung, des Lebens selbst oder der Lebenssteigerung paßte auch zum hegemonialen Diskurs der italienischen Generation von Intellektuellen der Jahrhundertwende, die sich gegen den Materialismus des 19. Jahrhunderts, gegen den parlamentarischen Sozialismus und gegen den Marxismus in seiner materialistisch-deterministischen Prägung wandten.[8] Diese geistige Orientierung beflügelte all jene nationalistischen, idealistischen und antisozialistischen Strömungen, zu denen schließlich auch der sich durchsetzende Faschismus gehörte. Sie wirkte aber auch in innermarxistischen Kritiken fort, etwa bei Antonio Gramsci und seiner Konzeption einer nicht-deterministischen Philosophie der Praxis bzw. seiner Bestimmung der Rolle der „organischen" Intellektuellen.[9]

Immer ging es dieser im Denken Sorels sich bündelnden intellektuellen Strömung um eine ethisch motivierte radikale Überwindung bestehender Verhältnisse, deren Voraussetzung in der Selbstlosigkeit und Opferbereitschaft der revolutionären Subjekte gesehen wurde. Das Ziel blieb dabei sekundär und austauschbar. Es kam auf die Bewegung selbst an. Der politische Radikalismus wurde zum Selbstzweck. Was immer die Massen oder bestimmte Klassen in Bewegung setzen konnte, war gut, wenn es vital und lebensdienlich war. Sorel konnte ebensogut mit Lenin wie mit Mussolini sympathisieren. So sehr auch Mussolini seine Position auf seinem eigenen Weg vom radikalen Sozialisten zum Faschisten veränderte, konstant blieb sein gewaltbereiter Aktivismus, sein schierer Radikalismus. Der Einfluß Sorels auf Michels war bleibend, obwohl dieser sich bereits um 1907 vom Syndikalismus wieder abwandte, nachdem er als italienischer Delegierter am Stuttgarter Sozialistenkongreß teilgenommen hatte.

Andererseits war Michels realistisch genug zu sehen, daß ohne Organisationen politisches Leben undenkbar war. In allen möglichen Gestaltungen erschien der Sozialismus damit als unerfüllbare Utopie. Diese politische Resignation schlug bei Michels in einen soziologischen Realismus um und führte ihn zur Anerkennung objektiver, unumgehbarer sozialer Mechanismen. Was Michels einst aus ideellen Gründen abgelehnt hatte, die oligarchischen Tendenzen, erschien ihm nun unvermeidlich. Negativ blieb damit die politische Kritik seiner frühen sozialistischen Zeit in seinen wissenschaftlichen Texten präsent: Sie verwies nun auf jene Phänomene, in denen sich die harte und unüberwindbare Objektivität der Gesellschaft zeigte. Immer deutlicher transformierte Michels seine bisherige politische Kritik in einen sozialwissenschaftlichen Diskurs, auch wenn er den radikal anklagenden Ton noch eine Weile beibehielt. Die Soziologie von Michels wurde in der Resignation geboren.

1907 verfaßte er seinen Artikel über „Die oligarchischen Tendenzen in der Gesellschaft".[10] Den Mechanismus, den er zuvor an der deutschen Sozialdemokratie kritisiert hatte, generalisierte er nun in einer Darstellung von organisatorischen Tendenzen in massendemokratischen Parteien. Der oligarchische Mechanismus ließ sich auch an der Kirchenhierarchie und der preußischen Armee exemplifizieren. Die zuvor gescholtene Oligarchie wurde in Form von „Eliten" zum konstanten Faktor des politischen Lebens.

Michels übernahm und modifizierte die entsprechenden Ansätze von Vilfredo Pareto und Gaetano Mosca. Pareto hatte die Eliten – der Begriff stammt von ihm – als notwendige und unvermeidliche politische Strukturmomente gesehen.[11] Revolutionen könnten nur neue Eliten installieren; die Geschichte der gesellschaftlichen Umwälzungen sei mithin in Wirklichkeit ein Kreislauf von Eliten. Jede herrschende Elite unterliege im Laufe der Zeit einem physischen und moralischen Niedergang. Aber neue vitale Eliten der unterdrückten Klassen stünden bereit, an ihre Stelle zu treten. Mit dem Versprechen, die Massen zur Freiheit, zum Wohlstand, zur Würde usw. zu führen, sicherten sie sich jene

Unterstützung, die zur Durchsetzung des Machtwechsels notwendig sei. Nach der Eroberung der Macht übernähmen die neuen Eliten die Funktion der alten. Mosca hatte der überredenden Ideologie bei der Eroberung und Sicherung der Herrschaft, der *formola politica*, seine besondere Aufmerksamkeit gewidmet und darauf hingewiesen, daß eine Verschärfung der Klassenkämpfe auch die herrschenden Eliten aus dekadenter Lethargie erwecken und ihren erlahmten Kampfgeist wieder anfachen kann.

Michels differenzierte die Elitentheorie weiter: Durch die Aufnahme und Amalgamierung aufsteigender Elemente könnten sich Eliten immer wieder erneuern und revitalisieren. Die Volksbewegungen zerstörten mithin die herrschende Klasse nicht. Ihre Führer lösten sich von den sie tragenden Bewegungen ab und würden von der herrschenden Klasse absorbiert. Die herrschenden Klassen könnten sich auf diese Weise periodisch immer wieder verjüngen und revitalisieren. Die „Klassenerhöhungsmaschinen", als welche Michels die sozialistischen Organisationen früher getadelt hatte, werden nun zu gesellschaftlich wichtigen Mechanismen. Denn von unten aufsteigende Führer, die ursprünglich selbstlos und idealistisch gewesen und über den Mechanismus der Oligarchisierung aufgestiegen seien, brächten moralische und intellektuelle Fähigkeiten mit, die den zynischen und dekadenten alten Eliten abhanden gekommen seien.

Michels' großes Werk von 1911, die *Soziologie des Parteiwesens*, war die Summe seiner bisherigen intellektuellen und politischen Erfahrungen. Die oligarchischen Tendenzen wurden zu einem „ehernen Gesetz" des organisierten sozialen Lebens überhaupt. Überall setze politisches Handeln hierarchische und funktional spezialisierte Organisationen voraus. Überall verfügten jene, die in diesen Organisationen tätig seien, über einen Wissensvorsprung, den sie zur Festigung ihrer Herrschaft einsetzten. Überall verbänden die Herrschenden ihre individuellen materiellen Interessen mit der Existenz und der Stärke der Organisationen, in denen sie ihren Lebensunterhalt verdienten. Die ursprünglichen ideellen Ziele würden dabei für partikulare Interessen und die Stabilisierung der Herrschaft instrumentalisiert.

Daß Michels diesen Mechanismus an sozialistischen Organisationen vorführte, begründete er nun damit, daß er bei ihnen besonders aussagekräftig sei. Da sie eigentlich demokratische und sozialistische, also anti-oligarchische Ziele verfolgten, setzten sich die oligarchischen Tendenzen bei ihnen gegen eine gegenläufige Intention durch. Entsprechend wurden Sozialismus und Demokratie überhaupt unerreichbare Ziele, die nur oligarchische Ansprüche seitens herrschsüchtiger, egoistischer Eliten maskierten. Die beherrschten Massen entsprachen dieser Situation psychologisch: Die oligarchischen Strukturen förderten die tief verwurzelte Neigung der Massen, sich schmeicheln und täuschen zu lassen bzw. sich einer starken Führung unterwerfen zu wollen.

Michels Wendung vom engagierten radikalen Sozialisten zum distanzierten soziologischen Beobachter, der scheinbar ohne eigene Wertung soziale und sozialpsychologische Mechanismen erfaßt, zeigte sich auch in anderen thematischen Kontexten, mit denen er sich bis an sein Lebensende beschäftigen sollte.

Fragen der Sexualität und der Erotik hatten einen wichtigen Platz in seinem Schaffen. Auch hier kam es zu einer wissenschaftlichen Wende. Wollten seine frühen Schriften eine Veränderung sozialer Regelungen und Normen erreichen, so beschränkte er sich nun auf die distanzierte und objektivierende Darstellung von sozialen Mechanismen. 1904 hatte er in einem Aufsatz zur „Brautstandsmoral" noch den Zwang zur Jungfräulichkeit und die Trennung der Verlobten vor der Hochzeitsnacht gegeißelt. In anderen Schriften griff er die Prostitution als eine Form der bürgerlichen Ausbeutung von Frauen scharf an. Seinen Texten nach 1907 hingegen fehlt jede moralische Indignation. Sein Aufsatz zur „Koketterie", faßte das Problem nur noch deskriptiv: Der Koketterie liege als psychologischer Mechanismus entweder die einfache sinnliche Liebe zu schöner Kleidung, sexuelles Begehren oder asexuelles Machtstreben zugrunde.[12] Kalte Frauen könnten die Koketterie einsetzen, um Männer zu beherrschen. In jedem Falle funktioniere die Koketterie wie die Prostitution als sozial akzeptierter Blitzableiter für polygame Triebe in einer monogamen Gesellschaft.[13]

Die soziologischen Argumentations- und Darstellungsweisen von Michels entsprechen hier denen von Georg Simmel.[14] Wie bei Simmel durchdringen sich sozialpsychologische Argumentationen und solche, die auf ahistorische Mechanismen des Soziallebens zurückgreifen. Die wechselseitige Rezeption und strukturelle Verwandtschaft dieser beiden Soziologen, ist bislang kaum beachtet worden, obwohl sie sich bis in die Behandlung vieler Themen hinein fortsetzt – z.B. der Koketterie,[15] der Soziologie des Fremden[16] oder der Geschlechterpsychologie[17]. Die in der *Soziologie des Parteiwesens* beschriebenen Mechanismen schließlich finden sich auch in Simmels Ausführungen zur „Selbsterhaltung der sozialen Gruppe" oder der „Soziologie der Über- und Unterordnung".

Auch Michels' Haltung zum Sozialdarwinismus und zur Eugenik verändert sich. In seinem frühen Werk hatte er beides von idealistischen Positionen her grundsätzlich abgelehnt[18]: Wo die Massen als das Subjekt der Geschichte gedacht wurden, erschienen Annahmen einer biologischen Determination menschlichen Verhaltens nur als Herrschaftsinstrument. Nun lehnte Michels zwar die Züchtung von Übermenschen auch weiterhin ab. Aber darin, die Ungeeigneten und die moralisch Minderwertigen an ihrer biologischen Reproduktion zu hindern, sah er jetzt eine Möglichkeit, das Niveau der Unterschichten zu heben. Die Verantwortung für die gesunde Entwicklung der Bevölkerung liege damit aber in den Händen von Intellektuellen.

Am wichtigsten aber war Michels' neue Position zum Nationalismus und Patriotismus. Ganz im Sinne der sozialistischen Position vor dem Ersten Weltkrieg hatte Michels den Patriotismus als Instrument der Klassenherrschaft verstanden: mit ihm maskiere die Bourgeoisie ihre eigenen Interessen. Allerdings war zugleich das nationale Selbstbestimmungsrecht immer eines der Ideale von Michels gewesen. Er hatte geglaubt, daß es mit der pazifistischen Position vereinbar sei. Nun gewann die Nation Priorität. Sie sollte Selbstlosigkeit und individuelle Opferbereitschaft mobilisieren und jene Gemeinschaft jenseits des partikularen Klasseninteresses stiften, um die es Michels immer schon gegangen war. Nicht das Proletariat, sondern die Nation war nun zum revolutionären, lebenssteigernden Mythos geworden. Das entsprach auch Michels' politischer Hinwendung zum italienischen Nationalismus am Vorabend des Ersten Weltkriegs.

Und doch hielt er in seinen wissenschaftlichen Schriften die Distanz zur politischen Praxis aufrecht und begründete die historische Aktualität von Patriotismus oder Nationalismus auch mit strukturellen Argumenten: Die Herrschenden müßten unter parlamentarischen Bedingungen den Wählern schmeicheln und sie gegen andere Nationen hervorheben, um ihre Gunst zu gewinnen. Aus diesem Grunde seien parlamentarisch verfaßte Gesellschaften immer besonders patriotisch.[19] Die Reduktion der politischen Aktivität auf das Parlament verlange zudem die Aufgabe des unpatriotischen Kosmopolitismus. Aber auch die Erfolge der sozialistischen Bewegung selbst verstärkten die Kraft des Nationalismus: Indem der Wohlstand und die Bildung der Arbeiter steige, werde die nationale Kultur für sie immer wichtiger. Auch die internationalen Arbeiterwanderungen förderten den Patriotismus, denn nun konkurrierten Arbeiter verschiedener Nationalität auf dem gleichen Arbeitsmarkt. Eine internationale Solidarität werde unmöglich. Schließlich wirke selbst der Imperialismus verstärkend. Denn indem er alte Absatzmärkte sichere und neue öffne, liege er auch im Interesse der Arbeiter – sofern die Gewerkschaften stark genug seien, ihnen einen Teil des Gewinns zu sichern.

Die Hinwendung zum Faschismus nach dem Ersten Weltkrieg bedeutete keinen Bruch in der wissenschaftlichen Produktion von Michels oder in der Art, wie er seine Themen bearbeitete. Tatsächlich verfaßte er in den zwanziger Jahren eine Fülle wissenschaftlicher Arbeiten: Bei aller erkennbaren Sympathie für den Faschismus blieb Michels in seinen wissenschaftlichen Analysen distanziert und abwägend. Seine Texte über das zeitgenössische Italien und über den Faschismus blieben informativ und lesenswert – so auch sein großes Italienbuch von 1930.[20] Nur ausnahmsweise verfaßte er reine Propagandatexte.[21]

Immerhin verstärkte sich in der faschistischen Phase das Gewicht, das das Problem von Führern und Geführten für Michels erhielt. Demokratie und Sozialismus meinte er schon als ideologische Masken oligarchischer Herrschaft entlarvt zu haben. Die vitale gesellschaftliche Einheit, der sich die Individuen begeistert und selbstlos unterwerfen, wurde nun in einer anderen Form des Einverständnisses zwischen Führern und Geführten verortet: in der totalitären Aufhebung der Differenz von Privatheit und Öffentlichkeit und in der emotionalen und symbolischen Vergemeinschaftung, die im kollektiven religiösen Erlebnis entstand. Für diese Vergemeinschaftung wurde der charismatische Führer zentral. Es war klar, daß das anschauliche Beispiel eines solchen Führers Mussolini selbst war.

Schon in seinen Vorarbeiten zur Soziologie des Parteiwesens hatte Michels in einem intensiven Austausch mit Max Weber gestanden, der ihn in schwierigen Phasen seiner Karriere auch praktisch und publizistisch unterstützt hatte. Den Begriff des Charisma hatte Weber aus der Theologie des ausgehenden 19. Jahrhunderts in die politische Soziologie eingeführt.[22] Er sollte einen der wesentlichen quasi-religiösen Aspekte des politischen Lebens faßbar machen: Die Anhänger eines charismatischen Führers sahen diesen als von Gott oder vom Schicksal ausersehen und daher in seiner unbegrenzten Machtfülle als legitimiert an.[23] In ihm konkretisierte sich für sie die Heiligkeit und Übermacht jener Macht, die das Charisma verliehen hatte. Aus diesem Grunde verlangte die charismatische Herrschaftsbeziehung von den Anhängern eine freiwillige und liebende Hingabe an den Führer, also letztlich jene Haltung, die in Michels' politischem Denken immer Orientierungspunkt gewesen war. Der soziologische Blick Webers sah aber auch, daß die übernatürliche Berufung des charismatischen Führers eine Konstruktion der Anhänger war – ein Glaubensakt. Der Soziologe konnte damit eigentlich nicht gläubiger Anhänger eines Führers werden.

Michels wich in der begrifflichen Konstruktion zwar nicht prinzipiell von Weber ab, aber er verschob sie: Das Charisma werde durch den Glaubensakt der Anhänger wirklich hergestellt. Der Glaube habe mit ihm eine objektiv erfahrbare Realität geschaffen. Die idealistischen selbstlosen Motive, die bei Michels am Anfang seines politischen Denkens gestanden hatten, blieben auch jetzt in der Vorstellung einer im Glauben geschaffenen vitalen Gemeinschaft nicht nur erhalten, sondern sie sollten in ihr, im Faschismus, ihre reale Erfüllung finden. Bei Weber war charismatische Herrschaft ein Krisenphänomen gewesen, das inhärent instabil blieb, wieder verschwand oder einen Prozeß der Veralltäglichung durchlief und sich anderen Herrschaftsformen anglich. Michels hingegen sah die Möglichkeit einer kultischen Verstetigung des charismatischen Führers. Er konnte dabei auf den sowjetischen Lenin-Kult verweisen und meinte, daß dereinst auch Mussolini nach seinem Tode kultisch verehrt werde.[24]

Auch die faschistische Bewegung unterliege der Tendenz zur Oligarchisierung; denn auch sie benötige Organisation. Aber über den gläubigen Enthusiasmus der Geführten löse sich bei ihr der demokratische Schein in ein Verhältnis wirklicher Kontrolle und Ermächtigung auf. Die Führer weckten den selbstlosen Enthusiasmus der Massen, durch den wiederum die Massen ihre Führer kontrollierten; auf diese Weise entstehe eine höhere politische Einheit.

Abschließend formulierte Michels seine faschistische Konzeption in seinem *Corso di sociologia politica* von 1927. War in der *Soziologie des Parteiwesens* die Oligarchie eine vielleicht bedauerliche, aber doch unvermeidliche Form der organisierten Gesellschaft gewesen, so wurde sie nun auch normativ positiv gefaßt. Michels trat jetzt für eine einheitliche elitäre Struktur ein. Gewaltenteilung galt ihm ebenso als ein Übel wie Demokratie. Die charismatische Diktatur bedeute die Herrschaft der Vitalität selbst. Indem die politischen Kräfte auf eine Person hin gebündelt würden, komme es nicht zu jener Zersplitterung, die parlamentarische Systeme kennzeichne. Gleichwohl müsse auch die Diktatur die Massen umwerben. Indem sie aber deren religiöses Gefühl wecke, ihre uneigennützige Hingabe an das große Ganze, spreche sie die edelsten – die altruistischen – Gefühle der Menschen an. Im Mittelpunkt der politischen Struktur stehe damit nicht eine Utopie, eine Institution oder eine Organisation, sondern ein Glaube. Der charismatische Führer, Mussolini, der Objekt dieses Glaubens sei, vollende in seiner Person den grundlegenden Konsens, die Einheit zwischen Führern und Geführten.

3. Wirkung

Robert Michels hat vor allem durch seine *Soziologie des Parteiwesens* fortgewirkt. Sein übriges Werk trat zwischenzeitlich in den Hintergrund, was um so bemerkenswerter ist, als die Zahl seiner wissenschaftlichen Publikationen sehr groß, die seiner journalistischen Texte kaum übersehbar war. Daß die Qualität seiner Texte stark schwankte, daß ein großer Teil von ihnen repetitiv blieb, erklärt sich teilweise aus der Menge und der Schnelligkeit, mit der er schrieb; sie erklärt sich aber auch aus den sozial- und völkerpsychologischen Aspekten seines Werks, die zuweilen trivial sind, zuweilen jedoch auch kaum verhohlene Ressentiments transportieren.

Eindeutig gehörte Michels noch jener Generation der Jahrhundertwende an, die die Sozialwissenschaft als eine umfassende Disziplin verstand, welche – auch heterogene Elemente in sich vereinigend – ihre Einheit erst in ihrem Gegenstand, dem gesellschaftlichen Leben, findet. Michels stellte in diesem Sinne sozialstrukturelle Prozesse und moralische Strukturen immer auf dem Hintergrund intellektueller und – wie er sie verstand – sozialpsychologischer Voraussetzungen dar, und umgekehrt. Das eine sollte das andere nicht deterministisch erklären, vielmehr kam es Michels auf die realen Wechselwirkungen an. Den Zusammenhang dieser zum Teil heterogenen Faktoren zu zeigen, war bei Michels aber nicht nur Darstellungsform; er sah diesen Zusammenhang als konstitutiv für die gesellschaftliche Wirklichkeit an. Politische Ökonomie, Kulturgeschichte, Sozialphilosophie, Wissenssoziologie oder Sozialpsychologie beleuchteten aus je unterschiedlichen Perspektiven eine Wirklichkeit, die tatsächlich nur *eine* war. Die Soziologie sollte imstande sein, die Heterogenität ihrer Bestandteile am Objekt zu einer Einheit zu bringen. Michels hat dies in seiner „Soziologie als ‚Einbruchs'-Lehre" angedeutet.[25] Hierin Max Weber vergleichbar, war Michels einer der letzten, der dank seiner immensen Gelehrtheit einen solchen Anspruch noch formulieren konnte.

Mit Ausnahme vielleicht der Zeit von 1901 bis etwa 1907, als er auch die Sozialistische Partei Italiens verließ, war Michels keine bedeutende politische Gestalt. Seine Aktivitäten in der deutschen Sozialdemokratie, im französischen, belgischen und italienischen Syndikalismus sind heute nur noch für Spezialisten wichtig. Sie spiegeln eher ein Milieu, als daß sie ein historisches Eigengewicht besitzen. Auch im italienischen Faschismus blieb Michels eine eher marginale Persönlichkeit ohne eigentliche Macht, auch wenn er viele populäre und politische Texte veröffentlichte und vielfältige Kontakte hatte. Eine Bedeutung hat sein politisches Engagement vor allem im Kontext seines wissenschaftlichen Werkes.

Auch innerhalb der intellektuellen Welt Italiens blieb Michels weitgehend marginal. Er gehörte nur am Rande zu jenen intellektuellen Milieus seiner Altersgenossen, die bis zur Geburt des Antifaschismus das kulturelle Leben des Landes dominiert hatten. Wohl aber hatte Michels einen gewichtigen Platz in den sozialwissenschaftlichen Diskussionen neben Sorel, Sighele, Pareto oder

Mosca, die ihrerseits Michels entscheidend geprägt hatten. Indem er unter ihnen eher eine Schülerrolle inne hatte, blieb verdeckt, daß die soziologische Qualität seiner Werke die seiner Lehrer überragte.

Ein zweiter Grund von Michels' relativer Randständigkeit im italienischen Kontext war seine eklektische Nähe zu biologisch-sozialdarwinistischen Richtungen. Im Geistesleben Italiens dominierten seit dem Ende des 19. Jahrhunderts idealistische Orientierungen, die sich im Widerstreit gegen den liberalen und sozialistischen Materialismus des 19. Jahrhunderts formiert hatten. Unabhängig von ihrer politischen Ausrichtung waren biologisch, eugenisch und sozialdarwinistisch orientierte Sozialwissenschaftler, wie Giuseppe Sergi, Alfredo Niceforo und Corrado Gini, eine ausgegrenzte Minderheit – und mit ihnen die *Rivista Italiana di Sociologia*. Michels hatte diese Richtung nicht nur selbst intensiv rezipiert, sondern auch zu ihrer Verbreitung im deutschen Sprachraum beigetragen, u.a. durch seine Übersetzung von Niceforos *Anthropologie der nichtbesitzenden Klassen*.[26]

Nach dem Zweiten Weltkrieg blieb für einen faschistischen Soziologen wie Michels kaum Platz in den Sozialwissenschaften Italiens. Erst ab 1983 kehrte mit einer Konferenz in Perugia auch in Italien ein wachsendes Interesse an den Widersprüchen seiner Person und seines Werkes zurück.[27]

Im deutschen Sprachraum war Michels zu seinen Lebzeiten immer präsent geblieben. Obwohl er zum Italiener geworden war, schrieb und veröffentlichte er weiterhin auch in deutschen Verlagen und Zeitschriften. Seine politischen Sympathien brachten ihn dabei keineswegs in konservative oder gar nationalsozialistische Zusammenhänge. Die sozialwissenschaftliche Welt, für die er schrieb, war auch weiterhin die des *Archivs für Sozialwissenschaft und Sozialpolitik*, von *Schmollers Jahrbuch* oder der *Kölner Vierteljahreshefte für Soziologie*. Michels scheute sich nicht, auch in Organen zu veröffentlichen, die der deutschen Sozialdemokratie nahestanden, obwohl er aus seinen Sympathien zum Faschismus keinen Hehl machte.

Einzigartig aber war die Rezeption der *Soziologie des Parteiwesens*. Bis in die Gegenwart blieb sie ein Gegenstand heftiger Kontroversen. Tatsächlich lieferte sie antidemokratischen politischen Strömungen immer wieder Argumente, die so gewichtig blieben, daß ihre theoretische und praktische Widerlegung eine unabgeschlossene Aufgabe blieb. Andererseits wurde die *Soziologie des Parteiwesens* zu einem klassischen Text der politischen Soziologie und der Organisationssoziologie. Diese Rezeption ignorierte allerdings häufig deren geistesgeschichtliche und politische Kontexte.

In den Vereinigten Staaten wurde das Buch bereits in den zwanziger Jahren beim Aufbau der politischen Wissenschaft durch Charles Merriam in Chicago herangezogen. Es war diese amerikanische Rezeption, über die Michels nach dem Zweiten Weltkrieg einflußreich wurde: Die empirische Orientierung, Demokratie nicht mehr über ihre klassischen Rechtfertigungen wie Volksherrschaft, Öffentlichkeit, Gemeinwohl usw. zu definieren, sondern über empirisch erforschbare politische Institutionen wie Wahlen, alternative Elitenbildungen, Prozesse der Machtbildung usw., fand im Werk von Michels ein anschauliches Vorbild. Auf diesem Wege hat Michels die heutige empirisch orientierte Politikwissenschaft und die politische Soziologie entscheidend mitgeprägt. Offen blieb allerdings das negative Fortwirken seiner ursprünglichen demokratischen und sozialen Ideale. Sie konnten einerseits in der Tradition Sorels und Moscas als Mobilisierungs- und Legitimationsfaktoren angesehen werden oder aber, im Rahmen einer Institutionalisierungstheorie, als notwendige wenn auch kontrafaktische Leitideen.

Michels politischer Weg vom radikalen Sozialisten zum italienischen Faschisten hat die Rezeption seines Werkes stark behindert. Es galt als eine historische Kuriosität, das allenfalls auf psychische Idiosynkrasien von Michels selbst zurückgeführt werden konnte. Daß hinter der scheinbar ungewöhnlichen politischen Biographie eine intellektuelle Folgerichtigkeit steckte, blieb unbeachtet. Das ist um so bemerkenswerter, als Michels' politischer Ausgangspunkt in seiner Terminologie Problemlagen und Intentionen erfaßte, die im Radikalismus der unruhigen sechziger und siebziger Jahre des 20. Jahrhunderts nicht nur in Italien Entsprechungen hatten – etwa im prinzipiellen antireformistischen Radikalismus, in der Zentrierung auf den Begriff der Bewegung und die schöpferischen Potenzen des politischen Handelns oder in der quasireligiösen Dimension des sozialen Zusammenhangs. Das begriffliche Umfeld des „Parteiwesens" könnte der politischen Soziologie und der politischen Philosophie noch heute eine wohlmeinende Unschuld vergällen.

Literatur

1. Werkausgaben

Michels, Robert, 1904, Die Brautstandsmoral. Eine kritische Betrachtung. Leipzig.

Michels, Robert, 1909, Storia del Marxismo in Italia: compendio critico con annessa bibliografia. – Repr. der Ausg. Rom. London 1977.

Michels, Robert, 1911, Die Grenzen der Geschlechtsmoral: Prolegomena. Gedanken und Untersuchungen. München.

Michels, Robert, 1911, Zur Soziologie des Parteiwesens in der modernen Demokratie. Untersuchungen über die oligarchischen Tendenzen des Gruppenlebens. 1. Aufl. Leipzig. 2. Aufl. Leipzig 1925. 4. Aufl. Stuttgart 1989.

Michels, Robert, 1913, Saggi economico-statistici sulle classi popolar. Milano.

Michels, Robert, 1914, Probleme der Sozialphilosophie. Leipzig.

Michels, Robert, 1914, Amour et chasteté: essais sociologiques. Paris.

Michels, Robert, 1919, Problemi di sociologia applicata. Torino.

Michels, Robert, 1924, Lavoro e razza. Milano.

Michels, Robert, 1925, Sozialismus und Faschismus als politische Strömungen in Italien. München.

Michels, Robert, 1927, Corso di sociologia politica. Milano.

Michels, Robert, 1927, Bedeutende Männer. Charakterologische Studien. Leipzig.

Michels, Robert, 1928, Italien von heute. Politik – Kultur – Wirtschaft. Zürich.

Michels, Robert, 1928, Die Verelendungstheorie. Studien und Untersuchungen zur internationalen Dogmengeschichte der Volkswirtschaft. Mit einem Vorwort von Heinz Maus, Nachdr. d. Ausg. Leipzig/Hildesheim 1970.

Michels, Robert, 1928, Sittlichkeit in Ziffern: Kritik der Moralstatistik. München.

Michels, Robert, 1929, Der Patriotismus. Prolegomena zu seiner soziologischen Analyse. München.

Michels, Robert, 1931, Das psychologische Moment im Welthandel. Leipzig.

Michels, Robert, 1934, Umschichtungen in den herrschenden Klassen nach dem Kriege. Stuttgart.

2. Neue Zusammenstellungen

Sivini, Giordano, Hrsg., 1980, Antologia di scritti sociologici. Bologna.

Michels, Robert, 1987, Masse, Führer, Intellektuelle. Politisch-soziologische Aufsätze 1906–1933. Frankfurt a. M./New York.

Albertoni, Ettore A., Hrsg. u. Einl., 1989, Potere e oligarchie: organizzazione del partito ed ideologia socialista (1900–1910). Milano.

Faucci, Riccardo/De Maas, Riccardo, Hrsg., 1989, Economia, sociologia, politica. Torino.

Panella, Guiseppe, Hrsg., 1991, Socialismo e fascismo: 1925–1934. Im Anhang Briefe von G. Sorel an Michels und ein unveröff. Text von G. Mosca. Einf. von Enrica De Mas. Milano.

Cours-Salies, Pierre, 1992, Critique du socialisme: contribution aux débats au débuts du XXe siècle. Auswahl und Einl. Pierre Cours-Salies. Paris.

3. Sekundärliteratur

Demarchi, F., Hrsg., 1987, Atti del Convegno su Roberto Michels nel 50° anniversario della sua morte. Trento 30. 5. 1986. Trento. Annali di sociologia 2,1.

Ebbighausen, R., 1969, Die Krise der Parteiendemokratie und die Parteiensoziologie: Eine Studie über Moisei Ostrogorski, Robert Michels und die neuere Entwicklung der Parteienforschung. Berlin.

Furiozzi, G. B., Hrsg., 1984, Roberto Michels tra politica e sociologia. Firenze.

Hetscher, J., 1993, Robert Michels: Die Herausbildung der modernen Politischen Soziologie im Kontext von Herausforderung und Defizit der Arbeiterbewegung. Bonn.

Mitzman, A., 1973, Sociology and Estrangement: Three Sociologists of Imperial Germany. New York, S. 265–338.

Mommsen, W. J., 1988, Robert Michels und Max Weber. Gesinnungsethischer Fundamentalismus versus verantwortungsethischen Pragmatismus. In: Max Weber und seine Zeitgenossen. Hrsg. von W. J. Mommsen und W. Schwentker. Göttingen/Zürich. S. 196–215.

Nye, R. A., 1977, The Anti-Democratic Sources of Elite Theory: Pareto, Mosca, Michels. London.

Pfetsch, F. R., 1964, Die Entwicklung zum faschistischen Führerstaat in der politischen Philosophie von Robert Michels. o. O.

Röhrich, W., 1972, Robert Michels: Vom sozialistisch-syndikalistischen zum faschistischen Credo. Berlin.

Annali della Facoltà di Giurisprudenza Università degli Studi, 1937, Studi in memoria di Roberto Michels. Padova.

Tuccari, F., 1993, I dilemmi della democrazia moderna: Max Weber e Robert Michels. Roma.

Anmerkungen

1 Michels, Robert, Zur Vorgeschichte von Ludwigs XIV. Einfall in Holland. Halle-Wittenberg, Univ., Diss. 1900.

2 Michels, R., Eine syndikalistisch gerichtete Unterströmung im deutschen Sozialismus (1903–1907). In: Festschrift für Carl Grünberg zum 70. Geburtstag. Leipzig 1932 (Nachdr. Glashütten/Ts. 1971). S. 343–364.

3 DeFelice, R., Mussolini: Gli anni del consenso 1929–1936. Torino 1996, S. 626.

4 Michels, R., Über einige Leitsätze zu einer Geschichte der ökonomischen Lehrmeinungen. In: Schmollers Jahrbuch, 55, 1931. S. 385–410.

5 Michels, R., Sittlichkeit in Ziffern: Kritik der Moralstatistik. München/ Leipzig 1928. S. 4–13.

6 Stölting, E., Massen, charismatische Führer und Industrialismus: Erklärungspotentiale eines Denktypus. In: Süß, W., Hrsg., Übergänge – Zeitgeschichte zwischen Utopie und Machbarkeit. Berlin 1990. S. 139–153.

7 Stölting, E., Die anthroposoziologische Schule. Gestalt und Zusammenhänge eines wissenschaftlichen Institutionalisierungsversuchs. In: C. Klingemann, Hrsg., Rassenmythos und Sozialwissenschaften in Deutschland. Opladen 1987. S. 130–171.

8 Asor Rosa, A., Storia d'Italia, Volume quarto, Dall'unità a oggi, Tomo secondo: La Cultura. Torino 1975. S. 1000–1060.

9 Stölting, E., Armer Gramsci. Über Hegemonie, Kultur und politische Gegenwartsstrategien. In: Leviathan, 15, 1987. S. 266–284.

10 Michels, R., Die oligarchischen Tendenzen in der modernen Gesellschaft. In: Archiv für Sozialwissenschaft und Sozialpolitik, 27, 1908. S. 73–135.

11 Pareto, V., Les systèmes socialistes. Paris 1902, 1903.

12 Michels, R., Zum Problem der Koketterie. In: Michels, M., Probleme der Sozialphilosophie. Leipzig 1914. S. 143–168.

13 Michels, R., Sittlichkeit in Ziffern? Kritik der Moralstatistik. München/ Leipzig 1928. S. 135–153.

14 Mongardini, C., Das Werk von Robert Michels und die italienische Soziologie. In: Annali di sociologia – Soziologisches Jahrbuch 2, 1986 – I, Trento, S. 93.

15 Simmel, G., Die Koketterie. In: Simmel, G.: Philosophische Kultur. Gesammelte Essays. Leipzig 1911. S. 101–122.

16 Michels, Der Patriotismus. Prolegomena zu seiner soziologischen Analyse. München und Leipzig 1929; Michels, R., Reisebetrachtungen: Zur Psychologie des Fremden. In: Schweizerische Rundschau, 27, 1927/28, S. 329–334, 106–180; Simmel, G., Soziologie. Untersuchungen über die Formen der Vergesellschaftung. Berlin 1968 (1908). S. 509–512.

17 Michels, R., Grenzen der Geschlechtsmoral. München/Leipzig 1911. S. 180–199; Simmel, G., Philosophie der Geschlechter. Fragmente. In: Aufsätze und Abhandlungen 1901–1908, Bd. II, Gesamtausgabe Bd. 8. Frankfurt a. M. 1993. S. 74–81; Simmel, G., Die Frau und die Mode, ebd. S. 344–347.

18 Michels, R., Entwickelung und Rasse. In: Ethische Kultur 13, 1905, S. 155– 158; 163–164.

19 Michels, R., Neue Polemiken und Studien zum Vaterlandsproblem. In: Archiv für Sozialwissenschaft und Sozialpolitik 66, 1931, S. 92–131.

20 Michels, R., Italien von heute. Politik – Kultur – Wirtschaft. Zürich/Leipzig 1930. S. 207–270.

21 Michels, R., Der Einfluß der faschistischen Arbeitsverfassung auf die Weltwirtschaft. Leipzig 1929.

22 Cavalli, L., Il capo carismatico. Bologna 1981, S. 95–108; 253–284.

23 Weber, M., Wirtschaft und Gesellschaft, I. Teil, III. Kap., § 10.

24 Michels, R., Über die Kriterien der Bildung und Entwicklung politischer Parteien. In: Ders., Masse, Führer, Intellektuelle. Frankfurt a. M. 1987. S. 300–301.

25 Michels, R., Zur Soziologie als „Einbruchs"-Lehre. In: Kölner Vierteljahreshefte für Soziologie 4, 1925. S. 125–139.
26 Niceforo, A., Anthropologie der nichtbesitzenden Klassen. Autoris. Übers. aus d. ital. u. franz. Manuskript von Robert Michels u. Adolph Köster. Leipzig 1910. S. XIII, 512 + 2 Kt.
27 Furiozzi, G.B., Hrsg., Roberto Michels tra politica e sociologia. Firenze 1984.

Hans Leo Krämer

Die Durkheimianer

Marcel Mauss (1872–1950) und Maurice Halbwachs (1877–1945)

„*Durkheimiens*" nennt man in der französischen Soziologie die Mitglieder der Durkheim-Schule. Bei dieser handelt es sich um eine in sich höchst differenzierte Gruppierung von Wissenschaftlern aus unterschiedlichen Disziplinen. Den Kern bildet der Mitarbeiterstab der 1896 von Emile Durkheim gegründeten *Année sociologique* (vgl. Besnard 1981 und 1979). Manche rechnen auch noch die späteren Mitarbeiter der von Marcel Mauss 1925 und 1927 herausgegebenen *Année sociologique*, Neue Folge und die der *Annales sociologiques* ab 1934 dazu (vgl. Heilbron 1985). Durkheimianer der ersten Stunde sind Marcel Mauss, der Neffe Durkheims, der seit seiner Mitarbeit an dem Selbstmordbuch (1897) eine zentrale Rolle in der Durkheim-Schule einnimmt, und Maurice Halbwachs, der 1905 zu ihr stieß und zu dem ersten wirklichen empirischen Soziologen der Zwischenkriegszeit avancierte. Bei allen Differenzen im einzelnen stimmen die Durkheimianer in der Bejahung des rationalistischen Szientismus und der experimentellen Methode überein.

1. Marcel Mauss

1.1. Das Leben

Marcel Mauss wird am 10. Mai 1872 als Kind einer jüdischen Familie in Epinal geboren. Seine Mutter ist die älteste Schwester von Emile Durkheim, sein Vater ein gläubiger Jude, der als Händler und Kleinunternehmer in der Textilbranche arbeitet. Mauss' Biograph Marcel Fournier (1994) rekonstruiert sein Leben, das, wie es scheint, von drei Leidenschaften durchdrungen ist, der für eine gerechte Gestaltung der Gesellschaft, der für die wissenschaftliche Erkenntnis des Sinns menschlicher Aktivitäten und sozialer Institutionen und schließlich der für die Gemeinschaft. Mauss wird von allen, die ihn kannten, als warmherzig, edel, großmütig, bindungsfähig geschildert. Er unterhält sehr enge Beziehungen zu seiner Familie, zum Judentum und dessen Traditionen. Obwohl selber nicht mehr gläubig, respektiert er jeden Gläubigen. Freundschaften haben einen sehr großen Wert für ihn (vgl. König 1978, S. 261). Er opfert gerne auch seine Zeit für die anderen. Viele seiner eigenen wissenschaftlichen Vorhaben stellt er deswegen hintenan. Er ist ein Mann des Dialogs (vgl. dazu auch Kaesler 1985, S. 148 f.).

Auf der Suche nach einer besseren Gesellschaft engagiert er sich aktiv in linksgerichteten Bewegungen. Von früher Jugend an gehört er der Sozialistischen Partei an. Er schreibt für viele linke Zeitschriften, ist Korrespondent der *Humanité*. Er ist ein Militanter, ein Freund und Berater von Jean Jaurès. Er setzt sich theoretisierend und praktisch für einen genossenschaftlichen, assoziativen Sozialismus ein. Leidenschaftlich kämpft er für die Wahrung und Durchsetzung der Menschenrechte. Wie selbstverständlich steht er auf der Seite von Dreyfus gegen alle nationalistischen, rechten Ideologien. Wo die Freiheit bedroht ist, gibt es nur den Widerstand (z. B. gegen den Bolschewismus). Mauss ist kein Pazifist jener Zeit. In gewisser Weise kann man ihn als Abenteurer bezeichnen. Er sucht die Grenzen, das Neue auf. „Intellektuelle Neugierde" treibt ihn (Cazeneuve 1968, S. 9), macht ihn empfänglich für die moderne Kunst, die Musik eines Debussy und die Malerei eines Picasso.

Seine Leidenschaft für die Wissenschaft bleibt bis zuletzt ungestillt. „Im Vergleich zur ernsten Durkheimschen Wissenschaft ist es vielleicht nicht falsch von einem fröhlichen Wissen bei Mauss zu sprechen" (Tarot 1996, S. 91). Fröhliche Wissenschaft? Für ihn heißt das, möglichst alles zu wissen, um hinter die Dinge zu kommen. Er beginnt sein Studium nicht an der *Ecole Normale Supérieure* aus Angst, zu schnell aufs Dogmatische festgelegt zu werden. Er schreibt sich in Bordeaux 1890 in Philosophie, Psychologie, Jura und in Soziologie bei seinem Onkel ein. Nach dem Lizenziat erwirbt er an der *Sorbonne* in Paris die *Agrégation* für Philosophie und stürzt sich in mehrjährige Studien an der *Ecole pratique des Hautes Etudes*, einer speziellen Hochschule für die Forschung. Seine Fächer sind vergleichende indo-europäische

Linguistik, Indologie, Sanskrit und Hebräisch sowie die Religionen alter Völker. Er unternimmt Ausbildungsreisen nach Holland und England, sucht die bedeutenden Anthropologen und Religionswissenschaftler seiner Zeit auf. 1902 erfolgt seine Berufung an die *Ecole pratique* zum Professor für „Religionsgeschichte der nicht-zivilisierten Völker". Seine Habilitationsschrift über *Das Gebet* (*La prière*), für die er ein immenses anthropologisches und ethnographisches Material gesammelt hat, gelangt nicht zum Abschluß. Teile daraus veröffentlicht er 1909. Fortan widmet sich Mauss hauptsächlich der Absicherung und dem Ausbau der Durkheimschen Soziologie und der Institutionalisierung und Professionalisierung der Ethnologie. Mauss, der bereits eng mit Durkheim am *Selbstmord* zusammengearbeitet hat, wird für diesen ein unentbehrlicher Freund und Helfer. Die 1896/97 gegründete *Année sociologique* nimmt Mauss ungeheuer in Anspruch. Er besorgt nicht nur die wichtigen Mitarbeiter, sondern zeichnet auch für die religionssoziologische Abteilung verantwortlich, die bei weitem den größten Umfang hat. Denn für Durkheim ist die Religionssoziologie „die Grundlage der Gesellschaftstheorie". Mauss teilt sich die Arbeit mit seinem Freund Henri Hubert, mit dem er die Studie über das *Opfer* (1899) und die *Theorie der Magie* (1904) verfaßt. Nach dem Ersten Weltkrieg und Durkheims Tod fällt ihm die Rolle des ‚Erben' und Fortsetzers von dessen Soziologie zu. Das Erscheinen der Neuen Folge der *Année sociologique* (1925) und dann der *Annales sociologiques* ist sein Verdienst.

Neben seinen vielfältigen wissenschaftlichen Forschungen betreibt Mauss die Gründung des Ethnologischen Instituts an der *Sorbonne* (1925), das er zusammen mit Paul Rivet und Lucien Lévy-Bruhl leitet. Seine vielen Schüler unternehmen mit Unterstützung des Instituts Feldforschungen in Afrika (z.B. Marcel Griaule, Denise Paulme, Michel Leiris), in Amerika (z.B. Jacques Soustelle) oder Indien (z.B. Louis Dumont). Paradoxerweise hat Mauss selber nie eigene Feldforschungen durchgeführt. In den 30er Jahren genießt er als Ethnologe einen weltweiten Ruf. Es folgen Ehrungen – wichtig die Vizepräsidentschaft der Französischen Gesellschaft für Psychologie –, Einladungen zu Tagungen und Kongressen, zu Auslandsreisen nach England und Amerika. Er lernt Franz Boas, Bronislaw Malinowski, Edward Sapir u.a.

kennen. 1931 wird er zum Professor auf den neu geschaffenen Lehrstuhl für Soziologie am *Collège de France* berufen, die Krönung eines Lebenswerkes und die gesellschaftliche Anerkennung der Soziologie.

Mauss ist über die faschistischen Bewegungen in Europa und besonders über den Nationalsozialismus Deutschlands tief beunruhigt. Rassistische und antisemitische Tendenzen machen sich bemerkbar. 1939 tritt er deswegen von seiner Professur an der *Ecole pratique* und vom Amt des Präsidenten der religionswissenschaftlichen Abteilung zurück, schließlich 1941 nach einem entsprechenden Erlaß auch von seiner Professur am *Collège de France*. Von nun an ist er der drohenden Gefahr der Deportation ausgesetzt. Viele Freunde, Schüler, Mitarbeiter sind bereits eingesperrt oder im KZ (z. B. Marc Bloch, Henri Maspero, später auch Maurice Halbwachs). Aus seiner Wohnung vertrieben, findet er Unterschlupf in der *Cité universitaire*. Seine Lebenskräfte schwinden, die soziale Isolation nimmt zu. Mauss verfällt dem Schweigen. Seine Rehabilitation als Ehrenprofessor am *Collège de France* nimmt er nicht mehr wahr. Er stirbt am 11. Februar 1950.

1.2. Das Werk

Die neuere Forschung interessiert an Mauss weniger seine inhaltliche Nähe zu Durkheim (vgl. dazu König 1978), als vielmehr seine eigenständige Sichtweise der Realität. Ohne den Theorie- und Methodenrahmen der Durkheimschen Soziologie zu verlassen, versucht Mauss, die Dimension des handelnden Subjekts und der symbolischen Bedeutungen der gesellschaftlichen Gegebenheiten in seinen Arbeiten zu berücksichtigen (vgl. Tarot 1994).

Das Verstehen menschlichen Praxisverhaltens

In der ersten Schaffensperiode bis 1919 gewinnt Mauss beim Studium eines ungeheuren religionswissenschaftlichen und soziologischen Materials Einsicht in die Mehrdeutigkeit der sozialen Wirklichkeit. So kann beispielsweise der religiöse Ursprung der „Strafe" nachgewiesen werden, doch als gesellschaftliche Institution gewinnt die Strafe eigene Funktionen (vgl. *Die Religion und die Ursprünge des Strafrechts*, 1896. In: Œuvres, ™. 2). In anderen Arbeiten dieser Periode, etwa in dem 1896 publizierten *Essay*

über die Natur und die Funktion des Opfers (Œuvres, ™. 1), dem
1902/03 mit Henri Hubert zusammen verfaßten *Entwurf einer
allgemeinen Theorie der Magie* (Mauss 1978, Bd. 1) sowie in *Das
Gebet* von 1909 (Œuvres, ™. 1), werden anhand typologischer
Klassifikationen zugleich Erklärungsmuster für rituelle Handlungen gegeben. Mauss sieht die Riten eingebettet in die Handlungs-
und Funktionszusammenhänge der traditionellen Gesellschaften.
Einer ausdrücklich religiösen Begründung bedarf es daher nicht
(vgl. *Einleitung in die Analyse von einigen religiösen Phänomenen*. In: Œuvres, ™. 1, 3–39).

Rituelle oder magische Handlungen haben nach Mauss eine
strukturelle und eine materielle Seite, daneben aber auch eine Be-
deutungsdimension. Sie sind nicht ganz von den Handlungsin-
tentionen der Subjekte zu trennen. Erklärungen der Wirklichkeit
haben diese zu berücksichtigen. Im Grunde geht es Mauss darum,
das Praxisverhalten der Menschen zu verstehen. Rituelle Handlungen, Gebete oder Haltungen, Zeichen oder Symbole sind viel-
deutig, weil neben den kollektiven Vorstellungen immer auch die
individuellen „Erwartungen" wirksam sind. Die subjektiven Erwartungen haben für das Individuum einen ebenso zwingenden
Charakter wie die objektiven sozialen Tatsachen (vgl. Karsenti
1994, S. 49).

Die gleichsam unbefangene Betrachtung der gesellschaftlichen
Wirklichkeit der „primitiven" Völker führt Mauss zu der Erkenntnis, daß es eine Rationalität des primitiven Denkens gibt. Am Beispiel der Eskimo und ihrer Klassifizierung der Dinge und Phänomene nach Jahreszeiten, nach den sozialen, gruppentypischen und
religiösen Aktivitäten belegt Mauss, daß gesellschaftliche Strukturen oder morphologische Grundlagen die Denksysteme erklären
können (vgl. *Soziale Morphologie. Über den jahreszeitlichen
Wandel der Eskimogesellschaften* (1904–1905). In: Mauss 1978,
Bd. I, S. 183–276).

Die Beschreibung der Eskimogesellschaft impliziert eine Sozia-
lisationstheorie auf der Grundlage einer doppelt strukturierten
Morphologie: Mauss nimmt an, daß die kollektivistischen Strukturen der Winterphase, wie das Zusammenleben im Zelt unter den
Regeln der häuslichen Religion oder Sozialordnung, und die individualistischen Tendenzen im Sommer, wenn die Menschen nur
wenig Kontakt untereinander haben und gleichsam ein „laiziertes

Leben" (Mauss) führen, gesellschaftliche Regulatoren von unterschiedlicher Wirkung auf die Sozialisation darstellen.

Der Gabentausch

Die zweite Schaffensperiode von Mauss, die bis etwa 1939 reicht, wird von seinem Hauptwerk *Die Gabe* (1925) dominiert. Daneben widmet er sich in weiteren Veröffentlichungen dem Verhältnis von Soziologie und Psychologie und der Verbreitung von Durkheims Soziologie sowie der Edition der Schriften verschiedener Durkheimianer wie Hubert, Hertz oder Halbwachs. In dieser Zeit schafft oder verfeinert Mauss die Konzepte, die für die „ethnologische Wende" (H. Ritter) und die folgende Theoriediskussion in der Soziologie bedeutsam werden.

Mauss stützt seine Theorie des Gabentauschs auf drei Erkenntnisse, die er in verschiedenen Studien gewinnt. Erstens entdeckt er eine strukturelle Ähnlichkeit zwischen dem *Mana* in primitiven Gesellschaften und dem modernen Geld. Beides kann Prestige verleihen (vgl. *Die Ursprünge des Begriffs des Geldes*. In: Œuvres, ™. 2, S. 106–112). Zweitens belegt er, daß das *Potlatsch*, eine umfassende Schenk- und Austauschzeremonie zwischen Klans, eine Elementarform des Vertrages darstellt, der einen Austausch reguliert, der nicht auf dem warenmäßigen Tauschhandel beruht (vgl. Œuvres, ™. 3, 29–51). Das verschwenderische und übersteigernde oder agonistische Potlatsch unterstreicht besonders den nicht-ökonomischen Aspekt. Bestätigung hierfür liefern auch altgriechische Bräuche und germanische Geschenkzeremonien. Mauss definiert drittens diese Austauschformen als einen allgemein vorkommenden Phänomentypus, als ein „*System totaler Leistungen*". Dieses System schließt juristische, politische, ökonomische und religiöse Elemente mit ein, die insgesamt zwischen den Klans oder Familien Verbindungen schaffen.

Mauss entschlüsselt in seinem großen Essay über die Gabe, welche Regeln die Erwiderung eines empfangenen Geschenks bestimmen und welche Kraft dem Geschenk innewohnt und bewirkt, daß man es erwidert (vgl. Mauss 1996, S. 15–187). Er vergleicht dazu archaische Gesellschaften in Polynesien, Melanesien und Nordwestamerika.

Das Geben ist eine Einheit von drei Verpflichtungen: des Gebens, des Annehmens und des Erwiderns. Auf der Einhaltung dieser Verpflichtungen beruht das Funktionieren der jeweiligen Sozialordnung. Es sind Gesellschaften mit einer „Ökonomie und Moral des Gebens". Geben ist ein freiwilliger Akt, nicht identisch mit einem ökonomischen Tauschhandel. Im Vordergrund stehen die Aufrechterhaltung von Sozialverhältnissen, das Eingehen von Verbindungen und ein Interesse der Beteiligten, sich als großzügig, ‚desinteressiert' zu zeigen. Daher beschränkt sich der Austausch nicht auf Wirtschaftsgüter, sondern erstreckt sich auch auf „Höflichkeiten, Festessen, Riten, militärische Dienste, Frauen, Kinder, Tänze, Feste", also auf Leistungen und Gegenleistungen mit einer in der Sache selbst liegenden Verpflichtung.

Daß man ein Geschenk erwidert, liegt nach Mauss an den Vorstellungen, daß in Geschenken eine geistige Kraft wirkt, die sich auf den Schenkenden überträgt. Man gibt ein Stück von sich, das im Kreislauf des Gegengeschenks wieder zurückgelangt. Diese Vorstellungen und geistigen Mechanismen erörtert Mauss am Beispiel des *Mana* und des *Hau*, des polynesischen Begriffs für den Geist der Dinge. An seine Interpretation, die Claude Lévi-Strauss mystifizierend erscheint, schließen sich bis heute lebhafte Diskussionen an (vgl. Godelier 1996).

Soziale Totalphänomene

Das System der totalen Leistungen ist das Modell für den Begriff des sozialen Totalphänomens. Totale oder allgemeine gesellschaftliche Tatsachen sind Institutionen. „All dies sind gleichzeitig juristische, wirtschaftliche, religiöse, sogar ästhetische, morphologische Phänomene" (Mauss 1976, S. 176). Mauss benutzt einen analytischen Totalitätsbegriff. Tatsachen von einem so hohen Allgemeinheitsgrad ermöglichen die Beobachtung einer Gesellschaft in ihren konkreten, dynamischen Abläufen und wechselnden Verknotungen. Jedes einzelne Element wird als Ganzes und zugleich als Teil gesehen. „Wir sehen die gesellschaftlichen Dinge selbst, konkret, so, wie sie wirklich sind. Wir erfassen nicht nur Vorstellungen oder Vorschriften, sondern auch Menschen und Gruppen und ihre Verhaltensweisen. Wir sehen sie in Bewegung" (a.a.O. S. 178).

Der vollständige Mensch

Mauss will den Menschen in seiner konkreten Ganzheit studieren. Modellhaft spricht er vom „vollständigen" oder „totalen Menschen", der durch seine Leiblichkeit konstituiert, von seiner Vernunft geleitet und von den gesellschaftlichen Bedingungen geprägt wird. Soziologische Erklärungen, die diese Einheit aus Körper, Geist und Gesellschaft außer acht lassen, sind folglich einseitig. Aus diesem Grunde akzeptiert Mauss nicht, daß Durkheim das Psychische ausklammert (vgl. Mauss 1978, Bd. 2, S. 147–173). „Wir anderen Soziologen haben es bei der Begegnung mit dem Menschen […], mit vollständigen Menschen zu tun, zusammengesetzt aus einem Körper, einem individuellen Bewußtsein, und dieser Teil des Bewußtseins stammt vom kollektiven Bewußtsein bzw. er entspricht der Existenz der Kollektivität. Wir begegnen also einem Menschen aus Fleisch und Geist, zu einem bestimmten Zeitpunkt, in einem bestimmten Raum und einer bestimmten Gesellschaft" (*Ansprache vor der Gesellschaft für Psychologie*, 1923. In: Œuvres, ™. 3, 280–281).

Das klassische Thema der Soziologie, das Verhältnis von Individuum und Gesellschaft, faßt Mauss weder rein deterministisch noch rein subjektivistisch. Der vollständige Mensch modifiziert in der Aneignung der Gesellschaft die „Erwartungen" und damit sein Denken, sein Verhalten, ja seine Körperlichkeit. In der dicht geschriebenen Studie *Die Techniken des Körpers* (Mauss 1978, Bd. II, S. 199–220) definiert Mauss Körpertechniken „als eine traditionelle, wirksame Handlung" hinsichtlich der Art und Weise, wie sich Menschen ihres Körpers in den unterschiedlichsten Situationen, als Mann oder Frau, beim Gehen, Schlafen, Sitzen, Beten, Lieben usw. bedienen. Die Studie ist ein Glanzstück einer phänomenologischen Alltagssoziologie.

1.3 Die Wirkung

Obwohl Mauss keine systematische Theorie vorgelegt und auch keine eigene Schule gegründet hat, ist er aus mehreren Gründen in der neueren Soziologie präsent.

Modernität und Offenheit

Claude Lévi-Strauss (1978, S. 8 ff.) sieht als Kriterium dafür an, daß Mauss zu seiner Zeit Themen problematisiert, wie die Körpertechniken und ihre Bedeutung für die kulturelle Integration oder die psychosomatischen Erscheinungen im Zusammenhang mit individuellen Todesvorstellungen, die erst viel später wissenschaftlich relevant wurden.

Mauss ist weiterhin ein undogmatischer Anreger. Sein Denkstil ist dialogisch. Er denkt von der „Praxis" her, die ihre „eigenen Prioritäten" besitze. Es geht ihm stets, auch in den Auseinandersetzungen mit den verschiedenen Disziplinen, um das bessere Verstehen der gesellschaftlichen Institutionen und individuellen Handlungen und zugleich um die Frage der Anwendungsbezogenheit soziologischen Wissens. Anteil hat Mauss auch an der aktuellen Diskussion über Kultur und Zivilisation, in der er einen kulturanthropologisch fundierten Begriff der Zivilisation benutzt.

Strukturale Anthropologie?

In der Soziologie der Zwischenkriegszeit bis kurz nach dem Zweiten Weltkrieg spielt Mauss vor allem in Frankreich die Rolle des „Erben" von Durkheim (vgl. König 1978; Lévi-Strauss 1947). Von Bedeutung ist, daß man ihn zum Vorläufer der strukturellen Anthropologie macht. Lévi-Strauss (1978) schreibt sein berühmtes Vorwort zur Werkausgabe von Mauss kurz vor der Veröffentlichung von *Die elementaren Strukturen der Verwandtschaft* (1949). Er vertritt die These, daß das gesellschaftliche Leben auf Austausch beruhe und die Gesellschaft besser zu verstehen sei, wenn man sie als Sprache auffasse. Mauss habe zur Erklärung der Verwandtschaft die Analogie mit der Sprache fruchtbar benutzt und den „Austausch als gemeinsamen Nenner einer großen Zahl untereinander scheinbar sehr heterogener sozialer Aktivitäten" genommen (a.a.O., S. 30). Insbesondere entwirft Lévi-Strauss, ausgehend von einer Kritik an Mauss, der eine soziologische Theorie des Symbolischen statt einen symbolischen Ursprung der Gesellschaft gesucht habe, seine eigene Theorie von der unbewußten mentalen Struktur, die hinter den kollektiven Vorstellungen und den Austauschpraktiken vorhanden sei.

Die Diskussion um die Vereinnahmung von Mauss durch den Strukturalismus dauert seit Leforts Kritik an Lévi-Strauss an (vgl. Lefort 1951, 1981; Caillé 1996). Es geht dabei auch um die Interpretation des Gabentauschs als Reziprozitäts-Prinzip (vgl. Oppitz 1975; Gouldner 1984). Die Bezüge und kritischen Stellungnahmen besonders in der französischen Anthropologie referiert gut Godelier (1996). Ob Mauss' Ansatz sich auch für die Analyse moderner Formen des Schenkens in unseren Gesellschaften eignet, diskutiert Schmied (1996), wobei er das „interindividuelle Schenken auf der Mikroebene" bei Mauss nicht thematisiert glaubt.

Erstaunlich selten werden die Konzepte „soziales Totalphänomen" und „vollständiger Mensch" in der neueren Soziologie problematisiert. Das mag an dem mißverständlichen Totalitätsbegriff liegen oder auch einem veränderten Methodenbewußtsein, das heute tendenziell zur Mehrdimensionalität neigt. Vom „Ganzen" her, das für Mauss trotz seines abstrakten Moments sehr real ist – das alltägliche und in gewisser Weise das lebensweltliche Wahre –, will er „das Wesentliche, die Bewegung des Gesamten, den lebendigen und flüchtigen Augenblick" (Mauss 1996, S. 178) erfassen, in dem die Menschen und die Gesellschaft sich ihrer Angewiesenheit aufeinander und ihrer Abhängigkeit voneinander bewußt werden, und sei es nur „gefühlsmäßig". Im „Totalphänomen" ließen sich die im Austausch der Abhängigkeit manifest oder latent vorhandenen Kommunikationen aufdecken. Der „vollständige Mensch" als Modell rekonstruiert die „Erfahrungen" und „Erwartungen" einzelner und von Gruppen in ihren wechselseitigen Lebensformen und Kulturen.

Anti-utilitaristisches Paradigma

Mauss gewinnt seit einiger Zeit vor dem Hintergrund einer moralisch motivierten Gesellschaftskritik und Diskussion um einen erforderlichen Paradigmenwechsel an Bedeutung. Lévi-Strauss hat die moralphilosophische und gesellschaftspolitische Komponente von Mauss unterschlagen. Lefort (1951, 1978) wirft Lévi-Strauss vor, die sozialen Phänomene auf reine Symbolsysteme reduziert zu haben in Verkennung der Tatsache, daß Mauss von den „Bedeutungen" handele, die Menschen im Erfahrungsprozeß mit dem Sozialen verbinden. Anders formuliert, Mauss analysiert den Gabentausch auch in der Absicht, die Erkenntnisse für die Frage nach der besseren, der gerechteren und solidarischeren Gesellschaft der Moderne nutzbar zu machen: „[...] man muß auch eine Praxis, eine moralische Lehre daraus ziehen" (Mauss 1996, S. 161). Er konstatiert als Sozialist und Soziologe – eine sein ganzes Leben lang durchgehaltene Personalunion –, daß der Kapitalismus immer weniger in der Lage sei, nur Kraft des Marktes die für ein Gemeinwesen erforderliche Gegenseitigkeit zu gewährleisten. Angesichts des Heers von Arbeitslosen – das IV. Kapitel in *Die Gabe* ist von höchster Aktualität – müsse das Problem der „Gruppenmoral" gelöst werden. Heute würde man danach fragen, was die Gesellschaft zusammenhält. Die Schlußfolgerungen von Mauss sind in der neueren Diskussion um ein antiutilitaristisches Paradigma in der Soziologie grundlegend (vgl. Caillé und die Gruppe um die Zeitschrift *M.A.U.S.S.: Mouvement antiutilitariste en sciences sociales*). Könnte der „Gabentausch" als neues soziologisches Paradigma (vgl. auch Cingolani 1995) eine Alternative zum Kommunitarismus werden?

2. Maurice Halbwachs

2.1. Das Leben

Maurice Halbwachs, geboren am 11. März 1877 in Reims, stammt aus einer deutsch-elsässischen Beamtenfamilie. Er besucht in Paris die renommierten Gymnasien *Michelet* und *Henri IV*, wo Henri Bergson sein Philosophielehrer in der Vorbereitungsklasse für die Eliteschule *Ecole Normale Supérieure* ist. Den tiefen Einfluß von Bergsons Ideen versucht er später kritisch aufzuheben. Nach der *Agrégation* für Philosophie (1901) arbeitet er eine Zeitlang im Schuldienst an Gymnasien.

1904 beginnt seine Forschungskarriere. Er wird Lektor an der Universität Göttingen und betreibt als Mitglied der deutsch-französischen Kommission für die Herausgabe der Werke von Leibniz Quellenstudien. Die Frucht dieser Arbeit ist sein erstes Buch *Leibniz* von 1907, „gewissermaßen eine ehrerbietige Absage an die Metaphysik" (Karady, 1972, S. 10). Halbwachs lernt in Deutschland die politische Ökonomie kennen, seine Doktorarbeit (1909) an der Juristischen Fakultät von Paris über *L'expropriation et le prix des terrains à Paris 1880–1900* wird in einer Kurzfassung von Jean Jaurès und dessen Sozialistischer Partei vor allem wegen der Ausführungen über die kapitalistische Spekulation und Enteignungspolitik verbreitet.

Halbwachs bekennt sich zeitlebens zu einem humanistischen Sozialismus. Wie viele Durkheimianer ist er überzeugt, daß sich

Wissenschaft und politische Aktion oder Militanz untereinander vertragen. Mit der Soziologie verbindet er daher stets angewandte, soziale Theorie. 1906 tritt er der Sozialistischen Partei bei. Er schreibt in vielen sozialistischen, syndikalistischen und genossenschaftlichen Zeitschriften und engagiert sich aktiv an den *Universités Populaires*, die ganz im Geiste und der Tradition der *Dreyfusards* – wie die meisten *Normaliens* und Durkheimianer ist Halbwachs ein Verteidiger von Dreyfus – eine wechselseitige Erziehung und Bildung von Intellektuellen und (Hand-)Arbeitern anstrebten.

Durch die Vermittlung seines Freundes François Simiand (1873–1935), Sozialist und Universitätslehrer für Ökonomie und Statistik, lernt Halbwachs 1905 Emile Durkheim kennen. Er wird zu einem der wichtigsten Mitarbeiter der *Année Sociologique*, in der er zusammen mit Simiand den Bereich Wirtschaft und Statistik betreut. Während eines Forschungsaufenthaltes in Berlin (1909), um die deutsche Wirtschaftstheorie und den Marxismus zu studieren, berichtet er als Korrespondent der *L'Humanité* von einem von der Polizei niedergeschlagenen Streik. Er wird des Landes verwiesen. Halbwachs legt 1912 eine soziologische Habilitationsschrift an der *Sorbonne* vor, die sich mit den Lebensniveaus und Bedürfnissen der Arbeiterklasse befaßt. Sie erscheint 1913 unter dem Titel *La classe ouvrière et les niveaux de vie. Recherches sur la hiérarchie des besoins dans les sociétés industrielles contemporaines*. Seine Ergänzungsschrift handelt, ausgehend von Quetelet, von moralstatistischen Problemen.

Halbwachs wird 1918 Lehrbeauftragter für Philosophie an der Universität Caen und schließlich Professor für Soziologie und Pädagogik an der neuen Universität von Straßburg, wo er von 1919 bis 1935 lehrt (vgl. Craig 1979). Es entstehen verschiedene Schriften, die kritisch Themen und Theorien von Durkheim aufgreifen und fortsetzen (1918: *Die Lehre von E. Durkheim; 1925: Die Ursprünge des religiösen Gefühls nach Durkheim; 1930: Die Ursachen des Selbstmordes*) und die bewußtseinssoziologischen Fragestellungen (1925: *Das Gedächtnis und seine sozialen Bedingungen*) sowie die Bedürfnissoziologie (1933: *Die Bedürfnisse der Arbeiterklasse*) weiterentwickeln. Halbwachs lernt Charles Blondel und die Begründer der Annales-Schule (Marc Bloch, Lucien Febvre und Georges Lefebvre) kennen. In den *Annales d'histoire économique et sociale* finden sich über 100 Beiträge von Halbwachs (vgl. Jonas 1995, S. 3). Er ist neben Mauss „praktisch der einzige Soziologe von Bedeutung in dieser Zeit und bis nach dem 2. Weltkrieg" (Baudelot/Establet 1994, S. 9). Halbwachs ist u.a. korrespondierendes Mitglied der *Académie des sciences morales et politiques* (1932), Mitglied des *Institut international de statistique* (1935), Präsident des *Institut français de sociologie* (1938), Vizepräsident der *Société française de psychologie* (1943). 1930 lehrt er als *Visiting Professor* an der *University of Chicago*, wo er mit einigen Vertretern der gleichnamigen Soziologieschule zusammentrifft.

1935 wird Halbwachs als Nachfolger von Célestin Bouglé zum Professor für Soziologie an die *Sorbonne* berufen. Sein letztes Lebensjahrzehnt ist „von einer außergewöhnlichen intellektuellen Vitalität" (Baudelot/Establet, a.a.O., S. 10) geprägt. Trotz der Gefahren und Schwierigkeiten, denen er als Jude unter der Okkupation ausgesetzt ist, lehrt und publiziert er weiter, „hielt [...] den Geist der redlichen und freien Forschung auf dem Gebiet der Sozialwissenschaft aufrecht, wohlwissend um drohende Rückschläge unter tyrannischer Unterdrückung" (Friedmann 1978, S. 200). Sein letztes Buch hat Rousseau und den Gesellschaftsvertrag zum Gegenstand (1943). Im Mai 1944 erhält er die Berufung auf den Lehrstuhl für „Kollektivpsychologie" am *Collège de France*. Im Juli wird er von der Gestapo verhaftet, einen Tag nach seinem Sohn Pierre, der in der *Résistance* ist. Mitglieder seiner jüdischen, antifaschistisch und sozialistisch eingestellten Familie hatte die Gestapo in demselben Jahr bereits ermordet. Am 20. August 1944 wird er ins KZ Buchenwald deportiert, wo er am 16. März 1945 stirbt.

2.2. Das Werk

Das Werk von Halbwachs, das es nach Pierre Bourdieu verdient, wieder aufgenommen zu werden (vgl. Bourdieu 1987), stellt ein nach Themen, inhaltlichen Fragestellungen und methodischen Vorgehensweisen breitgefächertes und interdisziplinär ausgerichtetes Unternehmen dar. Es wissenschafts- und disziplintheoretisch eindeutig zu klassifizieren, fällt nicht leicht. Seine erkenntnistheoretische Zielsetzung besteht darin, „die Beobachtung von Alltagsphänomenen mit der theoretischen Reflexion zu verbinden und eventuell in der politischen Praxis anzuwenden" (Karady 1972, S. 11).

Im folgenden werden einige Forschungsschwerpunkte skizziert, die das Spektrum von Halbwachs' Werk illustrieren sollen.

Das Verständnis von Soziologie
Halbwachs ist der erste wirklich empirische Soziologe der Französischen Schule. Er wendet in seinen Untersuchungen alle Methoden und Techniken „außer dem Interview" (Baudelot/Establet 1994, S. 14) an. Er geht von der Annahme aus, daß man die Realität konkret, „über die Erfahrung selber" erfassen kann (vgl. *Der soziologische Standpunkt*, 1937. In: Halbwachs 1972, S. 405). Die Erfahrungen aber sind wie die soziale Welt überhaupt von einem „Netz der Gesetzmäßigkeiten" umgeben, das sich nicht widerstandslos aufheben läßt, was Erklärungen so schwer macht (vgl. *Das Gesetz in der Soziologie,* 1933. In: Halbwachs, a.a.O. S. 308 ff.). Der Erfahrungsbegriff geht folglich über einen rein statistischen hinaus. Halbwachs vertritt die Position, daß die soziale Wirklichkeit von widerstreitenden dynamischen Prozessen durchdrungen ist. Stärker als durch die stabilen Verhältnisse und Beziehungen sei die Wirklichkeit von „Gleichgewichtsstörungen" gekennzeichnet (vgl. *Das statistische Experiment und die Wahrscheinlichkeiten,* 1923. In: Halbwachs, a.a.O. S. 301). Halbwachs betont an Durkheims „Dingen" weniger den Zwangscharakter als vielmehr ihre dynamische Seite, das Bewegliche. Wir haben es mit einer Soziologie zu tun, in der Begriffe wie „Veränderungen", „Transformationen", „Bewegungen" oder „Strebungen" in einer sehr modernen Sicht benutzt werden.

Halbwachs akzentuiert an dem von Durkheim stammenden Konzept der „sozialen Morphologie" die dynamische Dimension. Die soziale Morphologie untersucht die materiellen Aspekte der Gesellschaft, ihre „Struktur". Gleichzeitig aber ermöglicht diese „morphologische Struktur" eine Erklärung für die inneren Zustände und Entwicklungen einer Gesellschaft oder von sozialen Gruppen. „Alles spielt sich so ab, als ob die Gesellschaft sich ihres Körpers bewußt würde, ihrer Position im Raum, und ihre Organisation den Möglichkeiten anpaßte, die sie erblickt" *(La morphologie sociale,* 1970, S. 8). Hinter den materiellen Formen oder Strukturen – Halbwachs diskutiert hier auch den Formenbegriff von Georg Simmel – erscheinen als bewegendes Prinzip die kollektiven Repräsentationen, die symbolischen Vorstellungen der sozialen Gruppen und der Gesellschaft.

Generell legt Halbwachs großen Wert auf den genetischen Aspekt der Institutionen oder gesellschaftlichen Tatsachen. „Institutionen sind vor allem dauerhafte und verfestigte Formen der Lebensweisen", an deren Ursprung immer Ideen, Vorstellungen, kollektive Repräsentationen bestimmend sind (*Individuelles Bewußtsein und der kollektive Geist*, 1939. In: Halbwachs 1972, S. 161). Soziologie hat die Aufgabe, „die materiellen Manifestationen und Ausdrucksweisen zu studieren, sie in all ihren Besonderheiten zu analysieren, sie miteinander in Verbindung zu setzen und sie in ihren Kombinationen zu verfolgen" (Halbwachs, a. a. O., S. 162). Halbwachs' Untersuchung der Arbeiterklasse ist eine gelungene Anwendung der These, daß die materiellen Manifestationen und die beobachteten Lebensweisen nur die unterschiedlichen kollektiven Repräsentationen widerspiegeln. Die Soziologie von Halbwachs ist im Grunde eine *Wissenschaft vom Bewußtsein*.

Die sozialen Klassen

Halbwachs vertritt eine Gesellschaftstheorie, die grundsätzlich von der Klassenstruktur der modernen Gesellschaft ausgeht. Er beruft sich außer auf Marx u. a. auf Max Weber, Werner Sombart und Thorstein Veblen. Seine Klassentheorie, die zwischen Marx und Durkheim anzusiedeln ist (vgl. Verret 1972; Amiot 1991), schließt eine Lücke im Durkheimismus, der sich bis dahin mit den ökonomischen Problemen und vor allem mit den von der liberalen Gesellschaft produzierten sozialen Ungleichheiten nicht beschäftigt hatte.

Der Klassenbegriff, den Halbwachs verwendet, weist fünf komplexe Bestimmungsmerkmale auf. An erster Stelle und ganz in der Marxschen Tradition steht das Klassenbewußtsein (vgl. *La classe ouvrière*, 1913 II). Halbwachs setzt es mit den kollektiven Repräsentationen gleich. „Eine Gesamtheit von Menschen Klasse zu nennen, bei der ein Klassenbewußtsein nicht entwickelt ist und sich nicht manifestiert, bedeutet, keinen *sozialen Gegenstand* anzugeben [...]. (Eine Klasse) konstituiert sich um eine kollektive Repräsentation, von der es mindestens eine Idee geben muß" (*La classe ouvrière*, 1913, II).

Ein zweites Merkmal ist die Existenz einer hierarchisch nach Klassen strukturierten Gesellschaft. Die Klassen selber sind in sich wiederum nach verschiedenen Gruppen differenziert (vgl. Gurvitch 1966, 166). Gesellschaftliche Hierarchie entsteht durch die kollektiven Repräsentationen und Werturteile. Mit ihrer Hilfe vermag sich eine Klasse zu verorten, den ihr von der Gesellschaft zugedachten Platz als auch den Rang, den sie sich selber zuspricht, wahrzunehmen. Die Arbeiterklasse begreift sich nach Halbwachs innerhalb der Hierarchie gesellschaftlich isoliert, untergeordnet und ausgeschlossen.

Das dritte Merkmal von Klassen umschreiben Baudelot/Establet (1994, S. 36–46) als *„Theorie des Lagerfeuers".* Im Zentrum einer Gesellschaft gibt es nach Halbwachs einen inneren Kern, einen Feuerherd, „wo das gesellschaftliche Leben am intensivsten ist" (*La classe ouvrière,* a.a.O., S. V). Um diesen Kern des gesellschaftlichen Ideals sind in konzentrischen Kreisen die verschiedenen Klassen nach dem Grad der Nähe oder Ferne zum Ideal angesiedelt. Ihre gesellschaftliche Teilhabe hängt von diesen Verortungen ab.

Viertes Bestimmungsmerkmal von Klassen ist das Bedürfnisniveau. Klassen differenzieren und hierarchisieren sich nach ihren Bedürfnissen. Alle Bedürfnisse sind sozial. Halbwachs überprüft die materiellen Bedürfnisse mit Hilfe des Familienbudgets. Hinsichtlich der Bedürfnisse von Arbeiterfamilien heißt es lapidar, man kennt sie, „indem man untersucht, was sie ausgeben" (*L'évolution des besoins,* 1933, S. V). Die Einkommensunterschiede spielen eine weniger wichtige Rolle als vielmehr, gemessen an Gruppen mit gleichem Einkommen, die sozialen Existenz- und Arbeitsbedingungen, die familialen Traditionen und Werte, kurzum die kollektiven Repräsentationen. Die Bedürfnisse beinhalten im Grunde „Vorstellungen der Gruppe", sie sind, unabhängig von den individuellen Wünschen, „Bewußtseinszustände".

Mit seinem fünften Merkmal erfaßt Halbwachs typische Unterschiede zwischen den Klassen. Es handelt sich um den „Objektbereich", auf den sich menschliche Arbeit bezieht: „Materie" oder „Menschen". Erstere charakterisiert die Industriearbeit, letztere die Arbeit der Angestellten. Diese nicht manuelle Arbeit bezeichnet Halbwachs auch als „Tätigkeiten". Die Arbeiterklasse definiert er als „die Gesamtheit der Menschen, die sich bei der Ausübung ihrer Arbeit der Materie zuwenden und die Gesellschaft verlassen müssen" (*Materie und Gesellschaft,* 1920. In: Halbwachs 1972, S. 60). Später heißt es, „daß die Industriearbeiter bei ihrer Arbeit mit Dingen in Berührung kommen, nicht mit Menschen" (*Das Gedächtnis* 1966, S. 325). Die Hinwendung zur Materie, zu den Dingen, die in Fabriken produziert werden, erfordere das Hinausgehen aus der Gesellschaft.

Halbwachs gelingt mit seiner Beschreibung lebens- und arbeitsweltlicher Befindlichkeiten der am äußersten Rand angesiedelten, ausgegrenzten und „beherrschten" Klasse eine an Marx gemahnende Entfremdungstheorie (vgl. *La classe ouvrière* 1913, S. 384 ff.). Andererseits neigt Halbwachs dazu, die geistigen Tätigkeiten höher zu bewerten als die manuellen. Aus diesem Grund ist er nicht in der Lage, die Arbeiterklasse am Ort ihrer Tätigkeiten empirisch unbefangen zu beobachten. So verschließt er sich dem sozialen Transformationspotential, das im Bearbeiten der „Dinge" enthalten ist (vgl. Amiot 1991; Verret 1972). Obwohl Halbwachs während seines Aufenthaltes in den Vereinigten Staaten die Verbesserung des Lebensniveaus der Arbeiterklasse beobachten konnte, hält er weiterhin an der Annahme fest, daß die Arbeiterklasse einen „primitiven" Geschmack im Gegensatz zu dem sublimierten der höheren Klassen habe.

Halbwachs entwickelt das Konzept der „Lebensniveaus" bzw. der „Lebensstile" (*genres de vie*), um damit eine differentielle Unterscheidung klassenspezifischer Bedürfnisse und Integrationsformen vornehmen zu können. Das Lebensniveau wird zwar mitbestimmt von der ökonomischen Lage bzw. dem Einkommen, ist aber nicht identisch mit der dadurch möglichen Eingruppierung. Für bedeutsamer hält Halbwachs, daß das Lebensniveau den Integrationsgrad von Klassen und Gruppen im und die Beteiligung am gesellschaftlichen Leben widerspiegelt. Lebensniveaus verkörpern Beziehungsverhältnisse, die Klassen im gesellschaftlichen Organisationsaufbau ausbilden. Sie sind am Modell der konzentrischen Kreise als Außen- oder Innenverhältnisse ablesbar. Das Konsumverhalten gibt einen guten Indikator zum Messen dieser Niveaus ab. Diese sind determiniert durch die Befriedigung und ungleiche Entwicklung der sozialen und materiellen Bedürfnisse (vgl. *La classe ouvrière,* 1913). Über die Analyse der Familienbudgets läßt sich erkennen, daß der Konsum ein komplexes soziales Geschehen bedeutet, also mehr ist als nur Verbrauch. Geschmack, Vorlieben, soziale Existenz und Arbeitsbedingungen, Familie, Traditionen und Werte gehen in ihn mit ein.

Lebensniveaus sind Kristallisationen von kollektiven Repräsentationen. Die „Lebensstile" bezeichnet Halbwachs als „eine Gesamtheit von Gewohnheiten, Glaubensvorstellungen und Wesensarten, die als Ergebnis aus den gewohnheitsmäßigen Beschäftigungen der Menschen und ihrer Lebenstätigkeiten entsteht" (*Die Ursachen des Selbstmordes*, 1930, S. 502). Er faßt Lebensstile als kulturelle Phänomene auf. Lebensstil ist „ein Typus der Zivilisation" (a. a. O., S. 262). Seine sozialisatorische Funktion besteht darin, den Individuen zu ihrer Selbstverwirklichung in dem jeweiligen sozialen Rahmen zu verhelfen. Lebensstil meint also nicht nur konsumhafte Teilhabe an der Gesellschaft, vielmehr das Produkt einer aktiven Aneignung von Welt durch den Konsumenten. Halbwachs insistiert auf der Einheit eines Lebensstils ähnlich der Einheit eines Klassenbewußtseins. Er rekonstruiert ihn vor allem für die Arbeiterklasse, deren lebensweltliche Formen und Verhaltensweisen er detailliert nachzeichnet. Damit initiiert er die soziologische Beschäftigung mit der Arbeiterkultur.

Das individuelle und kollektive Gedächtnis

Die innere Einheit des Werkes von Halbwachs stiftet der Begriff des „sozialen Bewußtseins", das sich als Bewußtsein der Gesellschaft oder als kollektives Bewußtsein einer Gruppe, einer Familie oder einer Klasse manifestiert. Halbwachs will im Anschluß an Durkheim und gegen die Theorie von Henri Bergson vom reinen individuellen Gedächtnis nachweisen, daß individuelles Erinnern nur möglich ist, wenn der einzelne um die Bedeutungen dieser Erinnerungen weiß.

Halbwachs glaubt, daß dieses nur mit Hilfe von „sozialen Rahmen" gelingen kann, mit Instrumenten, die von der Gesellschaft geschaffen wurden. Die sozialen Rahmen des Gedächtnisses (1925; deutsch 1966) enthalten die Erinnerungen der anderen, die das Individuum braucht, um sich erinnern zu können. „Das individuelle Gedächtnis ist wie ein Aufnahmegerät", es registriert die vielfältigsten Einflüsse, es ist die andere „Sichtweise" des kollektiven Gedächtnisses (vgl. *Das kollektive Gedächtnis*, 1967). Individuelles und kollektives Gedächtnis interagieren miteinander.

„Man kann sagen, daß das Individuum sich erinnert, indem es sich auf den Standpunkt der Gruppe stellt, und daß das Gedächtnis der Gruppe sich verwirklicht und offenbart in den individuellen Gedächtnissen" (*Das Gedächtnis* 1966, S. 23).

Halbwachs untersucht im einzelnen drei Gruppen: die Familie, die Religion und die soziale Klasse, und unterscheidet für jede Gruppe mehrere Rahmen, im wesentlichen die Sprache, den Raum und die Zeit. Bei der sozialen Klasse insistiert er vor allem auf dem Arbeitergedächtnis als Erinnerung des „Gelebten" und bei der adligen Klasse auf dem an jahrhundertealte Traditionen und verbriefte Erinnerungen gebundenen Gedächtnis. Das kollektive Gedächtnis wirkt als Kohäsionsfaktor, der zwischen Vergangenheit und Gegenwart vermittelt. Es stellt die Bedingung für den Kommunikationsprozeß innerhalb der sozialen Gruppen, Milieus und Klassen dar, was vor allem an Feiern symbolischer Daten sichtbar wird.

Das soziale Denken ist nach Halbwachs selbst ein von kollektiven Erinnerungen durchblutetes Denken. Keine soziale Idee sei ohne eine Erinnerung der Gesellschaft vorstellbar (vgl. *Das Gedächtnis*, 1966, S. 389). In *Das kollektive Gedächtnis* (1967) unterscheidet Halbwachs das individuelle, persönliche oder autobiographische Gedächtnis, das er dem sozialen oder kollektiven gegenüberstellt und vom historischen Gedächtnis abgrenzt. Die Untersuchung *Die legendäre Topographie der Evangelien im Heiligen Land* (1941) weist nach, daß mit dem kollektiven Gedächtnis zeitliche Strukturierungen erfolgen. Die Heiligen Stätten können beispielsweise als Erinnerungsstätten an die Lebensstationen von Christus betrachtet werden oder als Orte, an denen sich die Verheißungen des Alten Testamentes erfüllt haben.

Halbwachs gelangt schließlich zu einer Theorie der sozialen Zeit. So wie es partikulare Kollektivgedächtnisse gebe, müsse man auch wegen der Diversität von sozialen Gruppen und Milieus eine Pluralität und Heterogenität sozialer Zeiten annehmen (vgl. *Das kollektive Gedächtnis*, III. Kapitel). Das Gedächtnis setze eine Periodisierung, eine soziale Konstruktion der Zeit voraus. Nur mit Hilfe der sozialen Gedächtnisrahmen sei die Veränderung der zeitlichen Strukturen einer Gesellschaft zu erkennen. Gleichzeitig bedeutet ein Rahmenwechsel dann auch einen Zeitenwechsel. Damit einher geht ein Vergessen. Aber „vergessen heißt eine andere Erinnerung schaffen, indem man ein neues kollektives Gedächtnis erweitert", faßt Gérard Namer (1994, S. 316) diese Passagen von Halbwachs zu einer Theorie des kollektiven Vergessens zusammen.

2.3. Die Wirkung

Halbwachs gilt als Begründer eines neuen Durkheimismus. Ihn kennzeichnen methodologisch eine empirische Ausrichtung und erkenntnistheoretisch eine „Wende zum Strukturellen". An der Reinterpretation zentraler Themen von Durkheim läßt sich dies belegen. So betrachtet Halbwachs die Religion rein als soziale Tatsache, ohne Berücksichtigung der Transzendenz. Die Selbstmordraten erklärt er durch soziale Gruppenzugehörigkeit und nicht durch religiöse Bindungen. Über Halbwachs öffnet sich die französische Soziologie der Ökonomie, Sozialpsychologie und Geschichte. Über ihn erfolgt erstmals eine Rezeption der deutschen Verstehenden Soziologie, nicht zuletzt auch eine bislang kaum wahrgenommene kritische Auseinandersetzung mit der Theorie des Unbewußten von Sigmund Freud.

Die französische Nachkriegssoziologie nimmt in ihrem Bemühen, sich von der Durkheim-Soziologie zu befreien, Halbwachs kaum zur Kenntnis. Lediglich Gurvitch, sein Nachfolger auf dem Straßburger Lehrstuhl, rezipiert seine Klassentheorie und verwendet seine Thesen über die soziale Zeit (vgl. Gurvitch 1950). Er ist sicherlich am stärksten von Halbwachs' Idee der Pluridimensionalität der Wirklichkeit inspiriert worden.

Erstaunlicherweise greift die Klassen- und Arbeitssoziologie nicht auf Halbwachs zurück, wahrscheinlich weil sie lange Zeit stark marxistisch orientiert war. Halbwachs' Ambivalenz zwischen Durkheim und Marx sowie die Unterschätzung der sozialen Dimension der industriellen Arbeit bzw. der Bedeutung des Produktionsbereiches überhaupt, sind andere mögliche Erklärungen dafür. Aufgrund dieser Nichtrezeption wurden dann auch die von Halbwachs sehr früh diskutierten Theoretiker wie Weber nicht rezipiert.

Das Konzept der Lebensniveaus bzw. der Lebensstile, das Halbwachs in seinen damals einzigartigen Klassenstudien entwickelt hat, wird in der neueren Lebensstil-Forschung nicht zur Kenntnis genommen. Pierre Bourdieu, dessen Habitustheorie eine enge inhaltliche Nähe zu Halbwachs' Auffassung von sozialen Repräsentationen als gruppenbedingten Dispositionseinheiten aufweist, setzt sich systematisch nicht mit ihm auseinander. Seine Vorläuferschaft für die moderne Zeitbudget- bzw. Familienbudgetforschungen ist hingegen anerkannt, ebenso seine Theorie über die Zeit. Nach Roger Sue (1994) hat Halbwachs die Idee der sozialen Zeit als ein mögliches Kampfobjekt zwischen gesellschaftlichen Klassen in ihrem Streben nach der Durchsetzung des richtigen, historischen Zeitverständnisses erkannt.

International verbindet sich mit Halbwachs der Begriff des kollektiven Gedächtnisses. Sozialpsychologische (vgl. Flick 1995), biographietheoretische (vgl. Straub 1989), familiensoziologische (vgl. Muxel 1996), kultursoziologische (vgl. Namer 1983; Reichel 1995), kulturanthropologische (vgl. Bastide 1971) Studien oder Abhandlungen über das Arbeitergedächtnis (vgl. Noiriel 1986) knüpfen an die Thesen über die sozialen Rahmen des Gedächtnisses als auch über die Prägung des individuellen Gedächtnisses durch das gruppenabhängige kollektive Gedächtnis an. Die Ähnlichkeit von Halbwachs' „sozialen Rahmen" mit Goffmans *frames* ist hier zu erwähnen (vgl. Assmann 1991).

Die Rezeption von Halbwachs hat noch kaum begonnen. Eine systematische, das Gesamtwerk betrachtende Monographie fehlt. Es könnte sich zeigen, daß Halbwachs, ausgehend von der Idee einer zunehmend komplexer und vielschichtiger werdenden Gesellschaft und damit der strukturell begründeten Gefahr der permanenten Desintegration der Individuen und Gruppen, in seinem Bemühen um Interdisziplinarität gewissermaßen ein moderates Projekt einer kritischen Soziologie der Moderne intendiert hatte.

Literatur

1. Durkheimianer

Besnard, Ph., Hrsg., 1979, Les Durkheimiens. In: Revue française de sociologie. XX. H. 1.
Besnard, Ph., 1981, Die Bildung des Mitarbeiterstabs der Année sociologique. In: Lepenies, W., Hrsg., Geschichte der Soziologie. Bd. 2. Frankfurt a.M. S. 263–302.

Heilbron, J., 1985, Les métamorphoses du durkheimisme 1920. In: Revue française de sociologie. XXVI., H. 2., S. 203–237.
König, R., 1978, Bilanz der französischen Soziologie um 1930. In: Ders.: Emile Durkheim zur Diskussion. München, S. 56–103.

Marcel Mauss

1. Werkausgaben

Mauss, Marcel, 1950, Sociologie et anthropologie. Précédé d'une Introduction à l'œuvre de Marcel Mauss par Claude Lévi-Strauss. 7. Aufl. 1997. Paris.
Mauss, Marcel, 1968–1969, Œuvres. Présentation de Victor Karady. T. 1.: Les fonctions sociales du sacré. Paris 1968; T. 2: Représentations collectives et diversité des civilisations. Paris 1969; T. 3: Cohésion sociale et divisions de la sociologie. Paris 1969.
Mauss, Marcel, 1971, Essais de sociologie. Paris.
Mauss, Marcel, 1947, Manuel d'ethnographie. Avertissement et préface de D. Paulme. 2. Aufl. 1967. Paris.

2. Deutsche Übersetzungen

Mauss, Marcel, 1934, Definition der allgemeinen Tatsachen des sozialen Lebens. In: Nikles, B.W./Weiß, J., Hrsg., Gesellschaft. Organismus-Totalität-System. Hamburg 1975, S. 133–141.
Mauss, Marcel, 1968, Die Gabe. Form und Funktion des Austauschs in archaischen Gesellschaften. Vorwort von E.E. Evans-Pritchard. Anhang: H. Ritter: Die ethnologische Wende. Über Marcel Mauss. Frankfurt a. M.
Durkheim, E./M. Mauss, 1987, Über einige primitive Formen von Klassifikation. In: Durkheim, E., Schriften zur Soziologie der Erkenntnis. Frankfurt a.M., S. 171–256.
Mauss, Marcel, 1974/75, Soziologie und Anthropologie, 2 Bde. 2. Aufl. 1978. Bd. I: Theorie der Magie; Soziale Morphologie. Mit einer Einleitung von Claude Lévi-Strauss; Bd. II: Gabentausch; Todesvorstellung; Soziologie und Psychologie; Körpertechniken; Begriff der Person. München.

3. Bibliographien

Karady V. (in Zusammenarbeit mit M.T. Gardella), 1969, Bibliographie des œuvres de Marcel Mauss. In: Œuvres, ™. 3. Paris, S. 642–692.
Fournier, M., 1994, Bibliographie des œuvres de Marcel Mauss. In ders., Marcel Mauss. Paris, S. 769–825.

4. Biographie

Fournier, M., 1994, Marcel Mauss. Paris.
Kaesler, D., 1985, Soziologische Abenteuer. Earle Edward Eubank besucht europäische Soziologen. Opladen, S. 148–156.

5. Sekundärliteratur

L'ARC, Nr. 48, 1972, Marcel Mauss.

Caillé, A.,1996, Ni holisme ni individualisme méthodologiques. Marcel Mauss et le paradigme du don. In: M.A.U.S.S. a.a.O., S. 12–58.

Cazeneuve, J., 1968, Sociologie de Marcel Mauss. Paris.

Cazeneuve, J., 1968, Mauss. Paris.

Cingolani, P., 1995, Don, dépense et destruction. In: Namer, G./Cingolani, P., Morale et Société. Paris, S. 69–80.

Desroche, H., 1979, Marcel Mauss, citoyen et camerade. In: Revue française de sociologie, vol. XX, Nr. 1., S. 221–237.

Fournier, M., 1995, Marcel Mauss, l'ethnologue et la politique: le don. In: Anthropologie et Sociétés, vol. 19, Nr. 1–2, S. 57–69.

Godbout, J. T. (in Zusammenarbeit mit A. Caillé), 1992, L'esprit du don. Paris.

Godelier, M., 1996, L'énigme du don. Paris.

Gouldner, A.W., 1984, Reziprozität und Autonomie. Frankfurt a.M.

James, W./Allen, N.-J., Hrsg.,1998, Marcel Mauss. A Centenary Tribute, Oxford.

Karady, V., 1972, Naissance de l'ethnologie universitaire. In: L'ARC, a.a.O., S. 33–40.

Karsenti, B., 1994, Marcel Mauss. Le fait social total. Paris.

König, R., 1978, Marcel Mauss (1872–1972). In: König, R.: Emile Durkheim zur Diskussion. München/Wien, S. 257–292.

Lefort, C., 1978, L'échange et la lutte des hommes (1951). In ders., Les formes de l'histoire. Paris.

Lojkine, J., 1989, Mauss et l'Essai sur le don. In: Cahiers internationaux de sociologie. LXXXVI, Nr. 1., S. 141–158.

M.A.U.S.S. La revue du Mauss, Nr. 8, 1996, L'obligation de donner. La découverte sociologique capitale de Marcel Mauss.

Merleau-Ponty, M., 1985, Von Mauss zu Claude Lévi-Strauss. In: Métraux, A./Waldenfels, B., Hrsg., Leibhaftige Vernunft. München.

Oppitz, M., 1993, Notwendige Beziehungen. Abriß der strukturalen Anthropologie. Frankfurt a. M.

Schmied, G., 1996, Schenken. Über eine Form sozialen Handelns. Opladen.

Steiner, P., 1994, La sociologie de Durkheim. Paris.

Tarot, C., 1994, Symbolisme et tradition. Pour renouer avec une sociologie générale de la religion. T. I: Durkheim et Mauss. Thèse de doctorat. Universität Caen.

Tarot, C., 1996, Du fait social de Durkheim au fait social total de Mauss. In: M.A.U.S.S. a.a.O. S. 68–101.

Maurice Halbwachs

1. Werkausgaben

1.1 Monographien

Halbwachs, Maurice, 1907, Leibniz. Paris.

Halbwachs, Maurice, 1909, Les expropriations et le prix des terrains à Paris 1860–1900. Paris.

Halbwachs, Maurice, 1913, La classe ouvrière et les niveaux de vie. Recherches sur la hiérarchie des besoins dans les sociétés industrielles contemporaines. 2. Aufl. 1970. Paris.

Halbwachs, Maurice, 1913, La théorie de l'homme moyen. Essai sur Quetelet et la statistique morale. Paris.

Halbwachs, Maurice, 1925, Les origines du sentiment religieux d'après Durkheim. Paris.

Halbwachs, Maurice, 1925, Les cadres sociaux de la mémoire. Reprint 1975, Préface de F. Châtelet; 1994 Postface de G. Namer. Paris.

Halbwachs, Maurice, 1928, La population et les tracés de voies à Paris depuis cent ans. Paris.

Halbwachs, Maurice, 1930, Les causes du suicide. Avant-propos de Marcel Mauss. Paris.

Halbwachs, Maurice, 1933, L'évolution des besoins dans les classes ourvrières. Paris.

Halbwachs, Maurice, 1938, Analyse des mobiles qui orientent l'activité des individus dans la vie sociale. Neuauflage unter dem Titel: Esquisse d'une psychologie des classes sociales. 1955. 2. Aufl. 1964. Notice de G. Friedmann. Paris.

Halbwachs, Maurice, 1939, La morphologie sociale. 2. Aufl. Présentation de A. Girard 1970. Paris.

Halbwachs, Maurice, 1940, Sociologie éonomique et démographie. Paris.

Halbwachs, Maurice, 1941, La topographie légendaire des Evangiles en Terre Sainte. Etude de mémoire collective. 2. Aufl. 1972. Préface de F. Dumont. Paris.

Halbwachs, Maurice, 1943, J.-J. Rousseau, Du contrat social. Texte original publié avec introduction, notes et commentaires. Paris.

Halbwachs, Maurice, 1950, La mémoire collective. Erweiterte 2. Aufl. 1968. Préface de Duvignaud et introduction de M. Alexandre. Paris.

1.2. Aufsätze

Halbwachs, Maurice, 1972, Classes sociales et morphologie. Présentation de Karady. Paris.

1.3. Deutsche Übersetzungen

Halbwachs, Maurice, 1966, Das Gedächtnis und seine sozialen Bedingungen. Mit einer Einleitung von Mme Halbwachs. Berlin, Neuwied. Neuauflage Frankfurt a. M. 1985.

Halbwachs, Maurice, 1967, Das kollektive Gedächtnis. Mit einem Geleitwort von H. Maus. Stuttgart. Neuauflage Frankfurt a. M. 1985.

2. Bibliographien

Karady, V./Thiébart, Annie, 1972, Bibliographie des œuvres de Maurice Halbwachs. In: M. Halbwachs, Classes sociales et morphologie. Paris, S. 411–444.

275

3. Biographien

Bourdieu, P., 1987, L'assassinat de Halbwachs. In: Visages de la résistance. N. spécial: La Liberté de l'esprit, 16, S. 161–168.

Charle, C., Maurice Halbwachs. In: Julliard, J./Winock, M., Hrsg., Dictionnaire des intellectuels français. Paris 1996, S. 579–580.

Craig, J., 1979, Maurice Halbwachs à Strasbourg. In: Revue française de sociologie, XX, I, S. 273–292.

Friedmann, G., 1978, Maurice Halbwachs 1877–1977. In: Kölner Zeitschrift für Soziologie und Sozialpsychologie, XX, S. 200–205.

Karady, V., 1972, Biographie de Maurice Halbwachs. In: Karady, V., Hrsg., Maurice Halbwachs: Classes sociales et morphologie. Paris, S. 9–22.

4. Sekundärliteratur

Amiot, M., 1986, Maurice Halbwachs: L'invention de la sociologie urbaine contre la primauté de l'économie, de l'histoire et de la politique. In: Ders., Hrsg., Contre l'Etat, les sociologues. Paris, S. 13–33.

Amiot, M., 1991, Le système de pensée de Maurice Halbwachs. In: Revue de synthèse, IVeS Nr. (avril-juin 1991), S. 265–288.

Bastide, R., 1971, Mémoire collective et sociologie du bricolage. In: L'Année sociologique, 21, 1970, Paris, S. 65–108.

Assmann, J., 1991, Die Katastrophe des Vergessens. In: Assmann, A./Harth, D., Hrsg., Mnemosyne. Formen und Funktionen der kulturellen Erinnerung. Frankfurt a.M.

Baudelot, Ch./Establet, R., 1984, Durkheim et le suicide. Paris.

Baudelot, Ch./R. Establet, 1994, Maurice Halbwachs. Consommation et société. Paris.

Besnard, Ph., 1987, L'anomie, ses usages et ses fonctions dans la discipline sociologique depuis Durkheim. Paris.

Flick, U., Hrsg., 1955, Psychologie des Sozialen. Repräsentationen in Wissen und Sprache. Reinbek b. Hamburg.

Gurvitch, G., 1950, La vocation actuelle de la sociologie, T. II. Paris.

Gurvitch, G., 1966, Maurice Halbwachs. In: Ders., Etudes sur les classes sociales. Paris, S. 164–192.

Harth, D., 1991, Die Erfindung des Gedächtnisses. Frankfurt a. M.

Jonas, St., 1995, Maurice Halbwachs ou le premier âge de la morphologie sociale. Unveröffentl. Manuskript (Halbwachs-Kolloquium Strasbourg).

Krämer, H. L., 1980, Halbwachs, Maurice. In: Bernsdorf, W./Knopse, H., Hrsg., Internationales Soziologenlexikon. Bd. 1, 2. neubearb. Aufl. Stuttgart, S. 166–167.

Lévi-Strauss, C., 1947, La sociologie française. In: Gurvitch, G./Moore, W.: La sociologie au XXe siècle. Paris.

Montlibert de, C., Hrsg., 1997, Maurice Halbwachs, 1877–1945, Strasbourg.

Muxel, A., 1996, Individu et mémoire familiale. Paris.

Namer, G., 1983, La commémoration en France de 1945 à nos jours. Paris.

Namer, G., 1987, Mémoire et société. Paris.

Namer, G., 1994, Postface. In: M. Halbwachs, Les cadres sociaux de la mémoire. Paris.

Noiriel, G., 1986, Les ouvriers dans la société française XIXᵉ–XXᵉ siècle. Paris.

Reichel, P., 1995, Politik mit der Erinnerung. München.

Revue d'Histoire des Sciences Humaines, 1999, 1, Maurice Halbwachs et les sciences humaines de son temps, Villeneuve d' Ascq.

Straub, J., 1989, Historisch-psychologische Biographieforschung. Heidelberg.

Sue, R., 1994, Temps et ordre social. Paris.

Verret, M., 1972, Halbwachs ou le deuxième âge du durkheimisme. In: Cahiers Internationaux des Sociologie, vol. LIII, S. 311–336.

Rainer Geißler und Thomas Meyer[1]

Theodor Geiger
(1891–1952)

1. Leben und zeitgenössischer sozialer und politischer Kontext[2]

„Seine Vorlesungen waren bei weitem die beliebtesten; nicht, daß uns alle Soziologie so besonders interessierte, aber er verstand es, das Thema derartig fesselnd zu gestalten, daß wir ohne Ausnahme seinen Vorträgen wie gebannt folgten [...]. Er war enorm prägnant, manchmal scharf und sogar sarkastisch und hielt mit seinen politischen Ansichten, wenn sie am Platze waren, nicht zurück. Er war, glaube ich, Sozialist, jedenfalls entschieden gegen die Nazis und hatte das so deutlich zum Ausdruck gebracht, daß er seine geliebte Katze in den ersten Märztagen 1933 zerstückelt mit einer gemeinen Drohung vor seiner Wohnungstür fand."[3] Mit diesen eindrucksvollen Worten charakterisiert eine ehemalige Studentin treffend eine Schlüsselperiode aus dem bewegten und bewegenden Lebenslauf Theodor Geigers, der sich grob in vier Phasen untergliedern läßt.

Kindheit und Ausbildung in Bayern –
Kriegs- und Revolutionserfahrung (1891–1919)

Am 9. November 1891 wurde Theodor Geiger in München in gut bürgerlichem, katholisch-bayerischem Milieu geboren – als Sohn einer Apothekerstochter und eines Gymnasialprofessors. Nach dem Abschluß des humanistischen Gymnasiums in Landshut (1910) absolvierte er ein achtsemestriges Studium der Rechts- und Staatswissenschaften in München und Würzburg (1910 – Juli 1914). Er meldete sich freiwillig zum Kriegsdienst und sympathisierte in den revolutionären Nachkriegswirren mit den bayerischen Sozialisten. Sein sozialkritisches Engagement bringt er auch in die ersten wissenschaftlichen Arbeiten ein.[4]

Berliner Periode (1919–1928):
Lehr- und Lernjahre in der Arbeiterbildung

Bayern wurde Geiger schnell zu eng; noch 1919 zog es ihn nach
Berlin. Dort leistete er in erster Linie acht Jahre lang Aufbauar-
beit als Geschäftsführer der Volkshochschule Groß-Berlin (1920–
1928). Zahlreiche Publikationen zur Volkshochschulbewegung,
Arbeiter- und Erwachsenenbildung[5] dokumentieren sein theoretisch reflektiertes politisch-pädagogisches Engagement um eine
ideologiekritische, sach- und wissenschaftsbezogene „Volksauf-
klärung". In Berlin legt er gleichzeitig die Basis für eine autodi-
daktische Soziologenkarriere. Seine Studie über *Die Masse und
ihre Aktion* (1926) bringt ihm den Durchbruch als Soziologe mit
internationaler Resonanz.[6] 1922 (oder 1923) tritt er der SPD bei.[7]
Als überzeugter linker Anhänger der Weimarer Demokratie gehört er zu den Ausnahmeerscheinungen unter den überwiegend
konservativen Professoren in einer „Republik ohne Republika-
ner".

*Braunschweiger Periode (1928 – 1933): Soziologe und Sozial-
strukturforscher an der Technischen Hochschule*

Alfred Vierkandt und Ferdinand Tönnies hatten das soziologische
Talent des Außenseiters schnell erkannt; mit ihren Empfehlungen
trugen sie mit dazu bei, daß Geiger 1928 auf eine neu geschaffene
Professur für Soziologie an die TH Braunschweig berufen wurde.[8] Erwähnens- und bemerkenswert ist, daß das Fach Soziologie
mit der Einrichtung dieser Stelle im SPD-regierten Kleinststaat
Braunschweig seine Premiere als (Wahl-)Pflichtbestandteil der
sich akademisierenden Lehrerausbildung feierte.

Die wissenschaftliche Aktivität Geigers kreiste in Braunschweig vor allem um die soziale Frage und ihre politische, auch
parteipolitische Relevanz. 1932 gelang ihm sein erster Klassiker,
Die soziale Schichtung des deutschen Volkes; ein Jahr vorher hatte
er im Vierkandtschen *Handwörterbuch der Soziologie*[9] die wichtigen Stichwörter „Soziologie", „Gemeinschaft", „Gesellschaft",
„Revolution" und „Führung" bearbeitet.

Politisch-ideologisch entfernte sich Geiger immer mehr von
marxistischen Auffassungen in Wissenschaft und Politik. Seine

zunehmende Distanz zu dogmatischen SPD-Positionen mündete 1932 in den Austritt aus der Partei[10], in der er nach eigenen Aussagen stets „ein unbequemer und beargwöhnter Außenseiter" geblieben war.[11]

Das biographische Schlüsselerlebnis Geigers war der Konflikt mit dem Nationalsozialismus. Geiger gehört zu den wenigen entschiedenen Kritikern der ersten Stunde, die die NS-Bewegung vor, aber auch noch nach der Machtergreifung Hitlers mit Überzeugung offen und öffentlich bekämpften. In seinen Schriften macht Geiger aus seinen tiefsitzenden Aversionen gegen den Primitivismus und die Brutalität der NS-Ideologie und -Politik keinen Hehl. So attackiert er z.B. 1931 das „blutrünstige Treiben der SA": „Die NSDAP propagiert die ‚organische Volkseinheit' des Dritten Reiches [...]. Die grauenvollen Bestialitäten, die gegenwärtig im Namen dieses Endziels verübt werden, übersieht das vom Strahlenkranz der Zukunft geblendete Auge. Und [...] die NSDAP [...] nennt [...] weise die physische Austilgung derer, die anders wollen, nicht Kampf, sondern nationales Standrecht."[12]

Seine vehemente Gegnerschaft zum Nationalsozialismus, der er auch in seinen Lehrveranstaltungen Ausdruck verschaffte,[13] brachte ihm bereits 1932 einen Vorlesungsboykott an der TH ein.[14] In den Unterlagen zu Geigers späterer Entfernung aus dem Staatsdienst wird u.a. vermerkt, daß er „noch am Tag der letzten Reichstagswahl" (März 1933) einen Juden mit erhobener Faust und dem Ruf „Freiheit" gegrüßt habe und daß er „allen Bestrebungen auf nationalsozialistische Umstellung der Hochschulen Widerstand entgegengesetzt" habe.[15]

Vermutlich in der Hoffnung, den drohenden Rauswurf aus der TH doch noch abzuwenden, signalisieren einige Verhaltensweisen und Äußerungen in den letzten Braunschweiger Monaten gewisse „äußerliche Anpassungsversuche"[16]; sie zeigen gleichzeitig, daß Geiger die repressive Brutalität der neuen Machthaber zunächst unterschätzt hatte. Anfang September erfuhr er dann beim Friseur aus der Zeitung, daß er mit Wirkung vom 1. Oktober wegen „nationaler Unzuverlässigkeit" aus dem Staatsdienst entlassen würde. Er faßte umgehend den Entschluß, „seine Zelte" in Deutschland „abzubrechen"[17] und emigrierte noch im selben Jahr nach Kopenhagen.

Als Emigrant in Skandinavien (1933 – 1952)

In Skandinavien leistet Geiger zwei Jahrzehnte Pionierarbeit für die Etablierung der Soziologie in der dortigen Universitätslandschaft.[18] Ein Forschungsstipendium der Rockefeller-Stiftung sichert ihn zunächst materiell in Kopenhagen ab, bis er 1938 einen Ruf auf die erste Soziologieprofessur Skandinaviens an der jungen Universität Aarhus erhält.

Der Überfall Hitlers auf Dänemark bringt ihn erneut in Bedrängnis. 1943 entkommen er und seine Familie den NS-Häschern nur knapp, indem sie – nach einer Warnung aus dem dänischen Widerstand – bei Nacht und Nebel ins neutrale Schweden fliehen.[19] In Stockholm setzt er seine wissenschaftlichen Arbeiten fort und hält auch Vorlesungen an der dortigen Universität sowie in Lund und Uppsala. Nach Kriegsende kehrt Geiger auf seinen Lehrstuhl in Aarhus zurück. Die Universität hatte ihn während der Besatzungszeit von den Lehr- und Prüfungsverpflichtungen entbunden und sein Gehalt weitergezahlt.

Die Loyalität zur Universität Aarhus sowie die familiäre Verwurzelung im Norden lassen ihn abwinken bei Bemühungen, ihn zu einer Rückkehr an eine der Universitäten in Berlin, Köln, Hamburg oder Braunschweig zu bewegen.[20] Trotzdem merkt René König zur deutschen Nachkriegssoziologie zu Recht an: „Die ersten erfolgreichen soziologischen Buchpublikationen stammen von Theodor Geiger."[21] Als gefragter Kommentator in Radio und Presse wirkt er auch in eine größere deutsche und dänische Öffentlichkeit hinein. Seine Beteiligung an der Gründung der *International Sociological Association (ISA)* macht seine wichtigen Kontakte im internationalen Netz der Soziologie deutlich. Sie führten ihn in den Jahren 1951/52 als Gastprofessor nach Toronto und auf eine anstrengende Vortragsreise durch die USA. Auf der Schiffsreise zurück nach Europa starb er am 16. Juni 1952 völlig unerwartet.

2. Werk und wissenschaftliche Rolle

Ein markanter Zug des Geigerschen Werkes ist die Vielfalt der bearbeiteten Themenbereiche. Die kräftigsten Spuren haben zweifellos seine Studien zur Klassen- und Schichtstruktur, zur sozialen Mobilität und zur Rechtssoziologie hinterlassen, die auch das Zentrum seines Schaffens ausmachen. Zwei andere wichtige Schwerpunkte bilden die Ideologiekritik und die Demokratieproblematik. Von Geigers weiteren Arbeitsfeldern seien hier noch Intelligenz, Masse, Erbpflege, Erziehung und Werbung/Propaganda erwähnt.

Trotz der eindrucksvollen Vielseitigkeit ist Geigers Werk – wie Paul Trappe zu Recht feststellt – „hoch integriert".[22] Das gemeinsame Band um die Vielfalt der Themen bilden neben dem methodologischen Ansatz – eine streng erfahrungswissenschaftliche, aber gleichwohl meist gesellschaftskritische Vorgehensweise – auch zwei übergreifende Fragestellungen: Neben der Beschäftigung mit der sozialen Frage – einem Erbe aus den sozialen Nöten und Konflikten der Weimarer Republik – kreist sein wissenschaftliches Denken und Tun um das Problem, welche „Gegengifte" einer fortgeschrittenen, hochdifferenzierten Gesellschaft gegen die Gefahren einer Stimmungsdemokratie zur Verfügung stehen, um zu verhindern, daß sie in eine inhumane, ideologisch verbrämte, an Emotionen appellierende, ins Totalitäre ausartende Zwangsherrschaft umschlägt. Es ist offensichtlich, daß die leidvollen Erfahrungen mit dem Nationalsozialismus die Erkenntnisinteressen Geigers hier entscheidend geprägt haben. Dabei verwandelt er sich immer mehr vom Sozialisten zum „Sozialliberalen": Es geht ihm um den aufklärerischen Kampf gegen Dogmatismen jeglicher Couleur und damit zusammenhängende unkontrollierte Fremdherrschaft; allerdings verliert er dabei die sozial Benachteiligten nicht aus dem Auge.

Soziologie als humanistisch engagierte Erfahrungswissenschaft

Geiger hat sich zeitlebens mit Fragen zu Gegenstand, Methoden und Erkenntniszielen der Soziologie auseinandergesetzt. Hierbei tritt er – wenn auch zunächst noch in aller Vorsicht – zu der im Idealismus und der geisteswissenschaftlich-spekulativen Philosophie verhafteten deutschen Soziologie in Distanz. Es ist typisch für seine frühzeitig auf Internationalisierung drängende Soziologie, daß sich seine Aufmerksamkeit auf den „englischen Naturalismus" und den „französischen Realismus" richtet, welche die

„Gesellschaft" nicht „zur Beute metaphysischer Spekulation"[23] erheben, sondern einer realistischen, erfahrungswissenschaftlichen Betrachtungsweise überantworten. Trotz seiner Vorbehalte gegenüber einem naiven Empirismus blickt Geiger auf die amerikanische Soziologie, wo man „nüchterne Fragen nüchtern untersucht."[24] Er empfiehlt eine einzelwissenschaftliche, auf Erfahrung beruhende, „strenge Wissenschaft", die ausschließlich in „empirischen Gegebenheiten" und nicht in „,höheren' Wirklichkeiten" ihren Gegenstand findet.[25]

Unter dem Einfluß der positivistischen, metaphysikfeindlichen Rechts- und Sozialphilosophie der sogenannten Uppsala-Schule verabschiedet sich Geiger später, international belesen, endgültig vom geisteswissenschaftlichen Erbe der deutschen Soziologie und reiht sich in die Tradition der angelsächsischen Aufklärung und Metaphysikkritik ein. In den schottischen Naturalisten des 18. Jahrhunderts sieht er die eigentlichen Ahnen der wissenschaftlichen Soziologie und erhebt eine methodologisch kontrollierte, empirische Soziologie amerikanischer Provenienz zum Vorbild.

Ausgehend von dem naturwissenschaftlichen Methodenideal wird die Soziologie als „begriffsanalytisch gelenkte, quantifizierende Untersuchung der sozialen Erscheinungswelt" definiert.[26] Folgerichtig engagiert sich Geiger für die Verfeinerung der quantitativen Methoden der Sozialforschung, wobei jedoch einer eindimensionalen, rein auf quantitative Methoden beschränkten Soziologie nicht das Wort geredet wird. Allen Quantifizierungsbestrebungen zum Trotz soll sich die Soziologie keinesfalls der „Schlüpfrigkeit"[27] der konstitutiv zur Sozialität gehörenden Gefühls- und Bewußtseinsprozesse verschließen und sich selbstverständlich auch introspektiver Methoden bedienen.

Die strikt erfahrungswissenschaftliche Orientierung war für Geiger nicht etwa Anlaß, die empirisch-theoretisch unzugängliche Welt der Normen und Werte gänzlich aus seinem Denken und Tun zu verbannen. Im Gegenteil: Geigers Soziologie ist zutiefst humanistisch engagiert. Die Triebfeder seines wissenschaftlichen Tuns ist das permanente Bemühen darum, durch nüchterne Tatsachenanalyse einen Beitrag zur Gestaltung einer besseren, rationaleren und humaneren Gesellschaft zu leisten.

In der Ideologienlehre, vor allem in *Ideologie und Wahrheit* (1953), reflektiert Geiger das methodologische Fundament seines wissenschaftlichen Tuns: Wie kann man Gesellschaft „objektiv", d.h. frei von verzerrenden ideologischen Einflüssen analysieren? Geiger fordert nachdrücklich – ganz im Sinne der Wissenschaftslehre Max Webers – die strikte Trennung von wissenschaftlichen Seinsaussagen einerseits und wertbesetzten Sollaussagen andererseits. Ideologien entstehen nach Geiger durch die bewußte oder unbewußte Vermischung der beiden Erkenntnis- und Aussageebenen: Wertungen (Gefühle, Wünsche, Interessen) verwandeln sich zu Ideologien, wenn sie ihren subjektiven, werthaltigen Charakter verschleiern und sich als wissenschaftliche Aussage, als „Theorie" ausgeben. „Ideologie ist somit: unechte Theorie, Scheintheorie. Sie ist ein theoretisch gesteuertes a-Theoretisches."[28]

Geigers Programm greift aber noch weiter: Ideologiekritik bleibt nicht auf das erkenntnistheoretische Problem der Scheidung wissenschaftlich legitimer und illegitimer Aussagen beschränkt (theoretische Ideologiekritik), sondern schreitet fort zu einer unerbittlichen Kritik weltanschaulicher und politischer Ideologien und Propagandaformen (pragmatische Ideologiekritik). Ideologiekritik ist bei Geiger eng mit Machtkritik verknüpft. Dies wird besonders deutlich in seiner Analyse zu *Aufgaben und Stellung der Intelligenz in der Gesellschaft* (1949, zuerst dänisch 1944). So weist er insbesonders der sozialwissenschaftlichen Intelligenz die Aufgabe zu, „die unermüdliche Kritikerin der Macht zu sein".[29] Als prinzipielle Gegenspielerin der Macht soll sie u.a. permanent die Ideologien der Mächtigen enthüllen und dadurch die wahren Machtstrukturen und die Verflechtungen der Interessen bloßlegen, die vom Nebel der politischen Propaganda verdeckt werden.[30]

Klassengesellschaft – soziale Schichtung – soziale Mobilität

Die Marxsche Frage nach den wesentlichen Strukturmerkmalen und den bewegenden Kräften der Industriegesellschaft hat Geiger Zeit seines Forscherlebens beschäftigt, ja fasziniert. Den Problemen von Klassengesellschaft, sozialer Schichtung und sozialer

Mobilität widmete er fast 40 Veröffentlichungen[31], darunter zwei zu Klassikern avancierte Bücher – *Die soziale Schichtung des deutschen Volkes* (1932), die erste auf repräsentativen statistischen Daten beruhende und dabei auch begrifflich-theoretisch innovative Schichtanalyse der deutschen Gesellschaft sowie – 16 Jahre später – seinen „Anti-Marx" mit dem programmatischen Titel *Die Klassengesellschaft im Schmelztiegel* (dänisch 1948, erweiterte deutsche Version 1949) – eine polemisch-schwungvolle, aber auch empirisch fundierte Endabrechnung mit der Marxschen Theorie und ihren Prognosen.[32]

Drei ausgesprochen moderne Grundzüge der Schichtanalyse Geigers sind erwähnenswert:[33] Er fordert erstens das Studium der Zusammenhänge von „äußeren" und „psychischen" Merkmalen der sozialen Struktur, der Zusammenhänge von typischen sozialökonomischen Lagen und typischen psychischen Befindlichkeiten und Verhaltensmustern („Mentalitäten", „Ideologien", „Lebensstilen", „Lebensduktus")[34], die Menschen aufgrund ähnlicher Erfahrungen unter ähnlichen Lebensumständen entwickeln. Geiger fordert zweitens dazu auf, die Mehrdimensionalität der gesellschaftlichen Differenzierungen zu beachten, dabei aber gleichzeitig – um sich nicht im Dschungel der verwirrenden Vielfalt zu verlieren – stets nach dem Wesentlichen, nach dem dominanten Gliederungsprinzip zu suchen, das nicht zu allen Zeiten das gleiche ist. Die Nähe Geigers zu zwei im letzten Jahrzehnt viel diskutierten Konzepten von Pierre Bourdieu – „Klassenhabitus" und vieldimensionaler „sozialer Raum" – ist offensichtlich. Drittens ist Geigers Analyse zutiefst historisch-dynamisch: „Gesellschaft ist kein Ding, sondern ein Prozeß"[35]. Sein zu Beginn der 50er Jahre entworfenes Programm einer „dynamischen Analyse der sozialen Mobilität"[36] verlangt die gleichzeitige Beachtung der doppelten (individuellen und sozialen) Dynamik der Sozialstruktur, von „Fluktuationen" einerseits und „Umschichtungen" andererseits; analysiert werden sollen die „Bewegungen von Individuen zwischen sich wandelnden Schichten in einer Gesellschaft von sich wandelnder Struktur".[37]

In seinem ersten Schichtungsbuch entwirft er ein farbiges Tableau der Sozialstruktur der Weimarer Republik: Sein Modell mit fünf Hauptschichten (Kapitalisten, alter Mittelstand, neuer Mittelstand, Proletaroide und Arbeiter – sie sind in sich vielfach differenziert) richtet sich sowohl gegen die neomarxistische Zwei-klassentheorie, die er in seinen ersten Arbeiten noch favorisiert hatte, als auch gegen die antisozialistische Dreiklassen- bzw. „Puffer"-Theorie der 20er Jahre. Die Kernthese der *Klassengesell-schaft im Schmelztiegel* – nicht Vereinfachung und Polarisierung der Klassenstruktur, sondern Differenzierung und Entschärfung des Antagonismus – kritisiert die Marx-Prognosen grundlegend und enthält bereits alle wichtigen Argumente, die dann zwei Jahrzehnte später von den Schichtungstheoretikern gegen die Neomarxisten ins Feld geführt werden.

Bei aller Polemik gegen Marx ist Geiger allerdings der sozialkritische Blick für fortbestehende Ungleichheiten und Ungerechtigkeiten nie verlorengegangen. Mit seinen Hinweisen auf die proletarischen Lebensrisiken von niedrigqualifizierten Arbeitern, auf fortbestehende Interessengegensätze zwischen Arbeit und Kapital[38], auf sozial ungleiche Bildungschancen und auf ausgeprägte Mobilitätsbarrieren und ihre sozialen Ursachen[39], mit seiner Kritik an der liberalen „Legende" einer hochmobilen Industriegesellschaft und am „reaktionären Sozialdarwinismus", der Auf- und Abstiege als Ergebnis einer „natürlichen Auslese" ansieht[40], hebt sich Geiger wohltuend von der späteren weitverbreiteten Ideologie der „nivellierten Mittelstandsgesellschaft" (Helmut Schelsky) ab.

Rechtssoziologie

Rechtssoziologische Arbeiten bilden den zweiten herausragenden Markstein in Geigers Forschungsfeld. Besonders zu erwähnen sind hierbei die in Auseinandersetzung mit der Uppsala-Schule verfaßten Bücher *Über Moral und Recht* (1946) und vor allem die *Vorstudien zu einer Soziologie des Rechts* (1947), mit denen er, neben Paul Ehrlich und Max Weber, zum unumstrittenen Klassiker der Rechtssoziologie avancierte.[41]

Seinen ideologiekritischen Grundmotiven folgend, drängt Geiger auf eine von normativen Ansprüchen und metaphysischen Begriffsunschärfen befreite, nüchtern-realistische Betrachtung des Rechts. Ausgehend von der besonderen ideologischen Anfälligkeit der Rechtswissenschaft sowie in Abgrenzung von der klassischen Rechtsphilosophie geht es um eine wertfreie Rechtssoziologie als Erfahrungswissenschaft, die die Rechtsbeziehungen nüchtern als Ordnungsrealitäten erfaßt. Dabei rückt Geiger den vielfach übersehenen Stellenwert des Rechts als einen Eckpfeiler sozialer Ordnung ins Zentrum der soziologischen Aufmerksamkeit. Geiger entfaltet mit Hilfe der Symbole der formalen Logik die Umrisse zu einer Normen-, Ordnungs- und Machttheorie von allgemeinsoziologisch wegweisender Bedeutung, die bis heute nichts an Aktualität eingebüßt haben. Aus der sozialen Grundtatsache der „sozialen Interdependenz"[42] erwächst das Erfordernis, Zusammenleben auf eine bestimmte Art zu ordnen. Aufgabe sogenannter sozialer Ordnungsgefüge ist es, die „Gebarenskoordination" durch die Bereitstellung erwartbarer Regelhaftigkeiten sicherzustellen. Neben Brauch, Sitte und Konvention wird das Recht als „Sonderart sozialer Ordnung"[43] vorgestellt. Hierbei ist es für Geiger wichtig, das Recht als ein unmittelbar mit den Machtverhältnissen verwobenes Ordnungsgefüge bzw. eine Regulierungsform der Macht vorzustellen, um so der oftmals behaupteten Gegensätzlichkeit von Recht und Macht zu begegnen.[44]

Einen weiteren Schwerpunkt der „Vorstudien" bildet die Untersuchung des Verhältnisses von Recht und Moral, womit Geiger ein bis heute aktuelles Grundproblem der Rechtstheorie aufgreift. Ihm stellt sich die fundamentale Frage, wie nach dem Zerfall der kollektiven Moral (Schisma der Moral) und den unauflöslichen Widersprüchen zwischen der Vielfalt der Moralsysteme der Bestand der Rechtsordnung zu denken ist. Dies führt Geiger zu dem positivistischen Entwurf einer von allen Wert- und Moralvorgaben befreiten, mechanistisch zu denkenden Rechtsordnung, in der die „unverblümte soziale Interdependenz" als alleinige Quelle sozialer Ordnung fungieren soll.[45]

Massenmedien, Massengesellschaft und Demokratie

Geigers *Opus magnum* zur medialen Massensuggestion ist die disziplinübergreifend angelegte *Kritik af Reklamen* (1943). „Reklame ist die mit geschäftlichem Eigeninteresse vor Augen ausgeübte suggestive Beeinflussung von Personen in Massen, um sie als Käufer für Waren oder Dienstleistungen auf dem öffentlichen Markt zu gewinnen."[46] Diese präzise begriffliche Bestimmung verdeutlicht, worum es Geiger in erster Linie geht: Um die Decouvrierung der autonomiefeindlichen, suggestiven Mechanismen des ökonomischen Gewinninteresses der Werbebotschaften; um die aufklärerische Entlarvung des Versuchs, in der kapitalistischen „Überproduktion" durch unterschwellige Weckung undurchschauter „Bedürfnisse" die Nachfrage zu stimulieren. In ihrem nach wie vor aktuellen ideologiekritischen Anliegen ähnelt die Kritik der Reklame stark der Kritik der Kulturindustrie, die Max Horkheimer und Theodor W. Adorno etwa gleichzeitig in ihrem amerikanischen Exil zu Papier brachten;[47] sie nimmt auch vieles von dem vorweg, was westdeutsche Sozialwissenschaftler in der ca. 25 Jahre später einsetzenden, sich auf die Kritische Theorie stützenden Kritik der Werbung formulierten. Von beiden hebt sich Geiger jedoch in zwei wesentlichen Punkten ab: Er gründet seine Medienkritik auf eine akribische Auseinandersetzung mit der internationalen Fachliteratur seiner Zeit zur Wirtschaftswerbung, und er bettet sie nicht in eine allgemeine Kapitalismuskritik mit systemüberwindenden Zügen ein. Geigers Abwehrstrategie gegen die mediale Manipulation ist nicht die völlige Umwälzung der bestehenden Ordnung, sondern die Immunisierung der Bevölkerung gegen suggestive Beeinflussungsversuche, die Stärkung der Abwehrkräfte der Verbraucher durch Konsumentenaufklärung[48] – so wie auch der Staatsbürger dazu erzogen werden soll, den „ideologischen Humbug" der Propaganda[49] zu durchschauen. Als pädagogischer Optimist setzt Geiger auf die Selbstheilungskräfte des Systems, auf die „Intellektualisierung" der Bevölkerung durch „kritische Aufklärung".[50]

Als Schlüsselwerk Geigers ist die posthum erschienene und über weite Strecken als Auseinandersetzung mit dem Nationalsozialismus zu lesende Schrift *Demokratie ohne Dogma*[51] zu bezeichnen. Der für die Soziologie Geigers insgesamt konstitutive Disput mit der Kultur- und Modernitätskritik tritt hier besonders prägnant zu Tage. Diese Charakteristik gibt dem Buch ein unverwechselbares Gepräge im Vergleich zu den kulturpessimistischen Zeitdiagnosen Theodor W. Adornos, Hans Freyers, Arnold Gehlens und Helmut Schelskys und weist ihm eine Sonderstellung in der frühen Nachkriegssoziologie zu.[52]

Gängigen Auffassungen über eine angeblich strukturlose, atomisierte Massengesellschaft stellt Geiger das Bild einer nach Schichten vertikal und nach Funktionen horizontal gegliederten Gesellschaft entgegen.[53] Als grundlegende Form der gesellschaftlichen Funktionsgliederung hebt er die Scheidung des öffentlichen und privaten Daseinsbereichs hervor. Der „Dualismus der gesellschaftlichen Sphären" markiert für ihn das eigentliche „Sondermerkmal der Neuzeit".[54] Das viel beschriebene „Massendasein" ist, laut Geiger, auf den Bereich des öffentlichen Lebens beschränkt und es erfährt zudem einen Ausgleich durch die fortbestehenden Primärgruppenbindungen im Privatleben, das zunehmend intimer und privater wird.

In seiner heute aktueller denn je erscheinenden Auseinandersetzung mit der „Stimmungsdemokratie" – eine Bezeichnung, die drei Jahrzehnte später in den 80er Jahren auf die sozialwissenschaftliche Agenda rücken sollte – werden die politische Ideenwerbung, die Wertphraseologie und die Stimmungsmache als Formen herrschaftsstabilisierender Massenbeeinflussung einer schonungslosen Kritik unterworfen. Geiger will so auf Gefahren aufmerksam machen, die in Faschismus und Stalinismus evident geworden sind, gleichwohl aber – wenn auch in gemäßigter Form – in den modernen Massendemokratien fortleben.

Im Unterschied zum verbreiteten und bis in die Gegenwart anhaltenden „Wert- und Sinnkrisengerede" will Geiger die Zersplitterung der modernen Kultur in eine Vielfalt konkurrierender Wertordnungen (Moralschisma) – in seiner herben Illusionslosigkeit an Max Weber erinnernd – als „vollendete Tatsache" hinnehmen. In der Moderne erscheint ihm eine Wertgemeinschaft nur als Zwangsgemeinschaft denkbar.

Geigers Gesellschafts- und Demokratiekritik findet ihr Gegenstück in seinem „intellektuellen Humanismus", der an der Vision einer humanen und das heißt für ihn: einer rationalen, aufgeklärten und demokratischen Gesellschaft orientiert ist. Sein Ziel ist die umfassende Intellektualisierung der Gesellschaft; Humanität gedeiht dort am besten, wo die Menschen rational handeln und gegen Ideologien, Doktrinen und Irrationalismen jedweder Couleur immun sind.

3. Wirkung auf zeitgenössisches soziologisches Denken

Die Wirkungsgeschichte des Geigerschen Werkes ist von deutlichen Ambivalenzen gekennzeichnet. Einerseits war Geiger der erste erfolgreiche deutsche Autor soziologischer Bücher nach dem Kriege, die auch international zur Kenntnis genommen wurden. Im Bestseller der Nachkriegssoziologie, dem Fischer-Lexikon der Soziologie (1958)[55], wird er nach Durkheim, Marx und Max Weber am häufigsten erwähnt, und die erste von Paul Trappe zusammengestellte Auswahl seiner Texte *Arbeiten zur Soziologie* (1962) war schnell vergriffen. Selbst die DDR-Soziologie berief sich in ihrer Startphase in den 60er Jahren auf Geigers Sozialstruktur- und Mobilitätsanalyse, ehe sie ihn später als angeblichen Apologeten des Kapitalismus mit Polemik überzog.[56] Wichtige Bücher wurden in den 60er und 70er Jahren in viele andere Sprachen übersetzt, und in den 80er und 90er Jahren erschienen zahlreiche Neuausgaben, Erstveröffentlichungen und Übersetzungen aus dem Dänischen ins Deutsche. Eine kritische Gesamtausgabe befindet sich derzeit in einem konkreten Planungsstadium. Auch außerhalb der engen Fachgrenzen ist sein Name bekannt – insbesondere unter Historikern[57] und Pädagogen;[58] unter die Vorbilder für Deutsche (1974, 1986) wurde er ebenfalls aufgenommen.[59]

Obwohl ihm einige der Großen der westdeutschen Soziologie hohe Wertschätzung entgegenbrachten und die von ihm gezogenen Spuren in einigen Teilbereichen aufnahmen, wirkte Geiger nicht schulenbildend. Es gibt niemanden, der sein wissenschaftliches Werk konsequent weiterentwickelt und kritisch ergänzt hätte. Die Frankfurter Schule hat ihn statt dessen bewußt „totgeschwiegen".[60] Auffällig ist das Dauerklagelied der relativ kleinen Geiger-Gemeinde über die „ungenügende Beachtung" seines Werkes, das René König bereits im Nachruf anstimmte[61] und dessen vielfach variierte Melodie bis heute nicht verklungen ist.

Für das Rezeptionsdefizit gibt es eine Reihe von sekundären Gründen: Die Emigration ins politisch und wissenschaftlich unbedeutende Dänemark, die schwere Zugänglichkeit vieler seiner z.T. nur auf dänisch vorliegenden Texte sowie der frühe Tod, der Geiger daran hinderte, manche Bruchstücke seines Denkens – so z.B. die unvollendet gebliebene Ideologiekritik – zu einem schlüssigen Ganzen zusammenzufügen und seine kräftige, farbige Stimme im Diskurs der sich gerade erst etablierenden Nachkriegssoziologie zur Geltung zu bringen. Primär und ausschlaggebend dürfte jedoch sein, daß der scharfsinnige Querdenker und bissige Provokateur, diese eigenwillige und in ihrer unerbittlichen Geradlinigkeit auch kantige und unbequeme Persönlichkeit, zwischen allen Stühlen saß: Sein Ansatz paßte nicht zu den Hauptströmungen, die sich im Vor- und Nachkriegsdeutschland herausbildeten. Für die frühe deutsche Soziologie war er zu sehr Empiriker, Gemeinschaftskritiker und Sozialist. Nach dem Krieg war er für die Frankfurter Schule und die Neomarxisten zu anti-dogmatisch und antimarxistisch und zu sehr wissenschaftsgläubiger „Positivist"; für viele Amerika-fixierte Empiriker war er wiederum zu wenig „wertfrei", zu stark gesellschaftskritisch engagiert; und für die Konservativen mit ihren partiellen Verstrickungen in den Nationalsozialismus war er zu sehr Nazigegner, Emigrant, Wertnihilist und linker Machtkritiker, zudem Widerpart ihrer Kulturkritik.

Warum lohnt es auch heute noch, Theodor Geiger aufmerksam zu studieren – obwohl manche seiner Aussagen zu zentralen Fragen (z.B. die ungeklärten Zusammenhänge zwischen Seins- und Sollensebene, sein radikaler Wertnihilismus und nicht zuletzt sein eugenischer Standpunkt[62]) Widerspruch hervorrufen und obwohl sein unbedingter, ja fanatischer Glaube an den *homo rationalis* utopisch anmutet? Neben den zahlreichen, nach wie vor aktuellen Konzepten und Fragestellungen gibt es vor allem einen Grund, der seine Texte lesenswert macht: Viele seiner Arbeiten verkörpern einen immer noch vorbildlichen Typus von Soziologie – und zwar vorbildlich in dreierlei Hinsicht:

1. Soziologie als begrifflich-theoretisch gesteuerte Erfahrungswissenschaft: klare Begriffe und Hypothesen lenken ein methodisch reflektiertes empirisches Vorgehen, wobei die quantitative Grundorientierung durch qualitativ-hermeneutische Elemente ergänzt wird.

2. Soziologie als gesellschaftspolitisch engagierte Problemwissenschaft: ein sozialkritisches Problembewußtsein steuert gezielt die Auswahl der Forschungsfragen und die Theoriebildung; zentrale Orientierungspunkte sind dabei die aufklärerischen Leitideen der Rationalität, Humanität und häufig auch der sozialen Gerechtigkeit.

3. Soziologie als furchtlos-kämpferische, aber rational gezügelte Oppositionswissenschaft: Macht- und ideologiekritisches Engagement sind eine unabdingbare Ergänzung der wissenschaftlichen Tatbestandsaufnahme; dabei sorgt das ständige Bemühen um eine kritische Selbstkontrolle des eigenen wissenschaftlichen Tuns und

um eine klare Trennung von wissenschaftlicher Analyse und subjektiven Wertungen für die aufklärerische Qualität dieser Einmischung.

Literatur

1. Werkausgaben

Geiger, Theodor, 1962, Arbeiten zur Soziologie. Methode – Moderne Großgesellschaft – Rechtssoziologie – Ideologiekritik. Ausgewählt und eingeleitet von P. Trappe (Soziologische Texte, Bd. 7). Neuwied/Berlin.

2. Monographien (soweit nicht in den Fußnoten erwähnt)

Geiger, Theodor, 1926, Die Masse und ihre Aktion. Ein Beitrag zur Soziologie der Revolutionen. Stuttgart. (Nachdrucke 1967, 1987; Übersetzung ins Japanische 1930).
Geiger, Theodor, 1928, Die Gestalten der Gesellung. (Wissen und Wirken, Nr. 48) Karlsruhe.
Geiger, Theodor, 1928, Führen und Folgen. (Weltgeist-Bücher Nr. 307) Berlin. (Übersetzung ins Portugiesische 1942).
Geiger, Theodor, 1934, Erbpflege. Grundlagen, Planung, Grenzen. Stuttgart.
Geiger, Theodor, 1939, Sociologi. Grundrids og Hovedproblemer. Kopenhagen. Im Auftrag von R. Geißler und H. Pöttker fertigte E. Bergunde eine Rohübersetzung ins Deutsche an, die als Manuskript in der Universität Siegen vorliegt.
Geiger, Theodor, 1941, Konkurrence. En Sociologisk Analyse. Kopenhagen.
Geiger, Theodor, 1946, Ranulf contra Geiger. Et Angreb og et offensivt Forsvar. Kopenhagen.
Geiger, Theodor, 1953, Ideologie und Wahrheit. Eine soziologische Kritik des Denkens. Stuttgart (Nachdruck 1968).

3. Bibliographien/Biographien

Trappe, P., 1978, Theodor Geiger. In: Kaesler, D. Hrsg.: Klassiker des soziologischen Denkens. Bd. II. München, S. 254–285, 474–488.
Bachmann, S., 1995, Theodor Geiger: Soziologe in einer Zeit „zwischen Pathos und Nüchternheit". In: Ders. Hrsg.: Theodor Geiger: Soziologe in einer Zeit „zwischen Pathos und Nüchternheit". Berlin 1995, S. 21–69.
Bachmann, S., 1995, Bibliographie Theodor Geiger. In: Ders. Hrsg.: Theodor Geiger: Soziologe in einer Zeit „zwischen Pathos und Nüchternheit". Berlin 1995, S. 397–453.

Anmerkungen

1 Die intensive Beschäftigung mit Geiger verdanken wir direkt (Rainer Geißler) oder indirekt (Thomas Meyer) den anregenden Geiger-Seminaren, die Paul Trappe an den Universitäten Kiel und Basel durchgeführt hat. Dafür sei ihm an dieser Stelle nochmals herzlich gedankt!

2 Vgl. die Geiger-Biographien von P. Trappe 1978 und S. Bachmann 1995 im Literaturverzeichnis.

3 Friedrichs, N., Erinnerungen an Theodor Geiger. In: Kölner Zeitschrift für Soziologie und Sozialpsychologie 25 (1973), S. 530.

4 Die Schutzaufsicht (Diss. Universität Würzburg 1919). Breslau 1919; Das uneheliche Kind und seine Mutter im Recht des neuen Staates. München u. a. 1920.

5 Geiger, T., Erwachsenenbildung aus Distanz und Verpflichtung. Hrsg. von Weinberg, J. Bad Heilbrunn 1984.

6 Vgl. die Rezension von Robert E. Park im American Journal of Sociology 33 (1927/28), S. 642–645.

7 Bachmann 1995 (Anm. 2), S. 41.

8 Vgl. Rodax, K., Theodor Geiger – Soziologie der Erziehung. Braunschweiger Schriften 1929 – 1933. Berlin 1991, S. 70 ff.

9 Vierkandt, A. Hrsg., Handwörterbuch der Soziologie. Stuttgart 1931.

10 Zu Geigers Verhältnis zur SPD vgl. Trappe 1978 (Anm. 2), S. 264–266 und Bachmann 1995 (Anm. 2), S. 41.

11 Zitiert nach Rodax 1991 (Anm. 8), S. 102.

12 Geiger, T., Die Mittelschichten und die Sozialdemokratie. In: Die Arbeit 8 (1931), S. 630.

13 Vgl. Friedrichs 1973 (Anm. 3), S. 530.

14 Bachmann 1995 (Anm. 2), S. 42.

15 Zitate nach Quellen bei Bachmann 1995 (Anm. 2), S. 44.

16 Zu nennen sind in diesem Zusammenhang: Geigers Brief vom 1. 9. 1933 an den Rektor der TH Braunschweig, in dem er sich gegen den Vorwurf der „nationalen Unzuverlässigkeit" verteidigt (vgl. dazu Bachmann 1995 (Anm. 2), S. 44); Geigers Brief an Hans Speier vom 21. 8. 1933, abgedruckt in Speier, H., Die Angestellten vor dem Nationalsozialismus. Göttingen 1977, S. 163 f.; Geigers Vorwort zu seinem letzten in Braunschweig verfaßten Buch *Erbpflege*, das 1934 im Enke-Verlag erschien; die Kooperation mit dem in die NSDAP eingetretenen Kollegen Andreas Walther, den er als „Realsoziologen" schätzte; der Vortrag „Volkssoziologie als ‚Heimatkunde'", gehalten am 20. 3. 1933 auf der Heimatlichen Ostertagung Braunschweig, veranstaltet vom Braunschweiger Landeslehrerverein (Manuskript aus dem Nachlaß als Original in der Staatsbibliothek Aarhus vorhanden).

17 Brief an Hans Speier vom 27. 9. 1933, abgedruckt in: Speier 1977 (Anm. 16), S. 166.

18 Vgl. dazu auch Agersnap, T., Theodor Geiger's Work in Denmark. In: Bachmann, S., Hrsg., Theodor Geiger. Berlin 1995, S. 71–81 sowie Agersnap, T., Theodor Geiger. In: Geiger, T., Die soziale Herkunft der dänischen Studenten. Hrsg. von K. Rodax. Opladen 1992, S. 9–18.

19 Vgl. Agersnap 1995 (Anm. 18), S. 77 und Trappe, P., Begrüßung der Gäste und Einführung zum Gedenksymposion. In: Fazis, U./Nett, J. C., Hrsg., Gesellschaftstheorie und Normentheorie. Symposium zum Gedenken an Theodor Geiger. Basel 1993, S. 9–11.

20 Vgl. König, R., Soziologie in Deutschland. München/Wien 1987, S. 322 und Bachmann 1995 (Anm. 2), S. 58 f.

21 König 1987 (Anm. 20), S. 322.

22 Trappe 1978 (Anm. 2), S. 255.
23 Geiger, T., Gesellschaft. In: Vierkandt, A. 1931 (Anm. 9), S. 203.
24 Geiger, T., Rezension zu: Koigen, D.: Der Aufbau der sozialen Welt im Zeitalter der Wissenschaft. In: Die Arbeit 7 (1930), S. 279 f.
25 Geiger, Gesellschaft (Anm. 23), S. 210.
26 Das Verfahren der empirischen Soziologie. In: Geiger, T., Arbeiten zur Soziologie. Neuwied/Berlin 1962, S. 79.
27 ebenda, S. 82.
28 Kritische Bemerkungen zum Begriff der Ideologie. In: Arbeiten zur Soziologie (Anm. 26), S. 420.
29 Geiger, T., Aufgaben und Stellung der Intelligenz in der Gesellschaft. Stuttgart 1949, S. 70.
30 Vgl. auch Geiger, T., Marxismus und Intelligenz (Rundfunkvortrag Rias Berlin 1950). In: Kölner Zeitschrift für Soziologie und Sozialpsychologie 41 (1989), S. 713–720.
31 Genaue bibliographische Angaben bei Geißler, R., Die Bedeutung Theodor Geigers für die Sozialstrukturanalyse der modernen Gesellschaft. In: Bachmann, S., Hrsg., Theodor Geiger. Soziologe in einer Zeit „zwischen Pathos und Nüchternheit". Berlin 1995, S. 274.
32 Geiger, T., Die soziale Schichtung des deutschen Volkes. Soziographischer Versuch auf statistischer Grundlage. Stuttgart 1932 sowie Ders., Die Klassengesellschaft im Schmelztiegel. Köln-Hagen 1949.
33 Zur Aktualität der Sozialstrukturanalyse Geigers: vgl. Geißler 1995 (Anm. 31).
34 Zitate aus folgenden Arbeiten Geigers: Die soziale Schichtung (Anm. 32), S. 77, 80; Soziale Gliederung der deutschen Arbeitnehmer. In: Archiv für Sozialwissenschaft und Sozialpolitik 69 (1933), S. 151.
35 Geiger, T., Zur Theorie des Klassenbegriffs und der proletarischen Klasse. In: Arbeiten zur Soziologie (Anm. 26), S. 221 (zuerst 1930).
36 Geiger, T., Eine dynamische Analyse sozialer Mobilität. In: Arbeiten zur Soziologie (Anm. 26), S. 100–113 (zuerst englisch 1955).
37 Ebenda, 113. Vgl. auch Geiger, T., Typologie und Mechanik gesellschaftlicher Fluktuation. In: Arbeiten zur Soziologie (Anm. 26), S. 114–150 (zuerst 1955) sowie Geiger, T., Soziale Umschichtungen in einer dänischen Mittelstadt. Aarhus/Kopenhagen 1951.
38 Geiger, Klassengesellschaft (Anm. 32), Kap. V.
39 Vgl. insbes. die beiden empirischen Untersuchungen zur sozialen Herkunft der dänischen Studenten (Anm. 18) und zu den sozialen Umschichtungen (Anm. 37).
40 Diese Kritik durchzieht sowohl seine frühen als auch seine späten Arbeiten. Vgl. z.B. Geiger, Zur Theorie des Klassenbegriffs (Anm. 35); Geiger, T., Natürliche Auslese, soziale Schichtung und das Problem der Generationen. In: Kölner Vierteljahreshefte für Soziologie 12 (1933), S. 159–183; Geiger, Soziale Umschichtungen (Anm. 37), S. 109 f.
41 Grundlegend: Trappe, P., Die Rechtssoziologie Theodor Geigers. Diss. Mainz 1959.
42 Geiger, T., Vorstudien zu einer Soziologie des Rechts. Neuwied/Berlin 1964, S. 46 ff.

43 Ebenda, S. 126.

44 Ebenda, S. 337.

45 Ebenda, S. 335.

46 Geiger, T., Kritik af Reklamen. Kopenhagen 1943. Zitiert nach der deutschen Übersetzung: Kritik der Reklame. Hrsg. v. R. Geißler/H. Pöttker. Manuskript Siegen 1986, S. 22. Auszüge der Übersetzung wurden mit einführenden Kommentaren von R. Geißler und H. Pöttker publiziert in Soziale Welt 38 (1987), S. 471–499; Publizistik 32 (1987), S. 320–337 und Medium 18 (1988), S. 29–32.

47 Adorno, T. W./Horkheimer, M., Kulturindustrie. Aufklärung als Massenbetrug. In: Dies., Dialektik der Aufklärung. Frankfurt am Main 1986, S. 128–176 (zuerst 1944).

48 Geiger: Kritik der Reklame (Anm. 46), S. 488 ff.

49 Geiger: Die Gesellschaft zwischen Pathos und Nüchternheit. Aarhus/Kopenhagen 1960, S. 8 (Neudrucke München 1963 und Berlin 1991).

50 Ebenda, S. 217–229. Vgl. Pöttker, H., Kritische Empirie. Zur Aktualität Theodor Geigers für die Medienforschung. In: Fazis/Nett 1993 (Anm. 19) sowie Pöttker, H., Erkenntnisinteressen – Öffentlichkeit – Modernität. Wissenssoziologische Konzepte bei Theodor Geiger und Jürgen Habermas. In: Bachmann 1995 (Anm. 31), S. 117–143.

51 So der Titel der Neuausgabe (1963) von „Die Gesellschaft zwischen Pathos und Nüchternheit" (Anm. 49).

52 Vgl. hierzu Meyer, T., Emanzipation von der Ideologie – Die Soziologie Theodor Geigers. (Habilitationsprojekt, Veröffentlichung für 1999 anvisiert).

53 Geiger, T., Über Moral und Recht. Berlin 1979, S. 68.

54 Geiger, T., Die Legende von der Massengesellschaft. In: Arbeiten zur Soziologie (Anm. 26), S. 175.

55 König, R., Hrsg., Soziologie. Frankfurt am Main 1958.

56 Dazu Geißler, R., Sozialstrukturforschung in der DDR – Erträge und Dilemmata. In: Berliner Journal für Soziologie 6 (1996), S. 529, 533.

57 Vgl. Hardach, G., Klassen und Schichten in Deutschland 1848–1970. In: Geschichte und Gesellschaft, III, 1977, S. 503–524.

58 Vgl. Weinberg 1984 (Anm. 5).

59 Glotz, P./Langenbucher, W. R., Hrsg., Vorbilder für Deutsche. München 1974 (Neuausgabe 1986).

60 Trappe 1978 (Anm. 2), S. 260. Vgl. auch König 1987 (Anm. 20), S. 380 und Bachmann 1995 (Anm. 2), S. 66.

61 König, R., Theodor Geiger (1891–1952). In: Acta Sociologica 1 (1955), S. 3–9.

62 Aus heutiger Sicht muten die grundsätzliche Bejahung der Erbpflege sowie viele damit zusammenhängende sprachliche und gedankliche Radikalismen – etwa die von ihm unter Preisgabe liberaler Grundrechte befürwortete Zwangssterilisierung – überaus befremdlich an. Vgl. Meyer, T., Theodor Geigers Arbeiten zur Eugenik. Siegen 1996 (unveröffentlichtes Manuskript). Vgl. auch Anm. 52.

David Kettler und Volker Meja

Karl Mannheim
(1893–1947)

1. Der junge ungarische Intellektuelle

Karl Mannheim wurde am 27. März 1893 in Budapest in eine
gut situierte jüdische Familie geboren. Er verbrachte die ersten
26 Lebensjahre in Ungarn, wo er 1917 am Fachbereich Philosophie der Universität Budapest mit einer Arbeit über die Strukturanalyse der Erkenntnistheorie promovierte. Schon als sehr
junger Mann nahm er aktiv am geistigen Leben der „zweiten Reformgeneration" teil.[1] Die fortschrittlichen Denker der Zeit waren in zwei Gruppierungen gespalten. Die eine bestand aus am
französischen und englischen Gesellschaftsdenken orientierten
Verfechtern der Modernisierung; die andere aus Befürwortern einer von russischen und deutschen Vorbildern inspirierten radikalen kulturellen und geistigen Erneuerung. Mannheim war beiden
Richtungen verbunden, aber er sah darin keinen Widerspruch.
Seine frühe intellektuelle Entwicklung stand so unter dem Einfluß
sowohl von Oscar Jászi als auch von Georg Lukács, den Führern
dieser Gruppierungen. Jászi blieb lebenslang Liberaler, auch im
amerikanischen Exil, wo er ab 1925 eine Professur am *Oberlin
College* innehatte.[2] Die europäischen Klassiker der Soziologie des
neunzehnten Jahrhunderts lernte Mannheim in den Vortragsrei-
hen Jászis fortschrittlicher Sozialwissenschaftlicher Gesellschaft
kennen. Seine frühesten Schriften lehnen sich jedoch besonders
eng an die literarisch-philosophische Vorstellung einer Kulturkrise und der notwendigen Erneuerung der Kultur (mit Dostojewskij als Leitbild und Symbolfigur) an, der Lukács vor seiner
überraschenden Konvertierung zum Kommunismus anhing. Die
Differenzen zwischen Jászi und Lukács sollten in den Revoluti-
onsjahren wichtige Folgen haben, als die fortschrittlich-liberale
Károlyi Regierung, an der Jászi teilhatte, von der ebenso kurzle-
bigen Sowjetregierung, deren Kulturpolitik Lukács bestimmte,
abgelöst wurde. Politisch neigte Mannheim eher Jászi zu, aber als
allgemeiner intellektueller Stimulus war für ihn Lukács bedeutend

wichtiger, zumindest bis zum Ende der Weimarer Republik. Die
große Bandbreite der intellektuellen Interessen Mannheims sowie
seine gelegentliche Ambivalenz waren nicht ungewöhnlich.
Lukács' Budapester „Sonntagskreis", an dessen Sitzungen Mannheim regelmäßig aktiv teilnahm, widmete sich zwar Dostojewskij
und Meister Eckhart, aber Lukács war auch stolz auf seine warme
Aufnahme beim Max-Weber-Kreis in Heidelberg. Mannheim
selbst wählte während eines Studiensemesters in Berlin 1914 Georg Simmel als Lehrer, den subtilen Vermittler zwischen Kultur-
philosophie und Soziologie.

Nach den Mißerfolgen der fortschrittlich-liberalen und sowjetischen Regimes ging Mannheim 1919 nach Deutschland. Schon
1922 begann er als Habilitant Alfred Webers mit der Arbeit an
kultursoziologischen Problemen. In diese Zeit fällt auch seine
Heirat mit Juliska Láng, einer ungarischen Exilantin und gradu-
ierten Psychologin, deren Interessen und Ansichten Mannheim in
Richtung einer größeren Offenheit gegenüber empirischer Forschung beeinflußten.

Mannheims soziologische Analyse der Entstehung und Ausdifferenzierung des Konservatismus – sie trägt den Untertitel „Ein
Beitrag zur Soziologie des Wissens" – wurde von der Heidelberger Philosophischen Fakultät 1925 als Habilitationsschrift angenommen.[3] Als er sie einreichte, hatte Mannheim gerade eine Auseinandersetzung mit Max Scheler veröffentlicht, dessen *Versuche
zu einer Soziologie des Wissens* ein Jahr zuvor den Begriff Wissenssoziologie zum Diskussionsgegenstand gemacht hatten.[4] In
seiner Antrittsvorlesung als Privatdozent – „Die gegenwärtige
Lage der Soziologie in Deutschland" – erklärte Mannheim Max
Weber, Ernst Troeltsch und Max Scheler zu paradigmatischen Repräsentanten der deutschen Soziologie. Er war von der beherr-
schenden Vorrangstellung dieser Denker überzeugt und plante eine Sammlung eigener Arbeiten über sie (die aber nie zustande
kam) unter dem Titel „Analysen zur gegenwärtigen Denklage".

2. Mannheims Wissenssoziologie

Mannheims Reserviertheit gegenüber engstirnigen Diskussionen
über die „Lage der Soziologie", wie sie von der Deutschen Gesell-

schaft für Soziologie ermutigt wurden, sowie seine Gleichsetzung der von ihm selbst wertgeschätzten soziologischen Theorien mit den Hauptströmungen des gesamten zeitgenössischen Denkens zeigen, daß Mannheims Schritt von der Philosophie in die Soziologie nicht einfach als ein Wechsel von Disziplinen verstanden werden darf. Mannheim war immer mehr davon überzeugt, daß das Gegenwartsdenken durch die Soziologie hindurch führen müsse. Das bedeutet aber durchaus nicht, daß er die Legitimität spezialisierter soziologischer Forschung ablehnte. Er nahm selbst aktiv an ihr teil.[5] Aber für die größte Leistung der Soziologie hielt er es, den Rätseln der historischen Diversität und der Variabilität des Wissens (insbesondere des sozialen und politischen Wissens) auf die Spur zu kommen, die von der Philosophie allein nicht gelöst werden können. Seine Gesprächspartner auf dieser Argumentationsebene waren vor allem Denker, die als Intellektuelle auch an die Öffentlichkeit traten, nicht primär die reinen Berufssoziologen.

Das Ungewöhnliche an Mannheims wissenssoziologischem Ansatz ist weder seine soziale Interpretation politischer Ideen noch ihre Anwendung auf ein weites Umfeld kultureller Phänomene, die gewöhnlich nicht als politisch angesehen werden. Dies hält er für die große Leistung einer langen Reihe von Denkern, die bis zu Marx und Weber führt. Mannheim erhebt jedoch Anspruch auf drei weiterführende Thesen, die später im totalen Ideologiebegriff in *Ideologie und Utopie* ihren Ausdruck finden. Erstens, und sicher am kontroversesten, ist Mannheims Behauptung, daß die Grenzen zwischen ideologischen und wissenschaftlichen Erklärungen durchaus porös sind und daß die Wissenssoziologie im Grenzbereich als eine Art Selbstreflektionstherapie beider Bereiche entsteht. Zweitens versteht Mannheim Ideologien als Erkenntnisstrukturen. Jede Ideologie ist auf eigene Weise unvollkommen, beschränkt, perspektivistisch einseitig und der Korrektur durch andere Perspektiven unterworfen, aber dennoch wissenserzeugend. Die dritte These ist schließlich, daß die Wissenssoziologie auf fundamentale, von den Ideologien angesprochene Probleme einwirkt und gerade dadurch zu politischer Orientierung beiträgt. Das erreicht sie nicht etwa deshalb, weil die Erkenntnis der sozialen Genese von Wissen definitive Gültigkeitsmaßstäbe bereitstellen kann, sondern weil das Verständnis

sozialer Genese zu einer Synthese der in den Ideologien enthaltenen Wahrheitsmomente führen wird, indem die Ideologien in einen Entwicklungszusammenhang zurückversetzt werden, der sie
obsolet macht, verdrängt von einer neuen umfassenden Vision.

Mannheims wissenssoziologische Strategie besteht aus zwei
Schritten: Zunächst wird die Verschiedenheit der Ideen in der
modernen Welt auf wenige historisch spezifische Typen reduziert,
in Übereinstimmung mit der These, daß das ideologische Feld
sich von atomistischer Mannigfaltigkeit und Konkurrenz in Richtung auf immer größere Konzentration bewegt hat. Liberalismus,
Konservatismus und Sozialismus sind die Hauptmuster. Zweitens
wird jede dieser Ideologien als Funktion einer besonderen Seins-
art in der sozialen Welt gedeutet und durch sich wandelnde Klas-
sen- und Generationsstrukturen bestimmt. Der Liberalismus wird
so auf das kapitalistische Bürgertum zurückgeführt, und seine
Entwicklungsstufen werden mit dem Generationswechsel in Verbindung gebracht. In anderen Arbeiten analysiert Mannheim die
Verknüpfung zwischen dem Konservatismus und bestimmten,
durch den Aufstieg des Bürgertums zurückgedrängten Klassen,
sowie die Verbindung zwischen dem Sozialismus und der Indu-
striearbeiterklasse.

Jede der Ideologien soll einen charakteristischen Denkstil besitzen, einen spezifischen Bereich von Antworten auf die von der
systematischen Philosophie als konstitutiv für das menschliche
Bewußtsein erkannten Grundfragen. Die politischen Urteile und
Empfehlungen rein ideologischer Texte sind Oberflächenphäno-
mene und müssen innerhalb dieses weiteren Strukturzusammen-
hanges gesehen werden. Ein Denkstil wird am deutlichsten durch
die Art der Begriffsformung und durch die Logik, mit der die Begriffe miteinander verbunden werden. Das sind die Eigenschaften,
die freigelegt werden müssen, bevor die besonderen Eigenarten
eines Denkstils erkannt werden können.

Jeder dieser Stile drückt ein bestimmtes Weltwollen aus, das
entscheidend mit der Situation des Einzelnen innerhalb einer sozialen Schicht verbunden ist. In seinen deutschen Originaltexten,
anders als in ihren späteren englischen Bearbeitungen, ist dieses
Weltwollen für Mannheim nicht identisch mit Gruppen-„Interesse". Er steht der Motivtheorie, die ein spezifisches Interesse
betont, ablehnend gegenüber.[6]

Die Wissenssoziologie versucht, den gesamten ideologischen Bereich zusammen mit seinen historischen Wechselwirkungen und Veränderungen zu erfassen sowie eine Erklärung für die sich verändernden Klassen- und Generationssituationen zu liefern, deren Sinn die Ideologien den betreffenden Gruppierungen deutend auslegen. Eine solche Methode ermöglicht es, in vereinheitlichter und integrierter Weise zu sehen, was der ideologisch ausgerichtete Betrachter nur als Teilstück wahrnehmen kann. Dadurch entsteht ein Bild der „Totalität", der Situation als ganzer.

Mannheim adoptiert einen dem Marxismus verpflichteten Politikbegriff, der von einem dialektischen Prozeß sich wechselseitig beeinflussender Faktoren und Kräfte ausgeht. Aber weder das Proletariat noch irgendeine andere gesellschaftliche oder politische Kraft kann, nach seiner Auffassung, für sich in Anspruch nehmen, Träger einer transzendierenden Rationalität zu sein, historisch dazu bestimmt, die miteinander im Wettbewerb stehenden Irrationalitäten in einer befriedeten höheren Ordnung aufzuheben. Die widerstreitenden sozialen Kräfte und ihre gesellschaftlichen Entwürfe erscheinen als komplementär und als einer Synthese bedürftig, die bestimmte Aspekte ihrer unterschiedlichen Zielvorstellungen in sich vereinigt. Synthesen in einer weitblickenden Politik und Synthesen in den Sozialwissenschaften sind aufeinander angewiesen. Die Wissenssoziologie antizipiert und fördert sie.

3. Die Diskussion in der Weimarer Republik

Trotz der klaren Distanz, die zwischen der marxistischen Politik und Mannheims Standpunkt bestand, attackierten Alfred Weber und Carl Brinkmann, zwei seiner drei akademischen Förderer in Heidelberg, Mannheim in den Jahren nach seiner Habilitation als „historischen Materialisten". Aber das Patronat seines dritten Förderers, Emil Lederer, verhalf ihm zu einer Privatdozentur in Heidelberg und dann 1930 zu einer Professur in Frankfurt. Mannheims Ruf an die Universität Frankfurt wäre aber ohne die bemerkenswerte Anerkennung kaum möglich gewesen, die er durch seine wissenssoziologischen Arbeiten in kürzester Zeit gefunden hatte. Sein Referat auf dem Sechsten Deutschen Soziologentag 1928 in Zürich über „Die Bedeutung der Konkurrenz auf dem Gebiete des Geistigen" stellte das Hauptreferat Leopold von Wieses über die Konkurrenz in „soziologisch-systematischer Betrachtung" klar in den Schatten. Mannheim nahm kühn den Werturteilsstreit in der jüngsten Soziologie zum Anlaß, seine eigenen Thesen über die Seinsverbundenheit des Denkens zu explizieren und zu zeigen, daß gerade gesellschaftlicher Wettbewerb zu Synthesen führen könne, die den intellektuellen Konflikt transzendieren. Mannheim wurde zum „Star"[7] des Züricher Soziologentages, obgleich die meisten der etablierten Soziologen doch mißtrauisch blieben.

Als der Friedrich Cohen Verlag Mannheim 1929 zum Nachfolger Max Schelers als Herausgeber der von Scheler begründeten Reihe *Schriften über Philosophie und Soziologie* machte, nahm Mannheim die Gelegenheit sofort war. Das erste Buch unter seiner Herausgeberschaft war *Ideologie und Utopie*. Es enthielt ein Kapitel über Politik als Wissenschaft, das ursprünglich für die Sammlung über Weber, Troeltsch und Scheler vorgesehen war, einen Essay über das utopische Bewußtsein und einen Aufsatz, in dem der Ideologiebegriff expliziert und, wenn auch tentativ, mit dem Utopiebegriff in Verbindung gebracht wird. Die ersten ausführlichen Besprechungen des Buches waren gerade erschienen, als Mannheim den Ruf nach Frankfurt als Nachfolger Franz Oppenheimers erhielt. Durch die allgemeine Aufregung, die der Veröffentlichung des Buches folgte, war Mannheim in Frankfurt bald einer größeren intellektuellen Gemeinschaft und sogar einer breiteren Öffentlichkeit als kommender Soziologe und als kontroverse Persönlichkeit bekannt.[8]

Die Diskussion um *Ideologie und Utopie* war vor allem philosophisch und politisch orientiert. Ihr Fokus waren, erstens, Mannheims Erwartung, daß ideologisches Denken und das allgemeine politische Mißtrauen durch Wissenssoziologie überwunden werden können; zweitens Mannheims Vorstellung der sozial freischwebenden Intelligenz als einer für diese Aufgabe prädestinierten sozialen Schicht; und drittens Mannheims aktivistischer Begriff des soziologischen Wissens, demzufolge der Soziologie als Vermittlerin zwischen Theorie und Praxis eine dem öffentlichen Bewußtsein förderliche Rolle zukommt. Die meisten Kommentatoren erkannten die besondere Bedeutung des in der Auseinandersetzung mit Max Weber entstandenen Kapitels: „Ist Politik als Wissenschaft möglich? Das Problem der Theorie und Praxis". Mannheim argumentiert dort, daß das umfassende Gesellschaftswissen, das allein in der Lage ist, eine Diagnose der geschichtlichen Situation zu liefern und eine wissenschaftlich fundierte Politik zu begründen, erst durch eine soziale Interpretation der widerstreitenden politischen Ideologie möglich wird.

In seinen berühmten Vorträgen „Wissenschaft als Beruf" und „Politik als Beruf" hatte Max Weber zwischen dem Sprachgebrauch in der Politik und in der Wissenschaft unterschieden. Weber vergleicht dort Worte in der Politik mit Waffen zur Überwältigung von Gegnern und Worte in der Wissenschaft mit Pflugscharen zur Kultivierung von Wissen. Mannheim schlägt jetzt die Wissenssoziologie vor als Weg zu der schon von Jesaja prophezeiten biblischen Umwandlung von Schwertern in Pflugscharen. Er erhebt den Anspruch, daß die Wissenssoziologie ein „Organon" sei für Politik als Wissenschaft, eine Möglichkeit, aufgrund ihrer dynamisierenden Funktion historisch relevantes politisches Wissen für ein ansonsten hoffnungslos festgefahrenes ideologisches Feld zu erlangen, indem sie die konkurrierenden Parteien in die Lage versetzt, trotz aller Differenzen auf ein gemeinsames Verständnis der gegenwärtigen Situation hinzuarbeiten. Mannheims wissenssoziologisches Projekt wurde in führenden politischen sowie wissenschaftlichen Zeitschriften eingehend erörtert und auch heftig kritisiert, aber seine Deutung der geistigen Situation der Zeit fand allgemeine Zustimmung. Das politisch-literarisch gebildete Weimarer Publikum wie auch die Teilnehmer am öffentlichen Gespräch über das Gesellschaftsdenken in der Epoche nach Nietzsche und Marx sahen Mannheim als einen der aktuellsten Denker und *Ideologie und Utopie* als das repräsentativste Buch ihrer Zeit an, sei es als Symptom der Kulturkrise oder als Verheißung eines Auswegs.

Doch während seiner nur fünf Semester währenden Professur in Frankfurt blieb Mannheim auf Distanz zur Rolle eines primär in der Öffentlichkeit wirkenden Intellektuellen. Er lehnt sie de facto ab und unterscheidet sorgfältig zwischen seiner öffentlichen Reputation und seinen professionellen Aktivitäten als Soziologe. Nur einem seiner Kritiker, Ernst Robert Curtius, der ihn des „Soziologismus" bezichtigte, erwidert Mannheim in einer Replik.

Obgleich er in Privatdiskussionen dem Kreis religiöser Sozialisten um Paul Tillich näher kam, konzentrierte sich Mannheim in seinen Veröffentlichungen und in der organisatorischen Arbeit darauf, seinen soziologischen Lehrstuhl zu legitimieren. Seine Vorlesungen und Seminare zogen ein großes und politisch breitgefächertes Studentenpublikum an. In Veranstaltungen war es seine Strategie, populärsoziologisches Wissen vorauszusetzen, dann aber strikt auf methodologische Rigorosität in der empirischen soziologischen Einzelforschung zu pochen. Als „Intellektueller" gefeiert und zugleich befehdet, verstand er sich immer mehr als Fachsoziologe.

Mannheims Vorsicht in methodologischen und politischen Fragen trug auch zu den eher kühlen Beziehungen zu den Kollegen am Institut für Sozialforschung bei, mit denen ihn wenig mehr verband als ein gemeinsames Gebäude. Anscheinend gab es außer gelegentlichen Treffen in dem Kreis um Paul Tillich so gut wie keine Kontakte.[9] Aber Mannheims Betonung von Wissenschaftlichkeit stärkte die Verbindung zu Norbert Elias, seinem promovierten Assistenten. Elias war bereits ein wissenschaftlich selbstbewußter Denker, als er mit Mannheim von Heidelberg nach Frankfurt ging, um sich dort bei ihm zu habilitieren. Er war nur vier Jahre jünger als Mannheim, und die Beziehung zwischen beiden war nicht die eines Meisters zu einem Lehrling. Mannheims ausführliche Notizen seiner Frankfurter Vorlesungen sind reich an Themen und Thesen, die in späteren Veröffentlichungen von Elias oft eine bedeutende Rolle spielen. Mannheims Studenten waren Elias zwar für seine beträchtliche Hilfe bei ihren Projekten dankbar, aber Mannheim war zweifellos die beherrschende Persönlichkeit und die Hauptquelle ihrer Ideen. Die enge Zusammenarbeit von Mannheim und Elias wurde ein Opfer der Emigration.[10]

4. Mannheim in England: Die Planung der Gesellschaft

Mannheim war auf die nationalsozialistischen Maßnahmen, die ihn als Juden seine Professur in Frankfurt kosteten, vollkommen unvorbereitet. Politisch hatte er sich nie exponiert. *Ideologie und Utopie* war zwar von sozialistischen Zeitschriften wie *Die Gesell-*

schaft großzügig aufgenommen worden, aber die dort veröffentlichten Aufsätze waren allesamt kritischer als die differenzierten Würdigungen Mannheims vor 1933 in der Zeitschrift der aktivistischen Rechten, *Die Tat*. Die orthodoxe Linke betrachtete Mannheim als Verräter des Marxismus. In einem zwei Wochen vor Hitlers Machtergreifung geschriebenen Brief an einen jungen Kommunisten, den er über die Bedingungen des Soziologiestudiums in Frankfurt informiert, schreibt Mannheim: „Was wir Dir bieten können, ist eine ziemlich intensive Arbeitsgemeinschaft, naher Kontakt mit den Dozenten, aber wenig dogmatische Festgelegtheit. Wir halten uns nicht für eine politische Partei, sondern müssen so tun, als ob wir sehr viel Zeit hätten und das Für und Wider jeder Sache ruhig diskutieren könnten".[11] Schon drei Monate später war Mannheim als Flüchtling in Amsterdam. Weder seine Soziologie noch seine politischen Überzeugungen hatten mit dieser Realität das geringste zu tun.

Im Sommer 1933 wurde Mannheim von der *London School of Economics* eine außerplanmäßige Dozentur übertragen, die aus besonderen Mitteln für exilierte Forscher finanziert wurde. Mannheim war vor allem wegen seiner weithin bekannten wissenssoziologischen Arbeiten von Harold Laski und Morris Ginsberg ausgesucht worden. Schon früh kam er jedoch zu der Überzeugung, daß weder seine eigene persönliche Situation noch die Situation der Zeit mit wissenssoziologischer Arbeit vereinbar sei. Er verstand es als seine neue Aufgabe, die übergreifende Krise zu diagnostizieren, die er für die deutsche Katastrophe verantwortlich machte, und darüber hinaus in Großbritannien an vorbeugenden und therapeutischen Maßnahmen mitzuarbeiten. Seine Eindringlichkeit und seine theoretischen Ansprüche beeindruckten viele Studenten, aber der kleine Kern englischer Soziologen, unter Führung von Morris Ginsberg, war schnell äußerst befremdet. Die Soziologie war in England als Fach kaum etabliert, und ihre wenigen Vertreter mußten um das Ansehen einer Disziplin kämpfen, die insbesondere innerhalb der Universitäten weithin als Domäne von Dilettanten abgetan wurde. Obgleich Mannheim an der *London School of Economics*, der einzigen britischen Institution mit einem soziologischen Lehrstuhl, im Grunde eine Randfigur blieb, konnte er sich doch in einer anderen Öffentlichkeit außerhalb des akademischen Betriebes Gehör verschaffen. Er schloß sich der

Moot, einer Gruppe prominenter christlicher Denker an, der auch T. S. Eliot angehörte und in der er respektiert und auch bewundert wurde. Die regelmäßigen Diskussionen und Publikationen dieser Gruppe hatten die moderne Kulturkrise als Fokus, und Mannheims soziologische Interpretationen wurden schon aus diesem Grund von Anfang an mit Wohlwollen aufgenommen.

Mannheim betont zwar in seiner Arbeit weiterhin die Verbindung zwischen Wissen und Gesellschaft, seine Hauptproblematik ist aber nicht mehr der Konflikt zwischen den verschiedenen hypostasierten Teilperspektiven. Mit der Hinfälligkeit des ideologischen Wettbewerbs hat die Wissenssoziologie ihre strategische Rolle verloren. Kurz vor dem Krieg spricht Mannheim von der Notwendigkeit „einer neuen experimentellen Haltung zu sozialen Beziehungen" angesichts der „praktischen Verkümmerung der Ideale des Liberalismus, Kommunismus und Faschismus".

Die nationalsozialistische Diktatur, argumentiert Mannheim, schlägt Kapital aus der gesellschaftlich unbewußten Kollektivreaktion auf die globale Krise der liberalen bürgerlichen Zivilisation, die mit einem Obsoletwerden ihrer regulativen Sozialtechnologien – auf den Märkten, im Parlament und in den Institutionen der humanistischen Bildung – einhergeht. Mannheim plädiert für präventive Schritte in Richtung auf eine geplante Gesellschaftsordnung. In dieser sollen die neuen organisatorischen und propagandistischen Sozialtechnologien, durch die die spontane Selbstregulierung der vorhergehenden Epoche ohnehin unterminiert wird, strategisch verwertet werden, anstatt ihnen vergeblichen Widerstand zu leisten. Ein umsichtiger, auf Konsens beruhender gesellschaftlicher Umbau könnte viele der früher vom Liberalismus privilegierten menschlichen Qualitäten sowie die Toleranz für Verschiedenheiten in das neue Zeitalter hinüberretten – ganz im Gegensatz zu der sowohl vom Kommunismus als auch vom Nationalsozialismus gewaltsam aufgezwungenen Homogenisierung. Rechtzeitiges Handeln der sich der kommenden Krise voll bewußten führenden Schichten (z.B. der eigentümlichen englischen Elite der *gentlemanly professionals*), deren gesellschaftliche Position sie immer noch vor der ganzen Wucht der gesellschaftlichen Veränderungen schützt, könnte dazu beitragen, eine Entwicklung zu bändigen, welche die bürgerliche Zivilisation unwiederbringlich zu zerstören und die Massen für autoritäre Herrschaft empfänglich zu machen droht. Allerdings setzt die Planung für Freiheit eine radikale Umorientierung der traditionellen Elite voraus, ihre Empfänglichkeit für soziologische Zeitdiagnose und die Bereitschaft, vorbeugende und therapeutische Techniken zu erlernen. Mannheim beansprucht jetzt für die Soziologie die Begutachtung und Koordinierung interdisziplinärer Methoden, um den Problemen zu begegnen, die bei jeder Planung unvermeidlich sind.

Die britischen Soziologen wollten zwar von einer solchen Umorientierung ihrer Disziplin nichts wissen, aber Mannheim erreichte durch seine Vorträge und seine Veröffentlichungen ein anderes fasziniertes Publikum, besonders während des Krieges und in den ersten Nachkriegsjahren, und seine Ideen über die kommende postideologische Epoche wurden selbst von der Rhetorik des Kalten Krieges nie ganz übertönt.[12]

5. Der Klassiker Mannheim

Mannheims Status als Klassiker der Soziologie beruht wesentlich auf der Rezeption von *Ideology and Utopia*. Die englischsprachige Ausgabe des Buches ist nicht einfach eine Übersetzung des Originals, sondern eine Umarbeitung. Mannheim ergänzte sie durch eine Einleitung, in der er sein angelsächsisches Publikum in das wissenssoziologische Unternehmen einführt, außerdem fügte er als Schlußkapitel den im *Handwörterbuch der Soziologie* veröffentlichten Aufsatz über die Wissenssoziologie an. Louis Wirth von der *University of Chicago* beschreibt in seinem Vorwort Mannheims Werk als einen Beitrag zur Objektivitätsdiskussion in den Sozialwissenschaften.

Der Konsens, der heute über Mannheim herrscht, geht vor allem zurück auf Robert K. Mertons einflußreichen Aufsatz „The Sociology of Knowledge".[13] Für Merton gehört Mannheim in die Reihe der großen Gesellschaftstheoretiker, deren ganz verschiedenartige Behandlung der „Beziehungen zwischen dem Wissen und den anderen Seinsfaktoren in der Gesellschaft und der Kultur" in ein Kompendium von Fragen und alternativen Möglichkeiten eingeordnet werden. Merton spezifiziert fünf Hauptanliegen der Wissenssoziologie: die Seinsbasis geistiger Schöpfungen;

deren Mannigfaltigkeit und Ausdrucksformen, die potentiell soziologisch untersucht werden können; die spezifischen Verbindungen zwischen geistigen Schöpfungen und der Seinsbasis; die Funktionen der vom Sein bestimmten geistigen Schöpfungen; schließlich die Bedingungen, unter denen zugerechnete Beziehungen gültig sind. Obwohl Merton anerkennt, daß Mannheim die „Umrisse der Wissenssoziologie mit erstaunlicher Einsicht und Kenntnis" aufgezeigt hat, kritisiert er dessen Theorie als nicht stringent genug, als unnötig mit dubiosen philosophischen Ansprüchen belastet, als auffallend unpräzise in der Auflistung der angeblich seinsverbundenen geistigen Schöpfungen – insbesondere in den exakten Wissenschaften – und darüber hinaus als unscharf und widersprüchlich in dem Versuch, die genauen Formen dieser Beziehungen näher zu bestimmen. Merton glaubt, daß Mannheims sozialwissenschaftliche Theorien, trotz dessen expliziter Leugnung dieses Sachverhalts, logisch wenig mehr bieten als schon Webers neukantianische Einsicht in die Wertbezogenheit einer jeden Problemauswahl. „Mannheims Vorgehensweise und seine konkreten Ergebnisse zeigen Verbindungen zwischen dem Wissen und der sozialen Struktur auf, die bisher obskur geblieben waren", schreibt Merton in seinem Aufsatz von 1941, aber sie werden erst dann völlig überzeugen können, wenn „sie ihr erkenntnistheoretisches Gepäck losgeworden, und wenn ihre Begriffe durch die Ergebnisse weiterer empirischer Forschung modifiziert und logische Ungereimtheiten beseitigt worden sind".[14]

Die Anerkennung Mannheims als verdienter Wegbereiter der Soziologie hatte ihren Preis: den Verzicht auf den totalen Ideologiebegriff als Instrument der Hinterfragung und Infragestellung der Sozialwissenschaften und der Möglichkeit sozialen Wissens – ein Verzicht auf genau jene Problemkonstellation also, ohne die Mannheims Auseinandersetzung mit der wissenssoziologischen Problematik kaum möglich gewesen wäre und die in Deutschland der Hauptgrund für das große Interesse an *Ideologie und Utopie* gewesen war. Mannheims enge Freunde, die Sozialwissenschaftler Paul Kecskemeti und Adolph Lowe (Adolf Löwe), untermauerten den allgemeinen Konsens durch ihre Beiträge (Vorworte, Einführungen, Redigierung der Texte) zu drei posthum veröffentlichten Essay-Sammlungen.[15] Je vertrauter Mannheim mit den angelsächsischen Sozialwissenschaften wurde, so ihr Argument, desto eingehender beschäftigte er sich mit der empirischen Sozialpsychologie, die allmählich die zwar anregenden, aber letztlich doch irreführenden europäischen Philosophien als theoretischen Rahmen seines Denkens über Wissen und Gesellschaft verdrängte. Seine Frühschriften interessieren hauptsächlich als allzu unzeitgemäß unterbrochene brillante Antizipationen dieser späteren Entwicklung. In Mertons Vorlesungen über soziologische Theorie in den fünfziger Jahren folgte *Ideology and Utopia* auf der Literaturliste gewöhnlich Machiavellis *Der Fürst* als Material für die Umsetzung anregender Ideen in überprüfbare Theoreme. Man könnte sagen, daß es der Lehrbetrieb ist, der Klassiker sowohl schafft als auch abschafft.

Seit den sechziger Jahren mit ihren Konflikten über den Gegenstand, die Methode und die Einstellung der Soziologie[16] ist ein erneutes und verändertes Interesse an Mannheim festzustellen. Die Beziehungen sind eher kompliziert, da der Angriff auf den fachsoziologischen Konsens, soweit dabei historische Vorbilder herangezogen wurden, sich meist auf marxistische Denker berief oder auf Persönlichkeiten wie Theodor W. Adorno, Max Horkheimer und Herbert Marcuse, die zu den schärfsten zeitgenössischen Kritikern Mannheims gehört hatten. Das Ergebnis war dennoch eine Relegitimierung bestimmter Fragenkomplexe, die in der amerikanischen Rezeption Mannheims mehr oder weniger systematisch ausgeklammert wurden: die Geschichtlichkeit des sozialen Denkens, die Relativismusproblematik und das Nachdenken über die sozialen Denkern offenstehenden Reflektionsmöglichkeiten. Diese Entwicklung bedeutet einen neuen Anknüpfungspunkt für Kurt H. Wolff und die wenigen anderen Soziologen, die sich als soziologische Randfiguren auch weiterhin mit den nach der Veröffentlichung von *Ideologie und Utopie* diskutierten Problematiken beschäftigt hatten. Als Resultat dieser neuen Offenheit ragt Mannheims berühmtes Buch heute nicht mehr einsam aus seinem Gesamtwerk hervor, und sein essayistisches Experimentieren wird nicht mehr abgetan oder einfach ignoriert. Mannheim ist heute wieder mehr als ein vorbildliches Museumsstück: Er ist ein Gesprächspartner, den manche jüngeren Soziologen in den Dialog z. B. mit Richard Rorty, Michel Foucault, Mikhail Bakhtin oder Pierre Bourdieu bringen.

Der neueren soziologischen Literatur nach zu urteilen, wird die gegenwärtige Problemkonstellation durch Diskussionen und Ereignisse bestimmt, die das herkömmliche Verständnis gesellschaftlicher Rationalisierungs- und Säkularisierungsprozesse plötzlich obsolet erscheinen lassen. Marxistische und nichtmarxistische Theorien irreversibler, kumulativer, kurz: progressiver sozialer Entwicklung basieren auf unrealistischen Vorstellungen über das, was wißbar ist, und das, was die Welt verändern kann. Alle dem Rationalisierungsprojekt verpflichteten Strategien sind hilflos angesichts des kollektiven Ausbruchs religiöser Gefühle, die sie nicht bändigen können, angesichts des Verfalls tradierter Organisationsformen und neuromantischer Oppositionen, die sich z.B. auf Prinzipien wie Abstammung und Heimat berufen, und angesichts naturalistischer Rechtfertigungen der Macht und ihrer Konsequenzen. Wenn wir die in der Postmodernismusproblematik enthaltenen Herausforderungen ausklammern, können wir die geistige Situation der heutigen Zeit mit der Problemkonstellation zu Beginn des 20. Jahrhunderts vergleichen.

Diese Ähnlichkeit der beiden geistigen Landschaften macht verständlich, warum soziologische Theoretiker heute die Schritte der früheren Generation nachvollziehen, um vielleicht zu lernen, was damals geschah – was die Klassiker versuchten und warum sie scheitern mußten. Gerade weil Soziologen die Zuverzicht verloren haben, es besser zu wissen, werden Durkheim, Weber, Simmel und Mannheim neu gelesen. Generell akzeptierte Textinterpretationen werden dekonstruiert, und klassische Autoren werden wieder ins Gespräch einbezogen.

Literatur

1. Werkauswahl

Mannheim, K., 1964, Seele und Kultur [1918]. In: Wissenssoziologie. Hrsg. von Kurt H. Wolff. Berlin/Neuwied, S. 66–84.
Mannheim, K., 1921–22, Beiträge zur Theorie der Weltanschauungs-Interpretation. In: Jahrbuch für Kunstgeschichte 15, S. 236–274.
Mannheim, K., 1922, Zum Problem einer Klassifikation der Wissenschaften. In: Archiv für Sozialwissenschaft und Sozialpolitik 50, S. 230–237.
Mannheim, K., 1980, Über die Eigenart kultursoziologischer Erkenntnis [1922]. In: Strukturen des Denkens. Hrsg. von Kettler, D./Meja, V./Stehr, N. Frankfurt a. M., S. 33–154.

Mannheim, K., 1922, Zur Strukturanalyse der Erkenntnistheorie (Kant-Studien, Ergänzungsheft Nr. 75). Berlin 1922.

Mannheim, K., [1924] 1980, Eine soziologische Theorie der Kultur und ihrer Erkennbarkeit (Konjunktives und kommunikatives Denken). In: Strukturen des Denkens. Hrsg. von Kettler, D./Meja, V./Stehr, N. Frankfurt a. M., S. 155–322.

Mannheim, K., 1924, Historismus. In: Archiv für Sozialwissenschaft und Sozialpolitik 52, S. 1–60.

Mannheim, K., 1925, Das Problem einer Soziologie des Wissens. In: Archiv für Sozialwissenschaft und Sozialpolitik 53, S. 577–652.

Mannheim, K., [1925] 1984, Konservatismus: Ein Beitrag zur Soziologie des Wissens. Hrsg. von Kettler, D./Meja, V./Stehr, N. Frankfurt a. M.

Mannheim, K., 1926, Ideologische und soziologische Interpretation der geistigen Gebilde. In: Jahrbuch für Soziologie 2, S. 424–440.

Mannheim, K., 1927, Das konservative Denken. In: Archiv für Sozialwissenschaft und Sozialpolitik 57. 1: S. 68–142; 2: S. 470–495.

Mannheim, K., 1928, Das Problem der Generationen. In: Kölner Vierteljahreshefte für Soziologie 7, 2: S. 157–185; 3: S. 309–330.

Mannheim, K., 1929, Ideologie und Utopie. Bonn.

Mannheim, K., 1952, Ideologie und Utopie. 3. erw. Aufl. Frankfurt a. M.

Mannheim, K., 1928, Die Bedeutung der Konkurrenz im Gebiete des Geistigen. In: Verhandlungen des sechsten deutschen Soziologentages vom 17. bis 19. September 1928 in Zürich. Tübingen 1929, S. 35–83.

Mannheim, K., 1929, Zur Problematik der Soziologie in Deutschland. In: Neue Schweizer Rundschau 22 (November 1929), S. 820–829.

Mannheim, K., 1930, Über das Wesen und die Bedeutung des wirtschaftlichen Erfolgsstrebens: Ein Beitrag zur Wirtschaftssoziologie. In: Archiv für Sozialwissenschaft und Sozialpolitik 63, S. 449–512.

Mannheim, K., [1931] 1952, Wissenssoziologie. In: Vierkandt, A., Hrsg., Handwörterbuch der Soziologie. Stuttgart 1931, S. 659–680.

Mannheim, K., 1932, Die Gegenwartsaufgaben der Soziologie. Tübingen.

Mannheim, K., [1932] 1993, The Sociology of Intellectuals. In: Theory, Culture & Society 10, 3, S. 69–80.

Mannheim, K., 1934, Rational and Irrational Elements in Contemporary Society. Hobhouse Memorial Lecture. London.

Mannheim, K., 1934, German Sociology (1918–1933). In: Politica I, S. 12–33. Erneut abgedruckt in: Essays on Sociology and Social Psychology. London 1953, S. 209–228.

Mannheim, K., 1935, Mensch und Gesellschaft im Zeitalter des Umbaus. Leiden.

Mannheim, K., 1936, Ideology and Utopia. London.

Mannheim, K., 1940, Man and Society in an Age of Reconstruction. London.

Mannheim, K., 1943, Diagnosis of Our Time. Wartime Essays of a Sociologist. London. [dt.: Diagnose unserer Zeit, 1951]

Mannheim, K., 1950, Freedom, Power and Democratic Planning. Hrsg. von Bramstedt, E. K. und Gerth, H. New York. [dt.: Freiheit und geplante Demokratie, 1970].

Mannheim, K., 1952, Essays on the Sociology of Knowledge. Hrsg. von Kecskemeti, P. London.

Mannheim, K., 1953, Essays on Sociology and Social Psychology. Hrsg. von Kecskemeti, P. London.

Mannheim, K., 1956, Essays on the Sociology of Culture. Hrsg. von Manheim, E./Kecskemeti, P. London.

Mannheim, K., 1957, Systematic Sociology: An Introduction to the Study of Society. Hrsg. von Erös, J. S./Stewart, W. A. C. London.

Mannheim, K./Stewart, W.A.C., 1962, An Introduction to the Sociology of Education. London.

Mannheim, K., 1964, Wissenssoziologie. Auswahl aus dem Werk. Hrsg. von Kurt H. Wolff. Berlin/Neuwied.

Mannheim, K., 2001, Sociology, Pedagogy and Politics: Frankfurt Writings, Hrsg. und Übers. Kettler D./Loader C. New Brunswick und London.

2. Bibliographien

Gábor, E., 1981, Mannheim Károlyi/Karl Mannheim: 1893–1947. In: Szociológusok személyi bibliográfiák. Budapest.

Remmling, G., 1975, The sociology of Karl Mannheim: with a bibliographical guide to the sociology of knowledge, ideological analysis, and social planning. London.

Wolff, K. H, 1978, Karl Mannheim. In: Kaesler, D., Hrsg., Klassiker des soziologischen Denkens. Bd. 2. München, S. 489–497.

Woldring, H., 1986, Bibliography. In: Karl Mannheim. The Development of his Thought. New York, S. 410–444.

3. Monographien

Bailey, L., 1994, Critical Theory and the Sociology of Knowledge: A Comparative Study in the Theory of Ideology. New York.

Baum, G., 1975, Truth Beyond Relativism: Karl Mannheim's Sociology of Knowledge. Milwaukee.

Blomert, R., 1999, Intellektuelle im Aufbruch: Karl Mannheim, Alfred Weber, Norbert Elias und die Heidelberger Sozialwissenschaften der Zwischenkriegszeit. München.

Boris, D., 1971, Krise und Planung: Die Politische Soziologie im Spätwerk Karl Mannheims. Stuttgart.

Corradini, D., 1976, Karl Mannheim. Milano.

Endreß, M./Srubar, I., Hrsg., 2000, Karl Mannheims Analyse der Moderne. Mannheims erste Frankfurter Vorlesung von 1930. Edition und Studien (Jahrbuch für Soziologiegeschichte 1996). Opladen.

Frisby, D., 1992, The Alienated Mind: The Sociology of Knowledge in Germany, 1918–1933. London.

Gabel, J., 1987, Mannheim et le marxisme hongrois. Paris.

Hoeges, D., 1994, Kontroverse am Abgrund: Ernst Robert Curtius und Karl Mannheim. Frankfurt a. M.

Huke-Dedier, E., 1995, Die Wissenssoziologie Karl Mannheims in der Interpretation durch die kritische Theorie: Kritik einer Kritik. Frankfurt a. M./ New York.

Izzo, A., 1988, Karl Mannheim. Una introduzione. Roma.

Karádi, E. und Vezér, E., Hrsg., 1985, Georg Lukács, Karl Mannheim und der Sonntagskreis. Frankfurt a. M.

Kettler, D./Meja, V., 1995, Karl Mannheim and the Crisis of Liberalism: The Secret of These New Times. New Brunswick/London.

Kettler, D., 1967, Marxismus und Kultur: Mannheim und Lukács in den ungarischen Revolutionen 1918–19. Neuwied/Berlin.

Kettler, D./Meja, V./Stehr, N., 1989, Politisches Wissen. Studien zu Karl Mannheim. Frankfurt a. M.

Loader, C./Kettler, D., 2000, Sociology as Political Education: Mannheim in the University. New Brunswick and London.

Longhurst, B., 1989, Karl Mannheim and the Contemporary Sociology of Knowledge. New York.

Loader, C., 1985, The Intellectual Develoment of Karl Mannheim: Culture, Politics and Planning. Cambridge.

Meja, V./Stehr, N., Hrsg., 1982, Der Streit um dieWissenssoziologie. 2 Bde. Frankfurt a. M.

Neusüss, A., 1968, Utopisches Bewußtsein und freischwebende Intelligenz. Zur Wissenssoziologie Karl Mannheims. Meisenheim am Glan.

Santambrogio, A., 1990, Totalita e critica del totalitarismo in Karl Mannheim. Milano.

Simonds, A. P., 1978, Karl Mannheim's Sociology of Knowledge. Oxford.

Wolff, K. H., 1978, Karl Mannheim. In: Kaesler, D., Hrsg., Klassiker des soziologischen Denkens. Bd. 2. München, S. 286–387.

Anmerkungen

1 Zoltan Horvath vergleicht die geistige Erneuerung im Budapest der Vorkriegszeit mit der politischen „Reformgeneration" von 1848. Siehe: Die Jahrhundertwende in Ungarn. Budapest 1966. Siehe auch Kettler, D., Marxismus und Kultur. Mannheim und Lukács in den ungarischen Revolutionen 1918/19. Neuwied 1967 und Gluck, M., Georg Lukács and His Generation, 1900–1918. Cambridge, Mass. und London 1985.

2 Auf Jászis 1935 Kritik an Mannheims „Mensch und Gesellschaft im Zeitalter des Umbruchs" erwiderte Mannheim: „Ich bin einer Ihrer alten Anhänger, und meine jugendlichen Eindrücke der Reinheit Ihres Charakters sind so stark, daß ich allen Tadel väterlich finde und er mich tief berührt. […] Der Hauptunterschied zwischen uns ist der: meines Erachtens sind wir beide zutiefst ‚liberal', aber während Sie sich mit edlem Trotz gegen unser Zeitalter zur Wehr setzen wollen, möchte ich, als Soziologe, durch sorgfältige Beobachtung das Geheimnis dieser neuen Zeit (auch wenn es ein teuflisches ist) herausfinden, denn ich bin davon überzeugt, daß nur dies uns erlauben wird, die Sozialstruktur in den Griff zu bekommen, statt von ihr beherrscht zu werden. Es ist wahrscheinlich ein paradoxes Unterfangen, liberale Werte mit Hilfe der Techniken der Massengesellschaft vorwärtszubringen. Aber dies ist der einzige Weg, wenn man nicht mit Trotz allein reagieren will. Aber mir ist auch diese Reaktion vertraut, und es ist wahr-

scheinlich bloß eine Frage der Zeit, bis ich mich Ihrer Haltung anschließe."
Brief vom 8. November 1936, Jászi–Manuskripte, Columbia University.

3 Altkonservatismus: Ein Beitrag zur Soziologie des Wissens (1925). Posthum veröffentlicht als Konservatismus: Ein Beitrag zur Soziologie des Wissens, hrsg. von Kettler, D./Meja, V./Stehr, N. Frankfurt 1984.

4 Scheler, M., Hrsg., Versuche zu einer Soziologie des Wissens. München/ Leipzig 1924. Scheler präzisiert hier seine zuerst in einem Hauptreferat über „Wissenschaft und soziale Struktur" beim Vierten Deutschen Soziologentag vorgetragenen Argumente.

5 Mannheim veröffentlichte 1927 eine Kondensation seiner Habilitationsschrift in einer mit Alfred Webers Kultursoziologie räsonierenden Version, und 1928 eine soziologische Arbeit über das Problem der Generationen in den von Leopold von Wiese herausgegebenen „Kölner Vierteljahresheften für Soziologie", der gewisse Ähnlichkeiten mit von Wieses Begriffsapparat aufweist.

6 In „Das Problem einer Soziologie des Wissens" (in: Wissenssoziologie, S. 377–378) diskutiert Mannheim die Unzulänglichkeiten von Interpretationen, in denen „Interesse" als Kategorie eine Rolle spielt. Er setzt sich statt dessen für das „Engagiertsein" sein. Unsere Synopse der philosophischen Erwartungen Mannheims für die Wissenssoziologie basiert auf den zu seinen Lebzeiten veröffentlichten Schriften, dem vollständigen Text der Habilitationsschrift und auf den beiden kultursoziologischen Abhandlungen, die postum als Strukturen des Denkens (Frankfurt a. M. 1982) veröffentlicht wurden. Mannheims Historismus-Aufsatz (1924) und „Ideologische und soziologische Interpretation der geistigen Gebilde" (1926) knüpfen eng an diese Abhandlungen an.

7 Dieses Etikett hat zuerst Dirk Kaesler verteilt. Siehe Kaesler, D., In Search of Respectability: The Controversy Over the Destination of Sociology During the Conventions of the German Sociological Society, 1910–1930. In: Knowledge and Society: Studies in the Sociology of Culture, Past and Present. Vol. 4, Greenwich, Conn./London, 1983, S. 227–272, bes. S. 254–259. Auch in dt. Fassung in der KZfSS, Sonderheft 23, 1981, S. 199–244.

8 Mannheim erregte die Aufmerksamkeit einer bemerkenswerten Gruppe junger Denker, die in den folgenden Jahren, oft erst in der Emigration, berühmt wurden. Das theoretische Organ der SPD, „Die Gesellschaft", ist das beste Beispiel. Das letzte Heft des Jahres 1929 und das erste Heft des Jahres 1930 enthielten lange kritische Analysen und Auseinandersetzungen mit Ideologie und Utopie von Paul Tilllich, Hannah Arendt, Herbert Marcuse, und Hans Speier. Siehe Meja,V./Stehr, N., Hrsg., Der Streit um die Wissenssoziologie. Frankfurt a.M. 1982. Bes. Bd. 2. Siehe auch Wolff, K. H., Karl Mannheim, in Kaesler, D., Hrsg., Klassiker des soziologischen Denkens. München 1978, S. 289–362.

9 Vgl. Wiggershaus, R.: Die Frankfurter Schule. Geschichte, Theoretische Eintwicklung, Politische Bedeutung. München/Wien 1986, S. 128–130; Kettler, D./Meja, V.: Karl Mannheim and the Crisis of Liberalism. New Brunswick und London 1995, S. 108–113.

10 Vgl. Elias, N.: Norbert Elias über sich selbst. Frankfurt a. M. 1990; Korte, H.: Über Norbert Elias. Frankfurt a.M. 1988; Kilminster, R.: Norbert Elias

and Karl Mannheim: Closeness and Distance. In: Theory, Culture & Society 10 (1993), S. 81–114; Kettler, D. und Meja, V.: Their Own Peculiar Way: Karl Mannheim and the Rise of Women. In: International Sociology 8 (March 1993), S. 5–55.

11 Brief an György Jászi vom 16. 4. 1933. In dieser Korrespondenz berät Mannheim den Sohn seines früheren liberalen Mentors, Oscar Jászi, der ihn darum gebeten hatte. Mannheims Vorstellung, daß politische Bildung zu größerer individueller Wahlfreiheit führt, ist schon in „Ideologie und Utopie" weiter ausgeführt. Vgl. Mannheim, The Sociology of Intellectuals [1932]. In: Theory, Culture & Society 10,3 (August 1993), S. 69–80 und „Über den Gegenstand, die Methode und die Einstellung der Soziologie". In: Sozialwissenschaftliches Archiv, Universität Konstanz [1930] 1996.

12 Drei einflußreiche Bücher der fünfziger Jahre, alle von Nichtsoziologen verfaßt, dürfen auch als kritische Antwort auf Mannheims Planungsschriften verstanden werden: Friedrich Hayeks „Counter–Revolution of Science", Karl Poppers „The Poverty of Historicism", und Robert Dahl und Charles Lindbloms „Politics, Economics and Welfare".

13 „The Sociology of Knowledge" erschien 1945 in einer vielgelesenen Sammlung über die Soziologie des 20. Jahrhunderts. Die in Mertons meisterhaftem Überblick enthaltenen Beurteilungen Mannheims wiederholen teilweise Argumente, die schon 1941 in einer weniger sichtbaren Publikation Mertons über Mannheim veröffentlicht wurde. Merton nahm beide Aufsätze, zusammen mit seiner und Lazarsfelds Kriegsstudie „Studies on Radio and Film Propaganda", in den „The Sociology of Knowledge and Mass Communications"-Teil seines Buches „Social Theory and Social Structure" (Glencoe 1945, 1953, 1968) auf. Dieses Buch, mit weit über einer Million verkauften Exemplaren, wurde zum programmatischen Statement der Columbia-Soziologie in der Dekade ihres größten Einflußes. C. Wright Mills und Kurt H. Wolff schlugen alternative Interpretationen Mannheims vor, und Wolff förderte mehr als jeder andere Forschungsarbeiten in der Tradition der Mannheimschen Wissenssoziologie. Aber die Bemühungen beider müssen als Gegenströmungen eines mächtigen Hauptstroms gesehen werden.

14 Merton, R. K.: Social Theory and Social Structure, S. 562.

15 Mannheim, K., Essays in the Sociology of Knowledge, hrsg. von Paul Kecskemeti. London 1952; Essays on Sociology and Social Psychology, hrsg. von Paul Kecskemti. London 1953; Essays on the Sociology of Culture, hrsg. von Ernest Mannheim und Paul Kecskemeti. London 1956.

16 Die Herausgeber der wiederentdeckten mitstenografierten „Allgemeine Soziologie"-Vorlesung Mannheims (Frankfurt 1930) haben ihr den treffenden Titel „Über den Gegenstand, die Methode und die Einstellung der Soziologie" gegeben, Sozialwissenschaftliches Archiv, Universität Konstanz 1996.

Hermann Korte

Norbert Elias
(1897–1990)

Geboren wurde er am 22. Juni 1897, am Ende des 19. Jahrhunderts, im schlesischen Breslau. Gestorben ist er 1990, gegen Ende des 20. Jahrhunderts, im niederländischen Amsterdam. Ein Drittel seiner Lebenszeit hat er in London und Leicester im bitteren Exil ausharren müssen. Von 1962 bis 1964 unterrichtete er an der Universität von Ghana in Accra. 1965 kam er das erste Mal wieder für längere Zeit nach Deutschland. Er lehrte damals als Gastprofessor in Münster, später dann in Konstanz und Aachen, schließlich arbeitete er von 1978 bis 1984 am Zentrum für Interdisziplinäre Forschung in Bielefeld.

Die Aufzählung der Städte, in denen Norbert Elias längere Zeit gelebt hat, muß noch um Heidelberg und Frankfurt ergänzt werden. Jeder dieser Orte ist in einer ganz bestimmten Weise mit seiner Biographie verbunden. Für jeden Aufenthalt ließe sich eine besondere Phase durch das Verhältnis von Gesellschafts-, Werks- und Personengeschichte beschreiben. Allerdings lassen sich die einzelnen Phasen ohne die vorherigen nicht verstehen. Die Entwicklung eines einzelnen Menschen verläuft ebenso ungeplant wie die der Gesellschaft, die er mit den anderen Menschen bildet. In welche Richtung jedoch diese Entwicklung gegangen ist und welche Struktur sie gehabt hat, das läßt sich – bei dem Einzelnen ebenso wie bei Gesellschaften – durch eine Untersuchung und durch einen Vergleich der aufeinanderfolgenden Phasen herausfinden.

Jugend und Studium in Breslau

Das Bild, das aus der Zeit vor dem Ersten Weltkrieg herüberscheint, ist das einer sorglosen und behüteten Jugend. Erst mit neun Jahren betrat Norbert Elias zum ersten Mal eine Schule. Bis dahin war das einzige Kind von Hermann und Sophie Elias, geb. Galevski, von Gouvernanten und einem Hauslehrer erzogen und unterrichtet worden. Die Schule, die er von der Sexta bis zur Prima besuchte, war das Städtische Johannes-Gymnasium, das die Söhne der guten jüdischen Gesellschaft Breslaus üblicherweise besuchten.

Die jüdische Gesellschaft blieb unter sich. Soweit man gelegentlich eine Außenseiterposition verspürte, wurde sie durch den Schleier eines „physisch, wirtschaftlich und kulturell völlig gesicherten Lebens" wahrgenommen. Den Juden in Breslau ging es gut und sie fühlten sich „vollkommen sicher".[1] Aber dann beginnt der Erste Weltkrieg. Elias und seine Klassenkameraden machen am 8. Juni 1915 ihr Abitur. Danach melden sich alle als Kriegsfreiwillige, das war ganz selbstverständlich.

Als er Soldat wird, ist Elias gerade 18 Jahre alt geworden. Der Schleier, durch den er bisher die Welt erlebte, wird nun zerrissen, der junge Mensch, bis dahin umsorgt und behütet, wird ein anderer: „Der Krieg hat dann alles verändert. Als ich zurückkam, war es nicht mehr meine Welt. (…) Denn ich hatte mich auch selbst verändert".[2] Allerdings waren es nicht Gewalt und Tod, die den nachhaltigsten Eindruck hinterlassen haben, sondern, wie er in den *Notizen zum Lebenslauf* ausdrücklich anmerkt, das Erlebnis „der relativen Machtlosigkeit des Einzelnen im Gesellschaftsgefüge".[3]

1917 beginnt er zunächst mit dem Studium der Medizin, dem Vater zuliebe. Seine Zugehörigkeit zu einem Genesenden-Bataillon erlaubt dies. Aber schon 1919, kurz nach dem Physikum, wendet er sich von der Medizin ab und der Philosophie zu. Im Sommersemester 1919 studiert er in Heidelberg, u.a. um Karl Jaspers zu hören, 1920 dann in Freiburg, wo er an Edmund Husserls Goethe-Seminar teilnimmt. Und er beginnt bei dem Neukantianer Richard Hönigswald eine philosophische Dissertation mit dem Thema *Idee und Individuum. Eine kritische Untersuchung zum Begriff der Geschichte*. Es ist die Stellung des Individuums in der Geschichte, die ihn interessiert. Die Zweifel, die er an der Figur des „vereinzelten Menschen", dem traditionellen Subjekt der Erkenntnis bekommt, sieht er „im Zusammenhang mit Erfahrungen im gesellschaftlichen Leben selbst, also zum Beispiel mit Kriegserfahrungen, durchaus nicht zentral mit Bucherfahrungen".[4] So war die Abkehr vom neukantianischen *a priori* fast vorhersehbar. Wie man als Einzelner in der Gesellschaft lebt, darf nicht allgemeingültig vorgegeben sein, wenn das Individuum eine Chance haben soll, den gesellschaftlichen Zwängen wenigstens teilweise zu entkommen.

Die Dissertationsschrift aus dem Jahre 1922 ist in einer philosophisch-abstrakten Sprache geschrieben. Gleichwohl kann man schon an diesem Text jene Themen entdecken, denen sich Elias später als Soziologe widmete. Viel deutlicher lassen sich aber die Anfänge seiner wissenschaftlichen Orientierung in einem zwölfseitigen Beitrag ablesen, den er Mitte 1921 in der Führerzeitung des zionistischen Wanderbundes Blau-Weiß veröffentlichte. Der dort abgedruckte Artikel „Vom Sehen in der Natur" ist in ganz erstaunlicher Weise ein erstes Dokument der wissenschaftlichen Entwicklung von Norbert Elias. Viele seiner später auf einem fortgeschritteneren Niveau vorgetragenen Thesen und Positionen finden sich hier in ersten Ausprägungen. Besonders deutlich wird das dort, wo er Probleme der historischen Entwicklung anspricht. Mit der sachorientierten Fragestellung nach der Geschichtlichkeit des Sehens in der Natur setzt er sich vom philosophischen *a priori*-Denken ab. Seine Feststellung, daß die Griechen ein anderes als das heutige Naturverständnis besaßen und man von der Renaissance bis zur Gegenwart eine strukturierte Entwicklung des Naturverständnisses nachweisen kann, steht dem ahistorischen Denken seines Philosophielehrers Hönigswald diametral entgegen.

Mit dem Hinweis auf die langfristigen Entwicklungen bestimmter Wahrnehmungs-, Verhaltens- und Bewertungsmuster hat Elias auch sein *Lebensthema* gefunden. Es ist gewiß zunächst noch eine fragmentarische Betrachtungsweise, die er dort erstmals formuliert, aber spätere Fragestellungen, einschließlich der nach den Entwicklungen des Bewußtseins, sind bereits angelegt. Seine grundlegende Einstellung, die ihn von der abstrakten Metaphysik ebenso wegführte wie von relativistischer und personifizierender Geschichtsschreibung, ist schon erkennbar.

Elias hatte von den notwendigen Voraussetzungen für wissenschaftliches Arbeiten schon damals klare Vorstellungen. Nur derjenige kann richtigere Antworten auf Fragen finden, der sich auch um den Fortschritt in den angrenzenden Wissenschaften bemüht, „der sich mit den Wissenschaftsgrundlagen und den fortschreitenden Resultaten, dem Wissenschaftsverlaufe also in sorgsamer Arbeit vertraut macht".[5]

So machte der junge Elias seine Erfahrungen. Das jüdische Elternhaus, die humanistische Bildung, die Notwendigkeit harter intellektueller Arbeit und Selbstdisziplin. Aber noch sind die Lehrjahre nicht abgeschlossen. Nach der Doktorprüfung im Jahre 1922 konnte Elias nicht länger auf finanzielle Unterstützung durch seine Eltern rechnen. Die Inflation der Wirtschaftskrise zehrte die Renten auf, die der Vater auf sein Vermögen erhielt. So war der Sohn gezwungen, sich seinen Lebensunterhalt selbst zu verdienen. Durch Vermittlung erhielt er in einer Fabrik, die Kleineisenteile (Ofenklappen, Ventile etc.) herstellte, eine Anstellung. Die Tätigkeit dort war für ihn eine sehr wichtige Erfahrung, half sie ihm doch, die Wand des akademischen Elfenbeinturmes, die durch die Soldatenzeit und durch die Auseinandersetzungen, die er mit dem Philosophielehrer hatte führen müssen, bereits kräftige Risse bekommen hatte, zu durchbrechen. Neben die Erfahrung der Schrecken des Krieges – so sah er es später – tritt die des Elends der Arbeiterschaft während der Wirtschaftskrise 1922/23.

Mit der Tätigkeit in der Industrie war für Elias die Position eines Universitätslehrers, die er seit frühen Schülertagen anstrebte, in weite Ferne gerückt. An seinem *Lebensziel*, einer Professur, hielt er indes noch fest – wie konnte er auch anders, sah er hierin doch seine eigentliche Bestimmung. Zum ersten Mal machte er die Erfahrung des Wartens. Aber er gab die Hoffnung nicht auf. Er schulte seinen Kopf, indem er während langer Reisen, die er für die Firma unternehmen mußte, griechische Anekdoten und Witze ins Deutsche übersetzte und nacherzählte. Eine kleine Auswahl schickte er an die *Berliner Illustrierte*, die zu seiner großen Überraschung im Juli des Jahres 1924 fünf dieser witzigen Geschichtchen abdruckte und auch ein kleines Honorar schickte.

Das war für den *homme de lettres* das Signal zum Aufbruch. Er kündigte seine Stellung in der Eisenwarenfabrik, der Reiz des Neuen war inzwischen auch verflogen, und machte sich in der naiven Gewißheit, mit Schreiben Geld verdienen zu können, und mit der Hoffnung auf eine Universitätskarriere auf nach Heidelberg.

Heidelberg

In Heidelberg wandte Elias sich nun endgültig der Soziologie zu, die dort vor allem von zwei Personen bestimmt wurde, dem Kultursoziologen Alfred Weber und dem jungen Privatdozenten Karl Mannheim. Mit beiden hatte Elias zu tun. Mit dem fast gleichaltrigen Mannheim hatte er sich bald angefreundet, diente ihm auch als eine Art Assistent, als Vermittler zu den Studenten. Überhaupt war der schon promovierte und auch einige Jahre ältere Elias bald der Mittelpunkt einer Studentengruppe, in der sich Namen wie Hans Gerth, Richard Löwenthal, Heinrich Taut, Svend Riemer, Suse und Georg Schwarzenberger finden. Andererseits war Alfred Weber der ortsansässige Ordinarius, dessen Zustimmung zur Habilitation Elias benötigte, und so ergab es sich, daß er sowohl bei Alfred Weber als auch bei Karl Mannheim im Oberseminar saß.

In soziologischer Hinsicht gab es eindeutige Gegensätze zwischen der idealistischen Position Alfred Webers und der materialistischen Karl Mannheims. Im Heidelberger Alltag kam das alles nicht an die Oberfläche. Webers Position war institutionell zu überlegen, und es gehörte auch nicht zu dem gediegenen Stil der Heidelberger Verhältnisse, sich unterschwellig zu bekämpfen. Zum Ausbruch kamen die Gegensätze erst auf dem VI. Deutschen Soziologentag, der 1928 in Zürich abgehalten wurde. Dort hatte Mannheim in seinem Vortrag „Die Bedeutung der Konkurrenz im Gebiete des Geistigen" die Wissenssoziologie mit der bei ihm zentralen Ideologiekritik in den Mittelpunkt der Soziologie gerückt. Für zusätzlichen Zündstoff hatte er gesorgt, indem er den Liberalismus Alfred Webers direkt angegriffen hatte. Im Laufe dieser Debatte, gemäß der geltenden Hierarchie nach den Geheimräten und Doktoren, äußerte sich auch Norbert Elias.

Er trat einerseits der ebenso individualistischen wie idealistischen Sichtweise Alfred Webers entgegen, machte gleichzeitig aber auch deutlich, daß die ideologiekritische, relativistische Auffassung Mannheims wegen ihrer einseitigen Betonung der Sphäre des Wissens und der Orientierung an einzelnen schöpferischen Menschen ebenfalls einer Überwindung bedürfe. Elias sagte: „Wer ins Zentrum seiner Betrachtung den ‚schöpferischen Menschen' rückt, der hat im Grunde noch das Gefühl, für sich *allein* da zu sein, selbst gewissermaßen einen Anfang und ein Ende zu bilden. Wer ins Zentrum die historischen Bewegungen der menschlichen Gesellschaften rückt, der muß auch wissen, daß er selbst weder Anfang noch Ende ist, sondern, wenn man es einmal so ausdrükken darf, ein Glied in der Kette, und es ist klar, daß dieses Bewußtsein seinem Träger eine ganze andere Bedeutung auferlegt, als jenes."[6] Auch wenn dieser Wortbeitrag noch keine eindeutigen Konturen hat, so scheint hier doch ein soziologisches Programm auf, dem Elias verpflichtet blieb und an dem er seither arbeitete, sehr lange Zeit unter sehr schwierigen Bedingungen.

1928 konnte er zuversichtlich in die Zukunft schauen und hoffen, trotz seiner jüdischen Herkunft eines Tages an einer deutschen Universität eine Professur zu erhalten. Aber noch war der Weg weit zur Professur, denn bei Alfred Weber stand er an vierter oder fünfter Stelle der Habilitanden, was eine Wartezeit von gut zehn Jahren bedeutete. Doch dann wurde Mannheim, etwa ein Jahr nach dem Züricher Soziologentag, auf den Lehrstuhl für Soziologie nach Frankfurt berufen. Er bot Elias an, als sein Assistent mit nach Frankfurt zu gehen. Elias, dem nichts wichtiger war als seine Habilitation, sagte zu, nachdem Mannheim ihm versprochen hatte, ihn nach drei Jahren Assistentenzeit zur Habilitation zu führen. So glaubte Elias den Weg durch das Nadelöhr der akademischen Qualifikation abkürzen zu können und folgte Mannheim nach Frankfurt.

Frankfurt

Im Frühjahr des Jahres 1930 nahm Elias hoffnungsvoll und mit viel Energie seine Tätigkeit am Soziologischen Seminar in Frankfurt auf, dessen Direktor Karl Mannheim war. Das Seminar war im Erdgeschoß des *Instituts für Sozialforschung* untergebracht, das Max Horkheimer leitete. Das bedeutete nicht, daß man inhaltlich zusammenarbeitete. Mannheim hielt Horkheimer für zu links, und Horkheimer den anderen für zu rechts. Trotzdem gab es eine Reihe von Kooperationen im alltäglichen Geschäft der Lehre, die von den beiden Assistenten, hier Leo Löwenthal, dort Norbert Elias, wahrgenommen bzw. vermittelt wurden.

Elias' Habilitationsschrift *Der höfische Mensch* war nach drei Jahren fertig und wurde im Wintersemester 1932/33 eingereicht. Sie konnte erst 1969 als *Die höfische Gesellschaft* publiziert werden. Die Schrift beschreibt und erklärt die Vorgänge, die die höfische Gesellschaft zur Eliteformation des französischen absolutistischen Staates machten: Die langsame Umwandlung eines ehemals „primär naturalwirtschaftlich fundierten Krieger- und Gutsherren-Adels als Spitzenschicht [in] eine primär geldwirtschaftlich fundierte höfische Aristokratie"[7] ist nicht planvoll geschehen, sondern ergab sich aus den ambivalenten Machtbeziehungen zwischen König und Adel. Der Adel benötigte den König zum Erhalt seiner Privilegien und eines standesgemäßen Lebens, der König dagegen benötigte den Adel „vor allem auch als unentbehrliches Gewicht in der Spannungsbalance der Schichten, die er beherrschte"[8].

Zum soziologischen Gehalt dieser These gehört auch der Hinweis, daß sich nicht nur die Organisationsformen, sondern auch die Beteiligten, die in dem langfristigen Prozeß miteinander verflochtenen Menschen änderten. Zwar stehen die Verhaltensänderungen der Menschen hier noch nicht im Mittelpunkt der Untersuchung, aber vorhanden ist dieser psychogenetische Teil des Entwicklungsprozesses menschlicher Gesellschaft bereits. Elias zeigt, wie sich Gebaren, Sprechen, Leben und Geschmack der beteiligten Menschen wandelten, und wie dies alles schließlich zur höfischen Etikette wurde, der die Beteiligten folgen mußten, obgleich sie sie manchmal als Last empfanden.

Elias' Habilitationsverfahren nahm einen positiven Verlauf, und nach der Zustimmung des Regierungspräsidenten zur *Venia Legendi* fehlte nur noch die Antrittsvorlesung. Aber dazu kam es nicht mehr. Nach der Machtübernahme begannen die Nationalsozialisten im Frühjahr 1933 sofort damit, die Universitäten von Juden und kritischen Wissenschaftlern zu „säubern". Elias wartete einige Wochen ab, unschlüssig, was er mit sich und der so hoffnungsvoll begonnenen Karriere anfangen sollte. Aber schließlich war der Ernst der Lage nicht mehr zu übersehen, und im März 1933 floh er mit leichtem Gepäck und einer Reiseschreibmaschine nach Frankreich und reiste von dort im Herbst 1935 nach England, wo er bis Anfang der 1960er Jahre blieb.

Elias mochte das Wort „Emigration" aus guten Gründen nicht.

„Exilierung" ist angemessener als das andere Wort, das soviel eigenen Entschluß und manchmal sogar eine gewisse Behaglichkeit vermittelt. Denn da saß er nun, der Fast-Privatdozent der Universität Frankfurt, im Lesesaal des Britischen Museums, jenem traditionsreichen Raum, in dem schon Karl Marx *Das Kapital* geschrieben hatte, inmitten einer Welt, deren Sprache er zunächst nicht sprechen konnte und deren Sitten er nicht kannte, und versuchte, den Verdüsterungen des Exils durch wissenschaftliche Arbeit zu entkommen. Das Ergebnis war das zweibändige Werk *Über den Prozeß der Zivilisation. Soziogenetische und psychogenetische Untersuchungen.*

Elias hat gelegentlich erzählt, wie es dazu kam, daß er das zweibändige Buch zu schreiben begann. Bei seinen Studien im Lesesaal des Britischen Museums sei er eher zufällig auf Benimmbücher gestoßen. Die verschiedenen Auflagen aus verschiedenen Epochen hätten sehr unterschiedliche Anforderungen an gesittetes Benehmen gestellt. Das habe ihn interessiert, und über den Zugriff auf die Regeln der Etikette und die nachweisbaren Veränderungen der Sitten habe er Zugang bekommen zu dem wissenschaftlichen Problem, wie man die ungeplanten und langfristigen Veränderungen der Gesellschaften, die die vielen Menschen miteinander bilden, besser erklären und verstehen kann. Man muß aber hinzufügen, daß die Frage nach den Gründen für die Veränderungen gesellschaftlicher Verhältnisse seit Beginn der Soziologie, seit Auguste Comte und ganz besonders seit Karl Marx zentral für die Soziologie war. Elias tat also das, was seine gleichaltrigen, älteren und jüngeren Kollegen auch taten, er versuchte zu erklären, warum in Europa bestimmte gesellschaftliche Veränderungen vor sich gegangen waren, ob diese etwas Zufälliges waren oder ob sich dahinter ein strukturierendes Prinzip finden ließ. Seit dem Beginn seiner Beschäftigung mit der Soziologie in Heidelberg kannte er die Fragenkreise, um die sich alles in der Soziologie dreht, er kannte die Materialien und die Quellen.

Elias machte daraus etwas Neues. Er entwich den Paradigmen und ihren Schulen und begründete eine eigene Position. Daß er dabei empirisches Material wie Tischsitten und Benimmregeln benutzt, verwundert beim Lesen nur kurz. Er verstand es nämlich, die Entwicklung verschiedener Vorschriften so aufzugreifen, daß die sozialen Gründe für die Veränderungen sichtbar werden.

Exil

Der erste Band von *Über den Prozeß der Zivilisation* war bereits 1936 fertig, und alles schien zunächst einen positiven Verlauf zu nehmen. Ein kleines Stipendium einer Flüchtlingsorganisation verhalf zum Leben, und auch die Eltern im fernen Breslau konnten ihn noch unterstützen; vor allem, als es darum ging, das deutsch geschriebene Werk zum Druck zu bringen. Die Eltern finanzierten den Vorabdruck des ersten Bandes, der 1937 bei einem kleinen Verlag in Gräfenhainichen, zwischen Wittenberg und Bitterfeld, erschien. Elias verschickte diesen Band sehr gezielt an Freunde und mögliche Rezensenten. Man weiß aus vielerlei Berichten, aber auch aus einem Briefwechsel, der sich im Nachlaß von Walter Benjamin befindet, daß Elias die für 1938 in einem Prager Verlag vorgesehene Veröffentlichung des gesamten Werkes durch diese Marketingaktion vorbereitete.

Nach der Okkupation der Tschechoslowakei konnte das Buch des jüdischen Autors jedoch in Prag nicht mehr erscheinen. Die Druckbögen wurden heimlich in die Schweiz geschafft. Dort erschien 1939 bei dem Verlag Haus zum Falken, den der ebenfalls exilierte Fritz Karger in Basel gegründet hatte, *Über den Prozeß der Zivilisation. Soziogenetische und Psychogenetische Untersuchungen* in zwei Bänden. Auch jetzt verschickte Elias sehr gezielt Belegexemplare. Thomas Mann zum Beispiel erhielt im Sommer 1939 beide Bände während seiner Ferien im holländischen Seebad Nordwijk. Er erwähnte das Buch mehrfach in seinem Tagebuch und stellte, nun schon in Zürich, am 8. August fest: „Das Buch von Elias ist wertvoller als ich dachte. Namentlich die Bilder aus dem späten Mittelalter und der ausgehenden Ritterzeit".[9]

Elias erhielt dann nach schweren Jahren des Exils, in denen er sich mit Unterricht in Volkshochschulen in Londoner Vororten über Wasser hielt, schließlich 1954 – als schon 57jähriger – eine Dozentenstelle am neugegründeten *Department of Sociology* der *University of Leicester*, wo er bis 1962 unterrichtete.[10] Viele der heutigen britischen Soziologieprofessoren haben in jener Zeit bei ihm studiert, u.a. Martin Albrow und Anthony Giddens. Nach einem zweijährigen Gastaufenthalt an der Universität von Ghana kam Elias 1965, das erste Mal seit seiner Flucht, wieder nach Deutschland, als Gastprofessor an die Universität Münster.

Aber zu dem damaligen Zeitpunkt war *Über den Prozeß der Zivilisation* weitgehend unbekannt, ein Geheimtip unter Kennern. Auch eine Auflage 1969 im Francke-Verlag in Bern änderte daran nichts. Das lag nicht nur an dem prohibitiv hohen Preis der Leinenausgabe, sondern vor allem daran, daß der Zeitpunkt sehr ungünstig war. In Westdeutschland waren die Sozialwissenschaften – und nicht nur sie – gerade mit einer intensiven Marx-Rezeption beschäftigt. Erst als sich die Erklärungskraft der historisch-materialistischen Analysen als weit geringer erwies, als in der ersten Euphorie geglaubt, konnte *Der Prozeß der Zivilisation* ins Blickfeld und das Bewußtsein der Sozialwissenschaftler rücken. Als 1976 im Suhrkamp-Verlag eine preiswerte Taschenbuchausgabe der zweiten Auflage erschien, wurden binnen weniger Monate über 20000 Exemplare verkauft. Der Verkaufserfolg des Buches hält bis heute an und hat sich in den mehr als zwanzig Sprachen, in die das Buch mittlerweile übersetzt worden ist, fortgesetzt.

So war es 1977 nicht ganz so überraschend, daß der erste Adorno-Preis an Norbert Elias ging. Elias wurde danach noch oft geehrt, aber der Adorno-Preis hatte für sein Leben eine besondere Bedeutung. Gedacht als Anerkennung für ein Lebenswerk, war er für den schon Achtzigjährigen Ansporn, bis kurz vor seinem Tod am 1. August 1990 unermüdlich zu schreiben und in aller Welt zu lehren.

Sein Œuvre ist weit gespannt: von wissenssoziologischen Themen zu Fragen der Weltgesellschaft, von Analysen der deutschen Katastrophen zu kunstsoziologischen Schriften, von Untersuchungen der Gesellschaft am Hofe Ludwig XIV. bis zu *urban studies*. Aber die Kernthesen all dieser Arbeiten hatte er bereits in den dreißiger Jahren in *Über den Prozeß der Zivilisation* entwickelt.

Der Prozeß der Zivilisation

Die Veränderung des menschlichen Verhaltens, der Empfindungen und Affekte wird von Elias als *ein* Teil des Prozesses der Zivilisation dargestellt. Zivilisation, das ist zunächst *die langfristige*

Umwandlung der Außenzwänge in Innenzwänge. Es ist ein langfristiger Prozeß, der nicht nach einem rationalen Plan zielgerichtet verläuft, dessen bisherige Struktur und Richtung aber erforscht und dargestellt, dessen Analyse für die Diagnose gegenwärtiger und die Prognose zukünftiger Phasen der gesellschaftlichen Entwicklung benutzt werden kann.

Die Aufdeckung dieses Zivilisationsprozesses und die Entwicklung des theoretischen Modells der langfristigen Veränderung der Affekte und Triebe wären allein schon eine Pioniertat gewesen und müßten als große und innovative Leistung in der Geschichte der Soziologie eingestuft werden. Es gab in der Rezeption dieses Ansatzes auch zeitweise die Tendenz, sich damit zu begnügen. Vor allem wohl deshalb, weil damit scheinbar ein durchaus gesuchter Zugang zur Psychoanalyse eröffnet wurde, bei dem die eigene Psyche des einzelnen Wissenschaftlers nicht mit einbezogen werden mußte. Es ist jedoch so, daß die Veränderungen der Verhaltensstandards der einzelnen Menschen mit bestimmten Veränderungen im Aufbau der Menschengesellschaft verflochten sind – und umgekehrt. Davon vor allem handelt der zweite Band von *Über den Prozeß der Zivilisation*: Dort wird die Entstehung von stabilen Zentralorganen in Form von Gewalt- und Steuermonopolen untersucht.

Konkurrenz und Interdependenz

Bei der Entstehung von stabilen Zentralorganen handelt es sich um einen Prozeß der sozioökonomischen Funktionsteilung und der Staatsbildung, den man auch mit den Begriffen „Konkurrenz" und „Interdependenz" kennzeichnen kann. Die Entwicklung der mittelalterlichen Feudalgesellschaft zu den europäischen absolutistischen Staaten ist ein Ausschnitt aus dem langfristig-strukturierten, ungeplanten Prozeß der Zivilisation. Wenn Elias bei seiner Analyse der abendländischen Staatsbildung bei den mitteleuropäischen Feudalgesellschaften des frühen Mittelalters beginnt, darf man dies nicht so verstehen, als sei dies der Anfang der Entwicklung, gewissermaßen der Nullpunkt. Auch dieser Entwicklungsschritt hat Vorläufer, es fällt deshalb schwer, einen Anfang festzulegen.

Der langfristige, ungeplante soziale Prozeß der Staatsbildung in Europa führt zunächst zu einer Verkleinerung der Zahl der Konkurrenten, dann zur Monopolstellung einzelner Fürsten und schließlich zur Herausbildung des absolutistischen Staates mit der Monopolisierung der physischen Gewalt durch die Institutionen des Königtums. Der Prozeß der Staatsbildung ist verflochten mit den Prozessen der sozioökonomischen Funktionsteilung, dem Übergang von der Natural- zur Geldwirtschaft, der Zunahme der Arbeitsteilung, der Handelsverflechtungen, der Verstädterung und somit dem sozialen Aufstieg des Bürgertums, des dritten Standes. Aber er ist auch verflochten mit dem anderen Strang des Zivilisationsprozesses, der Veränderung der psychischen Strukturen der beteiligten Menschen.

Von nun an muß man *planen statt kämpfen*. Das Gewaltmonopol des Staates erlaubt Langsicht und entsprechend lange Handlungsketten. Andererseits ermöglicht die Zügelung der Affekte eine Erweiterung der Denk- und Handlungsmöglichkeiten. Die höfischen Menschen sind die ersten, die ein Verhalten praktizieren, das auf Langsicht, Kalkül, Selbstbeherrschung basiert. Sie sind, so gesehen, die ersten „modernen" Menschen einer neuen Zeit.

Soziologische Prozeßtheorie

Langfristige Veränderungen im Verhalten einzelner Menschen und der gesellschaftlichen Figurationen, die die Menschen miteinander bilden, also das, was Elias den Prozeß der Zivilisation nennt, erhält seine Antriebe aus der Konkurrenz interdependenter Menschen und Menschengruppen um *Macht*. „Die Angst vor dem Verlust oder auch nur vor der Minderung des gesellschaftlichen Prestiges ist einer der stärksten Motoren zur Umwandlung von Fremdzwängen in Selbstzwänge."[11] Es ist also die Interdependenz der Menschen, die den Zivilisationsprozeß bestimmt und ihm, wie Elias feststellt, „eine Ordnung von ganz spezifischer Art" aufzwingt. Es ist „eine Ordnung, die zwingender und stärker ist, als Wille und Vernunft der einzelnen Menschen, die sie bilden. Es ist diese Verflechtungsordnung, die den Gang des geschichtlichen Wandels bestimmt; sie ist es, die dem Prozeß der Zivilisation zugrunde liegt"[12] und damit, so muß hinzugefügt werden, allen gesellschaftlichen Veränderungen.

Aus diesem prozeßtheoretischen Entwurf ergeben sich Folgerungen, von denen die wichtigste diejenige ist, daß im Mittelpunkt aller soziologischen Forschung Menschen und die gesellschaftlichen Verflechtungen, die sie miteinander bilden, stehen müssen: „Die „Umstände", die sich ändern, sind nichts, was gleichsam von „außen" an den Menschen herankommt; die „Umstände', die sich ändern, sind die Beziehungen zwischen den Menschen selbst."[13] Elias bricht so mit der langgehegten Vorstellung, es gebe „die Gesellschaft" und „das selbständige Individuum". Für seine 1987 erschienenen Untersuchungen über *Die Gesellschaft der Individuen* bedarf es deshalb auch nicht länger des Unterschiedes zwischen einer strukturfunktionalen und einer handlungstheoretischen Ebene.

Dieses Buch ist im übrigen ein guter Beleg für die lebenslange Arbeit von Elias, denn sie zeigt, wie er ausgehend von seiner großen Untersuchung zum Prozeß der Zivilisation an der grundlegenden Frage weitergearbeitet hat, inwiefern und warum die Organisationsebene der Gesellschaft mehr ist als die Summe der Individuen, die diese Gesellschaft miteinander bilden. Bereits in der ersten Ausgabe von *Über den Prozeß der Zivilisation* war ein Text mit dem Titel *Die Gesellschaft der Individuen* für eine schwedische Zeitschrift angezeigt worden, dort aber nicht erschienen. Elias hat dann in den 40er und 50er Jahren immer wieder an dem Text gearbeitet, und aus dieser Periode ist ein zweiter Text in das Buch aufgenommen worden. Schließlich gibt es noch einen dritten Teil aus dem Jahre 1986. Vergleicht man die drei Texte miteinander, so kann man sehen, wie über diesen Produktionsprozeß von fast 50 Jahren die soziologische Prozeßtheorie immer mehr in den Vordergrund tritt und an Konturen gewinnt.

Das Buch ist aber nicht der einzige Beleg für eine Zuspitzung der soziologischen Aussagen auf eine Prozeßtheorie. Schon in den 70er Jahren, vor allem aber dann in der Zeit nach der Verleihung des Adorno-Preises erschienen eine Vielzahl von Arbeiten, die den großen Entwurf konkretisierten und weiterentwickelten. Hier sind vor allem zwei Aufsätze zu nennen: „Zur Grundlegung einer Theorie sozialer Prozesse" aus dem Jahre 1977 und „Über den Rückzug der Soziologen auf die Gegenwart", der 1983 erschien. Aber auch in den Studien zur Wissenssoziologie (*Engagement und Distanzierung* und *Über die Zeit*) arbeitet Elias weiter an der Beantwortung der in jungen Jahren gestellten Forschungsfragen. Ebenso findet diese Auseinandersetzung in Arbeiten statt, die vom Titel her nicht direkt auf die soziologische Prozeßtheorie verweisen, so in dem luzide geschriebenen Essay „Über die Einsamkeit der Sterbenden in unseren Tagen", in dem der über 80jährige sich mit den gesellschaftlichen Umständen am Ende des Lebens auseinandersetzt.

Kurz vor und nach seinem Tod erschienen noch vier wichtige Bücher, so eine Gemeindestudie, die Elias Anfang der 60er Jahre mit John L. Scotson durchgeführt hatte, *Etablierte und Außenseiter*. Im selben Jahr kamen auch die *Studien über die Deutschen* heraus, in denen Elias seine lebenslange Auseinandersetzung mit der deutschen Geschichte und der Frage, wie es zum Zusammenbruch der Zivilisation und dem Rückfall in die Barbarei kommen konnte, dokumentiert hat.

Posthum erschien in England 1991 *The Symbol Theory*. Hier begründet Elias die Notwendigkeit, in der Soziologie und anderen Menschenwissenschaften den Dualismus von Natur und Kultur zu überwinden. Vor allem am Beispiel der Sprache zeigt er das Ineinandergreifen von sozialen und biologischen Prozessen. In Deutschland wurde in demselben Jahr *Mozart. Zur Soziologie eines Genies* publiziert. An diesem Text hatte Elias bereits Anfang der 80er Jahre gearbeitet. Dies war auch die Zeit, in der Elias eine Reihe von autobiographischen Texten schrieb. So mag es gekommen sein, daß ihm manches an der Darstellung der Biographie Mozarts so geriet, als schriebe er über sich selbst. So kann etwa der 24. Abschnitt des Mozart-Buches fast vollständig auf die Biographie von Elias angewendet werden. Vor allem auch deshalb, weil bei Mozart der Prozeß der Synthese ebenfalls in der Jugendzeit beginnt, wo Rezeption und Imitation vorherrschen, ein gutes Gedächtnis vieles speichert. Vor allem die „Weiterbildung des vorgegebenen Kanons zu einer individuellen musikalischen Sprache" durch Mozart hatte es Elias angetan. Hier sah er wohl auch die Verbindung zum eigenen Schicksal: Es „war ein langer Prozeß, der viel Mühe und Arbeit erforderte und der sehr weitgehend auch von seinen Lebensumständen abhing. [...] Aller Wahrscheinlichkeit nach beförderte die Vielfalt der [...] Erfahrungen, denen er [...] ausgesetzt war, seine Neigung zu experimentieren und nach neuen Synthesen verschiedener Stile und Schulen seiner Zeit zu suchen." [14]

Kritische Debatten

Je breiter die Arbeiten von Elias in den Sozialwissenschaften und in vielen angrenzenden Disziplinen rezipiert wurden, um so mehr entwickelten sich kritische Debatten über seine theoretischen Entwürfe und sein empirisches Material. Wie immer in solchen Fällen kann man zwischen immanenter Detailkritik und grundsätzlichen Ablehnungen unterscheiden. Einer der wichtigsten immanenten Einwände lautet, Elias vernachlässige das Bürgertum und die Phase des Kapitalismus.

Indem Elias der immanenten Struktur einer zurückliegenden Epoche nachspürt, entfernt er sich ein wenig von den aktuellen politischen Auseinandersetzungen. Wenn er der berufsbürgerlichen Gesellschaft das zivilisatorische und kulturelle Gepräge der höfischen Gesellschaft gegenüberstellt, will er aber gleichzeitig einen Zugang schaffen zu einem besseren Verständnis gegenwärtig existierender Kulturen und zivilisatorischer Formen des Zusammenlebens.

Für die Versuche, den Ansatz für grundsätzlich falsch bzw. für überflüssig zu erklären, steht der Versuch von Hartmut Esser, zwischen der Prozeßtheorie von Elias und dem methodologischen Individualismus nicht nur Ähnlichkeiten, sondern Übereinstimmung zu konstatieren.[15] Hierüber entwickelte sich eine intensive Diskussion in soziologischen Zeitschriften, an deren Ende Elias nachdrücklich darauf bestand, daß es wenig Sinn mache, nur die Handlungen der Individuen zum Thema zu machen und dabei die langfristigen gesellschaftlichen Prozesse, in die die individuellen Handlungen verflochten sind, zu ignorieren.[16]

Schlußbemerkung

Es gibt mittlerweile keinen Bereich der Gesellschaft mehr, in dem nicht versucht wird, mit Hilfe der Prozeßtheorie soziologische

Forschungsfragen zu bearbeiten und zu beantworten. Diese Theorie gehört zum festen Repertoire der deutschen Soziologie, in den 90er Jahren mehr als je zuvor. Das hat auch ein wenig damit zu tun, daß nach dem Tod von Elias seine Theorie nun kanonisiert werden kann, ohne daß länger die Gefahr besteht, vom Urheber öffentlich korrigiert zu werden.

Ganz allgemein ist es aber die nachdrückliche Orientierung an gesellschaftlichen Prozessen, die die eigentliche Anziehungskraft dieser Theorie vor allem auf jüngere Sozialwissenschaftler ausübt. „Die Zivilisation, sie ist noch nicht zu Ende" steht auf dem Titelblatt von *Über den Prozeß der Zivilisation.* Und so lautet auch der letzte Satz am Ende des zweiten Bandes. Und das heißt: Unsere Zukunft ist offen, die der Individuen und die der Gesellschaften, die sie miteinander bilden. Nichts ist endgültig und festgelegt.

In diesem Punkt unterscheidet sich Elias von Vorgängern und Zeitgenossen. Georg Simmel beklagte die „Tragödie der Kultur", Max Weber sah sich und die Gesellschaft in einem „stahlharten Gehäuse" gefangen und Max Horkheimer und Theodor W. Adorno hatte der Holocaust die Poesie genommen. Elias läßt uns eine Chance, und darin liegt – neben wissenschaftlichen Gründen – gewiß auch die Attraktivität seiner Prozeßtheorie begründet: Sie läßt uns die Hoffnung, verändernd in den Lauf der Geschichte einzugreifen.

Literatur

1. Auswahl aus den Veröffentlichungen von Norbert Elias

Elias, Norbert, 1921, Vom Sehen in der Natur. In: Blau-Weiß-Blätter II, H. 8–10 (Breslauer Hefte), S. 133–144.
Elias, Norbert, 1924, Idee und Individuum. Ein Beitrag zur Philosophie der Geschichte. Auszug aus einer Schrift zur Erlangung der Doktorwürde der Hohen Philosophischen Fakultät der Schles. Friedrich-Wilhelms-Universität zu Breslau. Promotion: 30. Januar 1924. Breslau.
Elias, Norbert, 1928, Beitrag zur Diskussion über „Die Konkurrenz", in: Verhandlungen des 6. Deutschen Soziologentages vom 17.–19. 9. 1928 in Zürich. Tübingen 1929, S. 110–111.
Elias, Norbert, 1970, Was ist Soziologie? München.
Elias, Norbert, 1977, Zur Grundlegung einer Theorie sozialer Prozesse. In: Zeitschrift für Soziologie 6, S. 127–149.

Elias, Norbert, 1977, Adorno-Rede. Respekt und Kritik. In: Norbert Elias/ Wolf Lepenies: Zwei Reden anläßlich der Verleihung des Theodor W. Adorno-Preises. Frankfurt a. M., S. 33–68.

Elias, Norbert, 1982, Über die Einsamkeit der Sterbenden in unseren Tagen. Frankfurt a. M.

Elias, Norbert, 1983, Engagement und Distanzierung. Arbeiten zur Wissenssoziologie I. Hrsg. und übers. von Michael Schröter. Frankfurt a. M.

Elias, Norbert, 1983, Sport im Zivilisationsprozeß. Studien zur Figurationssoziologie. Gemeinsam mit Eric Dunning, hrsg. von Wilhelm Hopf. Münster.

Elias, Norbert, 1983, Über den Rückzug der Soziologen auf die Gegenwart. In: Kölner Zeitschrift für Soziologie und Sozialpsychologie, Bd. 35, S. 29–40.

Elias, Norbert, 1984, Über die Zeit. Arbeiten zur Wissenssoziologie II. Hrsg. von Michael Schröter. Frankfurt a. M.

Elias, Norbert, 1985, Humana conditio. Betrachtungen zur Entwicklung der Menschheit am 40. Jahrestag eines Kriegsendes (8. Mai 1985). Frankfurt a. M.

Elias, Norbert, 1985, Wissenschaft oder Wissenschaften? Beitrag zu einer Diskussion mit wirklichkeitsblinden Philosophen. In: Zeitschrift für Soziologie 14, S. 268–281.

Elias, Norbert, 1986, Wandlungen der Machtbalance zwischen den Geschlechtern. Eine prozeßsoziologische Untersuchung am Beispiel des antiken Römerstaats. In: Kölner Zeitschrift für Soziologie und Sozialpsychologie 38, S. 425–449.

Elias, Norbert, 1987, Die Gesellschaft der Individuen. Hrsg. von Michael Schröter. Frankfurt a. M.

Elias, Norbert, 1987, Los der Menschen. Gedichte. Nachdichtungen. Frankfurt a. M.

Elias, Norbert, 1989, Studien über die Deutschen. Machtkämpfe und Habitusentwicklung im 19. und 20. Jahrhundert. Hrsg. von Michael Schröter. Frankfurt a. M.

Elias, Norbert, 1990, Etablierte und Außenseiter. Gemeinsam mit John L. Scotson, übersetzt von Michael Schröter. Frankfurt a. M.

Elias, Norbert, 1990, Die höfische Gesellschaft. Untersuchungen zur Soziologie des Königtums und der höfischen Aristokratie. Mit einer Einleitung: Soziologie und Geschichtswissenschaft. Frankfurt a. M. (1969).

Elias, Norbert, 1990, Über sich selbst. Frankfurt a. M.

Elias, Norbert, 1991, Mozart. Zur Soziologie eines Genies. Hrsg. von Michael Schröter. Frankfurt a. M.

Elias, Norbert, 1991, The Symbol Theory. London u. a.; deutsche Publikation als Bd. 13 in „Gesammelte Schriften" voraussichtlich 1998.

Elias, Norbert, 1997, Über den Prozeß der Zivilisation. Soziogenetische und psychogenetische Untersuchungen. 2 Bde, in: Gesammelte Schriften, Bd. 3, Frankfurt a. M. (1939 und 1969).

2. Ausgewählte deutschsprachige Sekundärliteratur

Bartels, Hans-Peter Hrsg., 1995, Menschen in Figurationen. Ein Lesebuch zur Einführung in die Prozeß- und Figurationssoziologie. Opladen.

Blomert, Reinhard/ Kuzmics, Helmut/Treibel, Annette Hrsg., 1993, Transformationen des Wir-Gefühls. Studien zum nationalen Habitus. Frankfurt a. M.

Ernst, Stefanie, 1996, Machtbeziehungen zwischen den Geschlechtern. Wandlungen der Ehe im „Prozeß der Zivilisation". Opladen.

Goudsblom, Johan: 1995, Feuer und Zivilisation. Übers. von Heike Hammer und Elke Korte. Frankfurt a. M.

Klein, Gabriele, 1992, FrauenKörperTanz. Eine Zivilisationsgeschichte des Tanzes. Weinheim/Berlin.

Klein, Gabriele/Liebsch, Katharina Hrsg., 1997, Zivilisierung des weiblichen Ich. Frankfurt a. M.

Korte, Hermann Hrsg., 1990, Gesellschaftliche Prozesse und individuelle Praxis. Bochumer Vorlesungen zur Norbert Elias' Zivilisationstheorie. Frankfurt a. M.

Korte, Hermann, 1997, Über Norbert Elias. Das Werden eines Menschenwissenschaftlers. Opladen.

Kuzmics, Helmut, 1989, Der Preis der Zivilisation. Die Zwänge der Moderne im theoretischen Vergleich. Frankfurt a. M./New York.

Rehberg, Karl-Siegbert Hrsg., 1996, Norbert Elias und die Menschenwissenschaften. Studien zur Entstehung und Wirkungsgeschichte seines Werkes. Frankfurt a. M.

van Stolk, Bram/Wouters, Cas, 1987, Frauen im Zwiespalt. Beziehungsprobleme im Wohlfahrtsstaat. Eine Modellanalyse. Übers. von Michael Schröter. Frankfurt a. M.

Waldhoff, Hans-Peter, 1995, Fremde und Zivilisierung. Wissenssoziologische Studien über das Verarbeiten von Gefühlen der Fremdheit. Probleme der modernen Peripherie-Zentrums-Migration am türkisch-deutschen Beispiel. Frankfurt a. M.

Anmerkungen

1 Norbert Elias: Notizen zum Lebenslauf, in: Norbert Elias über sich selbst. Frankfurt a. M., S. 21.

2 A. a. O., S. 23.

3 A. a. O., S. 132; Hervorhebung von Hermann Korte.

4 A. a. O., S. 131.

5 Norbert Elias: Vom Sehen in der Natur, in: Blau-Weiß-Blätter II/1921, S. 139 f.

6 Norbert Elias: Beitrag zur Diskussion über „Die Konkurrenz", in: Verhandlungen des 6. Deutschen Soziologentages vom 17.–19. 9. 1928 in Zürich. Tübingen 1929, S. 110.

7 Norbert Elias: Die höfische Gesellschaft. Frankfurt a. M. 1990, S. 366.

8 A. a. O., S. 309.

9 Thomas Mann: Tagebücher 1937–1939. Hrsg. von Peter de Mendelssohn. Frankfurt a.M. 1980, S. 440 ff.

10 Siehe hierzu Hermann Korte: Norbert Elias an der Universität Leicester, in: Karl-Siegbert Rehberg Hrsg.: Norbert Elias und die Menschenwissenschaften. Frankfurt a.M. 1996, S. 77–86.

11 Norbert Elias: Über den Prozeß der Zivilisation, in: Gesammelte Schriften, Bd. 3.2. Frankfurt a.M. 1997, S. 377.

12 A.a.O., S. 325.

13 A.a.O., S. 388.

14 Norbert Elias: Mozart. Zur Soziologie eines Genies. Frankfurt a.M. 1991, S. 108.

15 Hartmut Esser: Figurationssoziologie und Methodologischer Individualismus: Zur Methodologie des Ansatzes von Norbert Elias, in: Kölner Zeitschrift für Soziologie und Sozialpsychologie XXXVI/1984, S. 667–702.

16 Norbert Elias: Wissenschaft oder Wissenschaften. Beitrag zu einer Diskussion mit wirklichkeitsblinden Philosophen, in: Zeitschrift für Soziologie XIV/1985, S. 268–281.

Martin Endreß

Alfred Schütz
(1899–1959)

Alfred Schütz entwickelt die Soziologie als Theorie der *Lebenswelt*. Aufgabe der Soziologie ist es, so Schütz, den durch das wechselseitige *Handeln* der Menschen entstehenden sinnhaften Aufbau der sozialen Wirklichkeit zu rekonstruieren. Dabei kommt dem Handlungsbereich des *Alltags*, als dem *pragmatisch* primär relevanten Kern der in verschiedene Wirklichkeitsbereiche gegliederten Lebenswelt[1], die zentrale Bedeutung für die Untersuchung der Genese und Veränderung sozialer Wirklichkeit zu.

1. Biographie im sozialen und politischen Kontext

Alfred Schütz wird am 13. April 1899 in Wien als Sohn jüdischer Eltern geboren. Er erwirbt im Frühjahr 1917 vorzeitig sein Reifezeugnis („Notmatura") und meldet sich im März 1917 freiwillig zum Dienst im k.u.k. Heer, in dem er bis November 1918 dient. Nach Kriegsende nimmt Schütz an der Universität Wien ein rechts- und sozialwissenschaftliches Studium auf. Zu seinen Lehrern gehören u. a. Friedrich von Wieser, Hans Kelsen, Ludwig von Mises und Felix Kaufmann.[2] 1921 legt Schütz die staatswissenschaftlichen und juristischen Staatsprüfungen sowie Rigorosa ab und erwirbt den akademischen Grad eines Doktors der Jurisprudenz. Im selben Jahr tritt er seine erste Stellung als Sekretär bei der „Bankenvereinigung" in Wien an. 1927 wechselt er als Prokurist zum Bankhaus Reitler & Co. und bleibt für dieses bis 1952 tätig. Bis zum Wintersemester 1922/23 besucht Schütz nebenbei Vorlesungen an der Staatswissenschaftlichen Fakultät der Universität. So beginnt in diesen Jahren sein „Doppelleben": tagsüber als Finanzjurist, nachts und an den Wochenenden als Wissenschaftler.

In den Wiener Anfangsjahren werden Schütz' intellektuelle Interessen vornehmlich durch seine regelmäßige Teilnahme am Privatseminar von Ludwig von Mises sowie am sogenannten *Geist-*

Kreis getragen, einem der vielen intellektuellen Zirkel im Wien der Zwischenkriegszeit. Aus diesem Engagement resultieren lebenslange Freundschaften vor allem zu Erich Vögelin (Eric Voegelin) und Fritz Machlup. Im März 1926 heiratet Schütz Ilse Heim (geb. 1902). Aus dieser Verbindung gehen zwei Kinder hervor: 1933 wird die Tochter Eva Elisabeth (Evelyn), 1938 der Sohn Georg (George) geboren. Ilse Schütz ist ihrem Mann eine unentbehrliche Hilfe bei der Fertigstellung seiner Typoskripte. Die erste große Arbeit von Schütz, *Der sinnhafte Aufbau der sozialen Welt*, erscheint im Frühjahr 1932 in Wien. Aufgrund dieser Arbeit gewinnt Schütz Zugang zur phänomenologischen Bewegung und ihrem Begründer Edmund Husserl.

Während des deutschen Einmarsches im März 1938 und des „Anschlusses" Österreichs an das „Dritte Reich" hält Schütz sich geschäftlich in Paris auf. Seine Frau Ilse verläßt unmittelbar darauf mit den beiden Kindern ebenfalls Wien Richtung Paris. Dieses erste Exil ab März 1938 dauert sechzehn Monate. Kurz vor Ausbruch des Zweiten Weltkrieges siedelt die Familie am 14. Juli 1939 in die USA nach New York über. Hier findet Schütz schnell Anschluß an den kleinen Kreis amerikanischer Phänomenologen um Marvin Farber und Dorion Cairns, die er beide vom Freiburger Husserl-Kreis kennt. Ende 1939 beteiligt Schütz sich an der Gründung der *International Phenomenological Society* und wird Mitglied ihres *Council* sowie 1940 Mitglied des *Editorial Board* der neugegründeten Zeitschrift *Philosophy and Phenomenological Research*. Zugleich ist Schütz bemüht, sich die soziologischen und philosophischen Debatten jener Zeit in den USA zu erschließen. Seine besondere Aufmerksamkeit gilt zunächst der Theorie von Talcott Parsons, über dessen Arbeit *The Structure of Social Action* (1935) er eine Rezension vorbereitet. Die zwischen beiden im April 1940 darüber zunächst mündlich aufgenommene und bis ins Jahr 1941 schriftlich fortgeführte Diskussion bricht jedoch unvermittelt ab.[3] Ab 1943 kann Schütz zunächst als *Lecturer* für Soziologie eine Lehrtätigkeit der *New School for Social Research* in New York aufnehmen und findet somit auch akademisch eine institutionelle Anbindung. 1944 wird Schütz dort zum *Visiting Professor*, 1952 zum *Full Professor* für Soziologie und Sozialpsychologie ernannt und teilt ab 1956 seine Lehrtätigkeit zwischen dem *Philosophy Department* und dem *Sociology Department* auf.

So bildet Schütz unter den europäischen Emigranten eher eine Ausnahme: Er verfügt nicht nur über eine außerakademische berufliche Position, sondern es gelingt ihm auch der Aufstieg im akademischen Feld. Neben der sozialen Kontinuität über die in der Emigration fortbestehenden Freundschaften zu anderen Emigranten wie Voegelin, Aron Gurwitsch, Gottfried Haberler, Fritz Machlup und Emanuel Winternitz gibt es für Schütz zudem noch einen wichtigen theoretischen Brückenschlag: Hatten für ihn in Europa Autoren, die einer von der Philosophie des Pragmatismus beeinflußten Grundorientierung zuzurechnen sind, vorrangige Bedeutung (wie Bergson und Scheler), so findet er in den USA unmittelbaren Anschluß an die ausgeprägte pragmatische Tradition der amerikanischen Philosophie der 40er Jahre (William James, James Dewey) und entsprechende Orientierungen in der Soziologie (Charles H. Cooley, George Herbert Mead, Chicagoer Schule).

Die genannten beruflichen Belastungen schränken Schütz' wissenschaftliche Arbeits- und Publikationsmöglichkeiten zeitlebens erheblich ein. So sieht er sich erst wenige Jahre vor seinem Tod in die Lage versetzt, die eigenen Problem- und Fragestellungen in systematischer Weise zu bearbeiten. Zwischen August und November 1958 beginnt Schütz, die Facetten seines Werkes in Form einer Kompositionspartitur für ein abschließend geplantes Hauptwerk, die *Strukturen der Lebenswelt*, zusammenzufügen, da er angesichts seines Gesundheitszustandes überzeugt ist, dieses nicht mehr selbst vollenden zu können.[4] Am 20. Mai 1959 stirbt Alfred Schütz in New York.

2. Grundlinien des Werkes

Jeder Versuch einer systematischen Darstellung des Werkes von Schütz steht vor dem Problem der unvollendet gebliebenen *Strukturen der Lebenswelt*. Neben seiner einzigen Buchveröffentlichung, dem *Sinnhaften Aufbau* von 1932, ist man so auf eine Vielzahl von Aufsätzen verwiesen, die das Themenspektrum des Werkes aus unterschiedlichen Blickwinkeln beleuchten. Leitend bleibt das Anliegen einer philosophischen Fundierung der verstehenden Soziologie (2.1). Neben den publizierten Arbeiten bilden zwei unpubliziert gebliebene Manuskripte über *Das Problem der Personalität in der Sozialwelt* aus den Jahren 1936 und 1937[5] und zum *Problem der Relevanz* aus den Jahren 1947 und 1951[6] die Grundlage für die Analysen zur Theorie der Lebenswelt (2.2) und zur methodologischen Grundlegung der Sozialwissenschaften (vgl. 2.3) – den thematischen Kernbereichen des Schützschen Werkes.

2.1 Das Anliegen: Fundierung der „verstehenden" Soziologie

Die Jahre von Schütz' akademischer Ausbildung, seiner ersten systematischen Studien bis zur Ausarbeitung des *Sinnhaften Aufbaus* fallen in eine Zeit der intensiven Auseinandersetzung um den theoretischen Status und die methodische Anlage der Soziologie als einer eigenständigen wissenschaftlichen Disziplin. In diesem Grundlagenstreit sucht Schütz eine vermittelnde Position zwischen den Ansätzen Max Webers und Ludwig von Mises' zu gewinnen[7]: Im Umgang mit Dingen und in der Interaktion mit Mitmenschen eröffnet sich dem Menschen ein Zugang zum Verstehen von Welt. Der Sinn, den Menschen der Wirklichkeit und damit auch ihrem Handeln zuschreiben, entsteht somit aus ihrem Handeln selbst. Der Aufklärung dieses Zusammenhangs zwischen menschlichem Handeln und den Sinnstrukturen der Wirklichkeit gilt Schütz' Forschungsinteresse. So stimmt er zwar Webers Konzeption zu, Soziologie als Wissenschaft zu bestimmen, welche soziales Handeln deutend „verstehen" will, und die „Handeln" dadurch charakterisiert sieht, daß „der oder die Handelnden mit ihm einen subjektiven Sinn verbinden". Die Klärung dieser Begriffe erfordere aber, so Schütz, eine philosophische Grundlegung der verstehenden Soziologie, denn es müsse zunächst dargelegt werden, was Sinnsetzung im Handeln in subjektiver wie intersubjektiver Hinsicht heiße und inwiefern eine Erfahrungswissenschaft vom Sinnverstehen – wie die Soziologie – in der Lage sei, die „subjektiven" Sinnsetzungen im kontinuierlichen Ablauf der Ereignisse im Alltag in methodisch durchgearbeiteter Form wissenschaftlich „objektiv" zu erfassen.[8]

Schütz' Suche nach einem philosophischen Ansatz, diese Brücke zwischen Spontaneität und Reflexivität, vom Erleben zum Erkennen zu schlagen, führt ihn zunächst zur Zeitphilosophie von

Henri Bergson.[9] Der eigentliche Durchbruch jedoch gelingt ihm erst, als er ab 1928/29 intensiv Husserl studiert.[10] Während sich jedoch für Husserl die Sinnstruktur der Lebenswelt in den Akten des Bewußtseins aufbaut, vollzieht sich für Schütz der Aufbau sinnhafter, zu verstehender Realität auch in – sozialen – Handlungen. Damit geht es Schütz in Abgrenzung von Husserls transzendentaler Phänomenologie um eine Analyse der „Sinnphänomene in der *mundanen* Sozialität".[11]

Im *Sinnhaften Aufbau* vollzieht sich diese phänomenologische Konstitutionsanalyse der Sozialwelt – gerahmt von einer Auseinandersetzung mit Max Webers Soziologie (Kap. 1 und 5) – in drei Schritten: Schütz geht zunächst aus von einer hypothetisch angenommenen „Sphäre des einsamen Ich", um mit Husserl die Genese von Sinn im Erleben des Einzelnen aufzuweisen – die Frage des „Selbstverstehens" (Kap. 2). Zweitens zeigt eine Analyse des „Fremdverstehens", daß sich das Verstehen des Anderen in „Gleichzeitigkeit" vollzieht – als „Phänomen des Zusammenalterns". In interaktiven Prozessen entstehen dabei – drittens – durch die wechselseitige Abstimmung subjektiver Erfahrungsschemata über Zeichensysteme (z.B. Sprache) soziale, intersubjektiv geteilte Erfahrungsmuster (Kap. 3).[12] Die „Struktur der Sozialwelt" ist das Resultat dieser interaktiven Prozesse: Sie ist gegliedert durch intersubjektiv geltende Handlungs-, Situations- und Personentypologien, die unser gemeinsames (kulturelles) Wissen von der Welt ausmachen (Kap. 4). Diese Konstitutionsanalysen bleiben im Prinzip für die gesamten späteren Arbeiten grundlegend und konturieren Schütz' Verständnis von verstehender Soziologie. Diese intendiert sowohl die Rekonstruktion der allgemeinen Voraussetzungen subjektiver und intersubjektiver Sinnsetzungsprozesse (hier zielt sie – phänomenologisch – als eine Protosoziologie auf die Freilegung der universellen Struktur der Lebenswelt) als auch die Rekonstruktion ihrer jeweiligen, soziokulturell institutionalisierten Ausprägungen (hier zielt sie – empirisch – als verstehende Soziologie auf die Analyse der Lebenswelt als historischer Kulturwelt in konkreten Gesellschaften). Dabei geht es ihr darum, die interaktiven und kommunikativen Sinnsetzungsprozesse als Prozesse der Selbstkonstitution sozialer Realität aufzuzeigen.

2.2 Theorie der Lebenswelt

a) Handlungsverständnis und Sinnbegriff

In Schütz' phänomenologischer Perspektive ist die Lebenswelt eine im Handeln und Wirken entstehende Wirklichkeit. Der Begriff „Handeln" steht hier für zwei unterschiedliche Sachverhalte, die mit Rücksicht auf die Grundlegung der Soziologie auseinanderzuhalten sind: einmal die abgeschlossene *Handlung*, das andere Mal das ablaufende *Handeln*. Das *Handeln* wird in seinem Ablauf von einem *Entwurf* geleitet und somit im Unterschied zum bloßen *Verhalten* im voraus geplant. In einem solchen Entwurf aber wird stets eine zukünftig abgeschlossene *Handlung* als Zielpunkt vorgestellt.[13] Der Handlungsentwurf ist abhängig vom Wissensstand zum Zeitpunkt des Entwerfens. Dieses Wissen verändert sich im Zuge des Handelns, so daß die Sinndeutung der *entworfenen* Handlung und die Sinndeutung der *vollzogenen* Handlung niemals übereinstimmen können. Damit wird zugleich deutlich, warum verschiedene Personen ein und dasselbe Handeln unterschiedlich sinnhaft deuten: Da sich die „Einheit des Handelns" für den Handelnden aus seinem Entwurf ergibt, der nur für ihn selbst zugänglich ist, weiß jeder weitere Mitmensch und ebenso jeder alltägliche Beobachter nichts von der *Spannweite* dieses Entwurfs des Handelnden. Beide vermögen somit nicht zu beurteilen, wann für den Handelnden selbst ein Handeln abgeschlossen, also eine Handlung (die aus mehreren Teilhandlungen bestehen kann) vollzogen ist. Mitmensch und Beobachter sind für ihre Sinnsetzung auf äußere Daten (Körperbewegungen, Zustandsänderungen) angewiesen, um ein Handeln als abgeschlossen, eine Handlung als vollzogen bestimmen zu können.[14]

Handlungsverstehen vollzieht sich nach Schütz als Motivverstehen.[15] Dabei sind zwei Motivtypen zu unterscheiden: einmal die *Um-zu-Motive*, die den Zweck, Zustand oder das Ziel bezeichnen, der oder das durch ein Handeln zukünftig hervorgebracht oder erreicht werden soll, sodann die *Weil-Motive*, die vom Standpunkt des Handelnden auf seine Vergangenheit verweisen und die Gründe, Erfahrungen oder Umstände bezeichnen, die sein Handeln motivieren. Die Unterscheidung dieser Motivtypen gewinnt für die Frage der Konstitution sozialer Wirklichkeit ihr besonderes Gewicht im Rahmen der *Wirkensbeziehung*. Im Unterschied zum Handeln, das auch in einem Unterlassen oder in einer rein kognitiven Leistung bestehen kann, reserviert Schütz den Begriff *Wirken* für die Handlungen, die „körperlicher Bewegungen bedürfen" und damit eine „unwiderrufliche" Veränderung in der äußeren Welt nach sich ziehen. Im Wirken vollzieht sich somit der Übergang von unserer inneren Dauer zur äußeren, kosmischen (Raum-)Zeit; wir erfahren unser Wirken als beiden Zeitdimensionen zugehörig. Ihren „Schnittpunkt" nennt Schütz „lebendige Gegenwart" (*„vivid present"*).[16] Dabei kommt es im Falle von Wirkensbeziehungen zwischen den Interaktionspartnern zu einer wechselseitigen Verkettung ihrer Handlungsmotive: Das Verstehen des Um-zu-Motivs des vom *Ego* entworfenen Handelns wird zum Weil-Motiv der Handlungsreaktion des *Alter ego*. Dieses Verstehen der Handlungsmotive vom *Ego* durch *Alter* setzt stets ein bestimmtes Maß gemeinsam geteilten Wissens voraus, einen Vorrat von typischen sozialen Deutungsschemata.[17]

b) Wissen und Sprache
Sowohl im Entwerfen unseres zukünftig vorgestellten Handelns als auch in der Deutung der vollzogenen Handlung bringen wir immer schon sozial erworbenes Wissen und gesellschaftlich etablierte Deutungsmuster zur Anwendung. Prinzipiell ist unsere Sozialwelt „von Anfang an eine intersubjektive Kulturwelt".[18] Unser alltäglich *verfügbarer Wissensvorrat* (*„stock of knowledge at hand"*) ist in verschiedene Zonen des vertrauten Wissens, des bloßen Bekanntseins, des blinden Glaubens und des Nichtwissens gegliedert.[19] Dabei ist das Wissen der Handelnden durch ihre *biographisch bestimmte Situation* in räumlicher, zeitlicher und sozialer Hinsicht geprägt, und es ist hinsichtlich seiner sowohl typisch verallgemeinerten als auch konkreten Wissensgehalte abhängig vom jeweiligen *Relevanzsystem* der Handelnden.[20] Diese zeitliche, räumliche, soziale und relevanzmäßige Strukturierung des Wissensvorrates entspricht der universellen Gliederung der Lebenswelt, die in allen historisch-konkreten Kulturwelten auffindbar ist. Durch seine biographische Bindung weist der Wissensvorrat jedoch auch eine kulturell-historische Perspektivierung auf, für die unter dem Stichwort *Sozialisierung des Wissens* ein struktureller, genetischer und stratifikatorischer Aspekt zu unterscheiden sind: Danach gehen wir nicht nur davon aus, daß wir im All-

tag bei aller Standortgebundenheit ein hohes Maß an Jedermann-Wissen mit unseren Mitmenschen teilen („Generalthese der reziproken Perspektiven"), sondern wir wissen auch, daß unser Wissen sozialen Ursprungs ist und unsere Umgangssprache somit einen gewachsenen Vorrat an Typologien bereithält, und wir wissen darüber hinaus um die soziale Verteilung des Wissens: Wir alle sind in manchen Bereichen Experten, in weitaus mehr Bereichen jedoch Laien.[21]

Die Differenzierung unseres Wissens in ein Kontinuum verschiedener Stufen der Konkretheit und Abstraktheit, also seine unterschiedlichen Generalisierungsgrade bis zur vollständigen Typizität und Anonymität, ist abhängig von den sozialen Situationen, in denen wir uns befinden. Von vorrangiger Bedeutung ist an dieser Stelle die Abgrenzung „unmittelbarer sozialer Beziehungen" (*„face-to-face relationship"*)[22] von allen anderen Formen sozialer Beziehungen. Je standardisierter die Sozialsituationen sind, in denen wir uns bewegen, um so abstrakter sind die von uns zu ihrer Bewältigung herangezogenen Wissenselemente.[23] In Aufnahme u. a. von G. H. Meads Konzeption des verallgemeinerten Anderen (*„generalized other"*) verdeutlicht Schütz, daß Andere in den Konstruktionen des alltäglichen Denkens somit „als nur partielles Selbst, als Darsteller typischer Rollen oder Funktionen" erscheinen. Diesen Prozessen der *Fremdtypisierung* entsprechen diejenigen der *Selbsttypisierung*: „Indem ich das Verhalten des Anderen typisiere, typisiere ich mein eigenes Verhalten, das mit dem seinigen verbunden ist."[24] Die Typisierungen der Anderen und meine Selbsttypisierungen sind dabei weitgehend „sozial abgeleitet und sozial gebilligt" und erfüllen so über unterschiedliche Formen der Legitimierung soziale Kontrollfunktionen: Typische Muster können in Traditionen, Sitten und Bräuchen verankert, als Verhaltensstandards oder typische Konstruktionen institutionalisiert oder rechtlich kodifiziert sein.[25] Die prinzipielle Perspektivität des Wissens wird gleichsam sozial aufgefangen durch einen kontinuierlichen Prozeß der Typenbildung. Diese alltäglichen Typisierungen werden in kulturellen Zeichensystemen, insbesondere der Sprache objektiviert, so daß sie eine sprachlich zugängliche Repräsentation der Lebenswelt im gesellschaftlich objektivierten Wissensvorrat darstellen. Damit bilden bei Schütz die über Handlungen beobachtbaren kommunikativen

Prozesse ein zentrales Element der Selbstkonstitution sozialer Wirklichkeit.

c) Aufschichtung und Sinnzusammenhang der Lebenswelt

Die Analyse der „strukturellen Gliederung der Sozialwelt" bildet für Schütz das „Kernstück" des *Sinnhaften Aufbaus* und zugleich das „eigentliche Thema der Sozialwissenschaften".[26] Er unterscheidet zwischen (i) der sozialen *Umwelt*, die wir mit unseren „Mitmenschen" zeitlich und räumlich gemeinsam haben, (ii) der sozialen *Mitwelt*, die die Anderen umschließt, die wieder oder aber potentiell überhaupt erst in meine Umwelt eintreten können („Nebenmenschen"), (iii) der sozialen *Vorwelt* als der geschichtlich bereits vergangenen Sozialwelt meiner Vorfahren, und (iv) der sozialen *Folgewelt* meiner Nachfahren.[27] Dieser erste Schritt einer „Strukturanalyse der Sozialwelt" zeigt die verschiedenen Formen räumlicher und zeitlicher Distanzen sowie die ihnen entsprechenden sozialen Beziehungstypen samt den ihnen jeweils spezifischen Beobachtungsformen auf. Er veranschaulicht zudem die zunehmenden Anonymitätsgrade sozialer Typisierungen in den wechselseitigen Erfahrungs- und Deutungsschemata der Handelnden.

In dem Aufsatz „Über die mannigfaltigen Wirklichkeiten" (1945) erweitert Schütz diesen Ansatz hinsichtlich der raumzeitlichen Aufschichtung und ergänzt ihn um die Theorie der „Realitätsbereiche geschlossener Sinnstruktur". Zunächst entfaltet er die sich, ausgehend von einem leibgebundenen räumlichen „Hier" und zeitlichen „Jetzt", ergebende konzentrische Gliederung der Lebenswelt in „Zonen der aktuellen, wiederherstellbaren oder erlangbaren Reichweite".[28] Die Lebenswelt hat auf der Ebene der alltäglichen Wirkwelt ihren Kern in der „Welt in meiner Reichweite", dem „Handhabungsbereich" (*„manipulatory area"*).

Diese alltägliche Wirkwelt ist die „ausgezeichnete Wirklichkeit" (*„paramount reality"*), in der wir von einem eminent „praktischen Interesse" geleitet sind, unsere grundlegenden Lebenserfordernisse zu bewältigen, und in der ausschließlich „Kommunikation möglich ist".[29] Mit dieser Erweiterung seiner Grundlegung trägt Schütz dem Umstand Rechnung, daß menschliches Erleben, Handeln und Denken nicht nur auf den Bereich des Alltags beschränkt ist, sondern sich in verschiedenen *geschlossenen Sinnprovinzen* (*„finite provinces of meaning"*) vom Traum, über die Religion, die kindliche Spielwelt bis etwa zur Wissenschaft abspielt.[30] Dabei konstituiert „nicht die ontologische Struktur der Gegenstände, sondern der Sinn unserer Erfahrungen die Wirklichkeit".[31] Denn jeder dieser idealtypisch abgegrenzten vielfachen Wirklichkeitsbereiche (*„multiple realities"*) zeichnet sich durch einen spezifischen „Erkenntnisstil" aus, für deren typologische Differenzierung Schütz mehrere Dimensionen heranzieht. Von herausragender Bedeutung ist der jeweilige Grad von Aufmerksamkeitsintensität: Für die alltägliche Wirkwelt ist das „Hellwach-Sein" konstitutiv, während im Bereich der Traumwelt eine „völlige Entspannung" eintritt, da hier „nicht das geringste pragmatische Interesse" mehr vorherrscht. Und auch für die Welt der wissenschaftlichen Theorie verzeichnet Schütz eine geringere Bewußtseinsspannung als in der alltäglichen Welt des Wirkens, da für den Wissenschaftler eine „Loslösung aus den Relevanzsystemen, die im praktischen Bereich der natürlichen Einstellung gelten", charakteristisch ist. Aufgrund dieser jeweils spezifischen Erkenntnisstile stellt jeder Übergang von einer Sinnprovinz in eine andere objektiv einen „Sprung" (Kierkegaard) dar, der subjektiv als „Schock" erlebt wird.[32]

Diese Differenzierung der Lebenswelt in verschiedene geschlossene Wirklichkeitsbereiche wird im Aufsatz „Symbol, Wirklichkeit und Gesellschaft" (1955) um ihre soziale Dimension erweitert. Die Lebensweltheorie wird aus der Perspektive des Sinnzusammenhangs dieser Mehrschichtigkeit abgerundet. Die Lebenswelt wird nicht nur subjektiv in „mannigfache Wirklichkeiten" gegliedert, sondern sie weist zudem *soziale* Modifikationen auf. Der als selbstverständlich erfahrenen Alltagswirklichkeit der „Eigengruppe" steht eine Pluralität von Alltagswirklichkeiten von „Fremdgruppen" gegenüber: Die historisch gewachsenen „Zivilisationsmuster" der verschiedenen soziokulturellen Gruppen mit ihren unterschiedlichen Orientierungs- und Relevanzschemata transzendieren sich wechselseitig, so daß – eine weitere soziale Perspektivierung des Wissens – ein und dieselbe soziale Wirklichkeit für Person A ihren Alltag, für B jedoch einen außeralltäglichen Wirklichkeitsbereich darstellt.[33] So werden die Menschen in der alltäglichen Sozialwelt in mehrfacher Hinsicht mit Grenzerfahrungen konfrontiert: Die für uns jeweils erfahrbare Welt weist Horizonte auf, die eine biographische Situation in ihrem räumlichen „Hier" und zeitlichen „Jetzt" transzendieren. Zudem stoßen wir etwa in religiösen Erfahrungen oder beim Übergang in den wissenschaftlichen Handlungsraum an die Grenzen unserer Alltagswelt selbst.[34]

Aufgrund dieser Erfahrungen stellt sich die Frage nach dem Zusammenhang der alltäglichen Wirkwelt mit den sie transzendierenden Wirklichkeitsbereichen, die Frage also, wie es dem Menschen gelingt, eine einheitliche Sinnklammer um die vielschichtige Wirklichkeit zu legen. Zu ihrer Beantwortung lehnt Schütz sich an Husserls Konzeption der „Appräsentation" an, d. h. der Mitvergegenwärtigung oder auch Übertragung:[35] Danach betrachten wir aufgrund unserer Vorerfahrungen typischerweise die Wahrnehmung von A als einen Verweis auf B, ruft das Ereignis X ein Bild von Y in uns hervor. Jeder Gegenstand und jede Wahrnehmung stehen so innerhalb eines weiteren thematischen Feldes, sie sind von einem Bedeutungshorizont mit „offenen Rändern" (*„fringes"*) umgeben, aus dem sie erst verständlich werden. Die entsprechenden Sinnverweisungen bilden sich um so selbstverständlicher aus und werden sprachlich als Deutungsmuster fixiert, je häufiger und intensiver sie für die Bewältigung von Situationen von Bedeutung sind.[36]

Die Sprache ist das wichtigste Zeichensystem möglicher Verweisungen und damit das wichtigste Mittel der Konstruktion subjektiver Erfahrungen und intersubjektiver bzw. gesellschaftlicher Wirklichkeiten. Wichtig ist an dieser Stelle Schütz' These, daß diese „Appräsentationsverweisungen die Funktion [haben], die verschiedenartigen Transzendenzen, die wir erfahren, zu bewältigen".[37] Dabei ist zwischen zwei Typen von Verweisungen zu unterscheiden: Während alle Transzendenzen innerhalb der Alltagswelt mit Hilfe von verbalen und non-verbalen Merkzeichen, Anzeichen und Zeichen bewältigt werden[38], versucht der Mensch mit Hilfe von Symbolen die Transzendenzerfahrungen einzuholen, die zwischen den geschlossenen Sinnprovinzen bestehen bzw. die aus der Alltagswelt auf andere geschlossene Sinnbereiche verweisen. Symbole fungieren somit als „Brücken" zwischen den verschiedenen Wirklichkeitsbereichen.[39]

2.3 Zur Methodologie der Sozialwissenschaften

Im lebensweltlichen Kernbereich des Alltags mit seiner „relativ-natürlichen Einstellung" (Scheler) ist der Mensch von einem *praktischen* Interesse an den jeweiligen Handlungssituationen geleitet. Relevant ist hier, was für die unmittelbare Bewältigung der Lebensprobleme als vorrangig angesehen wird.[40] Dabei ist zwischen „intrinsischen" und „auferlegten" *Relevanzen* zu unterscheiden. Werden die ersteren als subjektiv frei bestimmbar, so die letzteren als von außen gesetzte, wesentlich sozial vorgegebene, außerhalb eigener Kontrolle liegende Grenzen erfahren.[41] Was jeweils als relevant angesehenen wird, erschließt sich stets nur relativ zu einem Situationskontext.[42] Hier unterscheidet Schütz zwischen motivationsrelevanten, thematisch relevanten und interpretationsrelevanten Elementen.[43] Der Begriff der „Relevanz" bezeichnet das sowohl im alltäglichen Handeln als auch in der wissenschaftlichen Forschung immer in Frage stehende Problem der Auswahl von Erfahrungen, Gegenständen und Themen als aktuell oder potentiell bedeutsam und steht damit für eine allgemeine erkenntnistheoretische Problematik.

Während für den Menschen in der Alltagswelt der Primat des *pragmatischen* Motivs gilt, ist ihr wissenschaftlicher Beobachter jedoch lediglich *kognitiv* an dieser interessiert und somit von einem anderen *Relevanzsystem* geleitet. Als unter alltäglich-praktischen Gesichtspunkten „desinteressierter Beobachter" wird seine Situationsdefinition durch das wissenschaftliche Problem, das er sich stellt, bestimmt.[44] Die wissenschaftsmethodologische Konsequenz, die Schütz aus diesem Umstand zieht, wendet sich gegen jede Form eines sozialwissenschaftlichen Intuitionismus: Hinsichtlich ihrer durch spezifische kognitive Interessen strukturierten Begriffs- und Theoriebildungen gibt es keine Differenz zwischen Geistes-, Sozial- und Naturwissenschaften. Konstitutiv ist für alle Disziplinen jeweils eine „wissenschaftliche Problemrelevanz".

Schütz' Überlegungen zur prinzipiellen Verzahnung alltäglicher und sozialwissenschaftlicher Verstehensprozesse stehen im Kontext der um die Jahrhundertwende von Nietzsche und Dilthey in Erinnerung gebrachten Einsicht, daß „alle Tatsachen immer schon interpretierte Tatsachen" sind.[45] Das spezifische Problem der Sozialwissenschaften ergibt sich aus dem Umstand, daß ihr Gegenstandsbereich, die Sozialwelt, bereits „eine besondere Sinn- und Relevanzstruktur" aufweist, sie also eine seitens der in ihr Handelnden immer schon gedeutete ist. Angesichts dieser immer schon gegebenen Vorverstandenheit ihres Gegenstandes habe, so Schütz, die sozialwissenschaftliche Begriffsbildung – als Instrument der Interpretation der sozialen Welt – von den *Strukturen* des alltäglichen Verständnisses und der alltäglichen *Typenbildung* der in der Sozialwelt handelnden Menschen auszugehen: Weil bereits unsere alltägliche Umgangssprache typisierend verfährt, weil sie ein Reservoir von Typisierungen darstellt, können und müssen die Sozialwissenschaften typenbildend verfahren, wenn sie adäquate Modelle alltäglicher Sozialsituationen bilden („Postulat der Adäquanz") und damit das bereits das alltägliche Verstehen leitende „Postulat der subjektiven Interpretation" wissenschaftlich-methodisch umsetzen wollen. Als Leitfaden der wissenschaftlichen Typenbildung sollen die Strukturen der Lebenswelt dienen, die Schütz in seiner Theorie aufdeckt. Die idealtypische Begriffsbildung der Sozialwissenschaften schließt sich so mit ihren typisierenden Konstruktionen zweiter Ordnung an die alltäglichen Typisierungsprozesse erster Ordnung an.[46] Der Unterschied zwischen alltäglichem und wissenschaftlichem Wissen läßt sich danach aber nicht auf die Differenz von Rationalität und Irrationalität zurückführen, sondern verweist auf unterschiedliche Rationalitätstypiken: Im Alltag ist unser Wissen pragmatisch strukturiert; es ist zukunftsoffen, vage und kontextgebunden. In der Wissenschaft durchläuft es einen Prozeß der methodischen Idealisierung, Explikation und Umformung auf die jeweils leitende „wissenschaftliche Problemrelevanz" hin.

3. Aspekte der Wirkungsgeschichte

In der soziologischen Theoriediskussion bildet Alfred Schütz den klassischen Bezugsautor für die seit Ende der 60er, Anfang der 70er Jahre einsetzende handlungstheoretische Wende. Diesen Status verdankt er dem doppelten Umstand, zunächst als Anreger im kleinen Kreis fungiert und dann als fortwährender Referenzpunkt denjenigen Autoren gedient zu haben und zu dienen, die

sich gegenüber der dominierenden Stellung von Parsons' struktur-
funktionalistischem Ansatz in den fünfziger und sechziger Jahren
und gegenüber aktuellen systemtheoretischen Ansätzen um eine
konzeptionelle Alternative für das Forschungsanliegen der Soziologie in Form einer verstehenden oder interpretativen Analyse
bemühen.

Eine für die Rezeption von Schütz in Deutschland zentrale
Bedeutung kommt dem 1967 erschienenen Literaturbericht von
Jürgen Habermas *Zur Logik der Sozialwissenschaften* zu, der
hierzulande auf die interpretative, alltags- und sprachsoziologi-
sche Wende aufmerksam macht. Weiterhin zu erwähnen ist die in
den Jahren 1971 und 1972 erfolgte Veröffentlichung der deutschen
Übersetzung der *Gesammelten Aufsätze* von Schütz. Das Werk
von Alfred Schütz ist damit ein herausragendes Beispiel des
transatlantischen Ideentransfers, der durch die im Zuge der nationalsozialistischen Herrschaft erzwungene Emigration vieler europäischer Wissenschaftler ausgelöst wird: Über den amerikanischen „Umweg" kehrt sein Werk spät in seinen deutschsprachigen
Herkunftsraum zurück.

Hinsichtlich der Deutung des mit dem Schützschen Werk verbundenen Forschungsprogramms lassen sich bei dem gemeinsamen Bemühen um einen unverkürzten Zugriff auf subjektive und
intersubjektive Sinnsetzungsprozesse drei Positionen ausmachen[47]: Entwickelt Thomas Luckmann (1980) mit Schütz eine
„Protosoziologie", die die phänomenologisch aufweisbaren Le-
bensweltstrukturen als *universelle Matrix* begreift, die der soziologischen Typenbildung als struktureller Leitfaden dient, so vertritt Richard Grathoff (1989) die Perspektive einer „phänomenologischen Soziologie", die die Lebenswelt als *Milieuwelt* begreift,
deren Sinnstrukturen sich in konkreten Phänomenen wie etwa
Generationen oder Nachbarschaft aufbauen. Demgegenüber reduziert George Psathas (1973) den phänomenologischen Ansatz
auf ein ausschließlich empirisches Programm. Für die Gesamtin-
terpretation des Schützschen Werkes ist mit der Arbeit von Ilja
Srubar (1988) eine anthropologisch-pragmatische Wende eingeleitet worden. Das Spektrum von Arbeiten, die an die phänomenologische Fundierung von Schütz anknüpfen, ist inzwischen breit
gefächert und hat aus dem engen Kontakt mit der kognitiven Soziologie Cicourels, der Ethnomethodologie und den interaktions-

analytischen Ansätzen (Garfinkel, Goffman, Strauss) wesentliche Anregungen erfahren.[48] In der jüngeren theoretischen Diskussion ist es neben Bourdieu und Luhmann insbesondere Habermas gewesen, der mit der für seine Theorie grundlegenden Lebenswelt-System-Differenz einen phänomenologisch besetzten Begriff ins Zentrum rückt. Eine neue Phase und weitere Intensivierung der Rezeption kann im Zuge der beginnenden Publikation der Gesamtausgabe des Werkes von Alfred Schütz erwartet werden.[49]

Literatur

1. Werkausgaben[50]

a) Gesamtausgabe

Alfred Schütz Werkausgabe. Frankfurt a. M. 2000 ff.: Bd. II: Der sinnhafte Aufbau der sozialen Welt. Hrsg. v. M. Endreß/J. Renn. Frankfurt a. M. 2000 sowie Bd. V.1: Theorie der Lebenswelt. Zur pragmatischen Schichtung der Lebenswelt. Hrsg. v. M. Endreß/I. Srubar. Frankfurt a. M. 2001; und: Bd. V.2: Theorie der Lebenswelt. Zur kommunikativen Ordnung der Lebenswelt. Hrsg. v. H. Knoblauch/R. Kurt/H.-G. Soeffner. Frankfurt a. M. 2001.

b) Sammelbände und Einzelausgaben

Schutz, Alfred, Collected Papers. Vol. I–IV. The Hague 1962, 1964, 1966 u. Dordrecht/Boston/Lancaster 1996.

Schütz, Alfred, Gesammelte Aufsätze. Bde. I–III. Den Haag 1971, 1972, 1971.

Schütz, Alfred, 1981, Theorie der Lebensformen. Frühe Manuskripte aus der Bergson-Periode. Hrsg. u. eingel. v. I. Srubar. Frankfurt a. M.

Schütz, Alfred, 1932, Der sinnhafte Aufbau der sozialen Welt. Eine Einleitung in die verstehende Soziologie. Frankfurt a. M. [6]1993.

Schütz, Alfred, 1977, Zur Theorie sozialen Handelns. Ein Briefwechsel (mit T. Parsons). Hrsg. u. eingel. v. W. M. Sprondel. Frankfurt a. M.

Schütz, Alfred, 1971, Das Problem der Relevanz. Hrsg. v. R. Zaner. Eingel. v. Th. Luckmann. Frankfurt a. M. [2]1981.

Schütz, Alfred/Luckmann, Thomas, 1975, Strukturen der Lebenswelt I. Frankfurt a. M. [5]1994.

Schütz, Alfred/Luckmann, Thomas, 1984, Strukturen der Lebenswelt II. Frankfurt a. M. [3]1994.

Grathoff, R. Hrsg., 1985, Alfred Schütz – Aron Gurwitsch: Briefwechsel 1939–1959. München.

2. Bibliographien

a) Alfred Schütz

Endreß, M., 2000, Bibliographie zur Alfred Schütz Werkausgabe. In: Alfred Schütz Werkausgabe. Bd. II. Frankfurt a. M.

b) Sekundärliteratur

Grathoff, R., 1989, Sekundärliteratur zum Werk von Alfred Schütz. In: Grathoff, R.: Milieu und Lebenswelt. Frankfurt a. M., S. 444–470.

Wall, Th. A., 1988, English Secondary Literature from 1933 to 1987 on Alfred Schutz. In: Embree, L. Ed.: Wordly Phenomenology. The Continuing Influence of Alfred Schutz on North American Human Science. Washington, D.C., S. 275–307.

Drabinski, J. et al., 1999, Bibliopraphy of Secondary sources on Alfred Schutz. In: Embree, L. Ed.: Schutzian Social Science. Dordrecht/Boston/Lancaster.

3. Biographien

Wagner, H. R., 1983, Alfred Schutz. An Intellectual Biography. Chicago/ London.

4. Monographien und Sammelbände

Bäumer, A./Benedikt, M. Hrsg., 1993, Gelehrtenrepublik – Lebenswelt. Edmund Husserl und Alfred Schütz in der Krisis der phänomenologischen Bewegung. Wien.

Critique & Humanism. Special Issue, 1990, Phenomenology as a Dialogue. Dedicated to the 90th Anniversary of Alfred Schutz.

Eberle, Th. S., 1984, Sinnkonstitution in Alltag und Wissenschaft. Der Beitrag der Phänomenologie an die Methodologie der Sozialwissenschaften. Bern/ Stuttgart.

Embree, L. Ed., 1988, Wordly Phenomenology. The Continuing Influence of Alfred Schutz on North American Human Science. Washington, D.C.

Esser, H., 1991, Alltagshandeln und Verstehen. Zum Verhältnis von erklärender und verstehender Soziologie am Beispiel von Alfred Schütz und „Rational Choice". Tübingen.

Grathoff, R., 1989, Milieu und Lebenswelt. Frankfurt a. M.

Grathoff, R./Waldenfels, B. Hrsg., 1983, Sozialität und Intersubjektivität. Phänomenologische Perspektiven der Sozialwissenschaften im Umkreis von Aron Gurwitsch und Alfred Schütz. München.

Herzog, M./Graumann, C. F. Hrsg., 1991, Sinn und Erfahrung. Phänomenologische Methoden in den Humanwissenschaften. Heidelberg.

List, E./Srubar, I. Hrsg., 1988, Alfred Schütz. Neue Beiträge zur Rezeption seines Werkes. Amsterdam.

Luckmann, Th., 1980, Lebenswelt und Gesellschaft. Paderborn u. a.

Sprondel, W. M./Grathoff, R. Hrsg., 1979, Alfred Schütz und die Idee des Alltags in den Sozialwissenschaften. Stuttgart.

Srubar, I., 1988, Kosmion. Die Genese der pragmatischen Lebenswelttheorie von Alfred Schütz und ihr anthropologischer Hintergrund. Frankfurt a. M.

Williame, R., 1973, Les Fondements Phénoménologiques de la Sociologie Compréhensive, Alfred Schutz et Max Weber. La Haye.

Wolff, K. H. Ed., 1984, Alfred Schutz. Appraisals and Developments. Dordrecht/Boston/Lancaster.

Anmerkungen

1 Zur Differenz von *Alltag* und *Lebenswelt* vgl. „Strukturen der Lebenswelt", in: *Gesammelte Aufsätze* III, S. 153 (fortan zit. als: GA), jetzt in: *Alfred Schütz Werkausgabe* V.1, S. 349 (fortan zit. als: ASW).

2 Vgl. zu Schütz und Kaufmann: I. Helling; A. Schutz and F. Kaufmann, Sociology between Science and Interpretation. In: Human Studies 7, 1984, S. 141–161.

3 Vgl. die Einleitung von W. M. Sprondel in: Schütz, *Zur Theorie sozialen Handelns*.

4 Die Gliederungsentwürfe und Notizbücher zu den „Strukturen der Lebenswelt" werden von Thomas Luckmann nach dem Tod von Schütz ausgearbeitet (vgl. dies. 1975 und 1984).

5 Jetzt erstmals abgedruckt in: ASW Bd. V.1, S. 39–189.

6 Vgl. Schütz, Das Problem der Relevanz (1971), demnächst in: ASW, Bd. VI.1. Hrsg. v. E. List. Frankfurt a. M. 2002.

7 Zum Verhältnis Weber-Schütz vgl. die Studie von R. Williame (1973) sowie die Beiträge von C. Seyfarth, in: Sprondel/Grathoff Hrsg. 1979, S. 155–177, und: I. Srubar, in: Critique & Humanism (1990), S. 38–53. Zum Verhältnis Mises-Schütz vgl.: Th. Eberle in: List/Srubar Hrsg., 1988, S. 69–120.

8 Z.B. Sinnhafter Aufbau S. 317 (fortan zit. als: SAW), in der Erstausgabe von 1932 (= 2. Aufl. 1960), S. 255; jetzt in: ASW Bd. II. Vgl. auch: SAW S. 186 ff., 340 ff. (1932, 199 ff., 275 ff.) und GA I, S. 30 f., 49.

9 Diese frühen Studien über die Lebensformen" aus den 20er Jahren sind abgedruckt in dem Band „Theorie der Lebensformen" (fortan zitiert als: TL). Vgl. dazu Srubar (1988).

10 Insbesondere wurden für Schütz in dieser Zeit Husserls „Vorlesungen zur Phänomenologie des inneren Zeitbewußtseins" (1904, publiziert 1928) und die „Formale und transzendentale Logik" (1929) wichtig.

11 Vgl. SAW S. 55 f. (1932, S. 41 f.). Schütz hat in mehreren Arbeiten die Bedeutung von Husserls Analysen für die Grundlegung der Sozialwissenschaften skizziert. Vgl. GA I, S. 113–173. Den lebenslangen Prozeß der Auseinandersetzung mit Husserls tranzendentaler Phänomenologie dokumentiert insbesondere der Briefwechsel mit Aron Gurwitsch (1985). Vgl. dazu den Beitrag von I. Srubar in: Grathoff/Waldenfels Hrsg., 1983, S. 68–84.

12 Diese soziologische Fassung des Sinnkonstitutionsproblems bildet letztlich den Grund für Schütz' Absage an Husserls Konzeption transzendentaler Intersubjektivität (vgl. GA III, S. 86 ff.).

13 Vgl. SAW S. 50 f. (1932, S. 37 f.) sowie S. 74 ff. (1932, S. 55 ff.). Schütz spricht vom zeitlichen Charakter des *modo futuri exacti* für den Entwurf. Die Problematik von Wahl und Entscheidung und ihrer Verbindung mit dem Relevanzproblem behandelt Schütz neben dem SAW (S. 88 ff. [1932, S. 67 ff.]) in: GA I, S. 77 ff.

14 SAW S. 81 f. (1932, S. 61 f.). Vgl. dazu Kellner/Heuberger, in: List/Srubar Hrsg., 1988, S. 257–284.

15 Vgl. insges. SAW S. 115 ff. (1932, S. 93 ff.).

16 Vgl. GA I, S. 245 ff., bes. S. 243, 247, 249 (ASW V.1, S. 200, 204 f., 207).

17 Vgl. GA I, S. 242 f., 249 (ASW V.1, S. 199 f., 206 f.) sowie SAW S. 221–227, 238 f. (1932, S. 176–181, 190 ff.).

18 Vgl. GA I, S. 238, 239 (ASW V.1, S. 195, 196) und GA I, S. 360 (ASW V.2, S. 155 f.).

19 GA I, S. 357 f. (ASW V.2, S. 153 f.).

20 Vgl. GA I, S. 10 f.

21 Vgl. GA I, S. 12 ff. Dazu: W. M. Sprondel in: Sprondel/Grathoff Hrsg., S. 140–154. Anschaulich die schönen Fallstudien von Schütz zur Soziologie des Wissens über den „Fremden", den „Heimkehrer", den „gut informierten Bürger" und „Die Gleichheit und die Sinnstruktur der sozialen Welt" (GA II, S. 53 ff., 70 ff., 85 ff., 203 ff.).

22 Schütz versteht die „face-to-face relationship" nicht im Sinne von C. H. Cooley als intime Sozialbeziehung, sondern rein formal als Ausdruck lediglich für ein gemeinsam geteiltes räumliches und zeitliches Segment der Lebenswelt, vgl. GA I, S. 364 (ASW V.2, S. 159).

23 SAW S. 251 ff. (1932, S. 201 ff.) und GA I, S. 368 (ASW V.2, S. 163) mit der Unterscheidung von „personalem Idealtypus" und „Handlungsablauftypus".

24 Schütz reformuliert damit Einsichten, die u. a. auch W. James' und G. H. Meads Unterscheidung von „*I*" und „*Me*" zugrunde liegen.

25 Vgl. zsfd. GA I, S. 18–22.

26 So SAW S. 22 f. (1932, S. 11 f.).

27 Vgl. SAW S. 227–290, 301 f. (1932, S. 181–236, 246) sowie zsfd. SAW S. 202 f. (1932, S. 159 ff.) und GA III, S. 155 f. (ASW V.1, S. 350 f.).

28 Vgl. GA I, S. 255 f. (ASW V.1, S. 212 ff.) und: GA I, S. 353 ff., 376 f. (ASW V.2, S.148 f., 172 f.).

29 Vgl. dazu GA I, S. 260 ff. (ASW V.1, S. 217 ff.) sowie GA I, S. 264 f. (ASW V.1, S. 221 f.) und GA I, S. 372, 392, 395 (ASW V.2, S. 167, 188, 190 f.).

30 Vgl. GA I, S. 266, 264 (ASW V.1, S. 223, 221).

31 So GA I, S. 264 (ASW V.1, S. 221) und GA I, S. 393 (ASW V.2, S. 189). Vgl. dazu Husserl: „Realität und Welt sind [...] Titel für gewisse gültige Sinneseinheiten" (in: Husserliana Bd. III/1. Den Haag 1976, S. 120).

32 Vgl. GA I, S. 265 ff., 269 ff., 276 ff., 281 ff. (ASW V.1, S. 222 ff., 226 ff., 233 ff., 238 ff.) sowie GA I, S. 397 (ASW V.2, S. 192 f.).

33 Vgl. GA I, S. 380 ff. sowie die Studien über den „Fremden" und den „gut informierten Bürger" (GA II, S. 53 ff. und 85 ff.).

34 Vgl. GA I, S. 355 ff. (ASW V.2, S. 150 ff.). Diese Typologie sog. kleiner, mittlerer und großer Transzendenzen ist von Th. Luckmann (1980, S. 56 ff. und Schütz/Luckmann, Strukturen ... Bd. II, S. 139 ff.) ausgearbeitet worden.

35 Vgl. Husserl, Cartesianische Meditationen. In: Husserliana Bd. I. Den Haag 1950, §§ 49–54 und: Ideen II. In: Husserliana Bd. IV. Den Haag 1952, §§ 43–50. Auch Schütz: GA I, S. 339 ff. (ASW V.2, S. 135 ff.).

36 Innerhalb dieses Prozesses lassen sich wiederum mehrere Ebenen unterscheiden: Apperzeptions-, Appräsentations-, Verweisungs- und Rahmenoder Deutungsschema (GA I, S. 345; jetzt: ASW V.2, S. 140 f.).

37 GA I, S. 376 und 338 (ASW V.2, S. 172 und 133).

38 Vgl. GA I, S. 353 ff., 376 (ASW V.2, S. 148 ff., 172).

39 GA I, S. 339, 380 ff., 396 ff. (ASW V.2, S. 134, 176 ff., 192 ff.). Schütz bezieht sich hier auf E. Cassirers Bestimmung des Menschen als „animal symbolicum".

40 Für die Dominanz des „pragmatischen Motivs": GA I, S. 239 (ASW V.1, S. 191) und GA I, S. 354 (ASW V.2, S. 149) sowie: SAW S. 49 (1932, S. 36).

41 Vgl. im „Relevanz"-Buch (1971), S. 56 ff., 59, 110 f.

42 Vgl. Garfinkels Prinzip der „Indexikalität", in: ders., Studies in Ethnomethodology, 1967, S. 4 f.

43 Vgl. „Relevanz"-Buch, S. 56 ff.; zsfd. GA III, S. 158 ff. (ASW V.1, S. 354 ff.).

44 Vgl. bes. GA I, S. 30 f., 41 ff.

45 GA I, S. 5 („fallacy of misplaced concreteness").

46 Vgl. bes. GA I, S. 28, 39 sowie zsfd. GA I, S. 49 f. und GA II, S. 20 f., 44 ff.

47 Vgl. dazu auch: Grathoff, R. (1989), S. 58–60, 112–121 sowie den Beitrag von Th. Eberle in: Bäumer/Benedikt Hrsg., 1993, S. 293–320.

48 Vgl. Endreß, M./Srubar, I.: Sociology in Germany. In: Embree, L. et al. Eds., Encyclopedia of Phenomenology. Dordrecht/Boston/London 1997, S. 650–655.

49 Vgl. Endreß, M., Die Alfred Schütz Werkausgabe. In: Jahrbuch für Soziologiegeschichte 1995, Opladen 1999, S. 283–312.

50 Die gesamte wissenschaftliche Bibliothek von Alfred Schütz sowie Kopien resp. Mikroverfilmungen seines Nachlasses sind im Sozialwissenschaftlichen Archiv (Alfred Schütz Gedächtnisarchiv) der Universität Konstanz verfügbar.

Autorinnen und Autoren

Maurizio Bach, geb. 1953, Privatdozent für Soziologie, Universität Konstanz. *Buchveröffentlichungen*: Die charismatischen Führerdiktaturen. Drittes Reich und italienischer Faschismus im Vergleich ihrer Herrschaftsstrukturen, 1990; Die Bürokratisierung Europas. Verwaltungseliten, Experten und politische Legitimation in der Europäischen Union, 1999.

Cornelius Bickel, geb. 1945, Akademischer Rat, Institut für Soziologie, Christian-Albrechts-Universität zu Kiel. *Buchveröffentlichung*: Ferdinand Tönnies. Soziologie als skeptische Aufklärung zwischen Historismus und Rationalismus, 1991.

Michael Bock, geb. 1950, Professor für Kriminologie, Jugendstrafrecht, Strafvollzug und Strafrecht, Johannes Gutenberg-Universität in Mainz. *Buchveröffentlichungen*: Soziologie als Grundlage des Wirklichkeitsverständnisses, 1980; Kriminologie als Wirklichkeitswissenschaft, 1984; Recht ohne Maß, 1988; Kriminologie, 1995.

Lord Ralf Dahrendorf, geb. 1929, Mitglied des House of Lords. *Buchveröffentlichungen*: Marx in Perspektive, 1953; Soziale Klassen und Klassenkonflikt in der industriellen Gesellschaft, 1957 (erweiterte engl. Ausg.: Class and Class Conflict in Industrial Society, 1959); Homo sociologicus, 1959; Pfade aus Utopia. Arbeiten zur Theorie und Methode der Soziologie, 1967; Die neue Freiheit, 1975; Betrachtungen über die Revolution in Europa, 1990; LSE: A History of the London School of Economics 1895–1995, 1995.

Martin Endreß, geb. 1960, Wissenschaftlicher Mitarbeiter, Universität Tübingen.

Rainer Geißler, geb. 1939, Professor für Soziologie, Universität-Gesamthochschule Siegen. *Buchveröffentlichungen*: Massenmedien, Basiskommunikation und Demokratie, 1973; Interessenartikulation in schweizerischen Massenmedien, 1975; Junge Deutsche und Hitler, 1981; Soziale Schichtung und Lebenschancen in Deutschland, 2. Aufl. 1994; Die Sozialstruktur Deutschlands, 2. Aufl. 1996.

Hans Joas, geb. 1948, Professor für Soziologie unter besonderer Berücksichtigung Nordamerikas, Freie Universität Berlin, ordentliches Mitglied der Berlin-Brandenburgischen Akademie der Wissenschaften *Buchveröffentlichungen*: Die gegenwärtige Lage der soziologischen Rollentheorie, 3. Aufl. 1978; Praktische Intersubjektivität. Die Entwicklung des Werkes von G. H. Mead, 2. Aufl. 1989; Soziales Handeln und menschliche Natur. Anthropologische Grundlagen der Sozialwissenschaften, 1980 (mit A. Honneth); Wissenschaft und Karriere, 1987 (mit M. Bochow); Pragmatismus und Gesellschaftstheorie, 1992; Die Kreativität des Handelns, 2. Aufl. 1996; Die Entstehung der Werte, 1997.

Dirk Kaesler, geb. 1944, Professor für Allgemeine Soziologie, Philipps-Universität Marburg. *Buchveröffentlichungen*: Wege in die soziologische Theorie,

1974; Revolution und Veralltäglichung. Eine Theorie postrevolutionärer Prozesse, 1977; Einführung in das Studium Max Webers, 1979; Die frühe deutsche Soziologie 1909 bis 1934 und ihre Entstehungs-Milieus. Eine wissenschaftssoziologische Untersuchung, 1984; Soziologische Abenteuer. Earle Edward Eubank besucht europäische Soziologen im Sommer 1934, 1985; Der politische Skandal. Zur symbolischen und dramaturgischen Qualität von Politik, 1991; Soziologie als Berufung. Bausteine einer selbstbewussten Soziologie, 1997. Max Weber. Eine Einführung in Leben, Werk und Wirkung, 2. Aufl. 1998.

David Kettler, geb. 1930, Professor Emeritus, Political Studies, Trent University, Peterborough, Kanada, Scholar in Residence, Bard College, Annandale, New York, U.S.A. *Buchveröffentlichungen*: The Social and Political Thought of Adam Ferguson, 1965; Marxismus und Kultur: Mannheim und Lukács in den ungarischen Revolutionen 1918/19, 1967; Intellectuellen Tussen Macht en Wetenschap, 1973 (mit G. van Benthem van den Bergh); Karl Mannheim, 1984 (mit V. Meja und N. Stehr), Dt. Fassung: Politisches Wissen: Studien zu Karl Mannheim, 1989; Karl Mannheim and the Crisis of Liberalism, 1995 (mit V. Meja).

Hermann Korte, geb. 1937, Professor für Soziologie, Universität Hamburg, Mitglied des P.E.N.-Clubs. *Buchveröffentlichungen*: Eine Gesellschaft im Aufbruch. Die Bundesrepublik in den 60er Jahren, 1987; Über Norbert Elias. Vom Werden eines Menschenwissenschaftlers, 1988/1997; Provinz und Metropole. Essays von der Nützlichkeit der Soziologie, 1990; Einführung in die Geschichte der Soziologie, 4. Aufl. 1998.

Hans Leo Krämer, geb. 1936, Professor für Soziologie, Universität des Saarlandes. *Buchveröffentlichungen*: Die fraternitäre Gesellschaft. Claude-Henri de Saint-Simon, 1968; Zur industriellen Theorie der französischen Frühsoziologie, 1971; Soziale Schichtung, 1983; Französische Bildungs- und Erziehungssoziologie, 1985; Die Arbeitswelt in Schulbüchern, 1992; L'actualité de Durkheim, sociologue de l'éducation en Allemagne, 1993; Zur Theorie und Empire der Erziehungssoziologie, 1995.

Michael Kunczik, geb. 1945, Professor für Publizistikwissenschaft, Johannes Gutenberg-Universität in Mainz. *Buchveröffentlichungen*: Führung – Theorien und Ergebnisse, 1972; Gewalt im Fernsehen, 1975; Massenkommunikation, 2. Aufl. 1979; Brutalität aus zweiter Hand, 1978; Kommunikation und Gesellschaft, 1984; Massenmedien und sozialer Wandel in Ländern der Dritten Welt, 1985; Communication and Social Change, 4th ed., 1993; Gewalt und Medien, 4. Aufl., 1998; Concepts of Journalism. North and South, 1988; Journalismus als Beruf, 1988; Die manipulierte Meinung, 1990; Public Relations: Konzepte und Theorien, 3. Aufl., 1996; Images of nations and international public relations, 1997; Geschichte der Öffentlichkeitsarbeit in Deutschland, 1997; Media Giants. Ownership concentration and globalisation, 1997.

Rolf Lindner, geb. 1945, Professor für Europäische Ethnologie, Humboldt-Universität zu Berlin. *Buchveröffentlichungen*: Das Gefühl von Freiheit und Abenteuer. Ideologie und Praxis der Werbung, 1977; Sind doch nicht alles Beckenbauers. Zur Sozialgeschichte des Fußballs im Ruhrgebiet, 3. Aufl. 1982 (mit Heinrich Th. Breuer); Die Entdeckung der Stadtkultur. Soziologie aus der Erfahrung der Reportage, 1990; Die Wiederkehr des Regionalen,

1994; „Wer in den Osten geht, geht in ein anderes Land". Die Settlement-
bewegung in Berlin zwischen Kaiserreich und Weimarer Republik, 1997.

Volker Meja, geb. 1940, Professor of Sociology, Memorial University of New-
foundland, St. John's, Kanada. *Buchveröffentlichungen*: Wissenssoziologie,
1981 (mit N. Stehr); Der Streit um die Wissenssoziologie, 1982 (mit
N. Stehr); Society and Knowledge, 1986 (mit N. Stehr); Karl Mannheim,
1984 (mit D. Kettler und N. Stehr); dt. Fassung: Politisches Wissen: Studien
zu Karl Mannheim, 1989; Modern German Sociology, 1989; Knowledge and
Politics, 1990 (mit N. Stehr); Karl Mannheim and the Crisis of Liberalism,
1995 (mit D. Kettler).

Thomas Meyer, geb. 1958, Wissenschaftlicher Mitarbeiter, Fachbereich 1/
Soziologie, Universität-Gesamthochschule Siegen. *Buchveröffentlichung*:
Modernisierung der Privatheit, 1992.

Hans-Peter Müller, geb. 1951, Professor für Allgemeine Soziologie, Humboldt-Universität zu Berlin, *Buchveröffentlichungen*: Herrschaft und Legitimität in modernen Industriegesellschaften, 1980 (mit M. Kopp); Wertkrise
und Gesellschaftsreform. Emile Durkheims Schriften zur Politik, 1983;
Sozialstruktur und Lebensstile. Der neuere theoretische Diskurs über soziale Ungleichheit, 1992.

Birgitta Nedelmann, geb. 1941, Professorin für Soziologie, Johannes Gutenberg-Universität Mainz. *Buchveröffentlichungen*: Rentenpolitik in Schweden, 1982; Sociology in Europe, 1993 (mit P. Sztompka); Politische Institutionen im Wandel, 1995.

Erhard Stölting, geb. 1942, Professor für Allgemeine Soziologie, Universität
Potsdam. *Buchveröffentlichungen*: Wissenschaft als Produktivkraft. Die
Wissenschaft als Moment des gesellschaftlichen Arbeitsprozesses, 1974;
Mafia als Methode, 1983; Akademische Soziologie in der Weimarer Repu-
blik, 1986; Eine Weltmacht zerbricht: Nationalitäten und Religionen in der
UdSSR, 1990/1991.

Personenregister